讀論語大全說 Ⅰ

독논어대전설

독논어대전설 I

초판 1쇄 인쇄 2013년 5월 24일
초판 1쇄 발행 2013년 5월 31일

지은이 왕부지
옮긴이 이영호
편집인 신승운(동아시아학술원)
성균관대학교 동아시아학술원 02)760-0781~4
펴낸이 김준영
펴낸곳 성균관대학교 출판부 02)760-1252~4
등 록 1975년 5월 21일 제1975-9호
주 소 110-745 서울특별시 종로구 성균관로 25-2

ISBN 978-89-7986-976-7 94150
978-89-7986-833-3 (세트)

• 본 출판물은 2007년 정부(교육과학기술부)의 재원으로
한국연구재단(구 학술진흥재단)의 지원을 받아
수행된 연구임(NRF-2007-361-AL0014).

讀論語大全說 I

독논어대전설

王夫之 著
李昤昊 譯註

성균관대학교 출판부

동아시아자료총서 11

| 차례 |

학이편(學而篇)

위정편(爲政篇)

팔일편(八佾篇)

이인편(里仁篇)

공야장편(公冶長篇)

옹야편(雍也篇)

술이편(述而篇)

태백편(泰伯篇)

자한편(子罕篇)

향당편(鄕黨篇)

학이편

學而篇

제1장

공자 : "배우고 항상 익히면 기쁘지 않겠느냐! 벗이 멀리서 찾아온다면 즐겁지 않겠느냐! 남이 알아주지 않더라도 답답해하지 않는다면 군자(君子)가 아니겠느냐!"

子曰 學而時習之 不亦說乎 有朋自遠方來 不亦樂乎 人不知而不慍 不亦君子乎

1

『논어(論語)』를 읽는 데는 별도의 방법이 있으니, 『대학(大學)』·『중용(中庸)』·『맹자(孟子)』와 같지 않다. 『논어』는 성인(聖人)의 '위로도 통하고 아래로도 통하는 말씀[徹上徹下語]'을 기록해 놓은 것이니, 반드시 이 책에서 '아래로 인사를 배우고, 위로 천리에 도달하는[下學人事 上達天理]' 것의 같은 가운데의 다른 점과 다른 가운데의 같은 점을 간파해야 할 것이다.

예컨대 '학이시습지(學而時習之)' 한 장[1]과 같은 경우, 성인의 본분에도 이 세 가지의 일이 있으니, 성인은 수시로 익히니[時習] 저절로 기쁘고[說], 벗이 찾아오니[朋來] 저절로 즐겁고[樂], 섭섭하게 여기지 않으니[不慍] 본래부터 이미 군자(君子)다운 마음을 가지고 있다. 한편 초학자의 경우에도 이런 세 가지의 일이 있으니, 초학자는 단지 수시로 익힐 적에만 곧 기쁘고, 벗이 찾아와야만 곧 즐겁고, 섭섭하게

1) '학이시습지(學而時習之)' 한 장 : 『논어』「학이」 제1장의 내용을 가리키며, 원문은 다음과 같다. "子曰 學而時習之 不亦說乎 有朋自遠方來 不亦樂乎 人不知而不慍 不亦君子乎"

여기지 않을 적에만 군자다운 마음을 갖게 된다.

또한 수시로 익히고 벗이 찾아오고 섭섭하게 여기지 않아서 이에 기뻐하고 즐거워하고 군자가 된다면, 배우는 자는 안으로는 그 마음을 편안히 할 수 있고 밖으로는 그 몸을 완성할 수 있어서 온전하게 모두 갖추어 부족함이 없을 것이다. 그리고 수시로 익힌 이후에 기뻐하고, 벗이 찾아온 뒤에 즐거워하고, 섭섭하게 여기지 않은 뒤에 군자가 된다면, 배우는 자들은 외물(外物)에서 '기쁨[說]'과 '즐거움[樂]'을 추구하지 않아서 덕을 완성하기를 기대할 수 있을 것이다.

또한 배우는 자들이 공부를 하는 목적은 기쁨과 즐거움을 구하거나 군자가 되려고 하는 데 있다. 그렇다면 반드시 여기에서 터득함이 있어야 하니, 마땅히 '익힘[習]'에 스스로 힘쓰고, '벗[朋]'에게서 유익함을 넓히며, 남이 나를 '알아주고[知]'·'알아주지 않는[不知]' 것으로써 마음이 동요되지 않아야 한다. 이렇게 할 수 있다면 진정 초학자가 덕으로 들어가는 문을 열어젖힌 것이라 할 수 있다. 그리고 '기쁘다[說]'고 말했으니 천리(天理)를 회복함이 극진한 것이고, '즐겁다[樂]'고 말했으니 천리의 유행이 드러난 것이며, '군자이다[君子]'라고 말했으니 천덕(天德)의 응축된 바가 지극한 것이다. 그러므로 이 구절은 곧 성인이 되는 공부를 총괄한 것이다.

과연 학문을 하면 익히는 것을 저절로 그만둘 수 없게 될 것이며, 벗이 저절로 찾아올 것이며, 남들이 알아주지 않더라도 저절로 섭섭함을 느끼지 않게 될 것이니, 덕은 곧 그침이 없는 경지에서 완성될 것이다. 그러나 배우되 익히지 않고 익히되 수시로 하지 않으며 수시로 익히되 미루어 남에게 미칠 수 없다면, 벗을 얻는 것으로만 즐거움을 삼아서 남이 알아주지 않으면 섭섭함을 느끼는 바가 있게 될 것이니, 이 또한 학자들에게 통용되는 병폐이다. 그러므로 반드시 수시로 익혀야만 벗이 찾아오는 즐거움을 얻게 될 것이고, 즐거움이 벗이 찾아오는 데 있게 되면 남이 알아주지 않더라도 섭섭하게 여기지 않을 것이다. 이렇게 해야만 '기쁨[說]'과 '즐거움[樂]'을 소유하여 덕이 완성될 것이니, '기쁨'과 '즐거움'과 '군자'는 곧 '수시로 익힘'과 '벗이 찾아옴'과 '섭섭하게 여기지 않음'의 효과가 드러난 것이다. 그러나 기쁘거나 즐겁거나 군자가 될 수 없다면 학문을 말하기에 부족하니, 이는 배우는 자가 반드시 도달해야 하는 공부를 기록한 것이다.

공자는 자신이 터득한 바에 나아가 간략하게 이 몇 마디 말로 표현하고, 거기에다 감탄을 덧붙여 배우는 자들로 하여금 하루라도 배움에 힘을 써 일찍 근원의 오묘함을 만나 종신토록 배움의 과정을 따르게 하였다. 그렇지만 자신이 터득한 바의 깊은 경지를 다 표현하지는 않았다. 이같은 성인의 말씀은 행하는 바가 하늘처럼 세상을 덮어 주고 땅처럼 만물을 실어 주며, 상하(上下)가 일치하고 처음과 끝이 궤도를 같이하게 한다. 따라서 이단(異端)이 권도(權道)와 실리(實利)를 추구하여 양(羊)의 머리를 내걸어 놓고 개의 넓적다리를 파는 것과는 같지 않다. 『논어집주(論語集註)』[2]는 여러 학설들을 아울러 채집하여 한쪽으로 기울지 않았으니, 완비했다고 할 수 있다. 그러나 또한 이와 같이 여러 설을 모아 놓는 데에서 그쳤을 따름이다. 이는 예컨대 쌍봉 요씨(雙峰饒氏)[3]가 이른바 "기쁨이 깊어진 뒤라야 즐거울

---

2) 『논어집주(論語集註)』: 원문에는 '집주(集註)'라고 되어 있는데, 뒷 문장에서 『논어집주(論語集註)』의 소주를 집중 비판한 것으로 보아, 이는 『논어집주대전(論語集註大全)』을 가리키는 것으로 보는 것이 타당할 듯하다.

3) 쌍봉 요씨(雙峰饒氏): 남송 때 경학가 요로(饒魯 ? - ?)를 가리킴. 자는 백여(伯輿)·중원(仲元)이며, 쌍봉(雙峰)은 그의 호임. 일찍이 황간(黃榦)을 사사하여 주자의 이학(理學)을 계승하였다. 『오경강의(五經講義)』·『논맹기문(論孟紀聞)』 등을 저술하였으나 현재 대부분 전하지 않고, 지금은 『백록서원교규(白鹿書院教規)』·『정동이선생학칙(程董二先生學則)』 등에 일부가 남아 있을 뿐이다.

수 있고, 즐거움이 깊어진 뒤라야 남이 알아주지 않더라도 섭섭하게 여기지 않을 수 있다."[4]고 한 데서 알 수 있으니, '수시로 익히는' 데서 오는 기쁨과 '벗이 찾아오는' 데서 생기는 즐거움을 얻은 바의 얕고 깊음으로 한결같이 나누어 놓았다. 그리하여 외면의 즐거움을 내면의 기쁨보다 중시하여 '벗이 찾아오는' 데서 생기는 즐거움을 '남이 알아주지 않으면 섭섭하게 여기는' 데로 연결시켜 놓았다. 이는 세속인의 일반적인 마음이지, 성인의 심덕(心德)은 아니다.

또 소주(小註)에는 이 세 단락의 문장을 처음과 중간과 끝의 세 시기로 나누었으니[5], 더욱 우스꽝스러운 논리이다. 벗이 찾아온 뒤에라도 어찌 수시로 익히는 것을 일삼음이 없겠는가? '다른 사람이 알아주지 않는 것'이 어찌 벗이 아직 찾아오지 않았기 때문에 말한 것이 아님을 알겠는가? 오로지 '수시로 익히는 것[時習]'만을 위주로 한 운봉 호씨의 설과 같은 경우[6]는, 즐겁게 행함으로써 근심에서 벗어나고, 남을 이루어 줌으로써 자신을 이루고, 땅에서 편안함으로써 하늘의 이치를 즐기는 것이 성현(聖賢)이 자신을 위하는 실제 공부임을 알지 못한 것이다. 그는 단지 배우고 질문하고 생각하고 분별하는 것만으로 성인의 학문을 규정하여 왜소하게 만들었으니, 그 비루함이 심하도다!

『논어』 한 책은 그 본의(本義)가 무궁하니 참으로 덜어낼 수 없고,

---

4) 기쁨이……있다 : 쌍봉 요씨의 설은『논어집주대전(論語集註大全)』「학이(學而)」제1장 세 번째 단락의 주자주 '程子曰 雖樂於及人……' 다음의 소주에 보인다.

5) 소주(小註)……나누었으니 :『논어집주대전(論語集註大全)』「학이」제1장 첫째 단락 주자주 '說 喜意也……' 다음의 소주 주자의 설에 '此 學之始也'라 하였고, 둘째 단락의 주자주 '朋 同類也……' 다음의 소주 주자의 설에 '此 學之中也'라 하였으며, 셋째 단락의 주자주 '愚謂及人……' 다음의 소주 주자의 설에 '此 學之終也'라 하였다. 이는 곧 주자의 설을 말한다.

6) 운봉 호씨의……경우 : 운봉 호씨의 학설은『논어집주대전』「학이」제1장 세 번째 단락의 주자주 "然德之所以成, 亦曰學之正……"의 아래 소주에 있으며, 그 내용은 다음과 같다. "雲峯胡氏曰 此章 重在第一節 而第一句時習二字 最重……"

성인의 뜻에 옳지 않게 여긴 것에 대해서도 보탤 수가 없다. 이단(異端)의 사이비(似而非)를 멀리하고 세속인의 억측에 의해 적중되기를 바라는 마음을 버리면, 거의 그 본의를 얻을 것이다.(讀論語須是別一法在 與學庸孟子不同 論語是聖人徹上徹下語 須于此看得下學上達 同中之別 別中之同 如學而時習之一章 聖人分中亦有此三種 時習則自說 朋來則自樂 不慍則固已君子 初學分中亦有此三種 但時習卽說 但朋來卽樂 但不慍則已爲君子 又時習朋來而不慍 斯說樂而君子 則學者內以安其心 外以成其身 渾然具足而無所歉 抑時習而已說朋來而已樂 不慍而已君子 則學者可無求說樂於外物 而他有待以成其德 且學者之於學 將以求說樂也 將以爲君子也 乃必於此而得之 則亦當自勉於習 廣益於朋 而無以知不知動其心 固可以開初學入德之門 乃言乎說而天理之來復者盡矣 言乎樂而天理之流行者著矣 言乎君子而天德之攸凝者至矣 則亦可以統作聖之功 果其爲學 則習自不容中止 朋自來 不知自不慍 德卽成於不已 然學而不習 習而不時 時習而不能推以及人 得朋爲樂 而不知則有所慍 亦學者之通病 故必時習而抑有以得夫朋來之樂 樂在朋來而抑不以不知爲慍 乃以有其說樂 而德以成 則說樂君子所以著時習朋來不慍之效 然非其能說能樂能爲君子要不足以言學 則亦以紀學者必至之功 夫子只就其所得者 約略著此數語 而加之以詠歎 使學者一日用力於學 早已有逢原之妙 終身率循於學 而不能盡所得之深 此聖人之言 所爲與天同覆 與地同載 上下一致始終合轍 非若異端之有權有實 懸羊頭賣狗腿也 集註兼采衆說 不倚一端 可謂備矣 然亦止於此而已矣 他如雙峰所云說之深而後能樂 樂之深而後能不慍 則時習之說 與朋來之樂 一似分所得之淺深 而外重於中以朋來之樂遺不知之慍 尤爲流俗之恆情 而非聖人之心德 又小註爲此三段立始中終三時 尤爲戲論 朋來之後 豈遂無事於時習 安見人不知者

非以朋之未來言耶 至於專挈時習爲主 如雲峰之說 則直不知樂行憂違成物以成己 安土而樂天 爲聖賢爲己之實功 而但以學問思辨 槩聖學而小之 則甚矣其陋也 論語一部 其本義之無窮者 固然其不可損 而聖意之所不然 則又不可附益 遠異端之竊似 去俗情之億中 庶幾得之)

2

『논어』 경문(經文)의 '학(學)'자는 배우는 대상으로서의 일과 배우는 공부를 아울러 말한 것인데, 두루 포괄함이 '수시로 익히는 것[時習]'으로 통하는 까닭에 모두 '학(學)'으로써 말한 것이다. 『논어집주』의 "이미 배운 뒤에 또 수시로 익힌다.[旣學而又時時習之]"[7]고 할 때의 '학(學)'자는 단지 처음 학문에 종사하는 자들을 위해 말한 것이다. 그런데 이 글에서 '기(旣)'자와 '우(又)'자는 모두 경문의 '시(時)'자에 의미가 연결되어 있다. 그러므로 『논어집주』의 해석은 큰 흠이 없다. 그러나 소주(小註)에 실려 있는 주자의 말[8]은, 배움이 그 자체로 하나의 일이 되고 익힘도 그 자체로 하나의 일이 되는 듯하니, 이렇게 되면 바로 착오를 일으키게 된다. 호씨(胡氏)[9]의 설은 이 구절을 파헤쳐

7) 이미……익힌다 : 이 구는 『논어집주』 「학이」 제1장의 두 번째 단락 아래의 주자주에 보인다.

8) 소주(小註)에……말 : 『논어집주대전』의 소주에서 주자는 '학(學)'과 '습(習)'을 연속적 내지 동일한 개념으로 파악하고 있다. 그런데 『논어집주대전』 「학이」 제1장 주자주 "習 鳥數飛也……" 아래의 다섯 번째 소주에서는 이 둘을 별개의 것으로 보아 "未知未能 而求知求能之謂學 已知已能 而行之不已之謂習"이라고 하였다.

9) 호씨(胡氏) : 송대 경학자인 호영(胡泳)을 가리킴. 자는 백량(伯量)이고, 호는 동원(洞

서[10]『논어집주』의 뜻을 분명히 하였다. 『논어집주』에서 “반드시 먼저 깨달은 사람의 하는 것을 본받아야, 선을 밝히고 그 처음을 회복할 수 있다.[必效先覺之所爲, 乃可以明善而復其初]”[11]고 했는데, 이 문장이 어찌 배운 것을 한 번 잠시 시험함을 의미하는 것이겠는가? ‘수시로 익힌다[時習]’는 것은 ‘옛 것을 익혀서 새 것을 안다[溫故知新]’는 의미가 내재되어 있으므로, 그 옛날 들은 것을 익히는 것일 뿐만이 아니다.

배움이란 마주하여 묻고 생각하고 수양하는 것을 말하니, 곧 강습하고 토론하는 것이다. 『논어』의 ‘학이시습지(學而時習之)’의 ‘학(學)’자는, 『대학(大學)』의 ‘대학지도(大學之道)’의 ‘학(學)’자와 동일하니, 그 포괄함이 넓고도 크다. 그러므로 사상채(謝上蔡)[12]가 “앉을 때는 시동(尸童)과 같이 하고, 서 있을 때는 재계(齊戒)하는 듯이 한다.”[13]고 말한 것이다. 어제 시동과 같이 앉아 있고 재계하듯이 서 있었던 것은 어제의 일이고, 오늘 앉아 있고 서 있는 것은 또 오늘 일이다. 일이 이처럼 무궁하니, 도(道)도 저절로 끝이 없다. 어찌 오늘 앉아 있고 서 있는 것이, 어제 시동과 같이 앉아 있고 재계하듯이 서 있

源)이다. 일찍이 주자를 사사하여 경학에 힘썼으며, 저술로는 『사서연설(四書衍說)』이 있다.

10) 호씨(胡氏)의……제거 : 호씨는 『논어집주대전』「학이」 제1장 첫 번째 단락의 주자주 “習 鳥數飛也……” 아래의 여섯 번째 소주에서 “胡氏曰 學之不已者 學與習 非二事也”라고 하여, ‘학(學)’과 ‘습(習)’을 하나의 일로 보았다.

11) 반드시…… 있다 : 이 구절은 『논어집주』「학이」 제1장 첫 번째 단락 아래의 주자주에 나온다.

12) 사상채(謝上蔡) : 북송의 경학가인 사량좌(謝良佐 1050-1103)를 가리킴. 자는 현도(顯道)이며, 상채 사람으로 이정자(二程子)에게서 배워 후일 유초(游酢)·여대림(呂大臨)·양시(楊時)와 더불어 정문사선생(程門四先生)의 일원이 되었기에 당시 사람들이 상채 선생이라 불렀다. 사량좌의 학문은 주자에게 큰 영향을 끼쳤으나, 한편으로는 선(禪)에 경도되었다고 주자에 의해 비판을 받기도 하였다. 저술로는 『상채어록(上蔡語錄)』·『논어해(論語解)』 등이 있다.

13) 앉을……한다 : 이 구절은 『논어집주』「학이」 제1장 첫 번째 단락 아래의 주자주에 나온다.

는 자세를 익혔기 때문이겠는가?

풍후재(馮厚齋)[14]는 오로지 '학(學)'자를 강습과 토론으로 설명하였는데[15], 오늘날 경학가들은 '익히다'라는 뜻으로만 풀이하고 있다. 이는 속학(俗學)으로 성학(聖學)과는 크게 구별되는 것이니, 양자는 조금도 서로 용납될 수 없다. 『논어집주(論語集註)』의 '기학(旣學)'의 '학(學)'자가 실로 경문(經文)의 '학(學)'자를 설명한 것이 아님을 안다면, 이 의문은 얼음 녹듯이 풀릴 것이다.(本文一學字 是兼所學之事與爲學之功言 包括原盡 徹乎時習而皆以云學 若集註所云旣學而又時時習之一學字 則但以其初從事於學者而言耳 旣字 又字 皆以貼本文時字 故集註爲無病 小註所載朱子語 則似學自爲一事 習自爲一事 便成差錯 胡氏之說 自剔得集註分明 集註云必效先覺之所爲 乃可以明善而復其初 此豈暫一嘗試於學之謂乎 時習兼溫故知新在內 非但溫理其舊聞而已 學有對問對思對修而言者 講習討論是也 此學字與大學之道學字同 該括廣大 故上蔡以坐如尸 立如齊言之 昨日之坐尸 立齊者 自昨日事 今日之坐立 又今日事 事無窮 道自無窮 豈今日之坐立 以溫理昨日之如尸 如齊者乎 馮厚齋專就講習討論上說 只作今經生家溫書解 此俗學聖學大別白處 不容草次 知集註旣學之學 非實詮本文學字 則此疑冰釋矣)

---

14) 풍후재(馮厚齋) : 송대의 경학가 풍의(馮椅 ? - ?)를 가리킴. 자는 기지(奇之)·의지(儀之)이며, 후재(厚齋)는 그의 호임. 주자를 사사하여 역학(易學)에 조예가 깊었고, 『후재역학(厚齋易學)』·『주역집설명해(周易輯說明解)』·『공자제자전(孔子弟子傳)』 등의 저술을 남겼다.

15) 오로지……설명하였는데 : 『논어집주대전』 「학이」 제1장의 소주에는 후재 풍씨(厚齋馮氏)의 설이 단 한 번 나온다. 그런데 여기서 후재 풍씨는 "厚齋馮氏曰 習 鳥鷇欲離巢而學飛之稱 學 謂學之於己 習 謂習其所學 時時而習 恐其忘也 凡曰而者 上下二義 學一義也 習一義也"라고 하여, 학(學)을 강습과 토론으로 규정하지 않고 배움의 의미 정도로 풀이하였다. 그러므로 왕부지의 이 인용이 어디에 근거했는지는 상세히 고찰할 수 없다.

제2장

유자(有子) : "그 사람 효도(孝道)하고 공손(恭遜)한데, 윗사람에게 대들기를 좋아하는 자 드물 것이다. 윗사람에게 덤비기를 좋아하지 않는데, 난리 일으키는 것을 좋아하겠는가! 군자는 근본을 세우는 데 힘을 쓰니, 근본이 확립되면 모든 길이 여기에서 생겨나는 것이다. 효도와 공손함은 바로 인의 근본이라고 할 수 있다."

有子曰 其爲人也孝弟 而好犯上者鮮矣 不好犯上 而好作亂者未之有也 君子務本 本立而道生 孝弟也者 其爲仁之本與

3

앞 문장과 뒷 문장에 모두 '효제(孝弟)'를 말하였는데[16], 주자는 앞 문장에 말한 '효제'는 '자질이 좋은 사람'이라고 하였다.[17] 그렇다면 앞 문장과 뒷 문장의 '효제(孝弟)'의 뜻을 나누어 본 것인데, 앞의 말은 용이(容易)하고 뒤의 말은 정중(鄭重)하다. 이 때문에 김인산(金仁山)[18]은 "앞 단락의 '효제(孝弟)'는 자질(資質)로서 말한 것이고, 뒷 단락의 '효제'는 배우는 것으로서 말한 것이다."[19]라고 하였다. 그런데

16) 앞……말하였는데 : 『논어』「학이」 제2장은 두 단락으로 이루어져 있으며, 각 단락마다 '효제(孝弟)'를 언급하고 있다. 그 전문은 다음과 같다. "有子曰 其爲人也孝弟 而好犯上者 鮮矣 不好犯上 而好作亂者 未之有也" "君子務本 本立而道生 孝弟也者 其爲仁之本與"

17) 주자는……하였다 : 이 문장은 『논어집주대전(論語集註大全)』「학이」 제2장의 '若上文所謂……' 다음의 소주에 보인다.

18) 김인산(金仁山) : 송말원초의 학자인 김이상(金履祥 1232-1303)을 가리킴. 자는 길부(吉父), 호는 차농(次農)으로 송나라가 망하자 인산(仁山)에 은거하였으므로 '인산선생(仁山先生)'이라 불리었다. 주돈이(周敦頤)·정호(程顥)의 학문을 계승하였으며, 『논어맹자집주고증(論語孟子集注考證)』·『대학장구소의(大學章句疏義)』 등의 저술을 남겼다.

19) 앞……것이다 : 이 구절은 『논어집주대전』의 소주에 나오지 않고, 김이상(金履祥)의 저술인 『논어집주고증(論語集注考證)』 권1, '유자왈(有子曰)'조 아래에 보인다.

『논어집주』에서는 바로 '윗 문장의 이른바 효제이다'[20]라고 하였으니, 또한 구분이 없는 듯하다. 이 때문에 신안 진씨(新安陳氏)[21]는 "잘 섬기는 가운데 무한히 잘하기는 어려운 점이 있다."[22]고 하였다.

진실을 따져 보자면, 주자가 "앞 문장의 '효제(孝弟)'는 자질이 좋은 사람을 가리킨다."고 말한 것은 흠이 없다. 그러나 김인산(金仁山)이 '뒷단락의 효제는 배우는 측면에서 언급한 것이다'라고 말한 것은 어불성설이다. 이 점은 쉽게 이해할 수 있으니, 세상에 어찌 효제를 배워서 익힌다고 말할 수 있겠는가? 배움이란 뒤에 깨닫는 자가 앞에 깨달은 자의 행동을 본받는 것이다.[23] 그러므로 효제가 이렇듯 앞사람의 행동을 본받기만 하는 것이라면, 호리병을 그릴 때 옛 사람이 그려 놓은 형상을 본뜨기만 하는 것과 다름이 없으니, 제대로 될 리가 없을 것이다. 비록 도를 다해 어버이를 섬기는 일을 하는 자에게 일찍이 배운 바가 없다고는 할 수 없으나, 이 배움은 단지 본성을 극진히 하는 공부를 돕는 것일 뿐이니, 이는 돕는 것이지 주가 되는 것은 아니다. 효도하는 자식이 되고 공손한 자제가 되는 것은 다만 '불효(不孝)'와 '부제(不弟)'를 멀리하는 데 힘쓰면 될 뿐이니, 앞사람의 효도를 본받고 공경함을 본받는 마음이 있어야 되는 것은 아니다. 때문에 본받는다고만 하면 '효제'라고 이름 붙일 수가 없다. 그런데도 옛 사

---

20) 윗……효제이다 : 이 구는 『논어집주』「학이」 제2장의 두 번째 단락 주자주에 나온다.

21) 신안 진씨(新安陳氏) : 송말원초의 경학가인 진력(陳櫟 1252-1334)을 가리킴. 자는 수옹(壽翁), 호는 정우(定宇)·동부노인(東阜老人)이다. 학문성향은 주자의 학문을 위주로 하면서 육상산의 심학을 아울러 취하였다. 저술로 『상서집전찬소(尙書集傳纂疏)』·『사서발명(四書發明)』 등이 있다.

22) 잘……있다 : 이 구절은 『논어집주대전』「학이」 제2장 주자주 '有子 孔子弟子 名若……' 다음의 소주에 보인다.

23) 배움이란……것이다 : 이 구절은 『논어집주』「학이」 제1장의 첫 번째 단락 주자주에 나온다.

람들은 효제를 배워야 한다고 여겼다. 이 때문에 요강(姚江)[24]은 유자(有子)의 말이 지리(支離)하다고 비웃었다. 그러나 유자가 어찌 지리한 사람이겠는가? 『논어집주』에 "'위인(爲仁)'은 '행인(行仁)'이라는 말과 같다.[爲仁猶行仁]"고 하였으니, 이는 작용의 측면에서 말한 것이다. 그러므로 소주(小註)에 "수류삼감(水流三坎)"의 비유[25]가 있으니, 이는 점진적으로 미루어 행함을 말한 것이지, 효도를 배우고 공경함을 배우는 것이 백성을 인애(仁愛)하는 것을 배우고 만물을 사랑하는 것을 배우는 것의 근본이 된다는 것은 아니다. 그러므로 『논어집주』에서는 "배우는 자는 이 효제에 힘쓴다."고 하여 다만 경문과 같이 '힘쓴다'라고 설명하였지, '배운다'라고 말하지는 않았다. '배운다[學]'는 글자와 '힘쓴다[務]'는 글자는 뜻이 본래 같지 않다. '배운다'는 것은 천하의 이치를 거두어서 마음을 유익하게 하는 것이고, '힘쓴다'는 것은 자신의 덕을 행하여 천하에 베푸는 것이다. 이것을 안다면 인을 행하는 것과 윗사람을 범하지 않는 것과 난(亂)을 일으키기를 좋아하지 않는다는 의미를 알 것이니, 이 모두 천하에 드러난 작용으로서 말하였으니, 동일한 범주이다.

대체로 이 '유자장(有子章)'은 덕을 말한 것이지, 배움을 말한 것

24) 요강(姚江) : 명나라 때 경학가이자 심학자인 왕수인(王守仁 1472-1528)을 가리킴. 자는 백안(伯安), 호는 양명(陽明)이며, 절강성 요강(姚江) 사람이다. 왕수인을 비조로 하는 학파를 양명학파(陽明學派), 또는 요강학파(姚江學派)라 한다. 심즉리(心卽理)와 치양지설(致良知說)을 내세워 양명학파를 창시함으로써 주자학파와 더불어 신유학의 양대 산맥을 형성하였다. 저서로 『대학문(大學問)』·『전습록(傳習錄)』 등이 있다.

25) '수류삼감(水流三坎)'의 비유 : 물이 흘러갈 적에 가까운 웅덩이를 채우고 나서 흘러가듯이, 인간이 인(仁)을 행함에 있어서도 자신에게 가장 가까운 부모형제로부터 백성들에 미치고, 그리고 나서 다른 사물에 차례차례 미루어 나아가야 됨을 말한 것이다. 이 구절은 『논어집주대전』「학이」 제2장의 주자주 '務 專力也……' 다음의 소주에 보이는데, 그 원문은 다음과 같다. "仁就性上說 孝弟就事上說 仁如水之源 孝弟是水流底第一坎 仁民是第二坎 愛物是第三坎也"

이 아니다. 그러므로 정자(程子)는 "'효제'는 순리(順理)의 덕이다."라고 말하였다.[26] 이 '유자장'에서 윗사람을 범하지 않는 것과 난을 일으키기를 좋아하지 않는 것은 덕의 얕은 것이고, 인을 행하는 것은 덕의 큰 것이며, 효제는 덕의 근본이다. 요컨대 이 '유자장'은 덕을 말한 것이지, 배움을 말한 것이 아니다.

'효도하고 공경하여 윗사람을 범하지 않고 난을 일으키지 않는다'는 것은 지극히 낮은 천근한 경지로 말한 것이지만, 심오한 경지가 또한 그 안에 들어 있다. 잘 섬기는 일을 능히 하기 어려우니, 윗사람을 범하지 않고 난을 일으키지 않는 지극한 마음을 미루어 나가야 된다. 이러한 자세로 문왕(文王)이 작은 나라를 복종해 섬기던 마음[27]과 주공(周公)이 붉은 신을 신고 편안하게 대처했던 마음[28]을 가지면 또한 윗사람을 침범하고 난을 일으키는 일을 면할 수 있을 것이다. 단지 그 천근한 경지에 나아가 말하면, 향리에서 자중하는 자가 법을 지키고 분수를 편안히 여긴다면 이런 경지에 참여할 수 있다. 이것이 바로 아래에서 지극하게 하여 위로 통하는 것이다.

'효제(孝弟)는 인을 행하는 근본이 된다'는 말은 최상의 경지에 나아가 크게 말한 것인데 작은 경지도 그 안에 들어 있다. '효제'는 특별하게 드러나는 것이 없고, 사람이 인척들에게 은혜를 베풀고 마을 사람들과 화목하게 지내는 데에 나아가 인애(仁愛)가 다른 사람에게까

---

26) 정자는……하였다 : 이 구절은『논어집주』「학이」제2장 두 번째 단락 주자주에 보인다.

27) 문왕이……마음 :『맹자』「양혜왕」하에 보면, 문왕이 작은 나라인 곤이(昆夷)를 섬겼다는 기록이 있다.

28) 주공이……하면 :『시경(詩經)』빈풍(豳風)「낭발(狼跋)」에 보면, "주공이 큰 아름다움으로 겸양하시니, 붉은 신을 신고 편안하시었도다.[公孫碩膚 赤舃几几]"라고 하였는데, 이는 주공이 의심과 비방을 만났으나 편안하게 대처했음을 의미한다.

지 미치고, 동면에서 깨어난 벌레를 함부로 죽이지 않고 한 줄기 바야흐로 자라나는 식물의 가지를 함부로 꺾지 않아서 그 인애가 사물에까지 미치면, 또한 인도(仁道)가 생겨나지 않음이 없을 것이다. 단지 그 큰 경지에 나아가 말하면, 군자가 사랑의 이치를 넓히고 마음의 덕을 온전히 하는 것이 또한 이 도이다. 이것이 최상의 도리를 극진히 하여 아래로 통하는 것이다.

요컨대 '효제(孝弟)'는 모두 본성을 극진히 하는 것을 말한 것이다. 본성이 천근한 경우는 자신의 본성에 가까운 것으로 인하여 합치되게 하고, 본성이 심후한 경우는 본성을 극진히 하여 결핍되는 바가 없게 할 따름이다. 일반인에게 있어서는 참으로 본질의 아름다움으로 인하되 실로 마음을 전일하게 하고 힘을 다하는 공부가 없어서는 안 된다. 그러나 군자의 경우에는 덕을 지극하게 하고 도를 넓히는 공부가 심히 갖추어져 있으니, 요컨대 배웠다고 말할 수는 없다. 그러므로 〈유자(有子)의 이 말에 대해〉 지리하다고 비판하는 병폐는 실로 김인산이 그 단초를 연 것이지, 유자의 이 말에 허물이 있는 것은 아니다.(前後統言孝弟 而朱子以前所言孝弟爲資質好底人 則又分上一層說得容易 下一層說得鄭重 是以金仁山有前以質言 後以學言之說 乃集註直云上文所謂孝弟 則又似乎無分 是以陳新安有善事之中有無限難能之說以實求之 則朱子謂上言資質者本無病 而仁山所云下以學言 則不成語也 此處亦易分曉 世豈有孝弟而可謂之學耶 學也者 後覺效先覺之所爲孝弟卻用此依樣葫蘆不得 雖所爲盡道以事親者 未嘗無學 而但以輔其盡性之功 則輔而非主 爲孝子悌弟者 止勉求遠乎不孝不弟 而非容有效孝效弟之心 效則不名爲孝弟矣 以孝弟爲學 故姚江得譏有子爲支離 而有子豈支離者哉 集註言爲仁猶言行仁 只在用上說 故小註有水流三坎之喩 言其推行有漸 而非學孝學弟以爲學仁民學愛物之本 故註又云 學

者務此 但如本文言務而不言學 學字與務字 義本不同 學者 收天下之理以益其心 務者 行己之德以施於天下 知此 則知爲仁也 不犯也 不亂也 皆以見於天下之作用言而一揆也 大抵有子此章 言德而不言學 故程子曰 孝弟 順德也 不犯不亂 德之淺者也 爲仁 德之大者也 孝弟 德之本也 要以言德而非言學也 乃孝弟而不犯不亂 極乎下以淺言之 而深者亦在其中 不特善事之難能 而推夫不犯不亂之至 則文王之服事小心 周公之赤舃几几 亦但以免夫犯亂 特就其淺者言之 則鄕黨自好者之守法安分 亦得與焉 此極乎下以通上也 孝弟爲爲仁之本 極乎上而大言之而小者亦在其中 不特孝弟之無異文 而卽夫人之恩施姻亞 睦輯鄕黨而仁及人 不殺一啓蟄 不折一方長而仁及物 亦莫非仁道之生 特就其大者言之 則君子之以弘夫愛之理 而全夫心之德 亦此道焉 此極乎上以通下也 要則孝弟皆以盡性言 而淺者則因其性之所近而得合 深者則有以盡夫性而無所缺耳 在夫人 固因其質之美 而實不無專心竭力之功 在君子甚有至德弘道之功 而要不可謂之學 故支離之病 仁山實啓之 非有子之過也)

4

'드물다[鮮矣]'와 '아직까지 그런 일은 없다[未之有也]'는 말[29]은

29) 드물다……없다 : 『논어』「학이」 제2장은 두 단락으로 이루어져 있는데, 이 구절은 첫째 단락인 "有子曰 其爲人也孝弟 而好犯上者 鮮矣 不好犯上 而好作亂者 未之有也"에서 '鮮矣'와 '未之有也'를 가리킨다.

문세(文勢)의 고저(高低)에 따라 그 경중이 나뉘어질 뿐이니, 이 두 구절을 세세하게 분석하는 것은 합당치 못하다. 그렇기 때문에 잠실 진씨(潛室陳氏)[30]의 설[31]은 갈등만 더욱 증폭시켰다.

어떤 사람이 잠실 진씨에게 "만약 드물다고 말한다면, 이는 절대로 없다고 여기는 것이 아닙니다."라고 한 질문[32]은 지극히 몽매하다. 그는 다음 장 주자의 주에 "오로지 드물다고 말했으니[專言鮮]"[33]의 '오로지[專]'라는 글자에 얽매였기 때문에 이렇게 질문한 것이다. 가령 "덕을 아는 자가 드물다."[34]라고 했다면, 천리(千里)에 한 명의 성인도 오히려 많다고 할 만하니, 만약 그 시대에 덕을 아는 자가 한두 명이라도 있었다면 어찌 성인이 수고롭게 탄식하는 데에 이르렀겠는가?

잠실 진씨는 곧바로 그 의문을 제거하지 못하고, 이에 "비록 이런 점이 있다 하더라도……"라고 말하여, 더욱 곤란한 지경에 이르렀다. 가령 '드물다'는 말이 '절대로 없는 것이 아니다'라는 의미라 할지라도, 또한 사람을 두고 한 말이다. 즉 이는 천하에 효도하고 공경하면서도 윗사람 범하기를 좋아하는 자는 수천 수백 명 중 한두 사람에 불

---

30) 잠실 진씨(潛室陳氏) : 남송 때 경학가인 진식(陳埴 ? - ?)을 가리킴. 자는 기지(器之), 호는 잠실(潛室)로, 젊어서는 영가(永嘉) 사공학파(事功學派)의 대표적 인물인 섭적(葉適)에게 배웠으나, 뒤에 주자를 사사하여 정주학을 학문의 기본으로 삼았다. 저술로 『우공변(禹貢辨)』·『홍범해(洪範解)』 등이 있다.

31) 잠실 진씨(潛室陳氏)의 설 : 잠실 진씨의 설은 『논어집주대전』「학이」 제2장 두 번째 단락 소주에 나오며, 그 내용은 다음과 같다. "或問其爲人也孝弟 而好犯上者鮮矣 晦翁謂鮮是少 若說鮮矣 則未以爲絶無 孝弟之人 猶有犯上之意邪 潛室陳氏曰 孝弟之人 資質粹美 雖未嘗學問 自是無世俗一等麤暴氣象 縱是有之 終是罕見 到得麤惡大過 可保其決無 言孝弟之人 占得好處多 不好處少"

32) 어떤……질문 : 이 질문은 앞의 주에 보이는 '혹문(或問)'을 말한다.

33) 오로지……말했다 : 『논어집주』「학이」 제3장 주자주에, "聖人辭不迫切 專言鮮 則絶無 可知"라는 구절이 있다.

34) 덕을……드물다 : 『논어』「위령공」 제3장에 나오며, 전문은 다음과 같다. "子曰 由 知德者 鮮矣"

과할 뿐이라는 의미이다. 어찌 이 한 사람이 윗사람 범하는 일을 함이 적다는 뜻이겠는가? 윗사람 범하는 일은 하나만 하여도 이미 충분한 것이다. 하물며 경문에서는 단지 '윗사람을 범한다[犯上]'라고 말하지 않고, 반드시 '좋아한다[好]'고 말하였다. 좋아한다면 자주 하는 것을 싫어하지 않는 것이니, 우연히 한 번 과오를 저지르는 것을 가지고 '좋아한다'고 말할 수는 없을 것이다. 마음속으로 악을 좋아한다면, 어찌 많고 적음을 비교하여 헤아릴 것이 있겠는가?

다음 장의 "인한 자가 드물다[鮮矣仁]"는 말[35]도 그 뜻이 이와 같다. 즉 이 세상에서 말을 교묘히 하고 얼굴빛을 잘 꾸미는 자 중에 어진 사람은 드물다는 의미이며, '의(矣)'자는 문리상 막힐 것이 없다. 이것을 안다면, 정자가 '인이 아니다[非仁]'[36]라고 한 말이, 경의 본지에 매우 합치됨을 알 것이다. 그렇지 않더라도 사람의 마음의 덕인 인(仁)은 반드시 불인(不仁)함이 없는 뒤에야 인(仁)할 수 있다. 그러므로 공자는 "도는 두 가지이니 인(仁)이냐 불인(不仁)이냐일 뿐이다."[37]라고 한 것이니, 어찌 그 많고 적음으로 논할 수 있겠는가?(鮮矣與未之有也 文勢低昂 以分輕重耳 正不當於此細碎分裂 潛室之說 殊增葛藤 或人若說鮮矣 則未以爲絶無一問 極不惺忪 總緣他泥著下章註專言鮮一專字 且如知德者鮮矣 千里一聖 猶比肩也 使當世而有一二知德者焉 詎致勞聖人之歎 潛室不與直截決去其疑 乃爲縱是有之之說 則愈入棘叢 且卽使謂鮮非絶無 亦以人而言 猶云天下之能孝能弟者而好犯上 千百人之中不過一二人而已 豈謂此一人者少作犯上之事哉 犯上

35) 인한……드물다 : 『논어』「학이」 제3장의 "子曰 巧言令色 鮮矣仁"을 가리킨다.

36) 인이 아니다 : 『논어집주』「학이」 제3장의 주자주에 "程子曰 知巧言令色之非仁 則知仁矣"라고 하였다.

37) 도는……뿐이다 : 이 문장은 『맹자(孟子)』「이루」 상에 나온다.

之事 止一已足 況本文不但云犯上 而必云好 好則不厭頻爲 偶一過誤爲之 不可謂好 中心之好惡 寧可較量多少 下章鮮矣仁語 意亦如此 言凡天下之巧言令色者 鮮矣其能仁也 方於矣字文理無礙 知此 則知程子非仁之說 甚合本旨 不然 夫人心德之仁 必無不仁而後可爲仁 故子曰道二 仁與不仁而已矣 豈可以多少論哉)

제7장

자하(子夏) : "어진 이를 어질게 여기되 여색을 좋아하는 마음과 바꿀 듯이 하며, 어버이 받들되 있는 힘 다하며, 임금 섬기되 몸을 바치며, 벗을 사귀되 말에 진실이 담겨 있다면, 비록 그가 아직 배우지 않았다고 할지라도 나는 그를 '이미 배웠다'라고 할 것이다."

子夏曰 賢賢易色 事父母 能竭其力 事君 能致其身 與朋友交 言而有信 雖曰未學 吾必謂之學矣

5

『논어집주』의 "반드시 그가 학문에 힘을 쓴 지극함이다.[必其務學之至]"[38]라는 여섯 글자는 주자가 경문의 마지막 두 구[39]를 활간(活看)하여 풀이한 말로, 속유(俗儒)들의 안목을 크게 뛰어 넘는 것이다. 그러나 소주(小註)에 인용된 주자의 말[40]을 완미해 보면, 주자도 초년에는 '아직 배우지 않았다[未學]'는 자하(子夏)의 말을 진심이 담겨 있는 설로 여기는 듯하다. 그러나 자신의 논의를 확정하여 『논어집주』를 저술할 적에는, '혹(或)'이라는 한 글자를 첨가하여[41] 경문의 '오(吾)'자와 대가 되도록 하였으니, 주자는 "사람들이 혹 그가 학문하

38) 반드시……지극함이다 : 이 구절은 『논어집주』 「학이」 제7장 주자주에 나온다.

39) 마지막 두 구 : 『논어』 「학이」 제7장 "子夏曰 賢賢易色 事父母 能竭其力 事君 能致其身 與朋友交 言而有信 雖曰未學 吾必謂之學矣"의 마지막 두 구를 가리킨다.

40) 소주(小註)에…… 말 : 『논어집주대전』 「학이」 제7장 주자주 '吳氏曰……' 다음에 실린 소주에 보이는데, 그 전문은 다음과 같다. "朱子曰 子夏此言 被他說殺了 與子路何必讀書之說同 其流弊皆至於廢學 若行有餘力 則以學文 就正有道 可謂好學之流 方爲聖人之言"

41) '혹(或)'이라는……첨가하여 : 『논어집주』 「학이」 제7장 주자주 "雖或以爲未嘗爲學 我必謂之已學也"라는 구절의 '或'자를 가리킨다.

지 않은 것에 대해 의심을 하기도 하지만, 나는 그가 이미 학문을 하였다고 믿는다. 만약 아직까지 학문을 하지 않았다면 어찌 이런 행동을 할 수 있겠는가?"라고 생각하였다. 이 때문에 유작(游酢)[42]과 오역(吳棫)[43]의 설[44]을 모두 채택하여, 그 의심나는 점을 보존해 놓은 것이다. 그리고 '만약 타고난 자질의 아름다움이 아니라면[苟非生質之美]'[45]이라고 한 것은, 아래의 '성인은 태어날 때부터 이치를 알아 편안히 행하였다'[46]는 하나의 사례를 제외하고서 말한 것이다. 이 또한 이치상 참으로 그런 점이 있는 것이지, 고의로 두 종류의 다른 말을 만든 것은 아니다.

대체로 본 경문의 취지는 원래 학문의 완성에 대하여 고찰한 것이지, 범범하게 인품을 논의한 것은 아니다. 만약 배움을 억제하고 행실을 드러내고자 했다면, 마땅히 '비록 아직까지 배우지 않았다 할지라도 또한 배운 자와 마찬가지이다'라고 말했을 것이다. 하지만 자하(子夏)는 학문을 중시함에 이르러 일체의 고원한 설을 깨뜨리고 현자(賢者)를 친히 여기며 인륜을 다하는 일을 말하였다. 그리하여 사람들 중

42) 유작(游酢 1053-1123) : 자는 정부(定夫), 호는 치산(廌山)·광평(廣平)으로 이정자(二程子)를 사사하였으며, 정문사선생(程門四先生)의 한 사람이다. 『주역』에 조예가 깊었으며, 저술로 『역설(易說)』·『논어맹자잡해(論語孟子雜解)』 등과 후인이 편찬한 『유치산집(游廌山集)』이 있다.

43) 오역(吳棫 1100-1154) : 송나라 때 경학가로 자는 재로(才老)이다. 저술로 『시보음(詩補音)』·『논어지장(論語指掌)』·『서비전(書裨傳)』 등이 있다.

44) 유작(游酢)과……설 : 『논어집주』 「학이」 제7장 주자주에 인용된 유초(游酢)와 오역(吳棫)의 설은 다음과 같다. "游氏曰 三代之學 皆所以明人倫也 能是四者 則於人倫厚矣 學之爲道 何以加此 子夏以文學名 而其言如此 則古人之所謂學者 可知矣 故 學而一篇 大抵皆在於務本" "吳氏曰 子夏之言 其意善矣 然 詞氣之間 抑楊大過 其流之弊 將或至於廢學 必若上章夫子之言然後 爲無弊也"

45) 만약……아니라면 : 이 구는 『논어집주』 「학이」 제7장 주자주에 나온다.

46) 성인은……행하였다 : 『논어집주』 「위정」 제4장 "七十而從心所欲 不踰矩"의 주자주에 "愚謂聖人生知安行 固無積累之漸"이라고 하였다.

에는 망령되이 '그런 일은 학문을 하는 데 겨를이 없다'고 말하는 자가 있지만, 나는 반드시 '학문에 힘을 씀이 지극한 자가 아니면 이런 일을 함께 할 수 없을 것이다'라고 생각한다 하였으니, 천하에 어찌 배우지 않고서 능히 성현이 될 수 있는 경우가 있겠는가?

이 경문의 위 네 단락[47]은, 원래 이루어진 인품에 의거하여 말한 것이지, 힘을 쓰고 돈독하게 실천하는 자를 두고 한 말이 아니다. 그렇지만 이 또한 허공에 이러한 하나의 기준을 제시해 놓고서, 학문하여 도달한 바를 증거로 제시한 것일 뿐이다. '나는 반드시 그를 배웠다고 말하겠다[吾必謂之學矣]'라는 여섯 글자는 성학(聖學)과 이단(異端)의 일대 경계지점으로, '곧바로 인심을 가리키고, 본성을 보아 성불한다[直指人心 見性成佛]'[48]는 가장 사악한 학설을 모두 깨뜨리는 구절이다. 여기에서 자하가 성인을 돈독히 믿었음을 볼 수 있다. 이를 안 뒤에야 『논어집주』의 정밀함을 알 수 있을 것이다.(集註必其務學之至六字 是朱子活看末二語處 極驤俗目 玩小註所引朱子之言 則似朱子初年亦將未學當眞煞說 逮其論定而筆於集註 添一或字 與吾字作對 意謂人或疑其未學 而我則信其已學 使未學也 則亦安能爾哉 所以兼采游吳二說以存疑 而所云苟非生質之美者 則除下聖人生知安行一例以爲言 亦理有固然 而非故作兩頭馬之詞也 蓋本文之旨 原以考學之成 而非泛論人品 使其抑學揚行 則當云雖其未學 亦與學者均矣 子夏到底重

47) 이……단락 : 『논어』 「학이」 제7장 "子夏曰 賢賢易色 事父母 能竭其力 事君 能致其身 與朋友交 言而有信 雖曰未學 吾必謂之學矣"에서 앞의 네 단락을 가리킨다.

48) 곧바로……성불한다 : 직지인심(直指人心)이란 외계(外界)에서 추구함이 없이 곧바로 자심(自心)과 자성(自性)을 보고자 하는 것이며, 견성성불(見性成佛)이란 분석과 사려 없이 자신에게 갖추어진 불성을 투철하게 자각하는 것을 말한다. 이 두 구는 '불립문자(不立文字)', '교외별전(敎外別傳)'과 더불어 문자와 학문을 배제하고 성불을 추구하는 선종(禪宗)의 표어이다.

學 以破一切高遠之說 謂此親賢盡倫之事 人有妄謂其無假於學者 而我必謂非務學之至者不足與此 則天下豈有不學而能之聖賢哉 上四段原是據現成人品說 非就用力敦行者說 則亦憑空立此一規格 以驗學之所至耳 吾必謂之學矣六字 是聖學異端一大界限 破盡直指人心 見性成佛一流邪說 於此見子夏篤信聖人處 知此而後知集註之精)

제12장

유자(有子) : "엄격함을 본질로 하는 예(禮)를 현실에 적용할 때는 온화(溫和)함이 가장 귀중하다. 선왕(先王)의 도는 이것을 아름답게 여겼다. 때문에 큰일이나 작은 일이나 모두 이를 준수하였다. 그러나 한편 주의하고 행해서는 안 될 것이 있으니, 예를 적용할 때 온화함만 귀중한 줄 알아 온화함으로만 치우치고 예로써 절제(節制)하지 않는다면, 이는 또한 행해서는 안 된다."

有子曰 禮之用 和爲貴 先王之道 斯爲美 小大由之 有所不行 知和而和 不以禮節之 亦不可行也

6

쌍봉 요씨(雙峰饒氏)는 "유자(有子)가 인(仁)을 논하고 예(禮)를 논한 말은 단지 뒤의 한 단락에 의미를 둔 것이다."[49]라고 하였으며, 동양 허씨(東陽許氏)[50]는 "유자는 작용으로서의 예를 말한 것이다."[51] 라고 하였다. 이 두 종류의 말은, 이 장[52]을 보는 관점이 『논어집주』에 근거하였지만, 근본적으로 별도의 한 가지 논의를 세운 것인데, 올바른 해석은 아니다.

이렇게 말하는 까닭은 무엇인가? 유자는 이 장에서 "예의 작용은

49) 유자(有子)가……것이다 : 『논어집주대전』「학이」 제12장 두 번째 단락 아래 '范氏曰……' 앞의 소주에 나오는데, 전문은 다음과 같다. "雙峰饒氏曰 有子 論仁論禮 皆只說得下面一截 上面一截 須待程子朱子爲發明之"

50) 동양 허씨(東陽許氏) : 송말원초의 경학가인 허겸(許謙 1207-1337)을 가리킴. 자는 익지(益之), 호는 백운산인(白雲山人)이며, 김이상(金履祥)에게 수학하여 하기(何基)의 삼전 제자가 되었다. 당대 북방의 허형(許衡)과 더불어 '남북이허(南北二許)'로 불리며, 주자학의 부흥에 크게 기여하였다. 저술로 『독사서총설(讀四書叢說)』·『춘추삼전소의(春秋三傳疏義)』·『자성편(自省編)』 등이 있다.

51) 유자는……것이다 : 동양 허씨의 이 설은 『논어집주대전』에는 보이지 않는다.

52) 이 장 : 『논어』「학이」 제12장을 가리키며, 그 전문은 다음과 같다. "有子曰 禮之用 和爲貴 先王之道 斯爲美 小大由之 有所不行 知和而和 不以禮節之 亦不可行也"

화(和)를 귀중하게 여긴다.[禮之用 和爲貴]"고 하였다. '귀중하게 여긴다'고 말했다면, 이는 그 본체로써 말한 것도 아니고, 또한 작용의 측면에 나아가 말한 것도 아니다. 이 '용(用)'은 '행(行)'자로 설명하는 것이 마땅하니, 그렇기 때문에 '귀중하게 여긴다'고 말한 것이다. 만약 '화(和)'자가 작용의 의미라면, 반드시 '귀중하다[貴]'는 글자를 뽑아서 설명하지는 않았을 것이다. '용(用)'은 천하에 그것을 쓰는 것이다.

그러므로 '선왕의 도[先王之道]'라고 하거나 '작은 일이나 큰일이나 이에 말미암았다[小大繇之]'고 하였으니, 이는 전적으로 사람들에게 예를 베풂에 사람들이 그 예를 쓴다는 차원에서 전개한 논의이다. 그러므로 이 '용(用)'자는 '체(體)'자와 대가 되지는 않는다. '귀하다[貴]'는 것은, 이른바 도가 아름답기 때문에 큰일이나 작은 일이나 모두 이를 말미암는다는 것이다. '화(和)'는 인심에 화순(和順)함을 말한 것이다. 용(用)의 가운데에 화(和)가 있는 것이지, 화(和)가 곧 작용으로서의 예는 아니다. 아마도 유자가 한 말의 의미는 "예가 천하에 행해짐에 사람들로 하여금 이를 말미암아 일에 응대(應對)하게 한 것이다. 그러나 예는 사람의 마음에 화순한 것이지, 억지로 바로잡는 것을 귀하게 여기지 않는다. 오직 그러하기 때문에 선왕은 예를 작거나 큰일에 공히 말미암는 도로 여긴 것이니, 순수하여 막힘이 없다."라는 것이라고 여겨진다.

『논어집주』에 '종용(從容)하여 급박(急迫)하지 않는 것'으로 '화(和)'자의 뜻을 풀이하였으니, 이는 사람이 쓰는 예는 반드시 자연스럽고 한적한 뒤에야 귀중하게 됨을 말한 것이다. 그러나 비록 이 해석이 옳다 하더라도 '노력하여 알거나 억지로 힘써서 행하는 경지[困勉]'[53]의 아래에 있는 사람들은 끝내 예를 감당할 수 없을 것이니, 천하에 예를 말미암을 수 있는 자는 많지 않을 것이다. 또한 선왕의 도는 단지 예를 드러낼 뿐이니, 이른바 '화(和)'라는 것은 있지 않다. 종용하여 급박하지 않는다는 것은 예를 행하는 자가 스스로 하는 것이다. 반드시 종용하여 급박하지 않은 뒤에 귀하게 여길 수 있다면, 선왕의 도가 아름다운 것이 아니며, 사람들이 화(和)해짐을 기다린 뒤에야 아름다운 것이다.

또 '화(和)'라고 한 것은 덕(德)의 측면에서 말한 것이니, 이는 『중용(中庸)』의 "발하여 모두 절도에 맞는 것"[54]이라고 할 때의 '화(和)'인 것이다. 이것은 예의 본체이지 예의 작용은 아니다. 그 화(和)가 있음으로 말미암아 희로애락(喜怒哀樂)이 절도에 맞게 되니, 예는 바로 여기에서 일어난다. 화(和)는 성정(性情)의 덕이요, 예(禮)는 천하의 달도(達道)이다. 오직 화(和)하여야만 절도에 맞고 예에 통달할 수 있으니, 화가 본체이고 예는 작용이다. 그러므로 "예의 작용은 화(和)를 귀하게 여긴다."고 말할 수 없는 것이다.

만약 내 본성의 덕에 예가 있음【인의예지(仁義禮智)는 본성의 네 가지 덕성이다.】으로 말미암아 정(情)의 덕성에 화(和)가 있다고 한다[55]면, 『중용』의 이른바 '화(和)'는 정(情)의 근원으로 저 인의예지(仁義禮智)가 구족(具足)된 본성에서 생겨난 것이니, 오로지 예에만 의존하는 것은

53) 노력하여……경지 : 곤면(困勉)은 '노력하여 아는 것[困而知之]'과 '억지로 힘써서 행하는 것[勉强而行之]'을 가리키는 말로 『중용장구』 제20장에 나오며, 그 내용은 다음과 같다. "或生而知之 或學而知之 或困而知之 及其知之 一也 或安而行之 或利而行之 或勉强而行之 及其成功 一也"

54) 발하여……것 : 『중용장구』 1장에 나오는 문구로 그 내용은 다음과 같다. "喜怒哀樂之未發 謂之中 發而皆中節 謂之和 中也者 天下之大本也 和也者 天下之達道也"

55) 정의……한다 : 『중용장구대전』 제1장 경문 "喜怒哀樂之未發 謂之中……" 아래 주자주 "此 言性情之德" 밑의 소주에 "和爲情之德"이라고 하였다.

아니다. 본성에 있는 이른바 인의예지는 그 근본이 있을 따름이니, 하늘의 원형이정(元亨利貞)을 이어서 얻은 이름이다. 이는 본성을 따르기 이전에 있는 것이지, 도를 닦은 후에 있는 것은 아니다. 지금 "선왕의 도는 이것을 아름답게 여기는지라, 작은 일이나 큰 일 모두 이를 말미암았다."고 말하였으니, 이는 바로 '교(敎)'를 가리켜 한 말이다. 어찌 어지럽고 고집스럽게 이 '화(和)'를 성정(性情)의 덕이라 하겠는가?

대저 성정의 덕은 사람이라면 모두 가지고 있는 것이다. 그런데 군자가 이것을 극진하게 발휘하는 것은, 그 공부가 성찰(省察)과 존양(存養)에 있어서 천지를 경영할 수 있기 때문이다. 이에 귀중한 바는 '경계하고 두려워하는 것[戒懼]'과 '혼자서만 아는 때를 삼가는 것[愼獨]'[56]에 있지 '화(和)'에 있는 것이 아니다. 어찌 '예의 쓰임은 조화를 귀하게 여긴다'고 말할 수 있겠는가?

하물며 『중용』에서 말한 '화(和)'는, '종용하여 급박하지 않는 것'이라는 뜻이 아니고, 희로애락(喜怒哀樂)의 정(情)이 발하여 모두 절도(節度)에 맞아 어그러짐이 없다는 의미이다. 그러므로 『중용』에서 말하는 '화(和)'는 바로 인정(人情) 가운데 고유하게 있는 덕성을 돕는 것이며, 또한 군자가 극도로 성찰하여 움직임에 반드시 예에 들어맞는 덕을 돕는 것이다. 그러므로 '이를 일러[謂之]'[57]라고 한 것이다. 이는 힘을 다하는 바가 있다는 말이 아니니, 경(敬)과 서로 대(對)가 된다. 아직 발하지 않은 것을 중(中)이라 하고, 이미 발한 것을 화(和)

---

56) 경계하고…… 것 : 『중용장구』 제1장에 나오는 말로, 그 내용은 다음과 같다. "道也者 不可須臾離也 可離非道也 是故 君子 戒愼乎其所不睹 恐懼乎其所不聞 莫見乎隱 莫顯乎微 故 君子愼其獨也"

57) 이를 일컬어 : 『중용장구』 제1장에 나오는 "發而皆中節 謂之和"의 '謂之'를 가리킨다.

라고 한다. 그러므로 "경(敬)으로 중(中)을 극진히 하는 것은 고요할 때 보존하는 공부로써, 경을 주로 하는 것을 근본으로 삼는다."고 말할 수 있으면, 또한 마땅히 "성(誠)으로 화(和)를 극진히 하는 것은 움직일 때 성찰하는 공부로, 성(誠)을 보존하는 것을 요체로 삼는다."고 말할 수 있을 것이다. 지금 이 경(敬)과 화(和)를 서로 맞대어 말하면, '희로애락(喜怒哀樂)이 아직 발하지 않은 것을 경(敬)이라 한다'[58]고 말할 수 있겠는가?

예의 절도는 희로애락이 발하기 전에 구족(具足)되어 있으며, 발하여 모두 절도에 맞는 것은 정(情)이 저 성(性)을 따른 것이다. 경(敬)은 '사람의 일[人事]'이고 화(和)는 '하늘의 덕성[天德]'이다. 사람의 일에서 말미암아 하늘의 덕성에 도달하므로, 경을 예의 근본으로 삼아 이로써 화(和)를 얻는다. 화(和)는 덕의 정(情)이고, 악(樂)은 정(情)의 작용이다. 이 덕을 미루어 작용을 일으키면, 화(和)는 악(樂)이 생성되는 근원이 되니, 악은 여기에서 일어난다. 이것이 예와 악이 서로를 의거하지만 일치하는 이치이다. 그러므로 정자(程子)와 범조우(范祖禹)[59]가 모두 악(樂)을 말한 것[60]은 어긋남이 없다. 유자(有子)가 말한 의미는 틀림없이 다음과 같을 것이다. "예는 원래 천

58) 희노애락이……한다 : 『논어집주대전』「학이」 제12장 주자주 "程子曰 禮勝則離……" 아래의 소주에 "敬是喜怒哀樂未發之中"이라고 하였다.

59) 범조우(范祖禹 1041-1098) : 북송 때 학자로, 자는 순보(淳甫)·몽득(夢得)이다. 젊어서 이정자(二程子)를 사사하였으며, 후일 사마광(司馬光)의 학문을 추종하기도 하였다. 저술로 『논어설(論語說)』·『중용설(中庸說)』 등이 있다.

60) 정자(程子)와……것 : 정자와 범조우가 악(樂)을 말한 내용은 『논어집주』「학이」 제12장 주자주에 나오며, 그 전문은 다음과 같다. "程子曰 禮勝則離 故 禮之用和爲貴 先王之道 以斯爲美 而小大由之 樂勝則流 故 有所不行者 知和而和 不以禮節之 亦不可行 范氏曰 凡禮之體 主於敬 而其用 則以和爲貴 敬者 禮之所以立也 和者 樂之所由生也 若有子可謂達禮樂之本矣"

하의 절도에 맞는 것으로 절도가 있으면 반드시 화(和)함이 있으니, 절도라는 것은 모두 화(和)로써 하기 때문이다. 이런 까닭에 천하에 예를 쓰는 자는 사람들로 하여금 이를 말미암게 하여 사람들이 모두 이를 편안히 여기게 한다. 이는 그들의 인정으로 견디지 못하는 바도 아니고, 또한 그들의 힘으로 힘쓰기를 기다리는 바도 아니다. 바로 이런 점 때문에 예가 귀중한 것이다. 그러므로 예를 제정하는 자는 마땅히 이 뜻을 알아서 지나치게 엄격히 단속하여 천하를 강압하지 말아야 하며, 예를 말하는 자는 천하를 엄격하게 단속하는 도구로 보아 예를 천시해서도 안 된다. 지나치게 엄격히 단속하여 천하를 강압하지 않기 때문에 선왕의 도에 폐단이 없는 것이며, 작은 일이나 큰일에 있어서 법도를 넘지 않게 된 것이다. 천하를 엄격히 단속하는 도구로 여겨 예를 천시하지 않으면 선왕의 도가 그 아름다움을 다하고 작은 일이나 큰 일이 모두 그 법도를 넘어서지 않게 될 것이다. 그러므로 본원적으로 '먼저 아는 것은 도의 허식[前識之華]'이라든가 '예는 충과 신이 박약한 것[忠信之薄]'[61]이라고 말할 수 있는 것이 아니다.

곧 예란 엄격하게 단속하려는 것이 아니고, 요점은 인심을 화순(和順)하게 하려는 것이다. 그러니 반드시 예의 절도를 폐지한 뒤에 화(和)를 얻는 것은 아니다. 이는 문채(文彩)와 본질(本質)이 동체(同體)로서 참으로 그러함이 있는 것이다. 만약 절도(節度)는 인심을 화

61) 먼저……것 : 이는『노자(老子)』제38장에 나오는 말로써, 예(禮)라는 것은 사람의 충성과 신실성이 부족한 데서 나오는 것이므로 도리어 질서를 어지럽게 하는 시초가 되고, 남보다 먼저 안다는 것은 자연의 도를 언어와 문자로 꾸밈에 불과하므로 어리석음의 시작이 된다는 의미이다. 그 원문은 다음과 같다. "夫禮者 忠信之薄 而亂之首 前識者 道之華 二愚之始"

순하게 하는 것에 불과하다는 점을 보고서 절도로써 화(和)를 이루려고만 하고 귀중한 것은 절도가 아니라고 여긴다면, 노담(老聃)이 예를 안다고 하면서 도리어 예를 천시한 것과 같음이 있을 것이다.[62] 요컨대 예를 버리고는 끝내 화(和)할 수 없으니 또한 무엇으로 그것을 행할 것인가? 그러므로 동양 허씨는 앞단락으로 바른 뜻을 삼았으며, 뒷단락은 폐단을 방비하는 말로 여겼으니, 유자(有子)의 본지를 깊이 이해한 것이다. 곧 이 문장은 앞단락은 화(和)를 중시하고 뒷단락은 절도를 중시하여 두 문장이 서로 맞물리는 언어로 구성된 것이 아니다.

유자(有子)가 한 말의 큰 뜻은 단지 예를 중시한 것이다. 앞단락의 세 구절은 예의 의미를 능히 알면 진실로 귀하고 아름답게 여겨 폐지할 수 없다는 것을 말한 것이고, 뒷단락의 네 구절은 예의 의미에 능히 통달하면 혹 예가 폐지되는 것을 방비할 수 있음을 말한 것이다. 만약 예를 씀에 있어 귀중하게 여길 것이 오직 화(和)로써 하기 때문임을 알지 못한다면, 이에 무지하게 예로써 한계로 삼아 깊이 두려워하면서 스스로 부림을 당하고 또 남을 부리게 될 것이다. 이렇게 되면 반드시 예가 귀중하게 여길 만한 것이라고 여기지 않아 심히 무례한 자가 될 것이다. 그것이 천하의 본지(本旨)에 쓰이는 줄을 알면 예는 덜거나 더해서 인심에 맞게 하지 않은 적이 없으며, 인심은 반드시 예에 의거해 화(和)를 얻기에 예를 버리면 화(和)도 없다는 사실을 알면 비록 덜거나 더할 수는 있지만 반드시 그 절도를 넘지는 않을 것이다. 이것은 짐작컨대 백대의 왕들과 자성(自性)을 절문(節文)한 사람

62) 노담(老聃)이……것이다 : 『노자』 제38장을 보면, 노자는 최상의 가치를 도(道)에 두었는데, 이 도가 실추되면 덕(德)이 생겨나고 덕이 실추되면 인(仁)이 생겨나며 인이 실추되면 의(義)가 생겨나고 의가 실추되면 예(禮)가 생겨난다고 하였다. 즉 그는 예를 최상의 가치인 도가 타락하여 성립한 것으로 이해하고 있다.

들이 반드시 삼갔던 일일 것이다.

대저 유자(有子)는 제작(制作)의 측면에서 예를 언급하였기에 '쓴다[用]'·'말미암는다[繇]'[63]·'행한다[行]'라고 말한 것이다. 이런 까닭에 쌍봉 요씨는 유자의 말씀은 뒤의 한 단락에 그 의미가 있다고 하였으니[64], 앞장에서 인(仁)을 논하면서 인을 행한다라고 말한 것[65]과 마찬가지이다. 이는 군자로서 고요할 때 존양하고 움직일 때 성찰하여 큰 근본을 세워서 천하에 두루 통하는 도를 행하려고 하는 자는 진실로 미칠 바가 못 된다. 왕양명(王陽明)이 유자(有子)의 말은 지리하다고 의심한 것이 이 때문이다. 그러나 유자는 사리에 절실한 것으로써 말을 하였으니, 끝내 왕양명이 선(禪)에 빠진 것과 다른 점이 또한 바로 여기에 있는 것이다. 굳이 다시 앞단락에 나아가 의논을 일으켜서 머리 위에 머리를 두는 설을 만들 필요는 없을 것이다.

또한 그 근본에서부터 말한다면 예는 참으로 경(敬)을 근본으로 하지, 화(和)로 근본을 삼는 것은 아니다. 만약 "경(敬)에서 나뉘어진 것이 화(和)이다."[66]라고 한다면, 화(和)는 경의 나누어진 체(體)가 되는 것이다.【이 말은 뜻이 성립되지 않는다.】 경(敬)이 나눠진 것임을 알아서 그것을 쓴다면, 예에 대해 반드시 상세하게 살필 터인데, 어찌하여 예로써 절제하지 않으면 행할 수 없는 것이라 할 수 있겠는가? 그 때문에 화(和)를 '종용(從容)하여 급박하지 않은 것'으로 풀이하는 것도

63) 말미암는다[繇] : 현재 전하는 『논어』에는 '유(由)'로 되어 있다.

64) 쌍봉 요씨는……하였으니 : 『논어집주대전』「학이」 제12장 소주에 보이는 쌍봉 요씨의 설은 다음과 같다. "雙峰饒氏曰 有子論仁論禮 皆只說得下面一截 上面一截 須待程子朱子爲發明之"

65) 앞장에서……것 : 『논어집주』「학이」 제2장의 내용을 말한다.

66) 경(敬)이……화(和)이다 : 『논어집주대전』「학이」 제12장 두 번째 단락 주자주 "程子曰 禮勝則離……" 아래의 소주에 "和是碎底敬"이라 하였다.

저절로 어긋나게 된다.

요컨대 『중용』에서 말하는 '화(和)'는 바로 본연의 덕체(德體)로서 하늘의 법칙이고, 이 장에서 말한 '화(和)'는 오묘한 작용으로 미루어 행하는 선도(善道)를 가리키니, 참으로 억지로 합하여 하나로 할 수 있는 것이 아니다. 하물며 『논어집주』에서 '화(和)'를 '종용하여 급박하지 않은 것'으로 말한 것은, 이를 귀중하게 여겨 이를 쓴다는 의미가 아니다. 공이 아직 지극하지 않고 기미가 아직 익숙하지 않았는데도 화(和)를 귀중하게 여기는 데 뜻을 두게 되면, 바로 '화(和)만 알아서 화(和)하기만 한다[知和而和]'는 병통에 떨어지게 된다. 만약 그것이 자연스럽게 화(和)를 얻은 뒤에야 귀중하게 될 수 있다는 뜻이라면, 이는 화(和)의 위에 또 하나의 자연스러움을 더한 것이니, 이 어찌 군더더기 말이 아니겠는가? 하물며 '자연히 종용하여 급박하지 않은 것'은 바로 행동거지와 일을 주선함이 모두 예에 맞아 성대한 덕이 지극해진 성인의 표식이니, 천하의 모든 사람들과 함께 말미암을 수 있는 것이 아니다. 그리고 종용하여 급박하지 않으면 다시 '귀중한 것이 된다'거나 '아름다운 것이 된다'고 말할 필요가 없으며, 절제하지 않는 점에 대해 염려할 것도 없을 것이다. 유자(有子)는 본래 왕도(王道)를 말하였지 천덕(天德)을 말한 것이 아니다. 단지 깊이 들어가 논하는 말을 하게 되면 이 구절의 의미하는 바가 모두 어긋나게 되니, 이것이 바로 억지로 『논어집주』의 해석을 따라 쌍봉 요씨와 동양 허씨의 설을 폐할 수 없는 이유이다.(雙峰云有子論仁論禮 只說得下面一截 東陽云有子是說用禮 只此二語 見得此章在集註自從本源上別起一番議論 非正釋也 所以然者 以有子說禮之用 和爲貴 言爲貴 則非以其體言 而亦不卽以用言也 用只當行字說 故可云貴 若和竟是用 則不須揀出說貴矣 用者 用之於天下也 故曰先王之道 曰小大繇之 全在以

禮施之於人而人用之上立論 此用字不與體字對 貴者 卽所謂道之美而大小之所共繇也 和者 以和順於人心之謂也 用之中有和 而和非用禮者也 有子蓋曰 禮之行於天下而使人繇之以應夫事者 唯和順於夫人之心而無所矯强之爲貴 唯其然 斯先王之以禮爲小大共繇之道者 以純粹而無滯也 集註以從容不迫釋和之義 則是謂人之用禮 必須自然嫺適而後爲貴 使然 將困勉以下者終無當於禮 而天下之不能繇禮者多 且先王之道 亦但著爲禮而已 未嘗有所謂和也 從容不迫者 行禮者之自爲之也 必從容不迫而後可爲貴 則先王之道非美 待人之和而後美矣 且所云和者 有以德言 則中庸發皆中節之和是也 此則爲禮之本 而非禮之用 繇其有和 可使喜怒哀樂之中節 則禮於是起焉 和 性情之德也 禮天下之達道也 唯和乃中節而禮以達 斯和體而禮用 不得云禮之用 和爲貴矣 若云繇吾性之德有禮 仁義禮智 性之四德 而情之德乃有和 則中庸之所謂和者 又情之根夫仁義禮智具足之性以生 而不專倚於禮 且在性之所謂仁義禮智者 有其本而已 繼乎天之元亨利貞而得名者也 在率性之前而不在修道之後 今曰 先王之道 斯爲美 小大繇之 則固指敎而言矣 如之何紜紛膠轕 而以此和爲性情之德耶 夫性情之德 則盡人有之 而君子致之者 其功在省察存養 而乃以經緯乎天地 是所貴在戒懼愼獨而不在和 又何以云禮之用 和爲貴哉 況乎中庸之言和者 又非從容不迫之謂 乃情之不戾於節者也 故彼之言和 乃以贊夫人情中固有之德 而亦以贊君子省察極致 動必中禮之德 故曰謂之 而非有所致力之詞 以與敬相爲對者也 未發謂中 已發謂和 可云敬以致中者 以靜存之功 主敬爲本 則亦當云誠以致和 以動察之功 存誠爲要 今此以敬和相對而言 其可云喜怒哀樂之未發謂之敬乎 禮之爲節 具足於喜怒哀樂之未發 而發皆中節 則情以率夫性者也 敬者人事也 和者天德也 繇人事以達天德 則敬以爲禮之本 而因以得和 和者德之情也 樂者情之用也

推德以起用 則和以爲樂之所自生 而樂以起 此禮樂相因一致之理有然者 故程范得並言樂而不悖 而有子則固曰 禮原中天下之節 有節則必有和 節者皆以和也 是以禮之用於天下者 使人繇之而人皆安之 非其情之所不堪 亦非其力之所待勉 斯以爲貴 故制禮者當知此意 勿過爲嚴束以强天下 而言禮者不得視禮爲嚴束天下之具而賤之 勿過爲嚴束以强天下 先王之道所以無弊 而無小大之可或踰 不得視爲嚴束天下之具而賤之 則以先王之道旣盡其美 而小大皆不能踰 原非可云前識之華忠信之薄也 乃非以爲嚴束 而要以和順夫人心 亦必不廢禮之節而後得和 此文質同體之固然者 如有見夫節者之不過以和順夫心 因以謂節以效和 而所貴非節 則將有如老聃之知禮而反賤禮者 要之 舍禮亦終不能和 而又何以行哉 故東陽以前節爲正意 後節爲防弊之言 深得有子之旨 非前節重和 後節重節 爲兩相回互之語也 有子大旨 只是重禮 前三句謂能知禮意 則洵爲貴美而不可廢 後四句則以爲能達禮意 而或廢禮者之防 若夫不知禮之用而可貴者 唯以和故 乃貿貿然以禮爲程限而深其畏葸 以自役而役人 則必將見禮之不足貴 而與於無禮之甚者矣 知其用於天下之本旨 則禮未嘗不可損益 以卽乎人心 而知人心必於禮得和 而舍禮無和 則雖有可損益 而必不可過乎其節 此斟酌百王 節文自性者所必謹也 大抵有子在制作上立言 故曰用曰繇曰行 是故雙峰以爲在下面一截說 與前論仁而言行仁一例 而君子之靜存動察以立大本而行達道者 固未及也 王陽明疑有子之支離以此 而有子之切事理以立言 終異於姚江之淪於禪者 亦正在此 固不必更就上面一截起論 爲頭上安頭之說矣 且使從本而言之 則禮固以敬爲本 而非以和 若曰敬之碎底是和 則和者敬之分體也 此不成義 知敬之分而用之 其於禮必加詳何爲不以禮節而不可行哉 且抑與從容不迫之釋 自相背戾矣 要以中庸之所謂和 乃本然德體之天則 此之謂和 乃妙用推行之善道 固不可强

合爲一 況卽集註所云從容不迫者 自非可有意以之爲貴而用之 使功未至而機未熟 則有意貴和者 正墮知和而和之病 如其必自然得和而後可爲貴 則於和之上 又加一自然 而豈不贅歟 矧自然從容不迫者 乃動容周旋中禮 盛德已至之聖符 非可與天下共率繇之更不必言爲貴 爲美而抑以不節爲慮 有子本以言王道 而不以言天德 徒爲深入之言 則所在皆成齟齬 此不能强徇集註而廢饒許也)

7

주자가 또 "경(敬)은 본체가 되고, 화(和)는 작용이 된다."[67] 고 한 것은, 유자(有子)와 다른 학설을 세운 것이라고 보는 것이 옳다. 주자는 단지 학문을 말하였고, 유자는 다만 도를 말하였다. 선왕의 도에 대해 현자는 몸을 낮춰 나아가며 불초한 자는 발돋움을 하여 미치고자 하니, 어찌 군자가 학문하는 것으로 그 기준으로 삼을 수 있겠는가? 다른 곳에서 말한 왕도는 천덕(天德)과 그 궤도를 같이 하는데 이 구절은 결코 그렇게 이해해서는 안된다. 주자의 생각대로 하자면 아마도 "아직 발하지 않았을 때에는 경(敬)을 주로 하고, 이미 발하였을 때에는 종용하여 급박하지 않아야 귀하게 여길 만한 것이 된다. 아직 발하지 않았을 때에는 능히 합하고, 이미 발한 뒤에는 능히 나뉘어져야 사물에 흩어져 응할 적에 마땅하지 않음이 없을 것이다."라고 말한

67) 경(敬)은……된다 : 『논어집주대전』 「학이」 제12장 두 번째 단락 아래 주자주 "范氏曰 凡禮之體……" 아래의 소주에 "朱子曰……以敬對和而言 則敬爲體 和爲用"이라 하였다.

것이리라. 그러나 이렇게 말한다면, 어찌 화(和)를 알지 못할 수 있을 것이며, 어찌 화(和)만 알아서 화(和)하기만 함을 하지 않을 수 있겠는가?

또한 『중용장구』와 『주자어류』에서는 '이미 발한 경우'와 '아직 발하지 않은 경우'를 포괄하여 경(敬)에 일치시키고 있다. 나는 생각건대, 아직 발하지 않았을 때의 공부는 경(敬)에 있으니 드러나지 않았을 때의 독실함과 공경함이 이것이며, 발하면 그 공부는 성(誠)에 있으니 『대학』의 신독(愼獨)으로써 성의(誠意)하는 것[68]과 『중용』의 '그것을 행하는 것은 하나이다'[69]라고 한 것이 이것이다. 중(中)에 이르는 것은 경(敬)이 지극하기 때문이고, 화(和)에 이르는 것은 성(誠)의 공이다. 존양(存養)과 성찰(省察)은 학문을 하는 체(體)이고, 경(敬)으로써 절도를 갖추어 예가 밝아지고 화(和)로써 절도에 통달하여 악(樂)이 구비되는 것은 학문을 하는 용(用)이다. 그러므로 정자와 범조우의 설[70]은 유자(有子)와 조금 달라도 서로 통할 수 있는 반면, 소주(小註)에서 주자가 말한 것은 모두 이와 모순된다.

오직 주자가 '엄격하되 태연하고, 온화하되 절도가 있다[嚴而泰 和而節]'[71]고 한 그 뒤의 한 단락은 『논어집주』의 설이 명확하고 절실하여 볼 만하다. 주자가 '예의 전체이다[禮之全體也]'라고 한 말에서, 이 장 첫머리의 '예(禮)'라는 한 글자를 원래 체(體)로써 말한 것임을

68) 신독(愼獨)으로써 ……것 : 『대학장구』 제6장 성의장에 보인다.

69) 그것을……하나이다 : 『중용장구』 제20장에 천하 국가를 다스리는 데에는 아홉 가지 상도(常道)인 구경(九經)이 있는데, '이 구경을 행하는 것은 하나이다'라고 하였다. 주자는 이 하나를 '성(誠)'으로 보았다.

70) 정자와……설 : 『논어집주』 「학이」 제12장 주자주 뒤에 두 사람의 설이 차례로 보인다.

71) 엄격하되……있다 : 『논어집주』 「학이」 제12장 주자주 마지막 부분에 보인다.

알 수 있다. 그리고 본문의 '용(用)'자는 '체(體)'와 서로 대대(對待)가 되는 글자가 아니니, '화(和)'을 '종용하여 급박함이 없는 것'으로 풀이한 것은 참으로 성립될 수 없다. "털끝만큼이라도 차질이 있으면 그 중정(中正)을 잃게 된다.[豪釐有差 失其中正]"[72]는 것은 예를 만드는 측면에서 말한 듯하니, 거칠고 구속하여 종용하지 못하는 것을 '차질[差]'이라고 말한 것은 아니다. 구속하여 종용하지 않는 것이 바로 힘써 지탱하여 차질이 나지 않을 수 있게 하는 기점이 된다. 오직 예를 만들 적에 마음에 화순(和順)하지 않고 사람들이 어려워하는 바로 고통스럽게 하면 바야흐로 차질과 오류가 생기게 된다.

주자의 이 뒷장에 대한 주석은 앞장의 주석과 많이 다르다. 실로 이 장은 명료하고 합당하니, 다시 깊고 오묘한 경지를 지향하여 말할 필요는 없을 것이다. 운봉 호씨(雲峰胡氏)는 이 장을 낱낱이 분석하면서도 왜곡되게 그대로 주자의 앞장의 설을 따랐으니[73], 이는 잘못이다. 운봉 호씨의 주자에 대한 돈독한 믿음이 도리어 주자의 실수를 완성시켜 주었다. 쌍봉 요씨(雙峰饒氏)와 동양 허씨(東陽許氏)의 분별은 주자의 궁색한 해석을 소통시켜 주었다. 그러므로 선유(先儒)에게 공로가 있으려면 그 선유의 설에 아첨하지 않아야 한다.(朱子又曰 敬爲體 和爲用 須是撇開有子另說方可 朱子自說學 有子自是說道 先王之道 賢者俯就 不肖企及 豈可以君子之爲學律之 他言王道者 可與天德合轍 而此必不可 如朱子之意 蓋謂未發而主敬 必發而從容不迫

72) 털끝만큼이라도……된다 : 『논어집주』「학이」 제12장 주자주 마지막 단락에 나온다.

73) 운봉 호씨(雲峰胡氏)는……따랐으니 : 왕부지는 주자가 이 장의 두 번째 단락을 예(禮)의 전체(全體)로 파악하는 것에 반대하고 있다. 그런데 운봉 호씨는, 이 장 마지막 소주에서 주자의 설에 찬동하면서 정밀하게 분석해 놓았다. 그 내용은 다음과 같다. "雲峰胡氏曰 集註前一節分體用 後一節獨說全體 何也 前章是因有子之言用而推原其體 後總說禮之全體 則包前所謂體用者在其中矣."

乃爲可貴 未發能合 已發能分 乃散應事物而無不宜 以此言之 烏可不知和 烏可不知和而和哉 且中庸章句語錄 括已發未發而一之於敬 愚謂未發功在敬 不顯之篤恭是也 發則功在誠 大學之愼獨以誠意 中庸之行之者一是也 致中者敬之至 致和者誠之功 存養省察 爲學之體 敬以具節而禮明 和以達節而樂備 爲學之用 故程范之說 小異於有子而可相通 而小註朱子所云 則皆成矛盾 唯嚴而泰和而節以下一段 集註明切可觀 其曰 禮之全體也 可見章首一禮字 原以體言 而本文用字 非與體爲對待之詞 則從容不迫之義 固不得立矣 毫釐有差 失其中正 恰在制作上說 而非生疎拘迫不能從容之謂差也 拘迫不從容 正是掙扎得不差處 唯制作不和順於心 而苦人以所難 方成差謬 朱子此註 與前註早已不同 實則此爲諦當 不必更說向深妙處去 雲峰乃爲割裂而曲徇之過矣 雲峰之篤信 乃以成朱子之失 饒許之分別 乃以通朱子之窮 故有功先儒者 不在阿也)

위정편

爲政篇

제1장

공자 : "정치를 덕으로 한다면, 비유컨대 마치 북극성(北極星)이 제자리에 자리하고 있으매 뭇 별들이 모두 그 곳을 향하여 받드는 것과 같다."

子曰 爲政以德 譬如北辰居其所 而衆星共之

1

북신(北辰)의 설[1]은 오직 정복심(程復心)[2]의 말이 정밀하고 합당하다.[3] 주자의 윤장심(輪藏心)[4]과 사당반(射餹盤)[5]의 비유는 모두

1) 북신(北辰)의 설 : 북신(北辰)의 설은 『논어』 「위정」 제1장의 내용을 말하는데, 그 전문은 다음과 같다. "子曰 爲政以德 譬如北辰 居其所而衆星共之"

2) 정복심(程復心 1257-1340) : 원나라 때 경학가로 자는 자견(子見), 호는 임은(林隱)임. 『사서집주』에 근거하여 『사서』의 장(章)을 나누고 나서 도(圖)를 그려 넣은 『사서장도(四書章圖)』를 저술하였다.

3) 정복심(程復心)……합당하다 : 이 구절에 대한 정복심의 설은, 예사의(倪士毅)가 편찬한 『사서집석(四書輯釋)』(『속수사고전서(續修四庫全書)』에 들어 있음)에 보이는데, 그 전문은 다음과 같다. "程復心曰 無爲 不是全然無爲 只是修己之德而民自感化 則不可有爲而天下化之 如衆星拱北之象"

4) 윤장심(輪藏心) : 이 구절은 『논어집주대전』 「위정」 제1장의 주자주인 "北辰 北極……" 아래의 두 번째 소주에 나오는데, 이의철(李宜哲)은 『주자어류고문해의(朱子語類考文解義)』에서 이 구절을 '수레바퀴의 중심[輪郭心]'이라고 풀이하였다. 그 원문은 다음과 같다. "天之樞紐 似輪藏心 藏在外面動 心都不動"

5) 사당반(射餹盤) : 이 구절도 『논어집주대전』 「위정」 제1장의 주자주인 "北辰 北極……" 아래의 두 번째 소주에 나오는데, '사당반(射糖盤)'으로 되어 있다. 『주해어록총람』 「주자어록」 삼자류(三字類)에 의하면, 사당반(射糖盤)은 '맷돌쇠'를 의미하며, 그 원문은 다음과 같다. "如射糖盤子 北辰便是中央椿子 極星便是近椿點子 雖也隨盤轉 緣近椿子便轉得不覺"

적합하지 않으며, "하나의 물건이 그 가운데 가로로 걸쳐 있는 것 같다."[6]는 설은 더욱 소루(疏漏)하다.

만약 하늘에 중심축이 있다면 이는 수레에 바퀴축이 있어서 바퀴는 움직이되 바퀴축은 움직이지 않는 것과 같으니, 남극으로부터 북극에 이르는 그 중간에 관통하고 있으면서도 움직이지 않는 하나의 사물이 있는 것이다. 그러면 이 물건은 기(氣)인가? 아니면 형체를 지닌 것인가? 기라면 어디에 쌓여 있기에 흩어지지 않으며 어디에 응결되어 있기에 흐르지 않고 있는 것인가? 또한 형체를 지닌 것이라면 천지의 사이에 아직 이런 물건은 본 적이 없다. 그리고 형체를 지닌 것은 진실로 형체를 지닌 것만을 움직이게 할 수 있지, 기를 운행시킬 수는 없다. 하늘의 중심축과 하늘은 원래 다른 것이 아니다. 하늘의 운행은 하나의 기(氣)와 함께 굴러가는 것이니, 애초에 하늘의 중심축과 서로 벗어날 수가 없다. 일단 동체(同體)라면 움직일 때 함께 움직일 것이다. 특히 이십팔수(二十八宿)[7]와 삼원(三垣)[8]은 넓은 범위로 움직이고 북신(北辰)은 미세한 범위로 움직이기 때문에, 그 움직

---

6) 하나의……같다 : 이 구절은 『논어집주대전』의 소주에는 나오지 않고, 『주자어류(朱子語類)』권23 논어(論語)5 「위정(爲政)」 '위정이덕(爲政以德)'장의 '問北辰……'아래에 나오는데 그 원문은 다음과 같다. "天形如鷄子旋轉 極如一物 橫亘居中 兩頭稱定"

7) 이십팔수(二十八宿) : 하늘의 적도와 황도 부근에서 천구를 28개 구역의 부등부분(不等部分)으로 나누어 설정한 별자리로서, 각 구역의 대표적인 별자리를 그 구역의 수(宿)라 부른다. 28수는 다시 동 · 서 · 남 · 북 등 각 7사(舍)로 구분하는데, ① 동방 7사:춘분 초저녁 동쪽 지평선에 떠오르는 순서에 따라 각(角) · 항(亢) · 저(氐) · 방(房) · 심(心) · 미(尾) · 기(箕) 등 7개의 수 ② 북방 7사:하지 초저녁 지평선에 떠오르는 순서에 따라 두(斗) · 우(牛) · 여(女) · 허(虛) · 위(危) · 실(室) · 벽(壁)등 7개의 수 ③ 서방 7사:추분 초저녁 지평선에 떠오르는 순서에 따라 규(奎) · 루(婁) · 위(胃) · 묘(昴) · 필(畢) · 자(觜) · 삼(參) 등 7개의 수 ④ 남방 7사:동지 초저녁 지평선에 떠오르는 순서에 따라 정(井) · 귀(鬼) · 유(柳) · 성(星) · 장(張) · 익(翼) · 진(軫) 등 7개의 수 등으로 구별한다.

8) 삼원(三垣) : 성좌(星座)의 세 구획, 즉 북극 근방인 자미원(紫微垣)과 사자궁(獅子宮) 부근인 태미원(太微垣)과 사견궁(蛇遣宮) 부근인 천시원(天市垣)을 가리킨다.

임을 볼 수 없을 뿐이다. 지금 하나의 원반이 있는데 그 가운데에 검은 점을 찍고서 회전하도록 던져 보기로 하자. 원반이 던져지면 그 가운데에 있는 검은 점도 또한 동서남북으로 방위를 바꿀 것이다. 그러나 검게 찍어놓은 점은 너무 미세하여 분별할 수 없을 것이다.

공자께서는 이러한 것들로서 '덕으로 정치하는 자'의 다스리는 형상을 비유하였으니, 허구가 아닌 구체적이고 비슷한 류(類)에서 예를 취한 것이다. 덕으로 정치함에 있어서 '움직이지 않았다[不動]'거나 '인위가 없었다[無爲]'고 한 것은, 상(賞)으로 권면하고 형벌로 위엄을 세우는 것에 의지하지 않았는데도 백성들이 저절로 바르게 되었음을 말한 것이다. 이것은 대개 백성들에게 베푸는 관점에서 말한 것이지, 군주의 덕을 말한 것은 아니다. 만약 덕으로 정치하는 것이 '무위(無爲)'가 아니라면 똑같은 이치로 북신도 '부동(不動)'이 아닐 것이다. 드러나지 않음과 독실하고 공손한 덕은 고요할 때는 마음을 보존하고 움직일 때는 기미를 살피는 지극한 공부에 근원을 둔 것이다. 그리고 '덕이란 얻는다[德之爲言得]'고 풀이한 것은 곧 '정치란 바르게 한다[政之爲言正]'[9]고 풀이한 뜻과 유사하기 때문에, 정치를 '한다[爲]'고 하였고 또 덕'으로써[以]' 한다고 하였다. 만약 효로써 사람을 바르게 하고자 한다면 군주가 반드시 효도를 행하여 마음에 얻음이 있어야 되며, 자애로써 사람을 바르게 하고자 한다면 군주가 반드시 자애의 도를 행하여 마음에 얻음이 있어야 된다. 이러한 자세로서 정치를 하기 때문에 은미하게 움직여도 일찍이 백성들의 일에 미치지 않음이 없으며, 리(理)가 함께 경륜을 해주며 기(氣)가 더불어 밀어준다. 이러한 이가 높은 자리에 있으면서 주도를 하기 때문에 자연히 풍

9) 덕이란……한다 : 이 구절은 『논어집주』「위정」 제1장의 주자주에 나온다.

속이 바뀌게 되고 천하가 움직이게 된다.

그러므로 백성들을 움직임에 급급해 하지 않는 것은 북신이 제자리에 있는 형상이며, 천하가 모두 그 움직임을 본받는 것은 뭇별이 향하는 형상이다. '제자리에 있다[居其所]'는 것은, 스스로가 자기 일을 할 뿐, 뭇 별들을 끌어당기는 일은 없다는 말이다. 북신(北辰)은 곧 뭇 별들을 움직이게 하는 원인이 아니며, 저 또한 스스로 은미한 곳에서 움직이지 않을 수 없다. 마찬가지로 인군(人君)도 백성의 바르지 않음을 바로잡아 주는 이치가 없으며, 또한 자신도 내면의 덕을 닦지 않을 수 없다. 각기 그 마땅히 할 바를 닦으니, 뭇 별들이 둘러싸고 돌아갈 적에 저절로 북신과 함께 돌아가는 것처럼, 백성들도 끊임없이 스스로를 새롭게 할 적에 스스로 인군(人君)과 함께 바르게 되는 것이다. 이것이 덕의 작용이 은미해도 그 교화가 드러나는 이치이다. 만약 수레의 굴대[10]로 비유한다면, 굴대와 바퀴통은 확연히 다른 두 물건이다. 그런데 굴대는 바퀴통을 지탱시켜 굴러가게 하면서도 움직이지 않으니, 이는 움직이지 않음으로써 여러 움직이는 것들을 부리려는 의도가 있다. 이것은 이른바 노자(老子)의 "왕후는 하나를 얻어서 천하를 바르게 다스린다.[王侯得一以爲天下貞]"[11]는 것으로, 양(陽)은 고요히 있는데 음(陰)이 이를 끼고서 움직이는 것이며, 암컷을 지켜서 천하의 수컷을 분주하게 하는 것이다. 후대의 신불해(申不害)[12]와

10) 굴대 : 수레의 양쪽 바퀴를 꿰뚫는 가로나무

11) 왕후는……다스린다 : 이 말은 『노자』 39장에 나온다.

12) 신불해(申不害) : 중국 전국시대의 법가사상가이자 정치가. 정(鄭)나라 사람으로, 후에 한(韓)나라 소후(昭侯)를 섬겨 재상으로 15년간 봉직하며 부국강병에 많은 노력을 기울였다. 그의 학문은 황노(黃老) 사상에 바탕을 두었다고 전해지며, 저서로는 『신자』가 있다고는 하지만 현재는 전해지지 않고 있다.

한비(韓非)[13]는 바로 이 같은 도를 사용하였다. 이들은 무위를 덕으로 삼아서 천하는 바르게 하면서도 자신은 바르게 함이 없었으니, 어찌 자기의 바름으로서 남의 바르지 않음을 바로잡았다고 말할 수 있겠는가? 이런 까닭에 '그 장소에 있다[居其所]'는 것은 북신의 덕이 아니라 북신의 형세를 말하는 것이다.

신안 진씨(新安陳氏)가 "정치를 함에 덕으로써 하는 임금을 비유한 것이다."[14]고 하였는데, 이 해설은 매우 적확(的確)하니 "정치를 함에 그들이 덕으로 삼는 것을 비유한 것이다."라고 말하지 않았기 때문이다. 정자는 "정치를 함에 덕으로써 한 후에야 무위가 된다."고 하였고, 주자는 "무위가 되어야만 천하가 그에게 귀의한다."[15]고 하였으니, 이 무위는 다스리는 형상이지 덕의 본체가 아니다. 은미한 곳에서 움직이고 드러난 곳에서 움직이지 않으며【덕은 은미한 것이고 정치는 드러난 것이다.】 홀로 움직이고 여러 사람들을 움직이게 하지는 않는다. 그러므로 북신이 임금의 덕과 합치되는 것은 삼가 쉼 없이 움직이는 것일 뿐이다.

이 장의 핵심을 논해 보면, 또한 『대학』의 "수신을 근본으로 한다."[16]는 것과 『맹자』의 "지극한 정성은 만물을 움직인다.[至誠動

---

13) 한비(韓非) : 중국 전국시대(戰國時代) 말기 사상가. 한자(韓子)라고 불렸으나, 송대 이후 당(唐)나라 한유(韓愈)의 한자(韓子)와 혼동을 막기 위해 한비자(韓非子)라 불리어 졌다. 법의 지상(至上)을 강조한 법가사상(法家思想)의 대표적 인물로, 유가 · 법가 · 도가 · 명가(名家) 등의 사상을 집대성한 『한비자(韓非子)』라는 저술로 유명하다.

14) 정치를……것이다 : 『논어집주대전』「위정」 제1장의 주자주인 "程子曰 爲政以德……"위의 소주에서, "譬爲政以德之君"이라고 하였다.

15) 정치를……귀의한다 : 『논어집주』「위정」 제1장의 주자주에서 정자는 "爲政以德然後無爲"라고 하였으며, 주자는 "無爲而天下歸之"라고 하였다.

16) 『대학』의……한다 : 『대학』 경일장(經一章)에 나오는 구절로, 그 원문은 다음과 같다. "自天子以至於庶人, 壹是皆以脩身爲本."

物]"[17]는 뜻에 불과하다. 그런데 다만 아래와 위의 이기(理氣)가 감통하는 기미를 미루어서 그 상(象)을 하늘에 드러내어 이치가 바뀌어질 수 없음을 보였을 뿐이다. 만약 '위정이덕(爲政以德)'의 '덕(德)'이라는 글자 위에 '무위(無爲)'라는 한 단어를 덧붙여 조화의 근본으로 삼는다면, 이는 이미 노자의 '무위로서 스스로를 바르게 한다'는 취지에 흠뻑 빠져든 것이다. 그리고 북신이 제자리에서 조금도 움직이지 않는다는 뜻은 이미 천상(天象)에도 부합되지 않고, 또 노자의 "가벼운 것은 무거운 것의 임금이요, 고요한 것은 시끄러운 것의 뿌리이다."[18]는 학설에 빠져들어 간 것이다. 털끝만 한 차이에서 천리의 격차가 지고 말았으니, 이 어찌 잘못된 것이 아니겠는가? (北辰之說 唯程氏復心之言爲精當 朱子輪藏心射餹盤子之喩 俱不似 其云極似一物橫亘於中 尤爲疎矣 使天之有樞 如車之有軸 轂動而軸不動 則自南極至北極 中間有一貫串不動的物事在 其爲物也 氣耶 抑形耶 氣 則安能積而不散 凝而不流 若夫形 則天地之閒未有此一物審矣 且形 固能運形而不能運氣者也 天樞之於天 原無異體 天之運行 一氣俱轉 初不與樞相脫 旣與同體 動則俱動 特二十八宿三垣在廣處動 北辰在微處動 其動不可見耳 今將一圓盤 點墨記於中心 旋盤使轉 盤旣動 則其墨記之在中心者 亦東西南北易位矣 特墨記圓纖 不可得而辨也 夫子將此擬爲政以德者之治象 取類不虛 爲政以德而云不動 云無爲 言其不恃賞勸刑威而民自正也 蓋以施於民者言 而非以君德言也 若夫德之非無爲 則

---

17) 『맹자』의……움직인다 : 『맹자』「이루(離婁)」 상에 나오는 구절로, 그 원문은 다음과 같다. "孟子曰……是故誠者 天之道也 思誠者 人之道也 至誠而不動者 未之有也 不誠 未有能動者也"

18) 무거운……임금이다 : 이 구절은 『노자』 26장에 나오는 말로, 원문은 '重爲輕根 靜爲躁君'이다. 『독논어대전설』에서 '輕爲重君 靜爲躁根'이라 한 것은 오기(誤記)이다.

與北辰之非不動均也 不顯篤恭之德 原靜存動察之極功 而況德之爲言得者 卽政之爲言正之意 故言爲言以 如欲正人以孝 則君必行孝道而有得於心 欲正人以慈 則君必行慈道而有得於心 其以此爲政也 動之於微而未嘗有及於民之事 而理之相共爲經綸 氣之相與爲鼓盪者 以居高主倡 自有以移風易俗而天下動矣 故其不急於動民者 北辰居其所之象也 天下共效其動者 衆星共之象也 居其所云者 猶言自做自事 無牽帶衆星之事也 北辰卽不爲衆星須動之故 而彼亦自不容不運之於微 人君卽不爲人有不正而須正之故 亦自不容不內脩其德 各脩其所當爲 而星之環繞以動者 自與北辰俱轉 民之自新不已者 自與人君同正 只此乃德之用微 而其化顯 若以軸喩 則脫然兩物 故爲不動以持轂而迫之轉 則是有意不動 以役使羣動 此老氏所謂王侯得一以爲天下貞 陽爲靜而陰挾之以動 守乎雌以奔走天下之雄 其流爲申韓者 正此道也 此則以無爲爲德因正於天下而已無所正 豈以己之正正人之不正之謂乎 是故居其所者非北辰之德也 北辰之勢也 陳氏云譬爲政以德之君 其說自確 以不云譬爲政所以之德也 程子曰 爲政以德 然後無爲 朱子曰則無爲而天下歸之 無爲者 治象也 非德體也 動於微而不動於顯 德微 政顯 動於獨而不動於衆 北辰之與君德合者 愼動以不息而已矣 極論此章 亦不過大學以脩身爲本之意 孟子至誠動物之旨 而特推上下理氣感通之機 以顯其象於天見爲理之不可易者而已 若更於德之上加一無爲以爲化本 則已淫入於老氏無爲自正之旨 抑於北辰立一不動之義 旣於天象不合 且陷入於老氏輕爲重君 靜爲躁根之說 毫釐千里 其可謬與)

제4장

공자 : "나는 15살에 학문에 뜻을 두었고 30살에 주관을 확립하였으며, 40살에는 세상사에 흔들림이 없었고 50살에는 천명(天命)을 알았다. 나이 60에는 귀로 들어오는 말 중에 거슬리는 것이 없었으며, 70에 이르자 내 마음 가는 대로 살아도 세상의 올바른 이치를 넘어서는 짓은 하지 않게 되었다."

子曰 吾十有五而志于學 三十而立 四十而不惑 五十而知天命 六十而耳順 七十而從心所欲 不踰矩

2

주자는 '지학(志學)'은 '지(知)'가 되고 '이립(而立)'은 '행(行)'이 되며, '불혹(不惑)'과 '지천명(知天命)'과 '이순(耳順)'은 '지(知)'가 되고 '욕구를 따라도 법도를 넘음이 없다[從欲不踰矩]'는 것은 '행(行)'이 된다고 하였다.[19] 이러한 해석은 바로 억지로 자신이 확립한 주관으로 성인 말씀의 속내를 재량한 것이다. 이는 마치 쇠를 담금질할 적에, 그 미열(微熱)마저 모두 빠져나가고 새로운 형태가 만들어지면 결국에는 서로 아무 상관이 없는 것과 같다.

"15살에 학문에 뜻을 두었다."[20]고 하는데, 어디에 뜻을 두었고 무엇을 배우는 것이기에 '지(知)'의 영역에다 귀속시킨 것인가! 어찌 다

19) 주자는……하였다 : 『논어집주대전』「위정」 제4장의 6번째 단락의 주자주의 끝부분인 "欲學者……意皆放此"의 바로 아래의 소주에 나오며, 전문은 다음과 같다. "問此章如何分知行 朱子曰 志學亦是要行 而以知爲重 立是本於知而以行爲重 志學言知之始 不惑知命耳順 言知之至 立言行之始 從心不踰矩言行之始"

20) 15살에……두었다 : 이는 『논어』「위정」 제4장의 일부인데, 그 전문은 다음과 같다. "子曰 吾十有五而志于學 三十而立 四十而不惑 五十而知天命 六十而耳順 七十而從心所欲不踰矩"

만 강습(講習)하고 토론(討論)만 하면서 30살이 되기를 기다린 뒤에야 행한다는 것인가? 이는 마치 소진(蘇秦)[21]이 '상대방의 마음을 미리 헤아려 영합하는 기술[揣摩術]'[22]을 익히고 나서, 새의 깃털이 길게 자라듯 역량을 축적한 뒤 높이 날고자 한 격이 아니겠는가? 또 '30살에 확립했다'는 것은 무엇을 확립했다는 말인가! 도달한 경지에서 아는 바와 행하는 바가 모두 이미 지극한 곳에 이르렀을 터인데, 또 어찌 다만 이전에 알던 것을 지키기만 하면서 생각 없이 행하기만 한단 말인가?

15살에서 30살에 이르는 이 15년 동안은 공부자의 대단한 성인의 공부가 있었던 시절이다. '학문에 뜻을 두었다[志於學]'는 것은 '문에서 널리 배움[博文]'과 '예로써 요약함[約禮]'을 이름이다. 성인은 여기에 있어서 배우는 자들이 차이가 있음을 용납하지 않는다. 그렇기 때문에 사람들을 가르치실 때에 또한 이 두 가지로 하시면서, "어긋남이 없을 것이다."[23]라고 말씀하셨다. 도에 어긋남이 없다면 거의 확립을 한 것이다. '박문(博文)'이 '약례(約禮)'에 합치된다면 문(文)은 모두 마음으로 터득될 것이고, '약례'가 '박문'에 합치된다면 예가 문장

21) 소진(蘇秦) : 중국 전국시대의 유세가이자 정치가로 합종책(合縱策)의 주창자임. 제(齊)나라의 귀곡자(鬼谷子)를 사사한 뒤, 처음 진(秦)나라의 혜왕(惠王)을 설득하였으나 받아들여지지 않자, 뒤에 연(燕)나라의 문후(文侯), 조(趙)나라의 숙후(肅侯), 한(韓)나라의 선혜왕(宣惠王), 위(魏)나라의 양왕(襄王), 제나라의 선왕(宣王), 초(楚)나라의 위왕(威王)을 각각 설득하여, 이 6국의 연합을 성공시켰다. 이에 6국은 세로로 나란히 결속하여 서쪽의 진나라에 대항하였으며, 소진 스스로는 종약(縱約)의 우두머리가 되어 6국의 상(相)을 겸하였다. 소진의 이같은 합종책은 후일 장의(張儀)의 연횡책이 나올 때 까지 전국시대의 가장 영향력 있는 정책의 하나였다.

22) 상대방의……기술 : '췌마(揣摩)'는 상대방의 마음을 미리 헤아려 그의 뜻에 영합하는 것으로, 주로 전국시대 유세가들이 군주의 환심을 사려할 때 이러한 방법을 사용했다. 전국시대의 명유세객이었던 소진(蘇秦)과 장의(張儀)가 주로 이러한 방법을 사용했다고 한다.

23) 어긋남이 없을 것이다 : 이 구절은 『논어』「옹야(雍也)」 제25장에 나오는데, 그 전문은 다음과 같다. "子曰 君子博學於文 約之以禮 亦可以弗畔矣夫"

에서 드러날 것이니, '행(行)'이 이미 정해지면 '지(知)'는 더욱 자세해질 것이다.

동양(東陽)이 말한 '지와 행이 함께 진전된다[知行竝進]'[24]는 것도 또한 두 가지 층위로 나누어 말한 것일 뿐이다. 그러나 이로부터 이후로는 진실로 지와 행을 나눌 수가 없으니, 또한 '지와 행이 함께 나아간다'고도 말할 수 없는 것이다. 이처럼 성인의 공부함은 진실로 사람들이 쉽사리 엿볼 수 있는 바가 아니다.

대개 '지'와 '행'이라고 말한 것은 '앎을 극진히 함[致知]'과 '힘써 행함[力行]'을 이름이다. 오로지 '치지(致知)'와 '역행(力行)'이기에 공부를 나눌 수 있고, 공부를 나눌 수 있으면 선후(先後)의 차례를 세울 수 있다. 선후의 차례를 세울 수 있다면, 앞과 뒤는 또한 서로가 도와주어서 이루어지게 될 것이다. 이렇게 되면 지를 통해서 행할 바를 알게 되고, 행을 통해서 행하면 알게 되니 또한 지행을 함께 나아가게 하는 공부라고 말할 수 있을 것이다.

성인께서 이미 확립한 후에는 그 앎이 지극해지기를 기다리지 않아도 되니, 활연히 관통한 뒤여서 전체(全體)가 밝아지고 대용(大用)이 행해질 것이다. 그리고 그 행에 있어서도 힘쓰기를 기다리지 않아도 되니, 그가 확립한 조리에 어긋나지 않아서 그것을 그대로 따라 행한다면, 사물의 지극함을 따르는 것이라 할 수 있다. 그러므로 이미 확립한 뒤에는 '성실하면 곧 밝아질 것이다[誠則明矣]'[25]. 이에 '명

---

24) '지와 행이 함께 진전된다[知行竝進]' : 이 구절은 『독사서총설(讀四書叢說)』「위정(爲政)」 지우학장(志于學章)에 나오는데, 그 원문은 다음과 같다. "此六節皆是知行兼進 不可分作兩節"

25) 성실하면……것이다 : 『중용장구』 21장에 나오는 말로, 그 전문은 다음과 같다. "自誠明 謂之性 自明誠 謂之敎 誠則明矣 明則誠矣"

(明)'과 '성(誠)'이 합일되면 그 아는 것은 곧바로 행해질 것이며, 행하는 것은 모두 알게 될 것이다. 이는 안자(顏子)의 "따르고자 하나 말미암을 길이 없다."[26]는 경지가 여기에 있는 것이니, 어찌 지와 행이 나란히 나아간다고 말할 수 있겠는가?

바로 이러한 경지에 이르더라도 그 행하는 바의 큰 단서는, 또한 '30살에 확립했다'는 경지에서 행하는 것과 다르지 않다. 이를 것을 알아 기미를 보며 마칠 것을 알아 의(義)를 보존한다면, 그 행하는 것이 정미하여 바꾸어 옮겨감이 없을 것이다. 이 때문에 오직 '명(明)'에 나아가서 말하고, 다시 '성(誠)'에 나아가서 말하지 않은 것이다. 그렇다면 '불혹(不惑)'은 순수한 이치로서 간단(間斷)이 없는 것이며, '지천명(知天命)'은 이치에 다하지 않음이 없고 본성에도 다하지 않음이 없는 것이고, '이순(耳順)'은 말을 들으면 어긋남이 없어서 있는 곳에서 모두 편안한 것이며, '종심소욕불유구(從心所欲不踰矩)'는 나에게 있는 것이 모두 참되어 조화와 둘이 아님을 아는 것이다. 그러므로 '불혹(不惑)'과 '이순(耳順)'은 모두 저것에 순응한다는 말이며, '지천명'과 '종심소욕불유구(從心所欲不踰矩)'는 모두 이것을 통달한다는 뜻이다. 요컨대 행하는 바의 것이 '지(知)'의 명을 들어서 그 '지'가 더욱 광대하고 정밀해지면, 행하는 것이 딱 맞아 떨어져서 더욱 고명해지고 넓고 두터워질 것이다.

그러므로 그 자취로서 말한다면 '불혹(不惑)' 이상은 '지(知)'의 일이 많다. 그리고 실사(實事)에서 구해 보면 '이립(而立)'은 성(誠)의

---

26) 따르고자……없다 : 『논어』「자한(子罕)」 제10장에 나오는 말로, 그 전문은 다음과 같다. "顏淵喟然歎曰 仰之彌高 鑽之彌堅 瞻之在前 忽焉在後 夫子循循然善誘人 博我以文 約我以禮 欲罷不能 旣竭吾才 如有所立卓爾 雖欲從之 末由也已"

회복이요, '불혹(不惑)' 이상은 성(誠)의 통합이다. 다시 지행(知行)의 지극함을 극진히 한다면, 신묘함을 궁구하고 조화를 앎으로서 덕이 융성한 데로 통달할 것이다. 이렇게 되면 '행(行)'에 더하는 바가 있기를 기다리지 않더라도, 예전에 이를 수 없었던 곳에 도달할 수가 있을 것이다.

'종심소욕불유구(從心所欲不踰矩)'와 같은 경지는 진실로 일찍이 덕업(德業)에서 징험(徵驗)할 만한 것이 있지 않음이 없다. 요컨대 '이순(耳順)' 이후로는 '명(明)'과 '성(誠)'이 합해져서 간단(間斷)이 없는 것이니, '명'이 한결같이 '성'해지면, 다시 '성' 가운데서 생겨나는 '명'이라고 말할 수 없다.

『논어집주』에서는 '이순(耳順)'을 '생각하지 않아도 맞아 들어간다[不思而中]'라고 하였으며, '종심소욕불유구(從心所欲不踰矩)'는 '힘쓰지 않아도 얻게 된다[不勉而得]'[27]라고 하여 나누어 귀속시켜 놓았는데, 이 또한 자취를 비슷하게 묘사한 듯하지만 실상은 없는 것이다. '생각하지 않아도 맞아 들어가는 것'은 바로 '힘쓰지 않아도 얻게 되는 것'으로 모두 '이순(耳順)'의 경지이다. 어찌 생각하지 않아도 맞아 들어가는 때에 여전히 얻기 어렵다는 생각이 있겠는가? 그러므로 오직 호씨(胡氏)의 "마음이 곧 본체이고, 욕구가 곧 작용이다[心卽體, 欲卽用]"[28]라는 설이 합당한 것이다.【'즉(卽)'자는 신속하고도 오묘하다.】 그리고 마음과 욕구가 또한 경계가 없다면, '체(體)'와 '용(用)'은 합치되

27) 이순을……얻게 된다 : 앞의 구절은 『논어집주』「위정」 제4장의 다섯 번째 단락 아래의 주자주에 나오며, 뒷구절은 여섯 번째 단락 아래의 주자주에 나온다. 그런데 주자주를 보면, 앞구절은 '不思而得'이라고 하였으며 뒷구절은 '不勉而中'이라고 하였다. 그러므로 『독논어대전설』에서 '不思而中', '不勉而得'이라고 한 것은 오기(誤記)이다.

28) 마음이……작용이다 : 이 구절은 『논어집주』「위정」 제4장의 여섯 번째 단락 아래의 주자주에 나온다.

고 '성(誠)'과 '명(明)'은 하나이니, 이는 마치 하늘이 '명(明)'으로부터 '성(誠)'해지지 않는 것과 같다.

요컨대 '지학(志學)'과 '이립(而立)'은 성인의 학문이지만 진실로 마음에 일삼음이 있고 모두 일에서 드러나는 것이다. 그러나 '불혹(不惑)' 이후로는 비록 일에서 떠난 것으로 도를 삼는 것은 아니지만 덕을 모으는 것을 오로지 마음속에서 하기 때문에, 이를 성덕(聖德)의 진전이라고 이름할 수는 있지만 '배운다'라고 이름 붙일 수는 없다. 학문의 측면에서 보면 '지(知)'와 '행(行)'은 나누어지지만, 덕의 입장에서 보면 '성(誠)'과 '명(明)'은 합해져 있는 것이다. 주자가 "성인은 스스로 성인만의 일이 있다."[29]고 하였듯이, 이는 초학자들의 단계에서 구할 수 없는 경계임이 분명하다.(以志學爲知 立爲行 不惑知命耳順爲知 從欲不踰矩爲行 此乃强將自己立下的柱子栽入聖言內 如炙鐵相似 亦能令其微熱而津出 究於彼無涉也 十五而志於學是何等志 何等學 乃但以屬知 豈但講習討論 儲以待三十而行之 如蘇秦之習爲揣摩 須羽毛豐滿以高飛乎 三十而立又是何等爲立 到者地位 所知所行 皆已臻至處 又豈只守著前所知者 埋頭行去耶 只此十五年 是夫子一大段聖功在 志於學者 博文約禮之謂也 聖人於此 不容與學者有異 故其敎人亦以此二者 而曰可以弗畔 弗畔 則幾於立矣 博合于約 而文皆其心得約合于博 而禮顯於文章 行旣定而知益審矣 東陽所謂知行並進者 則亦以此二位而言爾 若過此以往 固不可分知與行 且不可云知行並進 聖人之爲功者 固非人所易知矣 蓋云知行者 致知力行之謂也 唯其爲致知力行 故功可得而分 功可得而分 則可立先後之序 可立先後之序 而先後

29) 주자가……있다 : 『논어집주대전』「위정」 제4장의 여섯 번째 단락의 주자주인 "欲學者……意皆放此" 아래의 세 번째 소주에 나온다.

又互相爲成 則繇知而知所行 繇行而行則知之 亦可云並進而有功 乃聖人旣立之後 其知也 非待於致也 豁然貫通之餘 全體明而大用行也 其行也 非待於力也 其所立者條理不爽 而循繇之則因乎事物之至也 故旣立之後 誠則明矣 明誠合一 則其知焉者卽行矣 行焉者咸知矣 顔子之欲從末繇者在此 而豈可以知行並進言哉 乃至於此 其所行者 大端亦不離於三十而立之所行 知至而幾 知終而存義 其行也有精微而無改徙 是以唯就明言之 而不復就誠言之 然不惑則純乎理而無閒 知天命則理無不窮而性無不盡 耳順則聞言無違逆 而於土皆安 從欲不踰矩則於我皆眞而知化不貳 故不惑耳順 皆順乎彼之詞 而知命從欲 皆達乎此之意 要以所行者聽乎知 而其知也愈廣大愈精微 則行之合轍者 愈高明愈博厚矣 故以跡言之 則至於不惑以上 而知之事爲多 以實求之 則立者誠之復 而不惑以上 誠之通也 復已極乎知行之至 而通唯窮神知化以爲德之盛 非待有所加於行 以至乎昔之所不能至者 若夫從心所欲 不踰矩固未嘗不於德業有可徵者 要亦耳順以還 明誠合而無閒 明者一誠 更不可云誠中所生之明矣 集註分耳順爲不思而中 從欲不踰爲不勉而得 亦跡似而無實 不思而中 斯不勉而得 是皆耳順之境也 豈不思而中之時尙有難得之慮哉 故唯胡氏心卽體 欲卽用之說爲當 卽字速妙 而心之與欲亦無分界 則體用合 誠明一 如天之非自明而誠矣 要以志學與立 聖學固有事於心 而皆著於事 不惑以後 雖不離事以爲道 而凝德唯心 斯可名爲聖德之進 而不可名爲學矣 在學則知行分 在德則誠明合 朱子曰聖人自有聖人底事 不可以初學之級求 明矣)

3

'이순(耳順)'은 말을 듣는다는 관점에서 언급한 것이다. 그러므로 『논어집주』의 '소리[聲]'라는 한 글자[30]는 '귀[耳]'라는 글자로 인하여 나온 것이니, 말하는 자의 입장에서 보면 '말[言]'이 되고 듣는 자의 처지에서 보면 '소리[聲]'가 된다. 이러한 언어(言語)를 없앤다면 귀가 다시 어디에서 순해질 수 있겠는가?

음악도 진실로 소리이지만 저것은 전문가의 학문 영역이 있다. 그러므로 성인께서도 또한 악사(樂師)인 지(摯)와 양(襄)과 더불어 그들이 잘 하는 것을 함께 하는 정도였지[31] 그들과 덕에 나아가지는 않으셨다. 그런데 근래 어떤 사람이 '소나무 사이로 부는 바람 소리, 물소리, 앵무새의 지저귀는 소리, 메뚜기 소리 등이 모두 어긋나는 바가 없었다'고 해설을 하였는데, 이것이야말로 성학(聖學)과 이단(異端)이 크게 나뉘는 곳이다. 저 사람이 말한 것은 불가의 '목서화의 향기를 들었다고 함에 숨기는 것이 없다고 알려주는 것[木樨無隱]'[32]의 찌꺼기에 불과할 뿐이다.

그러므로 '이순(耳順)'은 말을 듣는다는 관점에서 언급한 것이기

30) 『논어집주』의……한 글자 : 『논어집주』「위정」 제4장의 다섯 번째 단락 아래의 주자주에 '聲入心通'이라고 하였다.

31) 악사(樂師)……정도였지 : 지(摯)와 양(襄)은 모두 공자와 동시대를 살았던 악사(樂師)들의 이름으로, 특히 공자는 "師摯之始 關雎之亂 洋洋乎 盈耳哉"(『논어』「태백」)라고 할 정도로 지(摯)의 음악연주에 감탄을 하였다고 한다.

32) 목서화의……알려주는 것 : 선종(禪宗)의 공안(公案) 중의 하나로 출전은 오등회원(五燈會元)』임. 송대 문인인 황정견(黃庭堅)이 당대의 선승인 회당조심선사(晦堂祖心禪師)를 찾아가 도에 대하여 물었다. 이에, 선사가 길가에 핀 목서화(木樨花)를 보고는 그 향기를 들었느냐고 묻자, 황정견이 들었다고 하였다. 이에 선사가 '나는 그대에게 숨김이 없다[吾無隱乎爾]'고 일갈을 하자, 황정견이 이 소리를 듣고는 대오를 하였다고 한다.

에, 또한 신안 진씨(新安陳氏)가 취해온 '창랑(滄浪)의 노래[33]를 듣는다'[34]는 것과 같은 것으로 증거를 삼을 수 없다. 진씨의 말은 두 가지 병폐가 있다. 심원한 경지에서 말하자면 부딪치는 곳마다 깨우치는 것이니, 이는 불가에서 어떤 사람이 '그대 만약 무정하다면 나 또한 무심하리[他若無情我也休]'라는 노래[35]를 듣고 도를 깨달았다는 뜻과 같다. 그리고 얕은 경지에서 말한다면 사물에 느낌이 있음에 마음에 경계를 하는 것이니, 이는 사람으로서 진실로 학문과 생각의 공부가 있는 자라면 또한 바로 이렇게 할 수가 있다. 예컨대 한영(韓嬰)[36]은 시를 해설할 때에 왕왕 '사물의 규율을 파악하면, 같은 류는 미루어서 추측하는 방법[觸類旁通]'[37]을 사용하였으며, 자유(子游)와 자하(子夏)의 무리들도 이러한 방법을 넉넉하게 행한 지가 진실로 오래되었다.

이 한 단락의 성인의 공부를 총괄해 보면 사색을 통해 적실(的實)한 해석을 해 내기가 매우 어렵다. 추상적 개념에 의거하여 말하면 이

---

33) 창랑(滄浪)의 노래 : 『맹자』 「이루」에 나오는 구절로, 그 원문은 다음과 같다. "有孺子歌曰 滄浪之水清兮 可以濯我纓 滄浪之水濁兮 可以濯我足 孔子曰 小子聽之 清斯濯纓濁斯濯足矣 自取之也"

34) 진씨가……듣는다 : 『논어집주대전』 「위정」 제4장의 다섯 번째 단락의 주자주 아래의 마지막 소주에 나오며, 그 원문은 다음과 같다. "陳氏曰 纔容小思而後得 則是內外有相扞格違逆 不得謂之順矣 如夫子聞滄浪之歌 卽悟自取之義 是耳順之證也"

35) 불가에서……노래 : 누자화상(樓子和尙)이란 이가 주루를 지나다가, 주루위의 사람이 이 노래를 부르는 것을 듣고는 바로 대오했다고 한다. 다만 이 이야기의 출전인 『오등회원(五燈會元)』에는, '他若無情'이 '你旣無心'으로 되어 있다.

36) 한영(韓嬰) : 서한(西漢) 시대 연(燕)나라 사람. 한 문제(文帝) 때 경학박사에 임명되었으며, 저술로는 『한시내전(韓詩內傳)』, 『한시외전(韓詩外傳)』 등을 남겼는데, 현재 『한시외전』만이 전해지고 있다.

37) 사물의……방법 : '촉류방통(觸類旁通)'은 『주역』 「계사전(繫辭傳)」과 「건괘(乾卦)」에 나오는 구절을 조합하여 만든 한자 성어로, 그 원문은 다음과 같다. "引而伸之 觸類而長之"(「계사전」). "六爻發揮 旁通情也"(「건괘」)

는 불가의 오묘한 깨달음이 될 뿐이고, 구체적 일을 증거로 삼아 말하더라도 이는 자잘하게 심령(心靈)을 경계하는 총명에 불과하다. 경원 보씨(慶源輔氏)[38]의 '시비를 확연하게 구분한다[是非判然]'[39]고 한 네 글자는 약간의 근거로 삼을 만하다. 그러나 '확연하게 구분한다'는 것은 또한 '이순(耳順)'의 경지라고 하기에는 부족하니, '불혹(不惑)'을 당해서는 이미 일찍이 시비가 확연하게 구분이 된 것이다.

나는 생각한다. 맹자는 "이목(耳目)의 기관은 생각하는 능력이 없어서 물건에 가려지게 된다."고 하였으며, 또 대체(大體)를 따름에 그 소체(小體)가 능히 빼앗지 못하는 자를 대인(大人)이라고 하였다.[40] 성인(聖人)은 대인이면서 저절로 화(化)한 분이지만,[41] 이 사색의 기능이 없고 외물(外物)에 가리어지는 기관을 가지고 하늘의 법칙에 근본하여 따르는 것을 실천한다. 이로써 천하의 말을 받아들이되 마음을 믿지 않고 그 빼앗기는 것에 대해 방비를 한다면, 생각의 기능이 없는 기관은 곧 생각하는 기관의 작용과 같아질 것이다. 오직 그 생각하는 것【마음을 일컬음이다.】이 또한 생각하지 않음【생각하지 않고도 맞아 들어가는 것이다.】에 이른 까닭에, 생각의 기능이 없는 기관의 작용이 생각하

38) 경원 보씨(慶源輔氏) : 이름은 광(廣)이며, 자는 한경(漢卿), 호는 잠암(潛菴)임. 여조겸(呂祖謙)과 주자(朱子)를 사사하였으며, 주자의 경설을 부연한 『사서찬소(四書纂疏)』외에 『육경집해(六經集解)』, 『통감집의(通鑑集義)』, 『일신록(日新錄)』 등의 저술을 남겼다.

39) 시비를……구분한다 : 『논어집주대전』「위정」 제4장의 다섯 번째 단락의 주자주 아래의 네 번째 소주에 나온다.

40) 맹자는……하였다 : 『맹자』「고자(告子)」에 나오는 말로, 그 전문은 다음과 같다. "公都子問曰 鈞是人也 或爲大人 或爲小人 何也 孟子曰 從其大體爲大人 從其小體爲小人 曰 鈞是人也 或從其大體 或從其小體 何也 曰 耳目之官不思 而蔽於物 物交物 則引之而已矣 心之官則思 思則得之 不思則不得也 此天之所與我者 先立乎其大者 則其小者弗能奪也 此爲大人而已矣"

41) 성인은……사람이니 : 『맹자』「진심(盡心)」에 나오는 말로, 그 원문은 다음과 같다. "大而化之之謂聖"

는 기관과 같아지는 것이다.

『논어집주』에서는 "소리가 들어옴에 마음에 통하여 어긋나거나 거슬려지는 바가 없었다."[42] 고 하였다. 여기에서 이른바, '어긋나거나 거슬려지는 바가 없었다'는 것을, 소리가 거슬리는 것이 없었다고 한다면 이는 '목서화의 향기를 들었다고 함에 숨기는 것이 없다고 알려주는 것[木樨無隱]'과 같은 설이고, 귀에 거슬려지는 바가 없었다고 한다면 이는 '창랑의 노래를 듣는다[聞滄浪之歌]'는 설이다. 아마도 주자의 뜻은 마음에 거슬림이 없음을 일컬었을 것이다. 즉 귀가 소리를 받아들여 마음에 거슬리는 바가 없다면 말이 귀에 이르러 시비가 생기더라도 내 마음의 명철함으로 인해 그 침탈당함을 근심하지 않게 될 것이며, 귀가 저 소리를 받아들임에 옳든 그르든 간에 마음의 명철함을 빌리지 않더라도 저절로 어둡지 않게 될 것이다. 덕에 나아감이 이와 같다면 귀의 형색대로 이미 실천해낸 것이다. 귀는 형색(形色)이고 형색은 하나의 천성이니,[43] 진실로 순함에 근원을 두고 대체(大體)를 거스름이 없어야 된다. 형색에 있어서 천성대로 할 수 있다면, 소체(小體)가 대체(大體)가 되지 않음이 없을 것이니 이렇게만 되면 바로 성인일 것이다.

그러므로 이목(耳目)은 진실로 순하여 거스름이 없어야 되고 가리는 바가 있지 않아야 되는데, 그것을 가리는 것은 바로 욕망이다. 귀의 형색대로 실천한다는 것은 곧 귀의 본성을 다하는 것이니, 들음에 모두 마음을 순하게 하여, 받아들이고 가리게 하는 감각기관을 사용

42) 소리가……없었다 : 『논어집주』「위정」 제4장의 다섯 번째 단락의 주자주에 나온다.

43) 형색은……천성이니 : 『맹자』「진심(盡心)」에서 "형색은 천성이니, 오직 성인인 연후에야 형색대로 실천할 수 있다."고 하였는데, 그 원문은 다음과 같다. "孟子曰 形色 天性也 惟聖人 然後可以踐形"

하나 이목(耳目)을 가리는 욕망은 쓰지 않는 것이다. '종심소욕불유구(從心所欲不踰矩)'는 이목에 가리어진 욕망이 또한 따라서 순하게 되는 것이다. 귀는 비록 나에게 있는 것이나 순하게 되는 것은 천하의 말이며, 욕망이 외물(外物)에 걸려 있지만 그것을 깨우쳐주는 것은 자기로부터이다. 그러므로 나는 '이순(耳順)'은 처지에서 모두 편안한 것이며, '종심소욕불유구(從心所欲不踰矩)'는 내 마음에서 모두 진실된 것이라고 생각한다. 아! 말로 하기 어렵구나.(耳順自就聽言上說 集註一聲字 但因耳字上生出 在言者謂之言 聞者謂之聲也 除却言語 耳更何順 樂固聲也 而彼自有專家之學 聖人亦不過與擊襄同能 而無與於進德 乃近見有人說 凡松聲水響鶯囀蛩吟 皆無所違逆 此是聖學異端一大分界處 彼所云者 不過釋氏木樨無隱之唾餘耳 然卽就聽言說 又不可似陳氏取聞滄浪之歌以作證 陳氏語有兩種病 以深言之 隨觸卽悟 則亦釋氏聽人唱他若無情我也休而悟道之旨 以淺言之 感物警心 則人之苟有學思之功者 亦卽能然 如韓嬰說詩 往往觸類旁通 至於游夏之徒 則固久矣優爲之矣 總此一段聖功 極難下思索 作的實解 憑虛言之 則只是釋家妙悟 徵事言之 又不過小小靈警的聰明 慶源是非判然四字 差爲有據 而判然者 亦不足以爲順 且當其不惑而早已判然矣 愚按孟子曰耳目之官不思而蔽於物 從大而小不能奪者爲大人 聖人則大而化之矣 卻將這不思而蔽於物之官 踐其本順乎天則者以受天下之言 而不恃心以防其奪 則不思之官 齊思官之用 唯其思者 心 亦臻於不思 不思而中 故不思之用齊乎思也 集註云 聲入心通 無所違逆 夫所謂無違逆者 以爲無逆於聲 是木樨無隱之說也 以爲無逆於耳 是聞滄浪之歌之說也 朱子之意 亦謂無逆於心耳 耳之受聲不逆於心 則言之至於耳也 或是或非 吾心之明 皆不患其陵奪 耳之受夫聲者 因可因否 皆不假心之明而自不昧進德至此 而耳之形已踐矣 耳 形色也 形色 一天性也 固原以順而不以

逆於大體也 於形得性 無小不大 斯以爲聖人與 然耳目者 固順而無逆者也 非有蔽 而蔽之者欲也 踐耳之形 盡耳之性 而聞皆順心 能用受蔽之官 而未能用夫蔽耳目之欲也 從心所欲 不踰矩 則蔽耳目者亦從之而卽於順矣 耳雖在我 而順者天下之言 欲麗於物 而發之自己 故愚以耳順爲於土皆安 從欲不踰爲於我皆眞也 嗚呼 難言之矣)

제5장

맹의자(孟懿子)가 '효(孝)'에 대하여 여쭈었다.

공자 : "예(禮)에 어긋남이 없어야 됩니다."

이 대화 이후, 제자인 번지(樊遲)가 수레를 몰게 되었다.

공자 : "맹손(孟孫)이 나에게 효에 대하여 묻기에 내가 '어긋남이 없어야 됩니다.'라고 대답하였다."

번지 : "무슨 말씀이십니까?"

공자 : "부모님 살아 계실 때에는 예에 맞게 섬기고, 돌아가시면 예에 맞게 장사지내며, 제사 또한 예에 맞게 지내야 한다는 의미이다."

孟懿子問孝 子曰 無違 樊遲御 子告之曰 孟孫問孝於我 我對曰 無違 樊遲曰 何謂也 子曰 生事之以禮 死葬之以禮 祭之以禮

4

'위(違)'자에는 원래 두 가지 뜻이 있다. '옳은 줄[然]'을 알면서도 일부러 위배되는 짓을 한다는 뜻이 있으니, '도를 어기면서 백성의 칭찬을 구한다[違道以干百姓之譽]'[44]는 것이 이것이다. 또 서로 거리가 있어서 미치지 못한다는 뜻이 있으니, '충서는 도와 거리가 멀지 않다[忠恕違道不遠]'[45]는 것이 이것이다. 그런데 이 두 가지 뜻은 요컨대 서로 통한다. 경문(經文)대로라면[46] 살아 계실 때 섬기고 돌아가셨을 때 장사 지내고 제사 지낼 때에 예로 하지 않는 것을 '어긴다[違]'고 할 수 있다. 여러 가지 기물과 장식물을 휘황하게 늘어놓고는 이것을 받드는 것을 '예'니 '효'니 하는데, 이런 생각을 내는 것도 벌써 구

44) 도를 어기면서……구한다 : 『서경(書經)』「대우모(大禹謨)」에 나오는 말로, 그 전문은 다음과 같다. "罔違道以干百姓之譽 罔咈百姓以從己之欲"

45) 충서는 도와 거리가 멀지 않다 : 『중용장구』 13장에 나오는 말로, 그 전문은 다음과 같다. "忠恕違道不遠 施諸己而不願 亦勿施於人"

46) 경문대로라면 : 『논어』「위정」 제5장에 "孟懿子問孝 子曰 無違 樊遲御 子告之曰 孟孫問孝於我 我對曰 無違 樊遲曰 何謂也 子曰 生事之以禮 死葬之以禮 祭之以禮"라고 하였다.

차한 일이다. 섬길 때는 사랑으로 하고 장사 지낼 때는 슬픔으로 하며 제사 지낼 때는 공경으로 하는 것은 자식된 도리로 자신의 정성을 극진히 해야 할 바이니[47], 물질적인 것에 의뢰하여 자신의 마음을 풀기에는 미진한 점이 많기 때문이다. 게다가 예법에서 벗어난 마음이 어찌 과연 어버이를 존경해서이겠는가? 내 어버이 위함을 이렇게 융성하게 한 뒤에야 자신이 노(魯)나라에서 얻을 수 없는 것이 없음을 떠벌리는 것이 아니겠는가. 그렇다면 이는 어버이를 빌려서 자신의 즐거움을 드러낸 것인데, 이는 어버이에게 응당 바쳐야 하는 것으로, 스스로 극진히 할 수 있는데도 하지 않았음을 이로부터 알 수 있다.

성인이 이렇게 말씀하신 것은 한눈에도 맹의자(孟懿子)[48]가 원래 이치에 어긋난 행동을 하는 것이 능력이 지나쳐서가 아니라 못 미쳐서임을 알아서이다. 때문에 예(禮)를 대략적으로 설명하신 것이다. '무위(無違)'는 마음에서 구하고 예는 일에서 찾아야 하니, 이것도 안팎이 서로 성찰(省察)한다는 뜻이다. 효자의 입장에서 말한다면, 어버이에게 응당 정성을 바쳐야 하는 것은 '무위' 가운데의 조리(條理)와 품절(品節)이다. 이는 그 의리를 정밀히 연구하여 신묘한 경지로 들어가서[49] 아침저녁으로 부지런히 하고 두려워하며 달려가고[50] 심

47) 자식된……극진히 해야 할 바 : 이 구절에 대한 설명은 『논어』 「자장(子張)」 제17장의 원문 "曾子曰 吾聞諸夫子 人未有自致者也 必也親喪乎"와 『맹자』 「등문공(滕文公)」 상의 원문 "孟子曰 不亦善乎 親喪固所自盡也"에 드러나 있다. 또 『효경(孝經)』 「상친장(喪親章)」에서도, "生事愛敬 死事哀慼 生民之本盡矣 死生之義備矣 孝子之事親終矣"라고 하였다.

48) 맹의자(孟懿子) : 노나라 대부 중손씨(仲孫氏)로 이름은 하기(何忌)이다. 당시 노나라의 실세인 삼가(三家)의 하나이다. 고대에는 신분에 따른 예법이 엄연히 차등이 있었는데, 이들은 제후인 노공(魯公)의 예뿐만이 아니라 천자의 예까지도 참용(僭用)하였다. 그러므로 공자께서 그를 경각시키기 위해 '부모에 대한 효도는 예에 어긋남이 없어야 된다'라고 말씀해 주셨다.

49) 의리를……경지로 들어가서 : 이는 『주역(周易)』 「계사전」 하에 나오는 말로 원문은 다음과 같다. "精義入神 以致用也"

력(心力)을 다 기울여 도달하려 하지만, 생을 마치도록 진정 미칠 수 없는 것이다. 어찌 여력(餘力)이 있다고 사치하고 분수에 넘는 예가 아닌 짓을 하겠는가? 이 때문에 어김이 없고 예에 맞는 것이다. 효자가 되고자 하는 사람의 입장에서 보자면, 그가 심력을 다 기울여 어김이 없고자 하지만 어김이 없다고 여겨지는 것이 과연 어김이 없는 것인지 아닌지를 알 수 없다. 그러므로 그에게 예를 가르쳐서 원칙을 삼아주면 질(質)이 그 문(文)을 준거(準據)하고 문은 질에서 생겨나 분명히 밝게 드러날 것이다. 이리하여 서인으로부터 천자에 이르기까지 모두 분수에 따라 할 수 있는 일이 있음을 알게 되어 도리에 어긋나지 않으면서 어버이를 섬기는 마음에 미치지 못하는 바가 없게 된다. 이에 예에 맞아서 어김이 없게 된 것이다. '무위'를 계기로 절로 예에 들어맞은 것은 성인의 효가 마음에서부터 몸 밖으로 표달된 것이니, 이는 지성(至誠)을 통해 분명히 이해한 경우[自誠明]이다. 반드시 예에 맞게 하여 어김이 없게 된 것은 외적인 것으로 자기 안을 다스려서 분명히 이해한 것을 통해 지성에 이른 경우[自明誠][51]이다. 그렇다면 '무위'가 '벼리[綱]'이고 예는 그 '조목[目]'에 해당된다 하겠다.

맹의자(孟懿子)는 구체적인 일을 청할 마음이 없는 데다 스스로 무슨 일을 시작할 계책을 찾을 줄도 몰랐다. 그러므로 공자께서 대신 번지(樊遲)에게 발명해 주신 것이다. 맹의자 같은 사람이 어찌 예를 표준으로 세우지 않고서 어김이 없을 수 있겠는가? 효는 모든 행

---

50) 아침 저녁으로……두려워하며 달려가고 : 이는 원래 『주역』·「건괘(乾卦)」 구삼효(九三爻)의 "君子終日乾乾 夕惕若厲 无咎"에서 나온 말로 게으름 피우지 않고 종일 부지런히 일하고 삼가한다는 뜻이다.

51) 이는 지성(至誠)을……지성에 이른 경우[自明誠] : 『중용장구』 제21장에 나오는 말로 그 전문은 다음과 같다. "自誠明 謂之性 自明誠 謂之敎 誠則明矣 明則誠"

실의 근원이다.[52] 효도를 극진히 하면 인사(人事)가 모두 순조롭게 된다. 그러므로 "임금을 섬기는 것이 중간이고, 입신(立身)이 끝이다."[53]고 하였고, 또 "어버이를 섬기는 것을 바탕으로 하여 임금을 섬기되, 공경하는 것은 같다."[54]라고 하였다. 맹의자가 효에 미치지 아니함이 없었다면 예가 아닌 참람한 짓을 버리려고 안 해도 절로 제거될 것이다.

성인의 말씀은 범위가 넓고도 크시다. 만일 그가 질문한 효에 대해서 효를 빌어다 논리를 세우는 단서로 삼고 그의 참람함을 꾸짖는다면, 효가 말(末)이 되고 참람하지 않아야 되는 것이 본(本)이 되어 천리의 순서에 이미 어긋나게 된다. 더구나 사람이 다행히도 근본을 회복하여 〈사랑의 도를 세우기 위해〉 먼저 자기 부모를 사랑하는 것으로부터 시작하려고[55] 하는 생각을 지니고서 가르침을 청했는데, 그만 그에게서 악행을 들추어서 궁지에 몰고 게다가 은밀한 말로 비방한다면 이것이 어찌 성인의 말씀이겠는가?

주자가 '구차(苟且)'와 '참람함[僭]'의 두 가지 뜻을 병립하여 설명한 것에 대해, 동양 허씨(東陽許氏)는 "예에 미치지 못하였다는 뜻이

52) 효는 모든 행실의 근원이다 : 이 문장은 당(唐)나라 현종(玄宗)이 찬(撰)한「효경서(孝經序)」의 "雖五孝之用則別 而百行之源不殊"라는 구절에 대한 정현(鄭玄)의 소(疏)에 보이는데, 그 원문은 다음과 같다. "此五孝之用 雖尊卑不同 而孝爲百行之源 則其致一也"

53) 임금을……입신(立身)이 끝이다 : 『효경대의(孝經大義)』 경(經) 1장에 나오는 구절로, 그 원문은 다음과 같다. "夫孝始於事親 中於事君 終於立身"

54) 어버이를……것은 같다: 『효경대의(孝經大義)』 경(經) 1장에 나오는 구절로, 그 원문은 다음과 같다. "資於事父以事母而愛同 資於事父以事君而敬同"

55) 사랑의 도를……시작하려고 : 『예기』「제의(祭義)」에 나오는 말로, 그 원문은 다음과 같다. "子曰 立愛自親始 敎民睦也 立敎自長始 敎民順也"

이 속에 들어 있다."[56]고 하였으니, 확실히 대전(大全)이라고 할 만하다. 『논어집주』에서 "삼가(三家)들이 예를 참람하였으므로 공자께서 이 말씀으로 경계하신 것이다."[57]라고 한 것은 개인적인 생각으로 성인을 재량하였다는 비난을 면치 못한다. 그리고 이 세 마디 말은 증자(曾子)도 칭술(稱述)했던 것으로 맹자가 다시 거론하였는데[58], 어디에 삼가(三家)를 경계하는 뜻이 들어있는가?

호씨(胡氏)가 "〈사람이 부모에게 효도하고자 하는〉 마음은 비록 끝이 없으나 분수에는 한계가 있다."[59]고 한 말은 더욱 실속 없이 허황되다 하겠다. 참으로 분수에는 한계가 있지만 애초에 효자의 마음은 한계를 지을 수 없다. 그러므로 "효자의 효의 극점(極點)은 부모를 존경하는 것보다 큰 것이 없고, 부모를 존경하는 것의 극점은 천하로써 봉양하는 것보다 더 큰 것이 없다."[60]고 한 것이다. 자기 집안의 제사 때에 『시경』의 「옹(雍)」장을 노래하면서 철상(撤床)하고, 작무(勺舞)

56) 주자가……들어 있다 : 이 구절은 『논어집주대전』「위정」 제5장의 첫 번째 단락의 주자주 아래의 두 번째 소주에 나온다. '무위'에 대한 혹자의 질문에 주자가 대답한 것으로, 그 전문은 다음과 같다. "曰 未見得聖人之意在 且說不以禮 蓋亦多端 有苟且以事親而違禮 有以僭事親而違禮 自有箇道理 不可違越" 동양 허씨(東陽許氏)의 설은 세 번째 단락의 주자주인 "胡氏曰" 아래의 마지막 소주에 나오는데 그 원문은 다음과 같다. "夫子雖戒孟孫之僭 然當時於所當爲者 豈皆盡善 則不及之意 亦在其中"

57) 삼가(三家)들이……경계하신 것이다 : 이 구절은 『논어집주』「위정」 제5장 마지막 단락의 주자주로서, 그 원문은 다음과 같다. "是時三家僭禮 故夫子以是警之"

58) 이 세 마디 말은……다시 거론하였는데 : "生事之以禮 死葬之以禮 祭之以禮"라는 구절을 『맹자』「등문공」 상에서는 증자의 말로 재인용하고 있는데, 그 원문은 다음과 같다. "孟子曰 不亦善乎 親喪固所自盡也 曾子曰 生事之以禮 死葬之以禮 祭之以禮 可謂孝矣"

59) 사람이……한계가 있다 : 『논어집주』「위정」 제5장 끝단락의 주자주인 '호씨왈(胡氏曰)' 부분으로 , 그 원문은 다음과 같다. "人之欲孝其親 心雖無窮 而分則有限 得爲而不爲 與不得爲而爲之 均於不孝"

60) 효자의……큰 것이 없다 : 『맹자』「만장(萬章)」 상 제4장에 나오는 구절로, 그 원문은 다음과 같다. "孝子之至 莫大乎尊親 尊親之至 莫大乎以天下養 爲天子父 尊之至也 以天下養 養之至也"

를 춘 일[61]은 사욕이 끝이 없는 짓일 뿐이다. 이는 자신을 높임으로써 천자를 멸시하고 결국에는 어버이를 욕보인 사심(邪心)이 끝이 없게 된 것이다. 이를 두고 어찌 자기 어버이에게 효성을 하고자 하는 마음이 끝이 없어서라고 할 수 있겠는가? (違字原有兩義 有知其然而故相違背 如違道以干百姓之譽是也 有相去而未逮 如忠恕違道不遠是也 乃此兩義 要亦相通 如此所言生事死葬而祭不以禮者謂之違 其於品物器飾 鋪排得輝煌 便將者個喚作禮喚作孝 只此一念 早是苟且 而事之愛葬之哀祭之敬 爲人子所自致者 以有所籍以自解而其不盡者多矣 且僭禮之心 豈果以尊親故與 無亦曰 爲我之親者必如是其隆 而後張己之無不可得於魯也 則是假親以鳴其豫 而所當效於親者 其可致而不致者從可知矣 聖人之言 一眼透過 知其故相背者之非能有過而唯不逮 故大端說個禮 無違者求之心 禮者求之於事 此亦內外交相省察之意 蓋自孝子而言 則所當致於親者 無違中之條理品節 精義入神 晨乾夕惕以赴之 盡心竭力以幾之 沒身而固不逮 豈有餘力以溢出於非禮之奢僭 是以無違而中禮也 自求爲孝子者而言 雖盡心竭力以求無違 而未知所見爲無違者 果能無違否也 故授之禮以爲之則 質準其文 文生於質 畫然昭著 而知自庶人以達於天子 皆有隨分得爲之事 可以不背於理 而無所不逮於事親之心 是以禮而得無違也 因無違而自中禮者 聖人之孝 繇內達

61) 자기 집안……춘 일 : 『논어』「팔일(八佾)」 제2장의 "三家者以雍徹"과 『예기』「내칙(內則)」"十有三年 學樂 誦詩 舞勺"을 가리키는 말이다. 옹(雍)은 옹(雝)과 같은데, 『시경』 주송(周頌) 「옹(雝)」의 편명을 뜻한다. 천자의 종묘(宗廟) 제사 때에는 이 장을 노래하면서 제기(祭器)를 물리는데[徹], 당시의 삼가가 이를 참용한 것을 공자께서 기롱하였다. 또 작(勺)은 피리[籥]인데, 이것을 잡고 추는 문무(文舞)를 뜻한다. 귀족의 자제가 13살이 되면 이것을 배운다. 그러나 천자의 자제만 쓴다는 법은 없었으니, 왕부지가 무엇을 근거로 인용했는지 알 수 없다. 다만 고대 악무(樂舞)의 대열은 천자만이 팔일(八佾)을 사용할 수 있는데, 삼가가 참용한 것을 비난한 내용이 『논어』「팔일」 제1장에 들어 있다. 그 전문은 다음과 같다. "孔子謂季氏 八佾舞於庭 是可忍也 孰不可忍也"

外 誠而明者也 必以禮而得無違者 以外治內 明而誠者 則無違其綱而禮其目也 懿子無請事之心 不能自求下手之著 故夫子於樊遲發之 如懿子者 豈能不立禮爲標準而得無違者哉 孝爲百行之源 孝道盡則人事咸順 故曰中於事君 終於立身 亦曰資以事君而敬同 使懿子於孝而無不逮則僭不期去而自去 聖人之言廣矣 大矣 若其所問者孝也 乃借孝以爲立言之端而責其僭 是孝爲末而不僭爲本 旣已拂乎天理之序 且人幸有返本親始之一念以請敎 乃摘其惡於他以窮之 而又爲隱語以誹之 是豈聖人之言哉 朱子雙立苟且與僭二義 東陽發明不及之意 亦在其中 確爲大全 若集註云三家僭禮 以是警之 是未免以私意窺聖人 且此三言者 曾子嘗述之 而孟子稱之矣 其又何所警哉 胡氏云心無窮而分有限 說尤疎妄 分固有限 初不可以限孝子之心 故曰孝子之至 莫大乎尊親 尊親之至 莫大乎以天下養 至如歌雍舞勺 私欲之無窮耳 自尊以蔑上而辱親之邪心無窮耳 豈欲孝其親之心無窮哉)

제11장

공자 : "예전의 지식체계를 잘 습득하고 이를 바탕으로 새로운 길을 알아내야만, 선생이라 할 수 있다."

子曰 溫故而知新 可以爲師矣

5

『중용』에서 언급한 학(學)[62]은 지금 종사하는 것이 있다는 말이다. 때문에 '온고(溫故)' 안에는 확대 적용하여 의리를 정밀히 연구한다는 뜻이 담겨 있으며, '고(故)' 가운데의 '신(新)'을 아는 것도 '온고(溫故)' 항목에서 설명되고 있다. '지신(知新)'의 경우는 이와는 별도로 예전에는 몰랐던 것을 알고자 하는 것이다.[63] 『논어』에서 교학(教學)을 논하고 있는데, 대강을 성취하지도 못한 데다 반드시 알아야 하는 데 전혀 알지 못하는 사람이 있다면, 이런 자가 스승이 될 수 없는 것은 당연한 일이라 논하고 말 것도 없다. 그러므로 '고(故)' 밖에 따로 '신(新)'이 없으니, '지신(知新)'은 '고(故)' 가운데의 '신(新)'을 아는 것이다. 여기에서 '학(學)'이란 '도달하기 이전[未至]'을 말하는 것이고, '사(師)'는 '도달하고 난 뒤[已至]'의 구분이 있다.

62) 중용에서 언급한 학 : 『중용장구』 제27장에 나오는데, 그 원문은 다음과 같다. "故君子尊德性而道問學 致廣大而盡精微 極高明而道中庸 溫故而知新 敦厚以崇禮"

63) '지신(知新)'의……것이다. : 이하는 『논어』 「위정」 제11장 "子曰 溫故而知新 可以爲師矣"에 관한 왕부지의 논의이다.

그러나 군자가 덕을 닦아 도를 이루는 일이 언제나 광대하고 정미(精微)하다면 그날로 새로워지는 것이 또한 무궁할 것이다. 때문에 천하의 모든 이치가 모두 '옛날'의 어느 하루 일이 되어버리지 않고 더욱 정교하고 치밀해져서 그 속에 새로운 것까지 내포하게 될 것이다. 이 장에서 '스승이 될 수 있다[可以爲師]'고 한 것은 또한 강습(講習)하고 토론(討論)하는 일만을 말한 것이다. 비록 '위로 관통하는[徹上]' 경지에서 말하더라도 성인의 가르침을 지극히 한 정도이고, 그렇다고 '아래로 관통하는[徹下]' 경지에서 말하더라도 고인(古人)들은 널리 배우기만 하고 아직 가르치지는 않는 20대 이후로는 곧 남의 스승이 되는 도리가 있었다. 한 가지 지식을 학습하고 한 가지 경(經)에 정통한 사람들[64]은 모두 가르칠 수 있었다. 그 사람이 보고 들은 것이 실로 한계가 있지만, '고(故)' 중에서 새로운 것을 터득했으면 스승이 될 수 있었다. 스승이 되는 것이 덕을 닦고 도를 이루는 종착점이 아니다. 그러므로 『서경』에서는 '가르침은 배움의 반[斅學半]'[65]이라고 하였다. 공자께서는 도덕을 증진하기를 70대가 되어서도 멈추지 않으셨지만, 40대에 벌써 제자들이 날로 찾아와 배웠다.[66] 스승이 되는

64) 한 가지……사람들 : 『논어집주』「서설(序說)」에 보면 "弟子蓋三千焉 身通六藝者七十二人"라는 말이 있는데, 여기서 육예(六藝)는 육경(六經)을 가리킨다. 한편 『맹자집주』「서설」을 보면 한유(韓愈)의 말을 인용하면서 "又曰 孔子之道大而能博 門弟子不能徧觀而盡識也 故學焉而皆得其性之所近 其後離散 分處諸侯之國 又各以其所能授弟子 源遠而末益分"이라고 하였는데, 이는 공자 문하의 제자들이 각기 스승께 배운 것 중에 자기가 잘하는 것을 제자들에게 전수한 것을 뜻한다.

65) 가르침은 배움의 반 : 『서경』「열명(說命)」편의 말로, 그 원문은 다음과 같다. "惟斅學半 念終始 典于學 厥德脩罔覺"

66) 도덕을……배웠다 : 『논어집주』「서설」 중 『사기』「공자세가(孔子世家)」의 말을 인용한 데서 보인다. 내용을 보면 공자는 73세에 돌아가셨고, 30대 이전 혹은 그때부터 이미 제자가 있었다는 것을 알 수 있다. 그 원문을 보면 다음과 같다. "適周 問禮於老子 旣反 而弟子益進……孔子年四十三 而季氏强僭 其臣陽虎作亂專政 故孔子不仕 而退修詩 書 禮 樂 弟子彌衆"

것이 깨달음의 경지가 아니기에, 옛날 배운 것을 잊지 않고 간직하며 새 것을 알면 분수에 맞게 남을 가르칠 수 있다. 그러나 기문지학(記問之學)으로는 남을 가르치는 것이 용납되지 않는다. 이것이 주자가 기문지학은 『중용』의 온고지신과 같지 않다는 변론을 펴게 된 이유[67]이다.

그런데 주공천(朱公遷)[68]은 『중용』의 '고(故)'자를 '원래 자기에게 있는 것[存乎已]'으로 보고, 『논어』의 이 장에서는 〈고(故)자를〉 '남에게서 들은 것[聞乎人]'[69]으로 보았으니, 잘못이다. '자기에게 있는 것'이 일단 아무것도 없는 불립문자(不立文字)[70]나 견문(見聞)에 상관없는 덕성이 있다는 말이 아니고, '남에게서 들은 것'이 그 덕성의 어둡지 않은 밝음을 써서 보존 유지한다는 것이 아니다. 결국 이것도 기문지학일 뿐이다. 그러므로 『논어집주』에서 "〈예전에 들은 것을 때때로 익히고 항상 새로 터득한다면〉 배운 것이 나에게 있게 된다.[所

67) 기문지학은……펴게 된 이유 : 『논어집주』 「위정」 제11장의 주자주인 "故學記議其不足以爲人師 正與此意互相發也" 아래의 첫 번째 소주를 가리키며, 그 원문은 다음과 같다. "朱子曰 記問之學 溫故而不知新 只記得硬本子 …… 中庸溫故而知新 乃是溫故重 此却是知新重"

68) 주공천(朱公遷 ?-?) : 원나라 순제(順帝) 때의 학자로 요주(饒州) 낙평(樂平) 출신이다. 자는 극승(克升)으로 주이실(朱以實)의 자식이다. 경전과 제자백가의 책과 예악·율력(律曆)·제도·문물의 명수(名數)에 해박·관통하였다. 학자들은 그를 '명소선생(明所先生)'이라고 칭한다. 저술로는 『사서통지(四書通旨)』가 있다.

69) 중용의……들은 것 : 이 구절은 『사서통지(四書通旨)』 권4의 "溫故而知新 可以爲師矣"조 아래에 나오는 말로서 그 원문은 다음과 같다. "愚案溫故知新 論語中庸兩見之 論語之所謂故 是聞於人者 中庸之所謂故 是存於已者 論語是卽其一理而推見衆理之無窮 中庸是全其統體而益見脉絡之精微 論語是一件事 中庸是兩件事"

70) 불립문자(不立文字) : 『오등회원(五燈會元)』 권1에서 "世尊曰 吾有正法眼藏 涅槃妙心 實相無相 微妙法門 不立文字 敎外別傳 付囑摩訶迦葉"이라고 하였는데, 이는 돈오(頓悟)를 목적으로 하는 선종에서 정법을 전할 때 마음으로 전할 뿐 문자나 언어를 사용하지 않는 것을 말한다.

學在我]"[71]고 하였으니, 또한 '온고(溫故)'를 풀이한 말이다.

기문지학은 그 처음부터 바로 틀렸다고 할 수 있다. 자기가 체득한 것이 아니면 '고(故)'라고 할 수 없다. '고(故)'라고 할 수 없다면 아득하게 여운(餘韻)이 없게 되니, 익히고자 하나 또한 무슨 수로 익힐 수 있겠는가? 『논어집주』에서 '마음에 터득함이 없다[無得於心]'[72]고 하였는데, 이미 터득한 것이 없는데 '고'라고 할 수 있겠는가? 이는 마치 사람에게 옛 벗이 있으면 반드시 그가 나와 평소에 서로 친밀하고 가까워서 간격이 없는 것과 같다. 남을 통해서 서로 친하고 이름자나 아는 정도라면 옛 벗이라고 말할 수 있겠는가?(中庸言學 則是方有事之詞 故溫故之中 卽有引伸精義之意 而知其故中之新 亦在溫故項下說 若知新 則更端以求知昔所未知也 論語說教學 未到大綱成就處 尙有所全未及知而須知者 其不可爲師也 固然不待論 所以故之外無新 而知新者卽知故中之新也 此學以言未至 而師言已至之別也 乃君子脩德凝道之事 直是廣大精微 則其日新者亦無窮 故無有盡天下之理皆已爲故之一日 而已精已密 尙有其新 若此云可以爲師 則亦專言講習討論之事 雖徹上言之 極乎聖人之敎 乃徹下言之 則古人自二十博學不敎之後 便有爲人師之道 脩一業通一藝者 皆可以敎 則其爲見聞 固可有程限 但於故中得新焉 卽可以爲師矣 爲師非脩德凝道之了境 故說命曰斆學半 夫子進德 七十未已 而四十時弟子已日進矣 爲師非了境 則守故得新 隨分可以誨人 特不容以記問之學當之而已 此朱子所以有與中庸不同之辨也 若朱公遷以中庸故字爲存乎己 此爲聞於人 則謬 存於己者 旣

71) 예전에……있게 된다 : 『논어집주』「위정」 제11장의 주자주로서, 그 원문은 다음과 같다. "言學能時習舊聞 而每有新得 則所學在我 而其應不窮 故可以爲人師"

72) 마음에 터득함이 없다 : 『논어집주』「위정」 제11장의 주자주로서, 그 원문은 다음과 같다. "若夫記問之學 則無得於心 而所知有限"

非空空地有不立文字 不墮見聞之德性 聞於人者 非用其德性不昧之明以存持之 是亦記問之學而已 故集註云所學在我 亦爲溫故而言也 記問之學 只爲他初頭便錯 了非得於己 不可名爲故 不可名爲故 則漠然無餘味 不欲溫之 而亦何用溫之耶 註云無得於心 業無得矣 而尙可謂之故哉 如人之有故舊 必其與我素相親暱無閒者 因人相與 僅識姓名 其可謂之故舊否耶)

6

공자께서는 평상시에 군자에 대해서는 말씀하셨지만 성인(聖人)은 언급하지 않으셨다.[73] 이는 그분이 이미 도달한 지위 때문에 높이 추대해서 이름을 세울 필요가 없었으니, 군자가 바로 이러한 지극한 경지이다. 소주(小註)에 "백이(伯夷)의 청(淸)과 유하혜(柳下惠)의 화(和)도 하나의 일을 해낸 것일 뿐이다."[74]라고 하였다. 천하가 맑아지

73) 군자에……않으셨다 : 군자에 대해서는 『논어』 전체에 걸쳐 논하고 있는데, 성인에 대해서는 구체적으로 논하지 않으셨다. 다만 명칭만 거론한 곳이 두 군데 보이는데, 다음과 같다. 「술이(述而)」 제25. "子曰 聖人 吾不得而見之矣 得見君子者 斯可矣"; 「계씨(季氏)」 제8장. "孔子曰 君子有三畏 畏天命 畏大人 畏聖人之言 小人不知天命而不畏也 狎大人侮聖人之言"

74) 백이의……한 것이다 : 이 구절은 『논어집주대전』 「위정」 제11장 주자주 아래의 세 번째 소주에 나오는데, 그 전문은 다음과 같다. "君子不器 是不拘於一 所謂體無不具 人心元有這許多道理充足 若慣熟時 自然看要如何 無不周徧 如夷淸惠和 亦只做得一件事" 그리고 백이와 유하혜에 대해서는 『맹자』 「만장」하 제1장에 설명이 보이는데, 그 원문은 다음과 같다. "孟子曰 伯夷 聖之淸者也 伊尹 聖之任者也 柳下惠 聖之和者也 孔子 聖之時者也"

기를 기다린 백이[75]와 삼공(三公)의 자리로 인해 절개를 변치 않은 유하혜[76]를 살펴보면 어찌 완전한 본령이 없겠는가? 그러나 이들은 대용(大用)을 행하는 방법이 오묘하지 못했을 뿐이다. 백이와 유하혜 같은 이도 불기(不器)[77]가 되지 못했는데, '불기'인 사람이 어찌 성인이 아니겠는가? 이로 보아 주자의 '군자의 체는 성인만큼 크지 못하고, 그 용(用)은 성인만큼 오묘하지 못하다'[78]는 말은, 원래 다른 곳에서 군자와 성인을 함께 논하면서 거론한 말인데 『사서대전(四書大全)』을 편집한 사람들이 잘못하여 이 장에 달아놓았음을 알 수 있다.

'상하를 통틀어 말한 것이다'[79]는 말에서 상(上)은 실로 성인을 말하고, 하(下)는 배워서 군자가 된 모든 이들을 말한다. 이들은 반드시 고명하고 광대한 영역에 뜻을 세워서 이 방향도 없고 형체도 없는 도[80]를 체득하고자 한다. 그렇게 하고자 하면 학문하는 시초에는 규모가 원래 같지 않았겠지만, 구구하게 한 가지 일에 정미함을 추구하거나 한 가지 행동에 지극함을 추구하지는 않을 것이다. 하학(下學)

---

75) 천하가……백이 : 『맹자』「만장」하 제1장에서 "當紂之時 居北海之濱 以待天下之淸也 故聞伯夷之風者 頑夫廉 懦夫有立志"라고 하였다.

76) 삼공의……유하혜 : 『맹자』「진심(盡心)」 제28장에서 "孟子曰 柳下惠不以三公易其介"라고 하였는데, 여기서 '삼공'은 주(周)나라 대관(大官)인 태사(太史)·태부(太傅)·태보(太保)를 말한다.

77) 불기(不器) : 다방면에 재능이 있어 어느 한 곳에 국한되지 않는 성덕(成德)한 이를 뜻한다.

78) 군자의 체는……오묘하지 못하다 : 이 장의 주자주 아래 두 번째 소주인 "朱子曰 君子才德出衆 德 體也 才 用也 亦具聖人之體用 但其體不如聖人之大 用不如聖人之妙耳"를 가리킨다.

79) 상하를 …… 것이다. : 이 장의 주자주 아래 세 번째 소주인데, 그 원문은 다음과 같다. "問 君子不器 君子何等人 曰 此通上下而言 是成德全才之君子"

80) 방향과……도 : 이 구절은 『논어집주』「자한」 제10장에 보이는데, 그 원문은 다음과 같다. "顔淵喟然歎曰 仰之彌高 鑽之彌堅 瞻之在前 忽焉在後"에 대한 주자주 "此顔淵深知夫子之道 無窮盡 無方體 而歎之也"

은 형이하학이고, 상달(上達)은 형이상학이다. 하학은 그 체(體)를 돈독히 하고 상달은 그 용(用)을 드러내어, 공효는 다르지만 성취 정도[量]는 같다.(夫子尋常只說君子 不言聖人 爲他已到者地位 不容推高立名 只君子便是至極處 小註夷淸 惠和 亦只做得一件事 觀伯夷待天下之淸柳下惠不易三公之介 豈無全副本領 特所以行其大用者有未妙耳 夷惠且未能不器 則不器者豈非聖人哉 足知朱子所云君子體不如聖人之大 用不如聖人之妙 乃爲他處以君子聖人並論者言 而輯大全者誤繫於此 其曰通上下而言 則所謂上者固聖人矣 所謂下者 則謂凡學爲君子者 便須立志於高明廣大之域 以體此無方無體之道 則其爲學之始 規模已自不同 而不區區向一事求精 一行求至也 下學者下也 上達者上也 下學敦其體 上達顯其用 效異而量同也)

제13장

자공이 '군자(君子)'에 관하여 질문하였다.

공자 : "먼저 그 말할 것을 실천하고, 뒤에 말이 행동을 따라 나오게 한다."

子貢問君子 子曰 先行其言 而後從之

7

선유(先儒)들이 매번 『논어』에는 병을 치료하는 말씀[81]이 들어 있다고 하였으나, 나는 전혀 그렇지 않다고 생각한다. 성인의 말은 그 자체가 마치 원기가 유행함[82]에 사람들이 그것을 얻으면 사람이 되고, 물건이 그것을 얻으면 물건이 되어 성명이 각기 바루어지게 하는데, 심은 것은 절로 배양되고 기울어진 것은 절로 엎어지는 것[83]과 같다. 만일 반드시 구구하게 그 병을 구분해서 약을 준다면, 치료하는

81) 병을 치료하는 말씀 : 주자는 공자의 말씀을 해석하면서 약과 병의 비유를 자주 사용하였다. 예를 들어 들어 『주자어류(朱子語類)』 권9의 "持敬觀理 如病人相似 自將息 固是好 也要討些藥來服" "…若以涵養對克己言之 則各作一事亦可 涵養 則譬如將息 克己 則譬如服藥去病 蓋將息不到, 然後服藥 將息則自無病 何消服藥…"이나 권10의 "今讀書緊要 是要看聖人教人做工夫處是如何 如用藥治病 須看這病是如何發 合用何方治之 方中使何藥材 何者幾兩 何者幾分 如何炮 如何炙 如何製, 如何切 如何煎 如何喫 只如此而已" 등이 그렇다. 때문에 공자의 교육법을 '음약거병설(飮藥去病說)'로 표현하기도 한다.

82) 원기가 유행함 : 『맹자집주』 「만장」하 제1장인 "智 譬則巧也 聖 譬則力也 由射於百步之外也 其至 爾力也 其中 非爾力也" 아래의 주자주에 "三子猶春夏秋冬之各一其時 孔子則大和元氣之流行於四時也"라고 하였다.

83) 심은 것은……엎어지는 것 : 『중용장구』 제17장에서 "故天之生物 必因其材而篤焉 故栽者培之 傾者覆之"라고 하였다.

부분이 있으면 반드시 훼손되는 부분도 있게 될 것이다. 석씨(釋氏)는 오직 의왕(醫王)[84]이 되고자 했기 때문에 사람의 탐욕을 치료하고자 하면 그의 혈육(血肉)을 베어 주게 하였고, 사람의 음심을 치료하고자 하면 부자간의 윤리를 끊게 하였다. 모든 약에는 독이 있기 마련이다. 인삼(人蔘)과 감초(甘草) 같은 화평(和平)한 약도, 인삼은 폐열(肺熱)이 있는 사람을 죽일 수도 있고 감초는 헛배가 부른 사람은 꺼려야 하는데[85], 그 여타의 것이야 말할 것이 있겠는가?

병이 현저한 경우로 자장(子張)이 녹을 구하는 방법을 배우려 한 것[86]과 자공이 인물을 비교한[87] 경우는 공자께서 실로 급히 치료하고자 했던 것이었다. 그런데도 '녹봉이 그 가운데 있다'고 하고, '사(賜)는 유능한가 보다'라고만 하셨지, 끝내는 '녹봉이 사람을 오염시킨다'거나 '사람은 논평해서는 안 된다'고 하지 않으셨다. 녹봉이 사람을 오염시킨다고 하면 군신간의 의리가 폐해지고, 사람을 논평해서는 안 된다고 하면 시비를 가리는 본성에 어긋나기 때문이다.

그리고 자로(子路)가 "하필 독서를 해야만 학문한다고 하겠습니까."[88]라고 한 말은 병폐가 더욱 깊다 하겠다. 공자께서는 이때도 자

---

84) 의왕(醫王) : 부처나 고승(高僧)을 비유할 때 쓰이는 말로서, 의술이 아주 뛰어난 사람을 가리킨다. 부처가 여러 중생들에게 여러 가지 방법으로 근기(根機)에 맞는 설교를 펴는 것이, 병에 따라 약을 처방하는 것과 같다는 뜻이다.

85) 인삼은……하는데 : 인삼은 보기(補氣)·보혈(補血)·보음(補陰)·보양(補陽)의 효능이 있는데, 폐열이 있는 사람이 장기간 복용할 경우 사망할 수 있다. 감초는 비위(脾胃)를 돕는데, 헛배가 부른 사람은 쓰지 않아야 한다.

86) 자장이……배우려 한 것 : 『논어』「위정」 제18장에 나오는 구절로, 그 전문은 다음과 같다. "子張學干祿 子曰 多聞闕疑 愼言其餘 則寡尤 多見闕殆 愼行其餘 則寡悔 言寡尤 行寡悔 祿在其中矣"

87) 자공이……논평한 : 『논어』「헌문」 제31장에 나오는 구절로, 그 전문은 다음과 같다. "子貢方人 子曰 賜也賢乎哉 夫我則不暇"

88) 하필……하겠습니까 : 『논어』「선진」 제24장에 나오는 말로, 자로가 자고(子羔)를 비

로의 말재주만을 비난하여 스스로 병폐를 알게 하셨을 뿐이셨다. 그를 치료하고자 하셨다면, 필시 "반드시 독서를 한 다음에야 학문하는 것이 된다."고 하셨을 것이다. 이는 고금의 성학(聖學)을 기송지학(記誦之學)과 사장지학(詞章之學) 안에 국한시키는 것이 되어, 병자가 병이 났는데 약을 처방하자 병이 깊어지는 격이다. 이로서 알겠으니, 공자께서는 극심한 한증(寒症)과 열증(熱症)이 있다고 해서, 끝내는 부자(附子)나 대황(大黃)[89]을 가지고 시험해보고서 처방전을 짓지는 않으실 것이다. 더구나 근본에 병이 든 경우, 그것이 어떤 병인지를 억측하고서 함부로 투약(投藥)을 하셨겠는가?

자공이 군자에 대해 물은 것[90]은 본래 군자가 되기를 구하는 자가 친절히 힘을 쓰는 공부를 물은 것인데, 기록하는 자가 그의 질문을 이런 식으로 간단하게 개괄한 것이다. 그의 질문에 답하시기를 "자신이 말할 것을 먼저 실행하고 나서 그 뒤에 그 말을 하는 것이다."라고 하셨다. 공자께서 평소 성인의 공부를 한 것으로 요긴한 대목이, 이 말처럼 절실한 곳이 없다. 이 역시 자공이 남보다 뛰어난 총명을 지니고 학문에 종사한 지 오래되어 말과 행실이 모두 군자의 도를 갖추었다고 생각하셨지만, 그에게 착수해 나갈 공부를 제시하여 일을 할 즈음에 분명하도록 하신 것일 뿐이다. 말할 것을 모두 실행에 옮기고

읍(費邑)의 읍재(邑宰)로 삼자, "남의 자식을 해치는 짓이다!"라고 나무라신 공자의 말씀에 대한 자로의 핑계이다. 원문은 다음과 같다. "子路曰 有民人焉 有社稷焉 何必讀書 然後爲學 子曰 是故惡夫佞者"

89) 부자나 대황 : 부자는 성질이 열(熱)하여 양기(陽氣)를 돕는 힘이 많은데, 극약(劇藥)이다. 대황은 성질이 차며 소량을 섭취하면 건위(健胃)작용을 하며, 다량의 경우 완하제(緩下劑)로 쓰인다.

90) 자공이……물은 것 : 『논어』「위정」 제13장에 나오는 말로, 그 전문은 다음과 같다. "子貢問君子 子曰 先行其言而後從之"

나서 행실이 지극하지 않은 것이 없고, 행한 것이 말로 드러나서 말에 모두 징험이 있게 되면, 덕업이 융성하고 도(道)를 따르게 되며 교(敎)가 닦여질 것이다. 이러한 경지는 공자만이 감당하실 수 있으니, 심법이 정미하지만 이 한마디 말로 성공(聖功)의 시말(始末)을 포괄하고 있다. 이 말이 진실로 하늘을 통어(統御)하고 시초를 의뢰하는 문장(文章)인데, 이 말로 겨우 자공의 병폐만을 치료했다고 생각하는가?

범씨(范氏)가 말하였다. "자공의 병통은 말함의 어려움에 있는 것이 아니라 실행하는 것이 어려운 데 있다."[91]라고 하였으니, 그 말은 여전히 생동감이 있다. 그러나 '말하는 것이 어려운 것이 아니라 실행하는 것이 어려웠다'는 것은 자공에게만 해당하는 말이 아니다. 그리고 '먼저 그 말하고자 하는 것을 실천한다'고 할 때의 '그 말하고자 하는 것'은, 아직 말한 적은 없으나, 그 이치를 알면 말할 수 있는 것이다. 이것은 진실로 『서경』「열명(說命)」편에서 말한 "아는 것이 어려운 것이 아니요, 행하기가 어렵다."[92]는 뜻이다. 이는 옛날의 제왕과 성현들이 모두 병통으로 여긴 것이고, 또한 사람의 도리상 원래 남거나 부족한 경우가 있기 마련이다. 그렇다면 자공은 바로 행동은 쉽게 하고 말은 어렵게 하여, 행하기가 어려운 것이 아니라 알기가 어려운 자가 아니겠는가.【행동을 쉽게 하는 사람은 그 행동이 올바른 것이 아니다.】 이 때문에 범씨가 진실로 사람들의 일반적인 병통을 지적하여 자공의 병통으로 삼았던 것이다.

---

91) 자공의……어려웠다 : 『논어집주』「위정」 제13장의 두 번째 주에 나오는데, 그 전문은 다음과 같다. "范氏曰 子貢之患 非言之艱而行之艱 故告之以此"

92) 아는……어렵다 : 『서경』「열명」 중(中)에 보면, "說拜稽首 曰非知之艱 行之惟艱 王忱不艱 允協于先王成德"라고 하였다.

소주에 실린 주자의 말을 보면 '자공은 말이 많았다'[93]는 말이 있는데, 이는 매우 심한 무고이다. 자공이 말이 많았다는 것을 후세 사람들이 또한 어떻게 알았겠는가? 어쩌면 공자께서 자공을 '언어'에 능한 자[94]로 분류하여서가 아니겠는가? 자공이 언어로 명성이 드러난 것은, 그가 외교 문서[辭命]을 잘 작성했기 때문이다.[95] 춘추 시대에는 국가 간에 회맹과 정벌이 뒤섞여 있어서 국운을 오직 사명(辭命)에 의지했을 뿐이었다. 그가 행인(行人)[96]이 되어 사명을 지니게 된 것은, 바로 직분상 수행해야 할 일이었다. 『국어(國語)』에 실린 대로 그가 '노나라를 안정시키고 제나라를 격파하고 월나라를 패자로 만들고 오나라를 멸망시킨'[97]사실은 이미 믿을 수 없는 것이었다. 그런 일이 있었더라도, 사명을 수행하는 데 정성스럽지 못했다든가 지혜를 쓰다 덕을 손상했다는 죄는 있을지 모르나, '실행에 옮기기 전에 느닷없이 말을 먼저 해버리는 것'이 병폐가 되지는 않는다. 이것을 병폐라고 보는 것이 '먼저 말한 것을 실천하지 않았기' 때문이라면, 자공이 백뢰(百牢)를 바치라는 요구를 거절하고 사명으로 과거의 맹약을 다진 것이,[98] 어쩌면 그가 제대로 임무를 수행하지 못하고서 입으로만 떠벌

93) 자공은……많았다 : 이 구절은 『논어집주대전』 「위정」 제13장의 '범씨왈(范氏曰)' 아래의 소주에 보이며, 그 전문은 다음과 같다. "朱子曰 只爲子貢多言 故云然"

94) 언어에 능한 자 : 『논어』 「선진(先進)」 제2장은 공자께서 진(陳)나라와 채(蔡)나라에서 고생을 함께 했던 제자들을 회상하시면서 4조목(條目)으로 그들의 재질을 분류하면서, 자공을 이렇게 평하셨다. 원문은 다음과 같다. "德行 顔淵 閔子騫 冉伯牛 仲弓 言語 宰我 子貢 政事 冉有 季路 文學 子游 子夏"

95) 자공이……때문이다 : 『맹자』 「공손추」 상에 보면 "宰我 子貢善爲說辭"라고 하였다.

96) 행인 : 주인(遒人)이라고도 하는데, 외국에 나가 자기 나라 왕의 호령(號令)을 주관하는 사신의 관직이다.

97) 노나라를……멸망시킨 : 이 내용은 『국어』가 아닌 『사기(史記)』 「중니제자열전(仲尼弟子列傳)」과 「오자서열전(伍子胥列傳)」에 보인다.

렸기 때문이 아니겠는가?

여기서의 이른바 언(言)은, '사명을 잘한다[善說辭命]'고 할 때의 언(言)이 아니라 '덕행을 잘 말한다[善言德行]'라고 할 때의 언(言)이다. 선언덕행(善言德行)에 해당하는 사람은 안연(顔淵)과 민자건(閔子騫)이지, 자공이 아니다. 더구나 구설(口說)만을 가지고 '언'이라고 하는 것이 아니고, 글을 쓰고 주장을 세우고 문답을 주고받거나 강론하는 것이 모두 '언'에 해당된다. 요컨대 말로 행하는 것이지 응대하는 글이 아니다. 성인의 문하에 증자(曾子)·유자(有子)·자유(子游)·자하(子夏)는 모두 논저(論著)를 남겼지만[99], 자공(子貢)만은 남긴 것이 없었다. 그가 성인의 도를 말하면서, "공자께서 성(性)과 천도(天道)를 말씀하시는 것은 들어 볼 수 없었다."[100]고 하였으니, 그가 전전긍긍하면서 본 것에 신중하여 한마디도 소홀히 두려고 하지 않았음을 알 수 있다. 그렇다면 말을 적게 한 사람으로 자공만 한 이가 없는데, 어찌하여 그가 말이 많다고 하는가? 자공은 이러한 병통이 없으니, 공자께서는 결코 약을 쓰지 않으셨을 것이다. 게다가 '행동을 먼저 하고 말은 뒤에 하는 것'은 바로 위로 통하고 아래로 통하여 도덕을 증진하고 성인이 되는 지극한 공부이며, 철두철미(徹頭徹尾)하고

---

98) 백뢰를……다진 것 : 『주례(周禮)』에 "上公九牢 侯伯七牢 子男五牢"라고 하는데, 백뢰는 뢰(牢)를 백 가지 마련한다는 뜻이다. 『사기』「공자세가(孔子世家)」에 보면, 애공 7년에 오왕(吳王) 부차(夫差)가 제(齊)나라를 치고 나서 노나라에게 백뢰(百牢)를 요구하자, 자공이 사신으로 가서 『주례』를 들어 조리 있게 설명하고 나서는 다시 이러한 요구가 없게 하였다는 기록이 있다. 그 원문은 다음과 같다. "七年 吳王夫差彊 伐齊 至繒 徵百牢於魯 季康子使子貢說吳王及太宰嚭 以禮詘之 吳王曰 我文身 不足責禮 乃止"

99) 증자……남겼지만 : 최술(崔述)의 『수사고신여록(洙泗考信餘錄)』을 보면 이들을 공자 사상에 대한 주요 전파자로 여기면서도, 이들의 저술에 대해서는 근거를 들어 사실이 아님을 증명하고 있다.

100) 공자께서……들어 볼 수 없다 : 『논어』「공야장」 제12장에 나오는 말로, 그 전문은 다음과 같다. "子貢曰 夫子之文章 可得而聞也 夫子之言性與天道 不可得而聞也"

교화를 세우고 도를 닦는 대업이다. 그런데 어찌 이것으로 겨우 한 사람의 병만을 치료하려 하셨겠는가?

이것으로 추정해 보건대, 자로에게 안다는 것에 대해 말씀해 주신 것[101]은 바로 '치지(致知)'하는 실학(實學)인데, '자로가 알지 못하는 것을 억지로 우겨서 안다고 여겼다'[102]고 한 것은 또한 근거 없이 동떨어진 말이다. 신안 진씨는 자로가 위군(衛君) 첩(輒)에게 벼슬하여 죽은 것[103]을 그 증거로 들고 있지만, 자로가 첩에게 죽었다는 것은 알지 못했다. 이로 보면 자로는 처음에 섬길 때에 신중하지 못한 폐단은 있었으나, 스스로를 속인 폐단은 있지 않다. 만일 첩에게 벼슬하는 것이 의롭지 않다는 것을 몰랐더라도 이를 고집하다가 목숨까지 버린 것은 옳지 않다. 그렇다고 해서 조순(趙盾)이 옹(雍)을 막고 제중(祭仲)이 돌(突)을 내쫓으면서 식언(食言)하며 군주를 배반한 것처럼 한다면, '모르는 것을 모른다고 하는' 것이라 할 수 있겠는가?

요컨대 이 장은 '치지(致知)'를 말한 것이지 '행'을 말한 것은 아니다. 그러므로 이른 바의 역량에 따라서 자신만 믿고 노력하지 않는 것이라고 말할 수 있다. '행'을 말한 것이라면, '행할 수 있으면 하고 그럴 수 없으면 행하지 않는다'고 말할 수 있겠는가? 그러므로 '지(知)'로 말하자면 '곤이지지(困而知之)'라고는 할 수 있지만 '노력해서 안

101) 자로에게……주신 것 : 『논어』 「위정」 제17장에 나오는 말로, 그 전문은 다음과 같다. "子曰 由 誨女知之乎 知之爲知之 不知爲不知 是知也"

102) 자로가……여겼다 : 『논어집주』 「위정」 제17장의 주자주에 이 내용이 보이는데, 그 원문은 다음과 같다. "子路好勇 蓋有强其所不知以爲知者"

103) 자로가……죽은 것 : 이는 이 장의 마지막에 나오는 신안 진씨의 소주 내용이다. 그 원문을 보면 다음과 같다. "不避其難之爲義 而不知食輒之食爲非義也" 여기에 관해서는 『논어집주』 「자로」 제3장의 '호씨왈(胡氏曰)' 이하에 사건의 전말이 실려 있는데, 자로는 결국 위공 첩을 섬기다가 난리에 죽게 된다.

다'고 할 수 없고, '행'으로 말하자면 '노력해서 행한 것이다'고 할 수 있다. 지와 행의 공효가 같지 않은 것이 오래되었다. 자로는 '행'에 용감하였지 '지'에 용감한 것이 아니었으니, 무슨 병이 있다고 또 약을 쓴단 말인가?

네 사람이 '효'를 물은 대목[104]은, 대답과 가르침이 각각 달랐지만 이치는 하나로 관통된다. 총괄컨대 효는 말로 질정할 만한 일이 없으니, 서로 감동하는 것은 이 마음일 뿐이기 때문이다. 그러므로 맹무백(孟武伯)의 질문에 대해서는 이 마음에 서로 통하는 것을 지적하여 본성의 사랑을 감동시켰으니, '무위(無違)'니 '경(敬)'이니 '색난(色難)'이라는 말도 동일하다. '살아 계실 때 섬기는 것과 죽어서 장사 지내는 것과 제사를 지낼 때에 예로 하는 것'은 또한 '물질적으로 잘 봉양[能養]'하는 것만이 아니지만 '맛난 반찬을 올리고 부모의 일을 대신하는 것'은 바로 '능양(能養)'에 해당한다. 안으로 공경하면 반드시 밖으로 화하게 되고, 마음으로 공경하면 행동이 반드시 예로 하게 된다. '얼굴빛을 온화하게 하여 봉양하는 것[色養]'을 지극히 하는 것은 예가 아닌 외물을 취하여 효도하는 것을 기다리지 않는다. 그리고 '이치에 어김이 없다'는 것은, 같은 기운을 지닌 부자간에 이 마음이 서로 관통하는 이치를 어김이 없는 것이다. '살아 계실 적에 섬기는' 이치를 따라 행한다면 반드시 기르는 대상을 공경하게 되어 얼굴빛은 자연 부드러워지고 목소리는 자연 화이해질 것이다. '장사 지내고 제

104) 네 사람이 효를 물은 대목 : 『논어』「위정」편을 보면, 맹의자(孟懿子)와 맹무백(孟武伯)·자유·자하가 효에 대해 공자께 질문하였는데, 대답이 각기 달랐다. 그 전문을 보면 다음과 같다. "孟懿子問孝 子曰 無違 樊遲御 子告之曰 孟孫問孝於我 我對曰 『無違』 樊遲曰 何謂也 子曰 生事之以禮 死葬之以禮 祭之以禮"(제5장), "孟武伯問孝 子曰 父母唯其疾之憂"(제6장), "子游問孝 子曰 今之孝者 是謂能養 至於犬馬 皆能有養 不敬 何以別乎"(제7장), "子夏問孝 子曰 色難 有事弟子服其勞 有酒食先生饌 曾是以爲孝乎"(제8장)

사 지낼 때'의 이치대로 행한다면 반드시 공경으로 종(終)을 삼가고 공경으로 이룰 것을 생각하여, 상기(喪紀)와 제사 때의 모습이 각각 바름을 드러내게 된다. 또한 이것을 밝게 알면 같은 조항끼리 함께 관통되고 길은 다르나 도달점은 같게 된다. 어찌 얼토당토않게 맹무백이 몸을 가볍게 놀려 병을 부른 것에 연결짓고, 자하를 그 어버이에게 얼굴빛을 노엽게 한 북궁유와 비슷하다고[105] 억측하여, 이를 병이라고 뒤집어씌워 억지로 약을 준단 말인가?

이보다 더 심한 것은 성인 문하의 후진 제현들 중 증자를 제외하고 침착하고 독실하면서 묻기를 간절히 하고 생각을 가까이 한 사람으로 번지(樊遲)만 한 이가 없다. 그가 실천한 자취를 살펴보면 염유나 민자건 사이에 있어야 한다. 공자께서 기꺼이 앞으로의 성취를 인정한 사람도 번지만 한 이가 없다. 그런데 그만 그를 '거칠고 비루하면서 이(利)에 가까웠다'[106] 고 평하다니, 병은 본래 마음에 생긴 착각[弓蛇][107] 으로 인한 것인데 더욱 엉뚱한 약을 처방한 격이다. 글로 고인의 악을 드러내고 성인의 말을 왜곡해서 자신의 논리를 따르게 하다니, 이런 말은 나는 감히 듣지도 못하였다.(論語一書 先儒每有藥病之說 愚盡謂不然 聖人之語 自如元氣流行 人得之以爲人 物得之以爲物

---

105) 맹무백이……한 것 : 이 구절은 『맹자』「공손추」 상에 보이는데, 그 원문은 다음과 같다. "北宮黝之養勇也 不膚撓 不目逃……亦不受於萬乘之君……孟施舍似曾子 北宮黝似子夏" 본문에서 북궁유가 노려본 대상은 자기 부모가 아니라 만승(萬乘)의 군주로 되어 있는데, 왕부지가 착오를 일으킨 듯하다.

106) 거칠고……가까웠다 : 이 구절은 『논어』「안연(顔淵)」 제21장의 마지막 경문 아래 주자주를 말하는데, 그 원문은 다음과 같다. "樊遲麤鄙近利 故告之以此"

107) 마음에 생긴 착각 : '궁사(弓蛇)'의 유래는 이렇다. 진(晉)나라 악광(樂廣)의 손님 한 사람이 밤에 술을 마시는데, 벽에 걸린 화살이 술잔에 비친 것을 뱀으로 착각하여 술을 마신 뒤 병이 들었다. 나중에 악광이 이를 알고 다시 술자리를 마련하여 그 객을 예전 자리에 앉히고는 술을 따라주며 이유를 설명하자 병이 깨끗이 나았다 한다. 이후로 궁사라 하면 사물을 착각한다는 뜻이 되었다. 출전은 『진서(晉書)』「악광전(樂廣傳)」이다.

性命各正 而栽者自培 傾者自覆 如必區區畫其病而施之藥 有所攻 必有所損矣 釋氏唯欲爲醫王 故藥人之貪 則欲令其割血肉以施 藥人之淫 則絶父子之倫 蓋凡藥必有毒 卽以人蔘甘艸之和平 而蔘能殺肺熱者 甘艸爲中滿人所忌 況其他乎 且病之著者 如子張學干祿 子貢方人 夫子固急欲療之矣 乃曰祿在其中 曰賜也賢乎哉 亦終不謂祿之汚人 而人之不可方也 言祿汚人 則廢君臣之義 言人不可方 則是非之性拂矣 又如子路曰何必讀書 然後爲學 病愈深矣 夫子亦但斥其佞 使自知病而已矣 如欲藥之 則必將曰必讀書而後爲學 是限古今之聖學於記誦詞章之中 病者病而藥者愈病矣 是知夫子卽遇涸寒烈熱之疾 終不以附子大黃嘗試而著爲局方 又況本未有病者 億其或病而妄投之藥哉 子貢問君子 自是問求爲君子者親切用力之功 記者檃括其問語如此 因問而答之曰 先行其言而後從之 夫子生平作聖之功 喫緊處無如此言之切 亦以子貢穎悟過人 從學已深 所言所行 於君子之道皆已具得 特示以入手工夫 使判然於從事之際耳 至於所言者皆其已行而行無不至 所行者著之爲言而言皆有徵 則德盛業隆 道率而敎脩 此唯夫子足以當之 而心法之精微直以一語括聖功之始末 斯言也 固統天資始之文章也 而僅以藥子貢之病耶 范氏曰子貢非言之艱而行之艱 其語猶自活在 然非言之艱而行之艱 不獨子貢也 且云先行其言 則其言云者 未嘗言之 特知其理而可以言耳 此固說命所謂非知之艱 行之惟艱之旨 古帝王聖賢之所同病 亦人道自然有餘不足之數也 卽非子貢 其有易於行而難於言 行非艱而知惟艱者哉 易於行者 其行非行 則范氏固已指夫人之通病以爲子貢病 至於小註所載朱子語 有子貢多言之說 則其誣尤甚 子貢之多言 後之人亦何從而知之 將無以其居言語之科耶 夫子貢之以言語著者 以其善爲辭命也 春秋之時 會盟征伐交錯 而唯辭命是賴 官行人而銜使命 乃其職分之所當脩 國語所載定魯破齊伯越亡吳之事 旣不足信 卽使有之 亦脩辭不誠

以智損德之咎 而非未行而遽言之爲病 如以此爲病在不先行其言 豈子貢之拒百牢辭尋盟者 爲其所不能行 而徒騰口說乎 夫此所謂言 非善說辭命之言 而善言德行之言也 善言德行者顔閔也 非子貢也 且亦非徒口說之爲言也 著書立說答問講論 皆言也 要以言所行而非應對之文也 聖門如曾子有子子游子夏 皆有論著 而子貢獨無 其言聖道也 曰夫子之言性與天道 不可得而聞 蓋兢兢乎愼重於所見 而不敢輕置一詞矣 則寡言者 莫子貢若 而何以云多言耶 子貢旣已無病 夫子端非用藥 而先行後言 自是徹上徹下 入德作聖之極功 徹始徹終 立敎脩道之大業 豈僅以療一人之病哉 因此推之 語子路以知 自致知之實學 而謂子路强不知以爲知 亦懸坐無據 而陳新安以仕輒而死爲徵 乃不知子路之死輒 自始事不謹之害 而非有自欺之蔽 如謂不知仕輒之不義 不當固執以至於損軀抑將如趙盾之拒雍 祭仲之逐突 食言背主 而可謂之不知爲不知耶 要此爲致知言 而不爲行言 故可曰隨所至之量 以自信而不强 如以行言 其可曰能行則行之 不能行則不行也哉 故言知則但可曰困而知之 不可曰勉强而知之 而行則曰勉强而行之 知行之不同功久矣 子路勇於行 而非勇於知 有何病而又何藥也 至於四子問孝 答敎雖殊 而理自一貫 總以孝無可質言之事 而相動者唯此心耳 故於武伯則指此心之相通者以動所性之愛 若云無違 云敬 云色難 則一而已矣 生事死葬祭而以禮 則亦非但能養 而奉饌服勞 正今之能養者也 內敬則外必和 心乎敬則行必以禮 致其色養 則不待取非禮之外物以爲孝 而無違於理者 唯無違其父子同氣 此心相與貫通之理 順乎生事之理 必敬於所養 而色自柔聲自怡順乎葬祭之理 必敬以愼終 敬以思成 而喪紀祭祀之容各效其正 明乎此 則同條共貫 殊塗同歸 奚必懸坐武伯之輕身召疾 而億揣子夏以北宮黝之色加於其親 誣以病而强之藥哉 又其甚者 聖門後進諸賢 自曾子外其沈潛篤實 切問近思者 莫如樊遲 迹其踐履 當在冉閔之間 夫子所樂

與造就者 亦莫遲若 乃謂其粗鄙近利 則病本弓蛇 藥益胡越 文致古人之惡 而屈聖言以從己 非愚之所敢與聞也)

제15장

공자 : "배우기만 하고 사색을 통해 그 내용을 자신의 것으로 만들지 않으면 얻는 것이 없고, 오로지 생각을 통해서만 주관을 세우고 객관적 지식을 배우지 않는다면 위태로운 짓을 하게 될 것이다."

子曰 學而不思則罔 思而不學則殆

8

『논어집주』에서 인용한 정자의 말[108]은, 박학(博學)·심문(審問)·독행(篤行)을 '학(學)'에 포함시키고 신사(愼思)·명변(明辯)을 '사(思)'에 포함시키고 있다. '명변'은 그 당연함을 생각함이요, '신사'는 그 소이연(所以然)을 생각함이다. '당연(當然)'은 그 밝음을 구하는 것이니 당연하지 않은 것은 변별하면 즉시 밝지 않음이 없게 된다. '소이연(所以然)'은 근거가 없는 것을 물리치기 때문에 신중함을 가하는 것이다. 그렇지 않으면 '천지가 불인하다'[109]거나 '사대가 모두 망상[四大皆妄]'[110]이라고 해도 그 시비를 증명할 수 없어서 흑과 백이 앞에 나열되어 있어도 이를 분별하지 못하는 것과 같다. '사(思)'

108) 정자의 말 : 이는 『논어집주』「위정」 제15장 "子曰 學而不思則罔 思而不學則殆" 아래의 주자주 내의 "程子曰 博學 審問 愼思 明辨 篤行 五者 廢其一 非學也"라는 구절을 가리킨다.

109) 천지가 불인하다 : 이는 『노자』 제5장 "天地不仁 以萬物爲芻狗"를 가리킨다.

110) 사대가 망상이다 : 불교는 세계 만물과 사람의 신체는 모두 지(地)·수(水)·화(火)·풍(風) 네 가지가 화합하여 이루어졌는데, 이는 모두 망상(妄相)일 뿐 만물은 모두 실체가 없다고 한다.

가운데에는 두 가지 공부가 있으니, 하나라도 부족하면 완성되지 못한다. 배움에 반드시 '독행'을 겸하게 되면 선각들의 행위를 본받는 것이 바로 배움의 본뜻이 된다. 그러므로 스스로를 '박학'이니 '학문'이라고 말하지 않고서 반드시 실천을 위주로 한다면, 한갓 강습과 토론만을 '학'이라고 말하지는 않을 것이다.(集註所引程子之言 博學審問篤行屬學 愼思明辨屬思 明辨者 思其當然 愼思者 思其所以然 當然者 唯求其明 其非當然者 辨之卽無不明也 所以然者 卻無憑據在 故加之以愼 不然 則至謂天地不仁 四大皆妄 亦不能證其非是 如黑白之列於前也 思中有二段工夫 缺一不成 至於學之必兼篤行 則以效先覺之爲 乃學之本義 自非曰博學曰學文 必以踐履爲主 不徒講習討論而可云學也)

제18장

자장이 벼슬하는 방법에 관하여 배우고자 하였다.
공자 : "많이 들은 것에서 의심나는 말은 버리고 그 나머지를 신중하게 말하면 과오(過誤)가 적을 것이며, 많이 본 것에서 위태로운 행동은 도외시하고 그 나머지를 신중하게 행한다면 후회가 적을 것이다. 말에 과오가 적고 행동에 후회가 적으면 벼슬은 그 가운데에 있는 것이다."

子張學干祿 子曰 多聞闕疑 愼言其餘 則寡尤 多見闕殆 愼行其餘 則寡悔 言寡尤 行寡悔 祿在其中矣

9

'자장(子張)이 녹을 구하는 방법을 배우려고 한 것'[111]을 기록한 것은, 그 당시에 실지로 '녹을 구하는 학문[干祿之學]'이 있어서 자장이 이를 배웠을 것이다. 정자가 이미 '정심설(定心說)'[112]을 폈고, 소주에서 인용한 주자의 말에도 '의(意)'니 '심(心)'[113]이니 하여, 마치 자장이 배운 것이 성인의 학문이었는데 녹봉과 지위를 부러워하는 마음이 있었던 것처럼 하고 있다. 만일 그렇다면 자장은 또한 뭔가를 배우는 중이었는데, 기록하는 사람이 마침내 그의 심중과는 동떨어지게 헤아

111) 자장이……한 것 : 『논어』「위정」 제18장에 이 내용이 나오는데, 그 전문은 다음과 같다. "子張學干祿 子曰 多聞闕疑 愼言其餘 則寡尤 多見闕殆 愼行其餘 則寡悔 言寡尤 行寡悔 祿在其中矣"

112) 정심설(定心說) : 『논어집주』「위정」 제18장의 두 번째 단락 아래의 주자주에 나오는데, 그 원문은 다음과 같다. "程子曰 修天爵則人爵至 君子言行能謹 得祿之道也 子張學干祿 故告之以此 使定其心而不爲利祿動"

113) 의(意)니 심(心) : 『논어집주대전』「위정」 제18장의 두 번째 단락의 주자주 "言此以救子張之失而進之也" 아래의 첫 번째 나오는 소주로, 그 전문은 다음과 같다. "朱子曰 此章是敎人不以干祿爲意 蓋言行所當謹 非爲欲干祿而然也 若眞能著實用功 則惟患言行之有悔尤 何暇有干祿之心耶"

려서 가혹한 문장으로 그를 비난하여 '그의 학문은 녹을 구하기 위함이었다'라고 하고, 공자의 생각을 억측해서 그를 꾸짖으며 '너는 밖으로는 천작(天爵)을 닦고 있지만 실은 인작(人爵)을 구하는 것이다'[114] 라고 한 것이다.【이는 운봉 호씨(雲峰胡氏)의 말이다.】 이는 혹리(酷吏)들이 무고한 사람을 모함할 때 쓰는 방법인데, 군자가 어찌 이런 방법으로 사우(師友)를 대한단 말인가?

『춘추』에서 "제(齊)나라와 정(鄭)나라가 기(紀)나라로 갔다."[115] 고 한 것은 본래 기나라를 습격하려 해서였다. 그런데 공자께서는 우선 '제나라와 정나라가 기나라를 습격하여 이기지 못하였다'라고 쓰지 않으시고, 이미 드러난 자취를 따라서 '갔다'라고만 쓰셨다. 이는 독자들이 그 말 속에 내포된 악한 동기(動機)를 꾸짖는 효과를 얻도록 하신 것이니, 가혹한 언사로 남의 은밀한 일을 들추어내지는 않으셨다. 그렇다면 자장이 어쩌다 한번 녹에 생각이 동한 것을 가지고, 곧바로 '녹을 구하는 방법을 배우려 하였다'는 오명을 씌우셨겠는가?

간록지학(干祿之學)은 시대에 따라 변하여 후세에는 '징벽(徵辟)'이니 '과거(科擧)'니 하고 불렀다. 이제 춘추시대에는 무슨 수로 선비를 취했는지 알 수 없으나 '말로 펴서 아뢰고, 공으로 밝게 시험한다'[116] 는 것은 당(唐)·우(虞) 시대에도 이미 그러하였으니, 주나라 때

---

114) 그의 학문은……구하는 것이다 : 『논어집주대전』「위정」 제18장의 두 번째 단락의 마지막에 나오는 '雲峯胡氏曰'로 시작되는 소주이며, 그 전문은 다음과 같다. "學干祿 卽脩天爵以要人爵者 富貴在天 無可求之理 言行在我 有反求之道 學者惟當求其在我者 則祿將不求而自至 故在其中三字 正爲干字而發也"

115) 제나라와……갔다 : 『춘추좌씨전』「환공(桓公)」 5년조에 보면 "夏 齊侯 鄭伯朝于紀 欲以襲之 紀人知之"라고 되어 있다.

116) 말로……시험한다 : 『서경』「순전(舜典)」의 "五載一巡守 羣后四朝 敷奏以言 明試以功 車服以庸"을 가리킨다.

도 응당 고치지 않았을 것이다. 『예기』「왕제(王制)」에 대사마가 '조사(造士)'와 '진사(進士)'를 들어 쓰는 법[117]도 반드시 논하여 시험한 바가 있을 것이니, 선비가 이것을 배우는 것이 그다지 나쁜 것은 아니다. 그러므로 주자가 사람을 가르칠 때에도 "시대에 맞춰 과거를 보지 않을 수는 없지만 과거 공부를 하되 입언에 성실해야지 곡학아세를 해서는 안 된다."고 하였다. 공자께서 자장에게 말씀해 주신 것도 대의는 주자의 말과 같다. 간록지학이라 해도 언행을 도외시하지 않아야 하는데 어떤 이들은 이 말 저 말 주워 모으는 것이 '언(言)'이고 민첩하게 행동하는 것이 '행(行)'이라고 여겨서 주인의 기호에 맞추고 있으니 이는 고금의 '사학(仕學)'의 일반적인 병통이다. 이리하여 속학과 성학이 시작은 같지만 끝은 달라지게 된 것이다. 그런 잘못은 속학이 사람을 변질시켜서 그런 것이지 학자의 마음이 변해서가 아니다. 그러므로 공자께서도 자장의 마음이 잘못되었다고 지적하지 않으시고 배움의 정도를 일러주시는 데 그쳤으니, 그대로 하면 허물이 적어지고 후회하는 일이 적어진다고 하셨다. 언행을 가지고서 정학(正學)을 보여준 것은 학술을 바르게 하여 속학에 어지럽히지 않게 하려는 것이지, 마음을 안정시켜 이록(利錄)에 마음이 동요하지 않게 하려는 것은 아니다.

성인의 가르침은 하늘이 덮어주고 땅이 실어주듯 하여 한쪽으로 치우치는 바가 없다. 그러므로 "〈3년을 배우고도〉 녹봉에 뜻을 두지

---

117) 대사마가……쓰는 법 : 이것은 『예기』「왕제」에 나오는데, 각각의 원문은 다음과 같다. '조사'는 "升於司徒者不征於鄉 升於學者不征於司徒 曰造士"라 하고, '진사'는 "大樂正論造士之秀者 以告于王 而升諸司馬 曰進士"라 한다. 즉 조사는 사도(司徒)가 각 향관(鄉官)의 장(長)에게 우수한 인재를 천거해 올리도록 하면, 이때 추천을 받아 사도에 보내진 자들을 '선사(選士)'라 하고, 이들 중에서 다시 우수한 인재를 뽑아 국학(國學)에 입학시키는데, 이들을 '준사(俊士)'라 한다. 이들을 통칭 '조사' 즉 학문에 조예가 있는 선비라고 한다. 국학을 맡은 대악정(大樂正)이 완성된 인재들을 비평·감정하여 우수자들을 왕께 고하고는 군정(軍政)을 맡은 대사마(大司馬)에게 보내는데, 이들을 '진사'라 한다.

않는 자를 쉽게 얻지 못하겠다."[118]라고 하였으나, 끝내는 녹을 사양하는 것을 정도로 보지는 않았다. 학자의 마음은 녹을 욕심내는 뜻을 두어서는 안 되고 또한 '천직(天職)'과 '천록(天祿)'을 천시하는 생각을 품어서도 안 된다. 더구나 자장[119] 같은 사람은 고명하기만 하고 실재는 없었다. 그러므로 끝까지 벼슬하지 않았고 그의 도가 한 번 전해진 뒤에 장주(莊周)로 흘러버렸으니, 어찌 그가 우연히 속학을 섭렵한 것을 가지고 마음이 불결하다고 나무랄 수 있는가?(記言子張學干祿 是當世實有一干祿之學 而子張習之矣 程子旣有定心之說 及小註所引朱子之語 曰意 曰心 乃似子張所學者亦聖人之學 而特有歆羨祿位之心 使然 則子張亦只是恁地學將去 記者乃懸揣其心而以深文中之 曰其學也以干祿也 夫子亦逆億而責之 曰汝外脩天爵而實要人爵也 雲峰語 此酷吏莫須有之機械 豈君子之以處師友之間乎 春秋齊鄭如紀 本欲襲紀 且不書曰齊鄭襲紀不克 但因其已著之迹而書曰如 使讀者於言外得誅意之效 而不爲苛詞以摘發人之陰私 豈子張偶一動念於祿 而卽加以學干祿之名耶 干祿之學 隨世而改 於後世爲徵辟爲科擧 今不知春秋之時其所以取士者何法 然敷奏以言 明試以功 唐虞已然 於周亦應未改 王制大司馬造士進士之法 亦必有所論試矣 士而學此 亦不爲大害 故朱子之敎人 亦謂不得不隨時以就科擧 特所爲科擧文字 當誠於立言 不爲曲學阿世而已 夫子之告子張 大意亦如此 蓋干祿之學 當亦不外言行 而或摭拾爲言 敏給爲行 以合主者之好 則古今仕學之通病 於是俗學與

118) 3년을……못하겠다 : 『논어』 「태백(泰伯)」 제12장에 나오는 구절로, 그 전문은 다음과 같다. "子曰 三年學 不至於穀 不易得也"

119) 자장 : 자장에 대해서 주자는 "子張才高意廣 而好爲苟難"라 하였고, 최술도 '好高務外'라 평하고 있는데, 특히 자하(子夏)와 함께 '說禮敦詩'하여 후학을 가르친 공이 있다고 한다(『수사고신여록』 권2).

聖學始同終異 其失在俗學之移人 而不在學之者之心 故夫子亦不斥其心之非 而但告以學之正 寡尤寡悔 就言行而示以正學 使端其術而不爲俗學所亂 非使定其心而不爲利祿動也 聖人之敎 如天覆地載 無所偏倚 故雖云不志於穀 不易得也 而終不以辭祿爲正 學者之心 不可有欲祿之意 亦不可有賤天職天祿之念 況如子張者 高明而無實 故終身不仕 而一傳之後 流爲莊周 安得以偶然涉獵於俗學 誣其心之不潔乎)

10

『논어집주』에 "무릇 그 가운데에 있다고 말하는 것은 모두 구하지 않아도 저절로 이른다는 말이다."[120]라고 하였는데, 이 말도 원만하지 않다. '〈밭을 갊에〉 굶주림이 그 가운에 있다'[121]고 한다면 어찌 굶주림을 구하지 않는다고 할 수 있는가? 천하에 굶주림을 구하는 사람이 없다면, 진실로 굶주림을 구하지 않는다고 말할 수는 없다. 신안 진씨(新安陳氏)는 『논어집주』에 집착하다 보니 통달하지 못하여 그만 "'정직함은 그 가운데에 있다'[122]와 '인이 그 가운데에 있다'[123]는 것은 모

120) 무릇……말이다 : 『논어집주대전』 「위정」 제18장의 두 번째 단락의 주자주로, 그 원문은 다음과 같다. "凡言在其中者 皆不求而自至之辭"

121) 밭을……있다 : 『논어』 「위령공(衛靈公)」 제31장에서 공자는 "子曰 君子謀道不謀食 耕也 餒在其中矣"라고 말하였다.

122) 정직함은……있다 : 이 구절은 『논어』 「자로」 제18장에 나오는데, 섭공(葉公)이 양을 훔친 아비를 고발한 자식을 정직하다고 평하자, 이에 대한 공자의 말씀으로 원문은 다음과 같다. "孔子曰 吾黨之直者異於是 父爲子隱 子爲父隱 直在其中矣"

123) 인이……있다 : 『논어』 「자장」 제6장에서 "子夏曰 博學而篤志 切問而近思 仁在其中矣"라고 하였다.

두 그 의미가 같다."고 하였다. 부자간에 서로 죄를 숨겨주는 것이 정직함을 구해서는 아니나, 어찌 정직함을 구하지 않는 것이 녹을 구하지 않는 것과 같다고 할 수 있는가? 녹은 본래 구한다고 해서 얻을 수 있는 것이 아니지만 정직함은 구해서 얻을 수 없는 것인가? 더구나 '박학(博學)·심문(審問)·독지(篤志)·절문(切問)·근사(近思)'는 바로 인을 구하는 급선무임에랴? 만일 인을 구하는 데 쓰지 않는다면 배우고 묻고 뜻을 두고 생각하여 무엇을 하려는 것인가? 그리고 인이 구하지 않아도 저절로 이를 수 있는 것이라면 이는 도가 사람을 크게 하는 것이지 사람이 도를 크게 하는 것이 아니다.[124] 이 두 가지의 '재중(在中)'에 '불구(不求)'의 뜻이 없다는 것을 안다면, 여기서 '녹을 구하는 것을 배우지 않아도 녹이 절로 이를 것이다'라는 것도 행간에 뜻이 드러나 있으니, '재중'을 빌어서 '불구'의 뜻을 드러낸 것이 아니다.

'재중'은 '안에 있다[在裏許]'는 말과 같아서 서로 포함한다는 말이다. '큰 것이 작은 것을 포함한다'고 말한 경우가 있으니, '직재기중(直在其中)'과 같은 예이다. '허물이 적어진다', '후회하는 일이 적어진다'는 것은, 본래 군자의 크게 형통하고 지극히 발라서 자기를 다스리고 남을 다스리는 도인데, 이것으로 녹을 얻는 것은 또한 그중에서 드러나는 공효의 하나이다. '아비는 자식을 위해 숨겨주고, 자식은 아버지를 위해 숨겨주는 것'은 본래 군자가 오륜을 다하고 본성대로 하며, 상도(常道)를 굳게 지키고 변사(變事)를 이롭게 하는 도인데, 이것으로 직(直)을 말해도 그 마음속에 어그러진 하나의 덕도 없다. 이것은 큰 것으로 작은 것을 포함하여 작은 것이 큰 것 가운데에 내재한다.

124) 도가……아니다 : 『논어』「위령공」 제28장에서 "子曰 人能弘道 非道弘人"라고 하였다.

드러난 것으로 숨어 있는 것을 포함한 것이 있으니, '인이 그 가운데에 있다'는 것이 이것이다. '배우고 뜻을 두고 묻고 생각하는 것'은 공효의 드러남이고, '인'은 덕이 숨어 있는 것이다. 그러한 것은 인에 드러나고, 숨어 있는 것은 진실로 용(用)에 숨어 있으니, 문학(問學)을 말미암아 이로써 덕성(德性)을 높이고[125], 앎을 지극히 하여 그것으로 마음을 보존하고, 넓은 것[博]에 나아가되 요약한 것[約]이 넓은 것을 벗어나지 않고, 그 드러난 것에 나아가되 은미한 것이 드러난 것을 떠나지 않는다. 그러므로 '인재기중(仁在其中)'이라 한 것이다. 이것은 드러난 것으로 숨어 있는 것을 포함한 것이다.

드러난 것으로 숨은 것을 포함하여 '그 가운데에 있다'고 한다면, 그 가운데가 이미 깊어서 더는 들어갈 안이 없는 것을 알 수 있다. 큰 것으로 작은 것을 포함하였는데 '그 가운데에 있다'고 한다면, 가운데가 이미 갖춰져서 더는 구할 만한 밖이 없는 것을 알 수 있다. '아비가 양을 훔친 것을 증명한 것'은 인심과 천리 밖에서 정직을 찾은 것이고, '간록지학(干祿之學)'은 박문약례(博文約禮)의 밖에서 녹을 구한 것이다.【궐(闕)과 신(愼)은 단지 예로 요약한 것이다.】 인심과 천리의 밖에 정직을 파는 행위가 있지만 이 가운데에는 원래 정직함이 있으니 무슨 일로 아버지의 악행을 증명하는 것을 행하는가? 박문약례의 밖에 녹을 구하는 학문이 있지만, 이 가운데에 원래 녹이 있는데 또한 무슨 일로 녹을 구하는 속학을 배우는가?

요컨대 이것은 학술의 사정(邪正)을 변별한 것이지 함부로 구하는 그의 마음을 꾸짖은 것은 아니다. 함부로 구하는 마음은 부귀로 인해

---

125) 문학을……높이고 : 『중용장구』 제27장에 나오는 구절로, 그 원문은 다음과 같다. "君子尊德性而道問學 致廣大而盡精微 極高明而道中庸"

일어나고 녹을 구하는 학문은 유속(流俗)으로 인해 이뤄진다. 자장이 종신토록 벼슬하지 않은 것은 부귀를 좋지 않게 보아서가 아니다. 다만 그의 재주가 높고 뜻이 크다보니 남보다 뛰어나게 천하의 학문을 모두 알고 싶어서 머리를 숙여 유속(流俗)과 함께 한 것이다. 이는 만년에 송나라 섭적(葉適)[126]과 진량(陳亮)[127]이 한 행위와 같으니, 처음부터 녹을 구하는 마음을 지녔다고 여겨 그를 책망해서는 안 된다. 자장이 이미 녹을 구하는 마음이 없었는데, 공자께서도 하필 '구하지 않아도 절로 이를 것이다'라는 말로 그를 부추기셨겠는가?(集註云 凡云在其中者 皆不求而自至之辭 此語亦未圓在 如云餒在其中 豈可云不求餒 天下無求餒者 則固不得云不求餒也 新安泥註而不達 乃云直在其中 仁在其中 其訓皆同 父子相隱 雖非以求直 而豈可云不求直如不求祿之比 祿自不可求 直其不可求乎 況博學篤志切問近思 正求仁之先務哉 籍不求仁 則學問志 思以何爲 且仁而可以不求自至 是道弘人而非人弘道矣 知彼二者在中無不求之意 則此之不學干祿而祿自至 亦於言外見意 而不籍在中以顯不求之義 在中者 猶言在裏許 相爲包函之詞 有以大包小言者 則此與直在其中一例 寡尤寡悔 自君子大亨至正脩己治人之道 於以得祿 亦其中功效之一端 父爲子隱 子爲父隱 自君子盡倫率性貞常利變之道 而於以言直 亦其中無所矯拂之一德 此以大包小而小在大中也 有以顯含藏者 則仁在其中是也 學志問思 功之顯 仁 德

126) 섭적(葉適 1150-1223) : 자는 정칙(正則), 호는 수심(水心), 시호는 충정(忠定). 남송 때 학자로 사공지학(事功之學)을 주창하여 영가학파(永嘉學派)의 대표적인 인물이 되었으며, 저술로 『습학기언(習學記言)』, 『수심문집(水心文集)』 등이 있다.

127) 진량(陳亮 1143-1194) : 자는 동보(同甫), 호는 용천(龍川), 시호는 문의(文毅). 남송 때 학자로, 성리(性理)에 대하여 공리공담하는 것을 반대하고 실사실공(實事實功)을 강조하였으며, 영가학파(永嘉學派)에 상응하는 영강학파(永康學派)를 창립하였다. 저술로 『용천문집(龍川文集)』이 있다.

之藏也 顯以顯仁 而藏固藏於用 則道問學而卽以尊德性 致知而卽以存心 卽其博者而約不離博 卽其著者而微不離著 故曰仁在其中 此以顯含藏者也 以顯含藏而曰在其中 則見其中已深 而更無內之可入 以大包小而曰在其中 則見其中已備 而更無外之可求 證父攘羊 索直於人心天理之外者也 干祿之學 求祿於博文約禮之外者也 闕愼只是以禮約之 人心天理之外有沽直之行 而此中原自有直 何事蹈證父之惡 博文約禮之外有干祿之學 而此中原自有祿 則亦何事習干祿之俗學哉 要此以辨學術之邪正 而非以責其心之妄求 妄求之心 因富貴而起 干祿之學 沿流俗而成 子張終身不仕 非屑屑於富貴者 徒以才高意廣 欲兼人而盡知天下之學 以俯同流俗 如晩宋葉適陳亮之所爲 初不可以有求祿之心責之 子張旣無求祿之心 則夫子亦何必以不求自至歆動之耶)

제23장

자장 : "열 왕조가 지난 뒤의 일을 알 수 있겠습니까?"

공자 : "은(殷)나라는 하(夏)나라의 예(禮)를 이어 받았으니 그 가감(加減)된 부분을 알 수 있으며, 주나라는 은나라의 예를 계승하였으니 또한 그 덜고 더한 것을 알 수 있다. 만약 주나라를 계승하는 나라가 있다면, 비록 백 왕조가 지난 뒤의 일이라 하더라도 알 수 있을 것이다."

子張問 十世可知也 子曰 殷因於夏禮 所損益 可知也 周因於殷禮 所損益 可知也 其或繼周者 雖百世 可知也

11

옛날 제왕들이 천하를 다스린 근본 원칙과 법칙[大經大法]을 통칭하여 '예(禮)'라 하고, 옛날 육관(六官)[128]들은 『주례(周禮)』라고 하였다. 삼강(三綱)·오상(五常)은 예의 본원이다. 삼대(三代)가 충(忠)과 질(質)과 문(文)을 달리 숭상한 것[129]은, 바로 이 삼강·오상이 행사에 드러나는 품절(品節)의 상략(詳略)에 불과할 뿐이다. '뺀 것과 더한 것'이란 바로 이러한 예를 가감했다는 것이다. 그러므로 본문에서 '소(所)'자를 바로 위에 놓고 설명하였다. 마계장(馬季長)[130]은 '예(禮)'자의 뜻을 모르고서 이것을 두 개로 나누어, 삼강·오상 외에 별

128) 육관(六官) : 주나라 육경(六卿)의 관직을 말한다. 『주례』에 천관총재(天官冢宰)·지관사도(地官司徒)·춘관종백(春官宗伯)·하관사마(夏官司馬)·추관사구(秋官司寇)·동관사공(冬官司空) 등을 가리켜 '육관' 혹은 '육경'이라 하였다.

129) 삼대가……숭상한 것 : 『논어』「위정」 제23장에 대한 내용으로, 그 전문은 다음과 같다. "子張問 十世可知也 子曰 殷因於夏禮 所損益 可知也 周因於殷禮 所損益 可知也 其或繼周者 雖百世可知也" 여기서 삼대가 각기 숭상한 것이 달랐다는 것은 바로 『논어집주』에서 언급한 "夏尙忠 商尙質 周尙文"을 말한다.

130) 마계장(馬季長) : 후한의 경학가인 마융(馬融 79-166)을 가리키며, 계장(季長)은 그의 자임.

도로 충(忠)과 질(質)과 문(文)을 두었다. 그렇게 되면 삼강 · 오상이 허기(虛器)가 되어 일삼는 바가 없게 되고, 또 실존하지 않는 하(夏)나라의 충과 상(商)나라의 질과 주(周)나라의 문이 삼강 오상 위에서 그들의 등급[品節]을 실행하여 각각 시행한다. 바로 이것은 한나라 유자들이 잘 몰라서 매우 임의로 해석한 대목이다.

대체로 삼강 · 오상은 예의 '체(體)'이고, 충과 질과 문은 예의 '용(用)'이다. '소손익(所損益)'은 실로 '용'의 범주에 속해 있지만, '용'은 바로 체의 '용'이니 요컨대 나눌 수 없다. 더구나 '선상 후벌(先賞後罰)'[131]은 의(義)의 넉넉함을 덜어서 인의 부족함을 더해주는 것이고 '선벌 후상(先罰後賞)'은 인의 넉넉함을 덜어서 의의 부족함을 덜어주는 것이니, 이는 오상에도 가감(加減)이 있는 것이다. 상나라의 도는 '친친(親親)'을 주장하여 손자를 놔두고 아들을 세웠으니 군신 간의 의리를 덜어서 부자 간의 은혜를 더한 것이고, 주나라의 도는 '존존(尊尊)'을 주장하여 자식을 놔두고 손자를 세웠으니, 이는 부자 간의 은혜를 덜어서 군신 간의 의리를 더한 것이다. 이는 삼강에도 손익이 있는 것이니, 어찌 사소한 품물 문장뿐이겠는가? 심지어 정삭(正朔)과 삼통(三統)을 가감한다고 보는 것은 더더군다나 매우 불학무식(不學無識)의 소치라고 하겠다.

'삼통(三統)'[132]이란, '천통(天統)'은 상고(上古) 갑자년 입춘 전 중

131) 선상 후벌 : 『예기』「표기(表記)」에 보이는 구절로, 그 원문은 다음과 같다. "子曰 …… 先祿而後威 先賞而後罰 親而不尊"

132) 삼통 : 하(夏)나라 · 상(商)나라 · 주(周)나라 삼대의 정삭(正朔)을 뜻한다. 삼정(三正)이라고도 한다. 하나라는 초저녁에 북두칠성의 자루가 인(寅) 즉 북동쪽을 가리키는 달을 정월로 잡았는데[建寅], 이것으로 인통(人統)으로 삼았고, 상나라는 건축(建丑)월을, 주나라는 건자(建子)월을 각각의 지통과 천통으로 삼았다.

동월(仲冬月) 갑자 초하루 야반 동지를 '역원(曆元)'[133]으로 삼고, '지통(地統)'은 차고(次古) 갑진년【대지는 축(丑)에서부터 변화하여 진(辰)에서 마친다.】 입춘 전 계동 을축월 갑진 초하루 계명 동지를 역원으로 삼고, '인통(人統)'은 그 다음 차고 갑신년【사람은 인(寅)에서 나고 신(申)에서 완성된다.】 맹춘 병인월 갑신 초하루 평단(平旦) 입춘을 역원으로 한다. '역원'은 일식과 월식[134]이 일어나고 오행성(五行星)이 동시에 한 곳에 나타났다가[135] 오성과 일월[七曜]이 다시 합해지는 것이니, 일원(一元)의 시작이다. 이로부터 보윤법(步閏法)·보여법(步餘法)·보오성법(步五星法)이 생겨났다. 옛날에는 역을 만드는 데 이 세 가지 방법이 있었으니, 그 사이에 비록 다소 차이는 있었지만 크게 다르지는 않았다. 그러나 '인통'에 인정(寅正)을 쓰는 것은 역원이 보법에 가까워 약간 쉬우면서도 세밀하기 때문이다. 삼대는 받은 명의 수에 부합되는 것을 가지고 돌려가며 번갈아 썼지만 추보법(推步法)[136]을 가감한 적은 한 번도 없었다. 추보하는 것은 사람이지만, 역원은 실로 천체의 자연을 따르는 것이니, 하늘의 운행을 가감할 수 있겠는가?

동양 허씨(東陽許氏)는 이러한 이치를 모르고서 그만 "정삭을 고치고 복색을 바꾸어서 보고 듣는 것을 새롭게 한다."[137]고 하였다. 한갓 보고 듣는 것만을 새롭게 하고자 할 뿐이라면 진(秦)나라가 무도한

133) 역원 : 고대 중국에서 역법을 추산할 때, 그 기산점(起算點)을 말한다. 옛날 사람들은 일반적으로 한 달의 시작인 초하루 아침과 동지가 함께 야반에 든 날을 역원으로 삼았다.

134) 일월합벽 : 지구가 태양과 월구(月球)의 사이에 진입하거나 월구가 지구와 태양 사이에 진입하면서 발생하는 현상. 초하루에는 일식이 발생하고, 보름에는 월식이 발생한다.

135) 오성연주 : 오성연주(五星聯珠)라고도 하는데, 이는 금·목·수·화·토 오행성이 동시에 한 곳에 출현하는 현상을 가리킨다. 이것은 비교적 드문 일이었기 때문에 고대인들은 상서로운 일로 여겼다.

136) 추보법 : 천상(天象)의 역법(曆法)을 추산(推算)하는 것이다. 고대인들은 해와 달이 하늘을 운행하는 것이 마치 사람이 행보하는 것과 같아서 추산하여 알 수 있다고 여겼다.

짓을 했으나, 실제로는 천정력(天正曆)[138]을 사용하여 한해의 정월을 해월(亥月)로 바꾸었으니, 이는 백성들을 어리석게 만든 것이다. 이로써 보고 듣는 것이 또한 새로워졌으나, 천수(天數)를 거스른 것이 된다. 삼대의 왕들이 행한 것이 어찌 또한 포악한 진나라의 소행과 같겠는가?

또 천착(舛錯)한 것은, '하나라는 당·우를 계승하여 인통을 썼다'고 하였으니, 더욱 근거 없이 지어낸 말이다. 『서경』「윤정(胤征)」에 이미 '삼정(三正)'[139]이라는 말이 있다는 것을 모르고서 한 말이니, 요(堯)임금은 진실로 갑진을 역원으로 삼아 지정(地正)을 썼고, 순(舜)임금은 요임금을 계승하여 바꾸지 않았으나, 우(禹)임금은 이를 고쳤다. 그러므로 '하나라의 책력을 행한다'[140]고 하였고, 당(唐)의 책력을 행한다고는 하지 않은 것이다. 요컨대 역은 사람의 가감을 허여할 수 없으니, 가감하는 것은 정치의 선후와 상략일 뿐이다. 그러므로 경례(經禮)와 의례(儀禮)에 치법이 모두 갖추어졌지만 역을 언급하지 않은 것으로 보아, 역은 예가 대신할 수 있는 범위가 아님이 명백하다.(古帝王治天下之大經大法 統謂之禮 故六官謂之周禮 三綱五常 是禮之本原 忠質文之異尙 卽此三綱五常見諸行事者品節之詳略耳 所損

---

137) 정삭을……새롭게 한다 : 이 구절은 허겸(許謙)의 『독사서총설(讀四書叢說)』에 나오는데, 그 원문은 다음과 같다. "堯舜禹皆用人統 堯舜皆禪讓 故舜禹不改正 殷周以征伐得天下 所以改正朔 易服色 以新視聽"

138) 천정력 : 주나라 역은 정월을 자월(子月)로 하여, 농력(農曆) 11월 즉 동지가 든 달을 세수(歲首)로 삼았는데, 고대인들은 이것을 두고 하늘의 바름[得天之正]을 얻었다고 하여 칭한 이름이다.

139) 『서경』「윤정(胤征)」에……말이니 : 『서경』「甘誓」"有扈氏威侮五行 怠棄三正 天用勦絶其命 今予惟恭行天之罰"에 나온 말로서, 삼정은 자월 축월 진월을 정월로 한다는 말이다.

140) 하나라의……행한다 : 『논어』「위령공」 제10장에 나오는 구절로서, 그 원문은 다음과 같다. "顔淵問爲邦 子曰 行夏之時 乘殷之輅 服周之冕"

所益 卽損益此禮也 故本文以所字直頂上說 馬季長不識禮字 將打作兩橛 三綱五常之外 別有忠質文 然則三綱五常爲虛器而無所事 夏之忠商之質周之文 又不在者三綱五常上行其品節而別有施爲 只此便是漢儒不知道大胡亂處 夫三綱五常者 禮之體也 忠質文者 禮之用也 所損益者固在用 而用卽體之用 要不可分 況如先賞後罰 則損義之有餘 益仁之不足 先罰後賞 則損仁之有餘 益義之不足 是五常亦有損益也 商道親親 舍孫而立子 則損君臣之義 益父子之恩 周道尊尊 舍子而立孫 則損父子之恩 益君臣之義 是三綱亦有損益也 豈但品物文章之小者哉 至如以正朔三統爲損益 則尤其不學無識之大者 夫三統者 天統以上古甲子歲 春前仲冬月 甲子朔夜半冬至爲曆元 地統以次古甲辰歲 地化自丑畢于辰 春前季冬乙丑月 甲辰朔鷄鳴冬至爲曆元 人統以又次古甲申歲 人生於寅 成於申 孟春丙寅月 甲申朔平旦立春爲曆元 曆元者 日月合璧 五星連珠 七曜復合 一元之始也 繇此而步閏步餘步五星之法生焉 古之治曆 有此三法 其間雖有小異 歸於大同 特人統寅正 以曆元近步法差易而密耳 三代以其受命之數相符合者 循環迭用 而於推步之法 未嘗有所損益也 推之者人 而曆元實因天體之自然 天其可以損益之也哉 東陽不知此理 乃謂改正朔 易服色 以新視聽 使徒欲新視聽而已 則秦爲無道實用天正曆 而特易建亥爲歲首以愚民 視聽亦新 而逆天背數 三代之王豈亦等暴秦之爲哉 又其舛者 謂夏承唐虞用人統 則尤杜撰 不審胤征已有三正之文 堯固以甲辰爲曆元 用地正 舜紹堯未改 而禹改之也 故曰行夏之時 不曰行唐之時 要以曆不可聽人之損益 而損益者 人治之先後詳略也 故經禮儀禮 治法畢具 而獨不及曆 曆非禮之所攝也明矣)

팔일편

八佾篇

제4장

임방(林放)이 예(禮)의 근본에 대하여 질문하였다.

공자 : "훌륭한 질문이구나! 길례(吉禮)는 사치를 부리기보다는 검소한 것이 좋으며, 상례(喪禮)는 너무 절차만 따져서 치루기보다는 슬퍼함이 낫다."

林放問禮之本 子曰 大哉問 禮 與其奢也 寧儉 喪 與其易也 寧戚

1

황면재(黃勉齋)가 두 가지 설로 나누어 근본을 설명한 것[1]은 매우 명백하다. '사치하는 것[奢]'과 '상을 형식적으로 잘 치르는 것[易]'이 모두 예에 맞지 않다고 한 것은 '천하의 대본[天下之大本]'을 가지고 말한 것이다. 그가 '검소함과 슬퍼함을 근본으로 삼은 것[以儉戚爲本]'은 '처음이 근본이고 나중이 말이 된다[初爲本 終爲末]'는 것을 이른다. 황면재가 '처음이 근본이고 나중이 말이 된다'고 한 것은, 범씨(范氏)와 양씨(楊氏)를 겨냥해서 한 말이지 공자의 본뜻은 아니다.

임방(林放)이 예의 근본을 물은 것은, 그가 사람들이 예를 행하는 것이 근본에서 나오지 않고 사소한 절차[儀文]에서 나오는 것을 보고

1) 두 가지로……설명한 것 : 『논어집주대전』「팔일(八佾)」 제4장의 경문은 "林放問禮之本 子曰 大哉問 禮 與其奢也 寧儉 喪 與其易也 寧戚"인데, 황면재의 설은 '林放問禮之本' 아래의 소주에 보이며, 그 전문은 다음과 같다. "勉齋黃氏曰 本之說有二 其一曰仁義禮智根於心 則性者禮之本也 故曰中者天下之大本 其一曰禮之本 禮之初也 凡物有本末 初爲本 終爲末 所謂夫禮始諸飮食者是也 二說不同 集註乃取後說曰 儉者 物之質 戚者 心之誠 則便以儉戚爲本 又取楊氏禮始諸飮食以證之"

서 예는 반드시 그렇지 않을 것이라고 생각했기 때문이다. 그러나 그는 참으로 '대본(大本)'에 도달하는 것까지는 생각하지 못하였다. 한편 공자께서도 이 질문에 대해서는 말씀하기 어려운 점이 있었다. 만일 희노애락이 일어나기 전에 본래 지니고 있던 우리의 본성은 원래이 하늘의 법칙[天則]을 갖추고 있다고 한다면, 일단 말이 현실과 동떨어진 것이 된다. 그리고 '천칙(天則)'은 '사(奢)와 검(儉), 척(戚)과 이(易)' 가운데에 행해져서 어느 곳에나 존재하지만, 원래 덕이 닦여지고 도를 이룬 사람이 아니면 도리어 이 말을 핑계로 거리끼는 것이 없는 단서를 열어놓게 된다. 그러므로 저 사람이 행하는 예에 입각해서 선후를 따져본다면, 처음 예를 행하는 자가 검소함으로 예를 행하고 슬퍼함으로 상에 거하지만, 검소한 가운데 의문(儀文)이 있고 슬퍼하는 가운데 상사(喪事)가 있게 된다. 그러므로 본래 사치함이 있지도 않고 형식적인 것을 극진히 하지도 않았지만 예는 이미 행해지는 것이니, 이것이 예의 처음이다.

이 마음은 사치하지도 형식적인 것을 극진히 하지도 못한 옛사람에 있어서도 이미 그러한데, 사치를 따르고 형식에 힘쓰는 후대에 와서는 어찌하여 그 근본이 마침내 혼미해졌는가? 만일 예에 생각을 쏟되 사치스럽고 형식적인 것으로 사람들의 이목에 과시하지 않고자 한다면, 저 사람의 마음에는 진실로 헤아림이 있어서 사치스럽고 형식적으로 잘 치르면서 정성이 부족하기보다는, 차라리 검소하고 슬퍼함으로써 헤아림이 약간 넘치고자 할 것이다. 장차 검소함과 슬퍼함을 말미암고 형식에 서로 걸맞은 것을 인하여 마음의 바름을 볼 수 있으니, 이것으로 말미암으면 천칙의 근본이 멀지 않을 것이다.【정(情)의 바름은 '이발(已發)'의 절도(節度)이고, 천칙(天則)의 근본은 '미발(未發)'의 중정이다.[3)]】 그 얻음에 미쳐서는 검소함을 채우고도 남아 검소함으로 끝나지 않고,

슬퍼함의 차마 다하지 않을 수 없는 것을 지극히 하면서도 형식적으로 잘 치르려는 일이 또 생겨난다. 그러므로 굳이 검소함을 지키고 슬퍼함에 전일하지 않아도 예의 본질에서 진실로 벗어나지 않게 된다.

인사(人事)를 가지고 말하자면, '초(初)'와 '종(終)'이 본말이 되고 천리(天理)를 가지고 말한다면, '체'와 '용'이 본말이 된다. 초(初)는 본성이 가까운 바에서 기인하고 종(終)은 습관이 형성된 바에서 기인한다. 그렇다면 검소함과 슬퍼함은 극진하지 않은 바가 있지만, 오히려 본성상 그만둘 수 없는 것에서 기인하니, '용'이 모두 '체'를 싣고 있어서 '천하의 대본[天下之大本]'이 또한 확립되는 것이다. 이것은 옛 도가 근본에서 멀지 않는 이유이다. '사(奢)'는 사치하려는 의도가 있는 것이고, '이(易)'는 상을 형식적으로 잘 치르려는 의도가 있다. 그러나 검소함은 검소하려고 의도하지 않으나 예가 검소함에 구비되어 있음을 볼 수 있고,【의도하면 인색한 것이 되어 검소함이 아니다.】 슬퍼함은 슬퍼하려고 의도하지 않으나 슬퍼하기만 함으로써 그 애모를 극진히 한다.【의도하면 슬픔이 아니다.】 그러므로 검소함이 예를 폐기함에 이르지 않고 슬퍼함이 형식을 차리지 않는 것에 구차히 안주하지 않으니, 이는 본성에서 마음이 나오고, 그 마음에서 형식이 나온 것이다.

그러므로 양씨의 '그 근본은 검소하다', '그 근본은 슬프다'는 설은 한쪽으로 막혀서 통하지 못함을 알 수 있다. 그가 말하는 검소함에는 풍부함만 보이고 검소함은 보이지 않으니, 사치로 말미암은 까닭에 검소하다는 명칭이 있는 것이다. 또 그가 말한 슬퍼함은 슬퍼할 수 있고 형식적으로 잘 치를 수도 있지만, 형식적으로 잘 하는 데만 전념하

---

2) 정의……중정이다 : 『중용장구』 제1장에서 "喜怒哀樂之未發 謂之中 發而皆中節 謂之和 中也者 天下之大本也 和也者 天下之達道也"라고 하였다.

기 때문에 슬퍼함이 비로소 외따로 행해지는 것이다. 처음은 끝이 있기 때문에 처음이라고 하지만, 근본은 말이 있기 때문에 진실로 근본이 있는 것이 아니다. 그러므로 검 · 척은 원래 사 · 이와 서로 대가 되지 않는다. 만일 검(儉) · 척(戚)이 사(奢) · 이(易)와 대가 된다면 예에 두 가지가 있게 된다. 옛 사람은 본(本)만을 지녔는데, 지금 사람은 말(末)까지 지니게 되는 것이다.【근본이 없으면 결코 말도 있을 수 없다.】

체(體)를 통해 용(用)에 도달하고 성(性)을 인해 정(情)을 낳고 정(情)을 인해 문(文)을 낳는 덕이 있다면, 검 · 척을 통해 예가 절로 날마다 채워질 것이다. 그렇지 않고서 예를 폐기하는 것을 검 · 척으로 여긴다면, 이는 검 · 척이라고 할 수 없고 '무례(無禮)하다'고 할 수 있을 뿐이다. 예가 행해진다면, 검소함을 통해 예에 맞게 흐르고, 슬퍼함을 통해 형식적으로 잘 치러지게 된다. 그러므로 '검 · 척'을 근본이라고 할 수 있다. '사'하고 '이'할 뿐이라면, 일단 근본과는 멀어져서 '말'조차도 예가 아닌 것이 된다. 그러므로 '사'는 '인색함[吝]'과 대가 되고 '이'는 '구차함[苟且]'과 대가 되니, '검 · 척'과 대가 된다고 할 수 없다. 이것은 범씨와 양씨가 '검척'을 근본이라고 할 수 있었던 이유이다. 그러나 마침내 '사'를 말미암아 '검'이라 하고 '이'로 말미암아 '척'을 드러낸다면, 반드시 예가 '검 · 척'을 행하는 것을 근본으로 해야지 대번에 '검척'을 근본이라고 해서는 안 된다. 그렇다면 근본은 근본대로 행해지고, '검 · 척'은 '검 · 척'대로 행해진다. 임방이 예의 근본을 묻자, 공자께서는 우선 처음 예를 행하는 것을 취하여 그가 이에 따라서 근본을 보도록 하신 것이지, 곧바로 예의 근본을 지적하신 말씀은 아니다.

만약 그 실제에서 그 의미를 구해본다면 윗장에서 말한 '사람으로서 어질지 못하면 예를 어떻게 사용할 수 있겠는가'[3)]라고 하는 것이 바로 지름길이 된다. 검·척은 인에 가깝지만 인의 전체 대용(全體大用)은 아니고, 사·이는 인이라고 할 수는 없지만 그렇다고 반드시 불인한 것도 아니다. 인(仁)·중(中)·성(誠)은 예의 근본이다. 황면재가 '천하의 근본'이라고 한 것이 맞는 말이니, 양씨와 범씨가 막힌 곳을 소통시켜 성인의 은미한 말씀을 잘 이해했다 하겠다. 그러므로 소주(小註)에서 '상(喪)을 즐기고 슬퍼하지 않는다'[4]라고 한 말은 매우 본질을 파악하지 못한 말인 것이다.(黃勉齋分爲二說以言本 極爲別白 所以謂奢易皆不中禮者 以天下之大本言也 其以儉戚爲本者 初爲本終爲末之謂也 勉齋之以初爲本終爲末者 爲范楊言之 而非夫子之本旨也 林放問禮之本 他只見人之爲禮 皆無根生出者儀文來 而意禮之必不然 固未嘗料量到那大本之中上去 夫子於此 亦難下語在 若說吾性所固有於喜怒哀樂之未發者 原具此天則 則語旣迂遠 而此天則者 行乎豐儉戚易之中而無所不在 自非德之旣脩而善凝其道者 反籍口以開無忌憚之端矣 故但從夫人所行之禮上較量先後 則始爲禮者 於儉行禮 以戚居喪 雖儉而已有儀文 但戚而已有喪紀 本未有奢 而不能極乎其易 然而禮已行焉 是禮之初也 抑此心也 在古人未有奢未盡易者旣然 而後人旣從乎奢旣務爲易之後 亦豈遂迷其本哉 苟其用意於禮 而不但以奢易誇人之耳目 則夫人之情固有其量 與其取之奢與易而情不給也 無寧取之儉與戚而量適盈也 將繇儉與戚而因文之相稱者以觀乎情之正 繇此而天則之本不遠焉 情之正者 已發之節 天則之本 未發之中 迨其得之 則充乎儉之有

---

3) 사람으로서……있겠는가 : 『논어』 「팔일」 제3장에 나오는 경문으로 전문은 다음과 같다. "子曰 人而不仁 如禮何 人而不仁 如樂何"

4) 상을……않는다 : 『논어집주대전』 「팔일」 제4장의 세 번째 단락의 주자주 '戚則一於哀而文不足耳' 아래의 두 번째 소주로서, 주자의 글이며, 그 원문은 다음과 같다. "若習治其禮有可觀 則是樂於喪而非哀戚之情也 故禮云 喪事欲其縱縱爾"

餘 而不終於儉 極乎戚之所不忍不盡 而易之事又起 則不必守儉而專乎戚 而禮之本固不離也 蓋以人事言之 以初終爲本末 以天理言之 以體用爲本末 而初因於性之所近 終因乎習之所成 則儉與戚有所不極而尙因於性之不容已 用皆載體而天下之大本亦立 此古道之不離於本也 奢則有意爲奢 易則有意爲易 儉則無意爲儉而見禮之備於儉 有意則爲吝而非儉 戚則無意爲戚而但戚以盡其哀 有意則非戚 故儉不至於廢禮而戚之非以偸安於不易者 此自性生情 自情生文者也 故知楊氏其本儉 其本戚之說 滯而未達也 儉者見豐而不見儉 繇奢故有儉之名 戚者可戚而亦可易繇有專乎易者而戚始孤行 初者繇有終而謂之初 本者非繇有末而固有本 故儉戚原不與奢易爲對 使儉戚而與奢易爲對 則禮有兩端 古人僅有本 而今人亦得有末矣 無本則並不得有末 唯有繇體達用 因性生情 因情生文之德 則繇乎儉戚而禮自日充 不然而棄禮以爲儉戚 則又不足名爲儉戚 而但名爲無禮 業已有禮矣 繇儉流奢 繇戚生易 故儉戚可以云本 若徒奢與易 則旣離乎本 而末亦非禮 故奢與吝對 易與苟且對 而不可與儉戚對 此范楊所以可謂儉戚爲本 然而終以繇奢名儉 繇易見戚 則必以禮所行乎儉戚者爲本 而不可徑云儉戚爲本 則本自本 儉戚自儉戚 林放問本 而夫子姑取初爲禮者使有所循以見本 而非直指之詞也 若求其實則上章所云人而不仁如禮何者 乃爲徑遂 儉與戚近乎仁 而非仁之全體大用 奢與易不可謂仁 而亦非必其不仁 仁也 中也 誠也 禮之本也 勉齋言天下之本 得之矣 通范楊之窮而達聖人之微言者也 小註樂於喪而非戚之說 失之遠矣)

제11장

어떤 이가 체제사의 의미에 대하여 여쭈었다.

공자 : "알지 못하겠다. 그 의미를 아는 자는 천하를 다스릴 때 여기에다 올려놓고 보는 것과 같을 것이다."라고 하시고는, 자신의 손바닥을 가리키셨다.

或問禘之說 子曰 不知也 知其說者之於天下也 其如示諸斯乎 指其掌

2

"인효(仁孝)와 성경(誠敬)이 지극하여 체(禘)제사의 내용에 참여할 수 있으면, 천하를 다스릴 수 있다."[5]는 것은 바로 천하를 다스리는 입장에서 말한 것이다. 만일 인효와 성경이 지극한 사람이라면 비록 천하를 얻어서 다스릴 수는 없을지라도, 천덕(天德)과 왕도(王道)의 경륜(經綸)과 화재(化裁)[6]가 모두 몸에 구비되어 사양할 것이 없어서, 그가 할 수 있는 바에 따라 효과가 즉시 드러나게 될 것이다. 이렇게 되면 임금과 백성과 친척과 벗이 감동하지 않는 이가 없을 것이다. 즉 체제사의 측면에서 말하자면, 비록 인효와 성경이 지극한 사람이라도 만약 천자의 지위를 얻지 못하였다면 전례(典禮)를 강등시켜 자기의 조상을 제사 지내게 한다. 그러나 이때 이치가 지극하지 못하

5) 인효와……있다 : 『논어』「팔일(八佾)」 제11장의 전문은, "或問禘之說 子曰 不知也 知其說者之於天下也 其如示諸斯乎 指其掌"인데, 주자주에 '非仁孝誠敬之至 不足以與此'라는 구절이 보인다.

6) 화재(化裁) : 사물의 변화에 따라 서로 절재(節裁)하는 것을 말한다. 『주역』「계사전」 상의 "形而上者謂之道 形而下者謂之器 化而裁之謂之變 推而行之謂之通"에서 나온 말이다.

면, 정성이 반드시 도달되지 못하여 신이 반드시 이르지 않을 것이다. 이것을 생각하면 모쪼록 다른 설이 있어야 할 것이다.

'왕자(王者)가 아니면 체제사를 지내지 못한다[不王不禘]'[7]는 것은, 원래 선왕이 자신을 높이고 남을 비하한 것이 아니라 아랫사람에게 한계를 편안히 지어준 것이다. 그러므로 『주역』 「계사전(繫辭傳)」에서 '성인의 대보(大寶)를 위(位)라 한다'[8]고 하였다. 최정상에 이르러서는 천자와 성인이 대등하여 덕으로는 성인이고 지위로는 천자인 점에 있어서는 또한 애초에 두 가지 이치가 아니다. 『서경』 「태서(泰誓)」에서 '참으로 총명한 자가 원후가 되고, 원후가 백성의 부모가 된다'[9]는 것은 이치는 하나이지만 일은 두 가지로 행해진다. 천자에게는 천자의 맥락이 있고, 성인에게는 성인의 맥락이 있다. 인효와 성경은 성인의 맥락이고 '왕자가 아니면 체제사를 지내지 못한다'는 것은 천자의 맥락이다. 정자산(鄭子産)이 『춘추』에서 '그가 쓰는 물건이 반드시 크고, 그가 마시는 정화(精華)가 반드시 많을 것이다'[10]는 설에 나아가 이러한 조리를 찾을 수 있다. 그러므로 '불왕불체(不王不禘)'는 법으로 당연한 것일 뿐만 아니라 또한 이치상 반드

---

7) 왕자가……못한다 : 불왕불체법에 관해서는 『예기』 「대전(大傳)」에 보이는데, 그 전문은 다음과 같다. "禮不王不禘 王者禘其祖之所自出 以其祖配之 諸侯及其大祖 大夫士有大事 省於其君 干祫及其高祖"

8) 성인의……한다 : 이는 『주역』 「계사전」 하의 "天地之大德曰生 聖人之大寶曰位 何以守位曰仁 何以聚人曰財"를 가리킨다.

9) 참으로……된다 : 이는 『서경』 「태서」 상의 "惟天地萬物父母 惟人萬物之靈 亶聰明作元后 元后作民父母"를 가리킨다.

10) 그가……것이다 : 이 내용은 『춘추좌씨전』 「소공(昭公)」 7년조에 나오는데, 정자산이 진(晉)나라에 갔을 때 조경자(趙景子)가 귀신에 대해 묻자 답하면서 한 말이다. 정나라가 비록 작지만 3대에 걸쳐 집권하고 있기 때문에 사용하는 기물이 풍부하고 거기서 길어 올리는 정수(精粹)도 많다는 말이다. 그 원문은 이렇다. "子良之孫 子耳之子 敝邑之卿 從政三世矣 鄭雖無腆 抑諺曰 蕞爾國 而三世執其政柄 其用物也弘矣 其取精也多矣"

시 분명하면서도 정성이 감동할 수 있는 것이다. 성인은 천리와 일치하고 성(誠)을 체득한 사람이다. 천자는 이치상 당연히 존중받을 대상이니, 이치상 당연히 존중받을 사람이 천부적인 자질을 그대로 간직한 채로 속임이 없다면 또한 성실하다고 할 수 있다.

인효(仁孝)와 성경(誠敬)이 지극하지 않으면 체제사를 지낼 수 없다는 것은 알기 쉽다. 그러나 인효와 성경이 지극하면 참으로 체제사를 지낼 수 있다는 것은 알기 어렵다. '불왕불체'의 법은 알기 쉽지만 왕자의 체제사는 알기 어렵다. 그렇지 않다면, 인효와 성경으로 귀신을 이르게 하는 것은 이기(理氣)가 본래 합한 것에 기인하지만 '불왕불체(不王不禘)'는 명(名)으로 분(分)을 세우고 분으로써 법을 세우는 것에 기인하니, 이는 인위(人爲)이지 천리(天理)가 아니다. 어떻게 선왕의 정의입신(精義入神)을 볼 수 있겠는가?

비록 '먼 조상은 이르게 하기 어렵고 가까운 조상은 감응하기 쉽다'[11]고만 한다면, 백금(伯禽)과 문왕(文王), 기(紀)나라·송(宋)나라와 상제(上帝)는 그 거리가 얼마나 가까웠던가? 그런데도 기(杞)나라와 송(宋)나라는 〈하(夏)나라와 은(殷)나라가 망한 뒤에〉 천자의 일을 지킬 수만 있었고, 노나라도 제곡(帝嚳)에게 체제사를 지낼 수 없었을 뿐만 아니라 비록 문왕처럼 가까운 분에게도 지내지 못했도다. 이 '불왕불체'의 설은 또한 반드시 천리가 앞에 드러나서 충만하고 두루하고 유행하고 관통하여 본말과 정조(精粗)가 하나의 이치로 합해진다. 이는 실로 『주역』「건괘」의 '불식(不息)'과 「곤괘」의 '후덕(厚德)'[13]이 하늘은 높고 땅은 낮으니[天尊地卑] 상하가 정해지고[上下

11) 먼 조상은……쉽다 : 『논어집주대전』「팔일」 제11장의 주자주 아래 네 번째 소주에 나오는 주자설이며, 그 원문은 다음과 같다. "近者易感 遠者難格"

以定] 방향은 유로써 모아지고[方以類聚] 사물은 무리로써 나누어지는[物以群分][13]이치와 하나로 합해져서 간단(間斷)이 없음을 알 수 있다. 그런 뒤에야 이것이 곧 법이 되고 이것이 곧 인효가 되고, 이것이 곧 성이 된다. 성인께서 그 앎의 오묘함을 찬양하셨을 뿐, 끝내 아는 까닭에 관해서는 말씀하지 않으셨다. 아! 이는 참으로 말하기 어려운 점이 있다.

이 장은 바로 『논어』 중의 천덕과 왕도를 설명한 최상의 문장이므로 잗단 선비의 입에 오르내리는 것이 허여되지 않는다. 『논어집주』에서 '노나라가 휘(諱)하여야 할 일'[14]이라고 한 것은, 생쥐를 잡기 위해 천균(千鈞)의 쇠뇌를 구부려 발사장치를 당기는 것[15]과 같다.(仁孝誠敬之至 可以與於禘之說 則可以治天下 乃自治天下言之 苟其爲仁孝誠敬之至者 雖不得天下而治之 而天德王道之經綸化裁 咸備於躬而無所讓 隨其所得爲者而效卽著 君民親友未有不動者 乃自禘言之 雖其爲仁孝誠敬之至 苟不得天子之位 卽欲減殺典禮以祀其所自出之祖 理不至 則誠必不達而神必不格 於此思之 須更有說在 不王不禘 原不是先王自尊而卑人 安下者界限 所以易云聖人之大寶曰位 到者上面 天子與聖人敵等 而德之有聖人 位之有天子 則亦初無二理 書曰亶聰明作元

12) 「건괘」……후덕(厚德) : '불식(不息)'은 『주역』「건괘」의 "象曰 天行 健 君子以 自彊不息"에서 나온 말이고, '후덕(厚德)'은 『주역』 곤괘의 "象曰 地勢 坤 君子以 厚德載物"에서 나온 말이다.

13) 하늘은……나누어지는 : 이 구절은 『주역』「계사전」 상의 "天尊地卑 乾坤定矣 卑高以陳 貴賤位矣 動靜有常 剛柔斷矣 方以類聚 物以群分 吉凶生矣"에서 나온 말이다.

14) 노나라가……할 일 : 『논어집주』「팔일」 제11장의 주자주로서, 그 내용은 다음과 같다. "不王不禘之法 又魯之所當諱者 故以不知答之"

15) 생쥐를…… 당기는 격 : 하찮은 일에 무모한 힘을 쓴다는 뜻으로, 당나라 맹지(孟遲)의 「기절우구막료(寄浙右舊幕僚)」 시(詩)에 "巨拳豈爲鷄揮肋 强弩那因鼠發機"라는 구절이 보인다.

后 元后作民父母 理一串而事雙行也 天子有天子的脈絡 聖人有聖人的脈絡 仁孝誠敬 聖人之脈絡也 不王不禘 天子之脈絡也 子産取精用物之說 可卽以尋此處條理 故不王不禘 不但法所當然 亦理之必明而誠之可格者也 聖人 合理體誠者也 天子爲理之所當尊 而理之所當尊者固有而無妄 則亦誠也 仁孝誠敬之不至 而不足以禘者 易知 仁孝誠敬之至而允可以禘者 難知 不王不禘之法易知 而王者之禘難知 不然 則仁孝誠敬以格鬼神 因於理氣之本合 而不王不禘 則徒因於名以立分 分以立法 是人爲而非天理 何以見先王之精義入神也哉 倘但云遠難格而近易孚 則伯禽之於文王 與杞宋之於上帝 相去何若 而杞宋乃得行天子之事守 魯何以不但不可以禘譽 雖密邇如文王而亦不可乎 此不王不禘之說亦必天理現前 充周流貫 本末精粗 合爲一致 而實知乾之不息 坤之厚德 與天尊地卑 上下以定 方以類聚 物以羣分之理 合同無間 然後卽此爲法 卽此爲仁孝 卽此爲理 卽此爲誠 聖人所以但贊其知之妙 而終不言所以知之 嗚呼 誠有難言者 此章乃論語中天德王道絶頂文字 不許小儒下口處 而集註云魯所當諱 則猶屈千鈞之弩爲鼷鼠發機也)

제12장

공자께서는 선조(先祖)께 제사를 지내실 때에는 선조가 윗자리에 계신 듯이 하셨으며, 다른 신(神)을 제사지낼 적에도 신이 계신 듯이 하셨다.
공자 : "내가 제사에 참여하지 않고 다른 사람으로 대행(代行)케 한다면, 마치 제사를 지내지 않은 것과 같을 것이다."

祭如在 祭神如神在 子曰 吾不與祭 如不祭

3

범씨(范氏)가 "정성은 실제가 되고 예는 형식적인 것이 된다."[16]고 한 두 구절은 이 장을 매우 잘 이해한 대목이다. '허(虛)'는 허망(虛妄)하다는 뜻이 아니니, 예는 형식[虛]이기 때문에 성(誠)이라는 내용[實]을 담고 있는 것이다. 여기서 '실(實)'자는 『주역』의 '온(縕)'[17]자와 『서경』의 '충(衷)'[18]자와 같은 뜻이다. 내용은 형식을 바탕으로 삼고 형식은 내용을 함축한다. 당연히 내용은 형식을 잡아서 간직하게 해야 하고, 형식이 내용을 장식하여 움직이게 해야 한다.

경원 보씨가 제사를 대신하게 하는 예(禮)만을 '허(虛)'라고 한 것[19]은 도리어 잘못되었다. 제사를 대신하게 하는 것은 권도(權道)이지

---

16) 정성은…된다 : 『논어』「팔일」 제12장의 전문은, "祭如在 祭神如神在 子曰 吾不與祭如不祭"인데, 범씨설은 둘째 단락의 주자주에 실려있으며, 그 원문은 다음과 같다. "有其誠則有其神 無其誠則無其神 可不謹乎 吾不與祭如不祭 誠爲實 禮爲虛也"

17) 『주역』의 온(縕)자: 『주역』「계사전」 상의 "乾坤其易之縕邪"를 가리킨다. 이때의 '온(縕)'은 정온(精蘊) 즉 심오한 함축을 뜻한다.

18) 『서경』의 충(衷)자 : 『서경』「탕고(湯誥)」의 "惟皇上帝降衷于下民"을 가리키니, 여기서의 '충'은 중도(中道)를 뜻한다.

예가 아니다. 만일 이것을 예라 한다면 또한 어찌 '제사하지 않은 것과 같다'고 말할 수 있겠는가?

신안 진씨가 '성(誠)은 실심(實心)이다'[20]라고 한 말은 원래 어폐가 없다. 성은 실심(實心)이고 예는 실리(實理)이니, 심(心)은 실(實)이고 이(理)는 허(虛)이어서 상호 의존하고 상호 작용한다. 이러한 마음이 없으면 또한 이러한 이치도 없다. 제사를 대신하게 하는 것이 임시 방편으로 이러한 이치가 있지만, 마음이 그것을 채우지 못하여 '실'이 부족하면 '허'도 따라서 폐해진다. 그러므로 성인께서는 '제사하지 않은 것과 같다'고 하신 것이다.

이것을 알면 소주에서 '제사 지내야 할 대상이 아닌데 제사하다니, 이런 이치가 없다. 그런데 이 때 성심(誠心)을 가지고 지낸다면 또한 신이 이르지 않겠는가'[21]하는 질문은 매우 세심하지 못하다. 제사 지내야 할 대상이 아닌데 제사 지내는 것은 이치에 맞지 않는 짓이다. 이치에 맞지 않는다면 또한 성(誠)도 없는 것이다. 내용이 없는 자는 그래도 형식이 자신의 보호벽을 지닌 것을 허용할 수 있지만, 형식이 없는 자는 내용이 반드시 의지하여 붙을 곳이 없게 된다. 만일 그가 경(敬)과 외(畏)와 미(媚)[22]에 맹목적이라면, 이는 모두 허망한 것이 되어 성(誠)이라 할 수 없다. 혹 귀신을 불러오는 경우가 있다 하더라

---

19) 경원 보씨가……한 것 : 『논어집주』「팔일」 제12장의 둘째 단락의 주자주 아래의 첫 번째 소주이며, 그 전문은 다음과 같다. "慶源輔氏曰 禮爲虛 非言凡禮皆虛 特指攝祭之禮而言耳 誠爲實 則指如在之誠意言也"

20) 성은 실한 마음이다 : 『논어집주』「팔일」 제12장의 둘째 단락의 주자주 아래의 두 번째 소주이며, 그 전문은 다음과 같다. "新安陳氏曰 范氏有其誠之誠 專指誠敬之實心言 非但指誠實之實理言"

21) 제사지내야……않겠는가 : 『논어집주』「팔일」 제12장의 첫째 단락의 주자주 아래의 맨 마지막 소주로서, 혹자의 질문이다. 그 전문은 다음과 같다. "問非所當祭而祭 則爲無是理矣 若有是誠心 還亦有神否"

도 이는 이른바 망(妄)으로 망(妄)을 부른 것일 뿐이다.

이(理)에는 망(妄)이 없으나 기(氣)에는 망이 있다. 산 사람의 망은 기로 인하여 생긴다. 귀신이 이미 이치를 순응하지도 않고 기의 굴신에 따라 굴신하기 때문에 망이 생기는 것이다. 망으로 망을 부르면 망이 호응하기도 하니, 이는 썩은 고기가 파리를 부르고 망해 가는 나라가 요얼(妖孽)을 불러들이는 것과 같은 이치이다. 군자가 그 어그러지지 않은 것으로부터 말하면 또한 진실로 있다고 하겠으나, 인자[仁人]와 효자(孝子)가 상제(上帝)를 감격시키고 부모의 신을 흠향케 하는 성심을 허여한다고 한다면, 말이 둘로 나뉘어 전혀 상관이 없게 된다.

예가 행해지는데 정성이 거기에 미치지 않는 것을 군자는 깊이 경계한다. 성인의 경우에는 또 이러한 근심이 없으시다. 그러므로 '이유가 있어서 제사에 참여하지 못하는 것'만을 불만족스럽게 여기신 것이다. 이를 안다면 '예가 형식적인 것이 된다'는 말은 정성스럽지 않다는 것이 아니라 정성을 필요로 한다는 뜻이 된다. 모든 예가 다 그러하니, 제사를 대신하는 것만 가리켜서 한 말이 아니다.(范氏說誠是實 禮是虛二句 大有理會處 虛卻非虛妄之謂 唯禮之虛 所以載誠之實 此一實字 與易緼字 書衷字一義 實體虛 虛函實也 須著實底 方持得虛底教有 而虛者 所以裝裹運動此實者也 慶源說攝祭之禮爲虛 卻誤 攝祭 權也 非禮也 使可謂之禮 則亦何至如不祭耶 新安云誠是實心 語自無病 誠是實心 禮是實理 心爲實 理爲虛 相因互用 無此心 則亦無此理 攝祭雖權有此理 而心不充之 實者缺 則虛者亦廢 故聖人以爲如不

22) 경(敬)과 외(畏)와 미(媚) : 이에 대해서 『논어』 「옹야」 제20장에서는 다음과 같이 언급하고 있다. "王孫賈問曰 與其媚於奧 寧媚於吳 何謂也"(「팔일」 제13장) ; "孔子曰 君子有三畏 畏天命 畏大人 畏聖人之言"(「계씨」 제8장) ; "樊遲問知 子曰 務民之義 敬鬼神而遠之 可謂知矣"

祭矣 知此 則知小註非所當祭而祭 則爲無是理矣 若有是誠心 還亦有神否一問 極爲鹵率 非所當祭而祭 則無是理矣 無理 則更無誠 無實者尙可容虛者之有其郛郭 無虛者則實者必無所麗矣 儘他癡敬癡畏癡媚也總是虛妄 不可謂之誠 或有時召得那鬼神來 亦所謂以妄召妄而已 理便無妄 氣則有妄 生人之妄 緣氣而生 鬼神旣不純乎理 而因乎氣之屈伸 故亦有妄 以妄召妄 則妄或應 如腐肉之召蠅蚋 亡國之致妖孽一理君子從其不爽者而言之 亦謂之誠有 而與仁人孝子所以格帝饗親之誠心 則話分兩頭 全無干涉矣 唯禮行而誠不相及 則君子以爲深戒 在聖人則又無此患 故唯有故不與之爲歉然 知此 則禮爲虛云者 非不誠之謂而待誠之詞 凡禮皆然 不獨指攝祭而言也)

제15장

공자께서 처음으로 태묘(大廟)에 들어가 제사에 참여하시면서 매사(每事)를 물으셨다.
이를 본 어떤 이가 말하기를 : "누가 추(鄹)땅 사람의 아들을 일러 예(禮)를 안다고 하였는가? 태묘에 들어와서 모든 일을 남에게 묻는구나!"
이 말을 들으신 공자 : "이것이 바로 예(禮)이다."

子入大廟 每事問 或曰 孰謂鄹人之子知禮乎 入大廟 每事問 子聞之曰 是禮也

4

'태묘(太廟)에 들어간 것'[23]이 제사를 돕기 위한 것이라 한다면 '숙연히 말이 없이 성심으로 기도하여 신이 와서 흠향하기를 바라는'[24] 그 때를 당하여 하나하나 따져 본다면 또한 무슨 예가 되겠는가! 순자(荀子)가 기록한 공자께서 의기(欹器)를 관람하신 사건[25]은 또한 한가한 때에 들어가 보신 것이다. 생각해보면, 옛날 종묘에는 일단 신주상[像主]이 없었고 그것도 정침(正寢)에 보관하였다. 그렇다면 이는 아마도 사람들이 둘러보는 것[游觀]을 금하지도 않은 것이고, 제후가 조회[朝覲]하고 국사를 묻고 관례와 혼례를 행할 때에도 모두 태묘 안에서 행하였는데, 간혹 집사의 직분을 맡은 경우에는 인군이

23) 태묘에 들어간 것 : 이 장은 『논어』 「팔일」 제15장 "子入太廟 每事問 或曰 孰謂鄹人之子知禮乎 入大廟 每事問 子聞之曰 是禮也"에 대한 내용이다. '조제(助祭)'설은 집주에 나오는 주자설로, 그 원문은 다음과 같다. "此蓋孔子始仕之時 入而助祭也"

24) 숙연히……바라는 : 『중용장구』 33장의 "詩曰 奏假無言 時靡有爭"를 말하는데, 이 시는 『시경』 상송(商頌) 「열조(烈祖)」편을 인용한 것이다.

25) 의기를 관람하신 일 : 『순자(荀子)』 「유좌(宥坐)」편의 "孔子觀於魯桓公之廟 有欹器焉 孔子問於守廟者曰 此爲何器守廟者曰 此蓋爲宥坐之器"를 가리킨다.

오기 전에 먼저 이곳에서 인군을 기다렸기 때문에 물을 수 있었을 것이다.

'사사건건 질문했다'는 것은 몰라서 물으신 것이 아니라, 또한 필시 확신하지 못하는 부분이 있어서일 것이다. '옛것을 좋아하여 급급히 구하여'[26] 얻으신 분이라면, 손으로 만지고 눈으로 확인하기 전에는 끝내 그렇지만은 않을 것이라고 의심하셨을 것이다. 성인이 어찌 반드시 남들과 다른 점이 있겠는가? 보통 사람들은 한번 알면 그쳐서 의심하던 것을 확신해서 아는 것이 참으로 실속 없이 천박했으니, 어떻게 기물(器物)을 통해서 도를 알 수 있겠는가! 공자께서는 묻는 것은 확신하기 때문이고, 묻지 않는 것은 의심할 만한 곳임을 아셨던 것이다. 그러므로 예에 남이 묻는 것을 허여하신 것이니, 이것은 바로 현자(賢者)는 자기를 낮춰서 나아가고 불초자(不肖者)는 이루고자 노력하게 하여 천하에 이 예를 크게 밝히게 하고자 하신 것이다.

만약 이미 알면서 확신하고 계신 일인데 일부러 번잡한 예를 삼가는 모습을 지으셨다면, 이는 바로 주자가 말한 '석경(石慶)이 말을 하나하나 세어 대답한 것'[27]과 같은 유이다. 그렇다면 또 어찌 성인이라고 할 수 있겠는가! 윤화정(尹和靖)이 '비록 알았지만 또한 질문하셨다'[28]는 설은 성인을 일종의 모르는 것이 없고 삼가지 않는 것이 없으

26) 옛것을……구하여 : 『논어』「술이(述而)」 제19장의 "子曰 我非生而知之者 好古 敏以求之者也"를 가리킨다.

27) 석경이……대답한 것 : 『논어집주』「팔일」 제15장의 주자주에 나오는 구절로, 원문은 다음과 같다. "曰 以石慶數馬與張湯陽驚事相對觀之可見" 한편 석경의 일은 『사기』「만석장숙열전(萬石張叔列傳)」에도 나오는 데, 그 원문은 다음과 같다. "萬石君少子慶爲太僕 御出 上問車中幾馬 慶以策數馬畢 擧手曰 六馬"

28) 윤화정이……질문하셨다 : 『논어집주대전』「팔일」 제15장에 나오는 소주로서, 그 원문은 다음과 같다. "問每事問 尹氏謂雖知亦問 敬愼之至 問者所未知也"

신 분으로 주선(周旋)하고자 한 것일 뿐, 진실과 거짓의 갈림길을 이미 분명치 않게 만들고 말았다. 대개 알지 못하고 확신하지 못하는 것은 원래 심도의 차이가 있으나, 성인께서는 반드시 확실히 아는 것만을 아는 것으로 삼으실 것이다. 확신하지 못하여 묻는다면 그 질문은 성실에서 나온 것이다. 성인의 충신(忠信)과 학문을 좋아하심은 따라갈 수 없다는 것이 바로 이 때문이다.(若說入太廟是助祭 則當奏假無言之時而諄諄詰難 更成甚禮 荀子所記孔子觀欹器事 亦是閒時得入 想古宗廟 旣無像主 又藏於寢 蓋不禁人游觀 而諸侯覲問冠昏 皆行於廟中 或有執事之職 君未至而先於此待君 故得問也 每事問 卽非不知 亦必有所未信 從好古敏求得者 若未手拊而目擊之 終只疑其爲未然 聖人豈必有異於人哉 尋常人一知便休 則以疑爲信 知得來儘是粗疎 如何會因器以見道 夫子則知問者信之繇 不問者疑之府 而禮之許人問者 乃使賢者俯就 不肖者企及 以大明此禮於天下也 若已知已信 而故作謹縟之狀 此正朱子所云石慶數馬之類 又何足以爲聖人 尹和靖雖知亦問之說 祇要斡旋聖人一個無所不知 無所不謹 而誠僞關頭 早已鶻突 蓋不知不信 原有深淺之分 而聖人之知 則必以信爲知 未信而問 問出於誠 聖人之所以忠信好學不可及者 正以此耳)

제22장

공자 : "관중(管仲)은 기량(器量)이 작구나!"

어떤 사람 : "관중(管仲)이 검소했다는 말씀입니까?"

공자 : "관중은 세 명의 아내를 두었으며, 가신(家臣)들에게 일을 겸직시키지 않았으니, 어찌 검소하다고 할 수 있겠는가?"

어떤 사람 : "그러면 관중(管仲)은 예(禮)를 알았습니까?"

공자 : "나라를 가진 임금만이 병풍으로 문을 가릴 수 있는데 관중도 병풍으로 문을 가렸으며, 임금만이 두 나라의 우호를 다질 때에 술잔을 되돌려 놓는 자리를 둘 수 있는데 관중도 술잔을 되돌려 놓은 자리를 두었으니, 관중더러 예(禮)를 안다고 한다면 누가 예를 모르겠는가?"

子曰 管仲之器小哉 或曰 管仲 儉乎 曰 管氏有三歸 官事不攝 焉得儉 然則管仲知禮乎 曰 邦君樹塞門 管氏亦樹塞門 邦君爲兩君之好 有反坫 管氏亦有反坫 管氏而知禮 孰不知禮

5

『논어집주』에서 관중(管仲)이 “성현의 『대학(大學)』의 도를 알지 못했기 때문에 국량이 좁고 얕으며 규모가 낮고 협소하였다.”[29]는 것은 근본을 탐색한 논리이다. 그런데 이것으로 인해 동양 허씨가 하나의 죽은 인판(印版)을 가지고 『대학』의 서를 삼아서 ‘격물치지의 공부가 지극하지 못한’[30]탓으로 그 근본 원인을 돌렸다. 이 말은 관중 입장에서 보면 증상을 치료할 약도 아니었고, 그가 『대학』의 본말과 종시의 순서에 대해 오랫동안 집착하여 통하지 못한 것이다.

『대학』은 진실로 격물을 처음의 가르침으로 삼지만, 경문(經文)에서는 모두 ‘수신을 근본으로 삼는다’[31]고 하였지, 격물을 근본으로 한

29) 관중이……협소하였다 : 『논어』「팔일」 제22장의 주자주에 나오는 구절로, 그 원문은 다음과 같다. “言其不知聖賢大學之道 故局量褊淺 規模卑狹 不能正身修德以致主於王道.”

30) 격물치지의……못한 : 『논어』「팔일」 제22장의 첫 번째 단락의 주자주 아래 일곱 번째 소주로써, 그 원문은 다음과 같다. “東陽許氏曰 大學之道八事 ……今管仲如此 只是格物致知工夫未到 見理不明 故爲所不當爲”

31) 수신을……삼는다 : 『대학장구』 경1장에 “自天子以至於庶人 壹是皆以脩身爲本”이라고 쓰여 있다.

다고는 하지 않았다. 『대학장구』에서 '본과 시는 먼저 해야 할 것'[32]이라고 한 말이, 어찌 먼저 해야 할 것이 두 가지라는 말이겠는가? 격물과 치지는 수신하는 하나의 일이다. 경문에서 '그 마음을 바루고자 하는 자는 먼저 그 뜻을 성실히 한다'고 한 말은, 반드시 먼저 그것을 하고자 한 뒤에 먼저 할 바를 두어 긴요하게 수신공부를 정착하면 바로 '마음을 바룸[正心]'이고 '뜻을 성실히 함[誠意]'인 것이다. '정심'과 '성의'는 수신의 근저가 되는 공부이고, 치지(致知)·격물(格物)과 성의·정심의 관계는 성정이 이것들의 도움으로 더욱 확대되는 것이다. 그러나 서두를 '옛날에 명덕을 천하에 밝히고자 하는 자[古之欲明明德於天下者]'라고 시작한 것은, 바로 '그칠 데를 아는 것이 시(始)가 된다'는 것이다. 이로부터 비록 여섯 번 '선(先)'을 언급했지만, 내외와 본말은 주객[主輔]이 절로 나뉘게 된다.

이제 관씨의 입장에서 본다면, 그의 생각이 유서(遺書)에 잘 갖춰져 있고 그의 행사도 분명히 고찰할 수 있다. 그는 곽광(霍光)이나 구준(寇準)처럼 학술이 없지도 않았고, 그렇다고 석씨(釋氏)처럼 불립문자(不立文字)를 내세워 무작정 참선만 하지도 않았다. 그가 사물을 살펴서 그 쓰임에 응용한 방법이 또한 '사물의 이치를 궁구하였다[格]' 할 수 있고, 시비와 득실을 두루 알아서 뜻을 통하고 일을 이룬 것은 또한 '지식을 지극히 하였다[致]'고 할 만하다.【만일 '이반한 이를 부를 때는 예로써 하고 소원한 이를 회유할 때는 덕으로써 한다'[33]는 것이 어찌 지혜가 도에 미치지 못해서이겠는가? 인으로 지켜내지 못했기 때문일 뿐이다.】 이로써 잔달던 유

---

32) 본과 시는……할 것 : 『대학장구』 경1장의 "物有本末 事有終始 知所先後 則近道矣" 아래의 주자주에 "明德爲本 新民爲末 知止爲始 能得爲終 本始所先 末終所後"라고 하였다.

33) 이반한……한다 : 『춘추좌전』 「희공(僖公)」 7년조에 나오는 말로서, 원문은 다음과 같다. "秋 盟于甯田 謀鄭故也 管仲言於齊侯曰 臣聞之 招攜以禮 懷遠以德"

자들이 사욕을 오로지 하고[專己] 잔명을 보존[保殘]하여 훈고(訓詁)를 정밀히 하는 것과 비교할 때 오히려 낫지 않은가? 그런데도 결국 작은 기국을 성취하고 만 것은, 닦고자 하고 바루고자 하고 성실하고자 하는 학을 근본으로 삼은 것이 아니었기 때문이다. 그가 궁구한 것은 궁구해야 할 바가 아니었고, 지극히 한 것은 지극히 해야 할 바가 아니고 말았다.

기물을 만드는 것에 비유하자면, '격물'은 마치 가래나무와 옻을 갖추는 것과 같고, '치지'는 거기에 정밀히 조각하는 것과 같다. 기물이 큰 것도 이 재료에 이 기술이고, 기물이 작은 것도 이 재료에 이 기술이니, 규모가 다를 뿐이다. 사물의 이치가 이르지 않으면 재료가 구비되지 않고, 지식이 지극하지 않으면 기술이 정교하지 못한다. 그런 방법으로는 큰 그릇을 만들고자 하나 이뤄지지 않으니, 공자께서 말씀하신 '너무 간략하다'[34]는 경우가 이것이다. 또 작은 그릇을 만들고자 하나 그것도 이루지 못한다. 이것은 관중이 되고자 하나 될 수 없는 것이니, 송(宋)나라 양공(襄公)【사물의 이치가 이르지 못한 경우이다.】과 왕개보(王介甫)【지식이 지극하지 못한 경우이다.】 같은 류가 이런 경우이다. 관중은 이미 그릇을 이루었으니, 그 재주가 갖춰지지 않은 것이 아니고, 기술이 정교하지 않은 것이 아니다. 다만 지극한 선에 그치는 것을 시발점으로 삼을 줄을 몰라서, '천하에 명덕을 밝히고자 하는' 마음이 없었기 때문에 규모가 협소하였고, 성실히 하고자 하고 바루고자 하는 마음으로 종사하지 않았기 때문에 국량이 더욱 좁았던 것이다.

34) 너무 간략하다 : 『논어』「옹야(雍也)」 제1장의 내용으로서, 공자가 아닌 중궁(仲弓)이 한 말이다. 원문은 다음과 같다. "仲弓曰 居敬而行簡 以臨其民 不亦可乎 居簡而行簡 無乃太簡乎"

『대학』의 '격물'은 또한 권모술수가 궁구하는 것과 애초에 다른 일이 아니다. 권모술수를 쓰는 사람의 지식 수준도 『대학』에서 '지극히 하고자 하는 지식'과 서로 시비 득실이 서로 배치된 적이 없다.【『초서(楚書)』와 「진서(秦誓)」에서 알 수 있다.】 그러므로 닦고자 하고 바루고자 하고 성실히 하고자 하는 학자의 입장에서는 이 격물에 나아가서 천덕과 왕도의 조리를 볼 수 있지만, 그렇지 않은 사람은 이것으로 인의【치지임】를 가장하고 부강함을 이루는 기술에 도움이 될 뿐이다.

격물을 처음의 가르침으로 삼으신 것은 이단의 허무적멸(虛無寂滅)[35]이나 『대학』보다 고원한 것을 일삼으면서 실속이 없는 자를 위해서이시다. 이런 자들은 심의(心意)에서 구함이 있지 않은 적이 없으나, 이치를 궁구하지 않고 지식을 지극히 하지 않기 때문에 마음이 보존한 바가 사특한 것에 더욱 의탁하고, 뜻이 살피는 바가 더욱 망령된 것에 분석하게 된다. 이것은 선택하여 고집함이 정밀하지 못하여 외물이 마음에 누가 되고 지식이 뜻을 어지럽힌 데 그 허물이 있다.

그칠 데를 아는 것을 처음으로 삼는다는 것은 권모술수를 쓰거나 구차하게 공명을 성취한 사람을 두고 한 말이다. 그런 자들은 사물의 이치를 궁구하여 그 쓰임을 충족하고 지식을 지극히 하여 저 기미를 살피지 않은 적이 없다. 그러나 명덕(明德)과 신민(新民)과 지선(至善)의 공부가 정(正)으로 보존하고 기르며 성(誠)으로 성찰하는 데 달려 있다는 것을 알지 못하기 때문에, 지식이 권모의 교변으로 흘러가면 갈수록 외물은 그 술수의 억측을 제공할 뿐인 것이다. 이것은 학문에 뜻을 둠이 단정하지 못하여 마음이 외물에 부림을 당하고 뜻이

35) 적멸 : 불교의 '열반(涅槃)'을 의역한 말로, 생사의 경계를 초탈한 것을 뜻한다. 『무량수경(無量壽經)』에 "超脫世間 深樂寂滅"이라는 말이 있다.

지식에 의해 어그러지는 데 그 잘못이 있는 것이다.

이제 비록 관중이 궁구한 바가 사물의 당연한 이치를 극진히 한 것이고, 지극히 한 바가 우리 마음이 지극히 할 수 있는 바를 지극히 했다고는 할 수 없으나, 격물치지에 힘을 쓰도록 요구한 것은 학문과 사변의 심도와 부지런한지 게으른지를 두고 한 말이다. 그런데 만약 어떤 것은 크고 어떤 것은 작으며, 어떤 것은 바르고 어떤 것은 순수하지 못할 경우, 그 근본에서 구하지 않고 지식과 외물에서 그 공효(功效)를 요구한다면 장차 두려움에 얽매어 머뭇거려 천하 만물이 모두 의심의 창고가 될 것이다. 이 때 내 마음의 지각이 성으로 천칙(天則)을 삼지 않는다면 또한 어떤 것이 지극히 해야 할 바가 아닌 '망'임을 알겠는가? 그러므로 뜻을 성실히 하는 것이 천덕과 왕도의 문이라고 한 것이다. 그 뜻을 성실히 하고자 하면서 그 뜻이 결코 망령되지 않고, 그 마음을 바루게 하고자 하면서 마음이 맹세코 사악하지 않다면, 그것으로 사물의 이치를 궁구함에 물마다 모두 법칙이 있게 되고, 그것으로 지식을 지극히 함에 지식이 사람의 의리와 하나가 되어 뜻이 성실하면 할수록 마음은 더욱 넓어지게 된다. 이는 『대학』의 조목과 서로 표리가 되니, 단연코 '격물'에서 시작하여 '평천하(平天下)'로 마치는 것이 아니다. 그 효과를 거둔 뒤에는 '사물의 이치가 이름[物格]'에서 '천하가 평해짐[天下平]'으로 향해 가니, 차례대로 진행되어 갈수록 커지기 때문이다.

증서(曾西)가 관중을 하찮게 본[36] 까닭은, 바로 성의·정심의 덕이

36) 증서가……본 : 『맹자』「공손추(公孫丑)」 상에 나오는 내용으로 그 원문은 다음과 같다. "公孫丑問曰……然則吾子與管仲孰賢 曾西艴然不悅 爾何曾比予於管仲 管仲得君 如彼其專也 行乎國政 如彼其久也 功烈 如彼其卑也 爾何曾比予於是"

있느냐의 문제였다. 그러므로 주자도 '평소에 배운 것이 바로 이 네 자였다'[37]고 한 것이다. 만약 격물과 치지의 공효로 말한다면, 공자의 제자 중에 염구(冉求)나 자로(子路)같은 이들도 필시 관중이 이룬 업적을 제대로 해내지 못했을 것이다. 그렇다면 이 두 사람도 아마 박식하고 심통함에서 관중에 못 미치는 점이 있는 것이다. 어찌 동양 허씨가 그의 장단(長短)을 논할 수 있는 바겠는가?

『대학』의 도는 천덕이면서 왕도이니, 현달하면 「주관(周官)」의 법도를 행하고, 은거하면 「관저(關雎)」나 「인지(麟趾)」의 정의(精意)를 행하는 것[38]이다. 그러니 부질없이 격물과 치지에서 학문의 대소를 다투겠는가? 이제 가령 주자가 정심과 성의의 학문을 바로 관중에게 일러줬더라면, 그가 비록 자신을 고쳐서 우리를 따르게 할 수는 없을지라도 자신을 속여서 이미 터득했다고 여기지는 않을 것이다. 만일 동양 허씨가 이른바 격물치지로 그를 권면했더라면 다만 그의 비웃음을 사기에 충분할 뿐이다.【예컨대 『소학』 「제자직(弟子職)」은 『관자(管子)』에서 나왔다[39]는 것이다.】 아마도 주자가 격물치지를 거듭 언급한 것은 육자정(陸子靜)의 폐단을 구원하기 위함인 듯하다. 그는 진동보(陳同父)에 대해서라면 반드시 성의 정심을 일러줬을 것이다. 성인의 도는 그 자체로 매우

---

37) 평소에……자였다 : 『주자연보(朱子年譜)』 권3 '六月壬申奏事延和殿'조 아래의 주에 "是行也 有要之於路 以正心誠意爲上所厭聞 戒以勿言者 先生曰 吾生平所學 只有此四字 豈可回互而欺吾君乎"라는 내용이 보인다.

38) 현달하면……행하는 것 : 『근사록(近思錄)』 권8과 『이정외서(二程外書)』 권12에 "明道先生曰 必有關雎麟趾之意 然後可以行周官之法度"라고 하였다. 여기서 「관저(關雎)」와 「인지(麟趾)」는 『시경(詩經)』 「주남(周南)」의 편명으로 「관저」는 문왕(文王)의 후비(后妃)인 태사(太姒)의 음전한 덕을 노래한 것이고, 「인지지」는 왕자(王子)의 착한 마음을 읊은 것이다.

39) 소학……나왔다 : 『소학』 권1의 "弟子職曰 先生施敎 弟子是則 溫恭自虛 所受是極"의 주에 「제자직(弟子職)」은 『관자(管子)』의 편명(篇名)으로 관중(管仲)이 지은 것이라고 하였다.

완전하여 올바른 법칙으로 사특함을 막는 것과는 절로 구별된다.【이것은 또 '약병설(藥病說)'과는 다르다.】 하나를 고집하여 백(百)을 폐(廢)하다니[40], 고루하도다!(集註謂管仲不知聖賢大學之道 故局量褊淺 規模卑狹 此爲探本之論 乃繇此而東陽執一死印板爲大學之序 以歸本於格物致知工夫未到 其在管仲 旣非對證之藥 而其於大學本末始終之序 久矣其泥而未通也 大學固以格物爲始敎 而經文具曰以脩身爲本 不曰格物爲本 章句云本始所先 夫豈有二先哉 格物致知 一脩身之事也 經云欲脩其身者先正其心云云 必先欲之而後有所先 喫緊頂著脩身工夫 卻是正心誠意 正心誠意之於脩身 就地下工夫也 致知格物之於誠正 借資以廣益也 只劈頭說欲明明德於天下 便是知止爲始 從此雖六言先 而內外本末 主輔自分 今以管氏言之 其遺書具在 其行事亦班然可考 旣非如霍光寇準之不學無術 又非如釋氏之不立文字 瞎著去參 而其所以察乎事物以應其用者 亦可謂格矣 其周知乎是非得失 以通志而成務者 亦可謂致矣 如云招攜以禮 懷遠以德 豈爲知不及道 但仁不能守之耳 以視小儒之專己保殘 以精訓詁 不猶賢乎 然而終以成其爲小器者 則不以欲脩欲正欲誠之學爲本 而格非所格 致非所致也 譬之作器者 格物如庀梓漆 致知如精彫鏤 器之大者 亦此材也 亦此巧也 器之小者 亦此材也 亦此巧也 規模異而已矣 物不格則材未庀 知不致則巧未工 欲以作大器而大器不成 孔子之所謂太簡是已 卽以作小器而小器亦不成 此則欲爲管仲而不能 宋襄公 物不格 王介甫 知不致 之流是已 管仲旣已得成爲器 則其材非不庀 而巧非不精 特其不知止至善以爲始 而無欲明明德於天下之心 故規模以隘 不以欲誠欲正之心從事焉 故局量益褊爾 大學之格物 亦與權謀術數之所格者

---

40) 하나를……폐하다니 : 『맹자』「진심」 하에 나오는 말로, 원문은 이렇다. "孟子曰 楊子取爲我 拔一毛而利天下 不爲也…… 所惡執一者 爲其賊道也 擧一而廢百也"

初無異事 權謀術數之所知 亦未嘗與大學所致之知 是非得失背道而馳 楚書秦誓可見 但在欲脩欲正欲誠之學者 則即此而見天德王道之條理 其非欲脩欲正欲誠者 則徒以資其假仁義 致知 致富彊之術而已 以格物爲始教者 爲異端之虛無寂滅 高過於大學而無實者言也 彼未嘗不有求於心意 而以理不窮 知不致之故 則心之所存 益託於邪 意之所察 益析於妄 此則過在擇執之未精 物累心而知蕩意也 以知止爲始者 爲權謀術數 苟且以就功名者言也 彼未嘗不格物以充其用 致知以審夫幾 乃以不知明德新民至善之功 在存養以正 省察以誠之故 知益流於權謀之巧變 物但供其術數之億度 此則差在志學之未端 心役物而意詭知也 今縱不得謂管仲之所格者爲盡物理之當然 所致者爲盡吾心之所能致 乃於格致責用力者 爲學問思辨之淺深勤怠言也 若其或大或小 或正或駮 不於其本求之 而但於知與物責其功效 則且拘葸猶豫 天下之物皆爲疑府 而吾心之知 不有誠者以爲天則 亦知孰爲妄之非所宜致者哉 故曰 誠意者 天德王道之關也 欲誠其意 而意期無妄 欲正其心 而心矢不邪 則以之格物而物皆有則 以之致知而知一民義 意益實而心益廣矣 此大學之條目 相爲首尾 端不自格物始而以平天下終 特其效之已成 則自物格以向於天下平爲以次而益大耳 曾西之所以下視管仲者 正在誠意正心之德 故朱子亦曰生平所學 止此四字 若以格物致知之功言之 則聖門諸子 雖如求路 必不能爲管仲之所爲 則亦其博識深通之有未逮 又豈東陽所得議其長短哉 大學之道 天德也 王道也 顯則爲周官之法度 微則爲關雎麟趾之精意者也 徒於格物致知爭學之大小乎 今使朱子以正心誠意之學 正告管仲 彼雖不能改而從我 而不敢自誣爲已得 使東陽以其所謂格物致知者勸勉之 直足供其一笑而已 如小學之弟子職 亦出管子 蓋朱子之重言格致者 爲陸子靜救也 其於陳同父 則必以誠正告之 聖道大全 而正經以防邪慝者自別 此又與藥病之說異 擧一廢百 固矣哉)

제23장

공자께서 노(魯)나라의 악관인 태사(大師)에게 음악에 대하여 말씀하시기를 : "음악의 이치를 알아야만 하네. 처음 음악이 시작될 때는 여러 음률이 나란히 연주되다가, 연주가 이어지면서는 음률끼리 조화를 이루면서도 제 음색을 내게 되는데, 이러한 양상이 이어지면서 한 곡조가 완성되어야만 한다네."

子語魯大師樂 曰 樂其可知也 始作 翕如也 從之 純如也 皦如也 繹如也 以成

6

쌍봉 요씨는 시(始)와 종(從)과 성(成) 이렇게 세 항목으로 나누어 설명하였는데[41], 동양 허씨가 그의 설을 신봉하여 상채 사씨(上蔡謝氏)를 논박하였다.[42] 살펴보니, 요씨와 허씨는 깊이 살피지 못한 점이 있고, 상채는 착오가 심하지 않다.

'이(以)와 성(成)' 두 글자는 '순여야 교여야 역여야(純如也 皦如也 繹如也)' 세 구를 긴밀하게 받치고 있어서 원래 별도의 갈래로 나눠지

41) 쌍봉 요씨는……설명하였는데 : 『논어』「팔일」 제23장에서 "子語魯大師樂 曰 樂其可知也 始作 翕如也 從之 純如也 皦如也 繹如也 以成"라고 하였는데, 요씨의 설은 『논어집주대전』의 '謝氏曰' 아래의 네 번째 소주를 말하며, 그 원문은 다음과 같다. "雙峯饒氏曰 此章有三節 始作是其初 從之以後是其中 以成是其終 翕合之餘有純和 純和之中有明白 明白之中無間斷 方是作樂之妙"

42) 동양 허씨가……논박하였다 : 주자가 『논어집주』「팔일」 제23장에서 "謝氏曰 五音六律不具 不足以爲樂 翕如言其合也 五音合矣 淸濁高下 如五味之相濟而後和 故曰純如 合而和矣 欲其無相奪倫 故曰皦如 然豈宮自宮而商自商乎 不相反而相連 如貫珠可也 故曰繹如也以成"라고 사량좌의 설을 인용한 것을, 동양 허씨가 『독사서총설』에서 반박한 것을 말한다. 그 원문은 다음과 같다. "謝氏之說章 意皆具而置圈外 朱子必有意也 今玩經文 蓋始從成爲作樂三節 翕及純皦及繹 乃三節中之節奏……及曲將畢則收拾歸宿 有紬繹相續不絶之意 此樂之終也 大抵翕之後繼之以純皦 又繼之以繹 從則非翕 繹則不從 此盖經之本旨而朱子之意也"

지 않는다. 그런데 상채가 지닌 약간의 흠이라면 '고왈역여야이성(故曰繹如也以成)' 7자 때문이니, 그는 '역여(繹如)'를 전적으로 '성(成)'에 연결시킨 것 같다. 각헌 채씨(覺軒蔡氏)[43]도 그렇게 보았다.[44] '종지순여야교여야역여야이성(從之純如也皦如也繹如也以成)' 13자는 본래 한 구이다. 이는 계속 연주하고 난 뒤에 이런 식으로 음악 한 곡의 연주를 완성한다는 말이다. 그러므로 이 문장은 두 절로 나뉘질 뿐 세 절로 나뉘지지는 않는다. 본문의 '이(以)'자는 아무 뜻이 없고, '역여야(繹如也)'는 위 두 구를 연결하여 문리가 한 줄기로 쭉 이어져 내려오니, 단연코 '순(純)'과 '교(皦)'를 '종(從)'에 연결하고 '역여(繹如)'를 '성(成)'에 연결해서는 안 된다. 사상채의 병통은 바로 이것을 억지로 셋으로 나누어 멀쩡한 비단을 찢어놓은 데에 있다. 그런데 동양 허씨는 도리어 셋으로 나눠보지 않았다고 그를 나무랐으니, 더욱 잘못되었다.

음악의 이치를 가지고 말하자면[45], 처음 소리가 나올 적에는 진실로 돌아갈 곳이 없는 것은 아니지만 그렇다고 해서 반드시 별도의 귀의처를 설정할 것도 아니다. 그러므로 "예는 수렴[減]을 중시한다."

---

43) 각헌 채씨(覺軒蔡氏) : 남송 때 경학가인 채모(蔡模 ?-?)를 가리킴. 건양교수(建陽教授) 등을 역임하였으며, 채침(蔡沈)의 아들로 『논맹집설(論孟集說)』, 『대학연설(大學衍說)』, 『역전집해(易傳集解)』 등의 경학저술을 남겼다.

44) 각헌 채씨(覺軒蔡氏)도 그렇게 보았다 : 채각헌(蔡覺軒)의 설은, 『논어집주대전』 「팔일」 제23장의 주자주인 '謝氏曰' 아래 세 번째 소주에 보이는데, 그 전문은 다음과 같다. "覺軒蔡氏曰 始 作樂之始也 成 樂之終也 始作翕如 則八音合矣 從之純如 則合而和也 皦如則和而又有別也 繹如也以成 則別而又不失於和也 數言之間 曲盡作樂始終節奏之妙 大師而可與語 此其亦非常人也歟"

45) 음악의……말하자면 : 여기에서 음악의 이치에 대한 설명은 전반적으로 『예기』 「악기(樂記)」의 내용을 개괄한 것인데, 그 원문을 살펴보면 다음과 같다. "樂也者 動於內者也 禮也者 動於外者也 故禮主其謙 樂主其盈 禮謙而進 以進爲文 樂盈而反 以反爲文 禮謙而不進 則銷 樂盈而不反 則放 故禮有報 而樂有反 禮得其報則樂 樂得其反則安 禮之報 樂之反 其義一也"

고 하였으니, '감(減)'에는 변역(變易)의 순서[節序]가 있고, "악은 충만함[盈]을 중시한다."고 하였으니, '영(盈)'에는 홀로 남는 여운이 없다. "예는 수렴하면서 또 힘써 나아감이 있다."고 하였으니, 이때 '나아감[進]'이란 뭔가를 더 보탠다는 것이 아니다. 처음과 끝은 융성하면서 중간은 쇠퇴하는 일이 없으면서 변화를 망각하지 않는 것이 '나아감'이다. "악이 충만하면서도 자신을 돌이켜 절제한다."고 하였으니, 이 때 '돌이킴[反]'이란 중도에 그만두는 것이 아니다. 중간은 방치하고 처음과 끝만 잘 수렴하는 것이 아니어서 한 번에 그치고 여운을 남기지 않는 것이 '자신을 돌이키는 것'이다. 만약 이미 충만하면서 또 '돌이킴'으로 수렴한다면 이는 기가 창성하지 못하여 '즐거움이 극도에 이르면 슬픔이 오게 되는'[46]것이 된다. 그러므로 '이성(以成)'은 바로 이 세 가지를 '성(成)'으로 삼아서 그 '성'을 마치고는 변치 않는다는 것이다.

지금의 거문고를 연주하는 소리는 정(鄭)나라 음악이기 때문에 넘침이 있고, 지금의 작사(作詞)는 음란한 음악이기 때문에 처음에는 시작이 있고 끝에는 결말이 있다. 그러나 저 고악(古樂)이 천지의 사시(四時)와 그 기서(氣序)를 함께 한 것이라면 연주를 마친 곡과 새로 연주할 곡이 조화롭게 번갈아 교체하여 앙금을 남기면서 마치지도 않고 다른 곡으로 바꾸어서 마치지도 않는다.

북두칠성은 인기(人紀)와 일치하고 해는 천기(天紀)와 일치한다. 일양(一陽)이 회복되는 것은 작년 겨울 중반에서이니, 대한(大寒)이 끝난 것을 가지고 한 해의 끝이라 할 수는 없다. 그러므로 '목표는 같은데 길은 다르고, 이치는 하나인데 생각은 백가지'[47]라고 한 것이

46) 즐거움이……오게 되는 : 『예기』「악기(樂記)」에 "樂極則憂 禮粗則偏矣"라고 하였다.

다. 이는 즉 시작은 같은 것으로 했으면서 이어가는 것은 다른 것으로 하는 것이며, 시작은 하나로 하고 완성하는 것으로 백으로 하는 격이다. 길을 달리 하고 생각을 백 가지로 하면서도 더는 그것을 단속하여 제자리로 돌아가지 않으니, 결국에는 이단의 '만법귀일(萬法歸一)'[48]의 설과도 서로 현격한 차이가 생긴다. 『주역』이 「미괘제(未濟卦)」로 마치는 것도 태괘(泰卦)의 세 음과 세 양의 성대함을 써서 그 문장을 극대화한 것일 뿐이다. 연속하는 것은 「태괘」이고 완성하는 것은 「미제괘」라고 해서, 어찌 이치가 둘이겠는가?

그러므로 중려(中呂)의 실수(實數)는 65,536인데 반드시 그 전수(全數)를 배로 쓰고자 하면 131,072가 되지만, 수가 증가하면 또 미(未)의 대려(大呂)에서 시작하고 중려에서 시작하지 않는다. 마찬가지로 '성(成)'과 '종(從)'이 두 가지 이치일 리가 없으니, 더욱이 자연스러워 간여할 수 없다. '시'가 '종'과 달라져서 두 가지가 될 수 있는 것은 이 '영'의 점점함이고, '성'이 '종'과 분리될 수 없어서 세 가지가 아닌 것은 가득하면 돌아오는데 가득함에서 돌아오는 것이다.

악의 이치는 문예와 통한다. 그러므로 옛날 문장을 잘 하는 사람은 약간의 단서만 있다면, 끝내 꼬리를 거두어 합치하고자 하는 본질[體]은 없다. 이렇게 할 수 있었던 사람은 세상에서 말하는 '팔대가(八代家)'들 뿐이다. 화기(和氣)가 충만하지 못하고 기운이 지탱하

---

47) 목표는……백가지 : 『주역』「계사」 하에 나오는 구절로 원문은 다음과 같다. "子曰 天下何思何慮 天下同歸而殊塗 一致而百慮 天下何思何慮"

48) 만법귀일(萬法歸一) : 만법은 제법(諸法)이라고도 하는데 삼라만상(森羅萬象)을 가리키며,. 만법귀일은 선종의 자주 거론되는 화두의 하나로 '萬法歸一 一歸何處'의 줄임말이다. 이 화두의 사전적인 뜻은 일체 사물이 필경 하나로 귀결된다면, 그 하나는 어느 곳으로 귀결되는가?라는 것이며, 『오등회원』에 다음과 같이 그 화두가 전해지고 있다. "問 萬法歸一 一歸何所 師曰 老僧在青州作得領布衫 重七斤"

지 못하면서 급급히 혁대의 버클과 문의 자물쇠를 풀었다 잠갔다 하면서 이것으로 수미(首尾)를 삼는 것은 마치 지렁이가 끊어지자 생기가 겨우 머리와 꼬리에 퍼지는 것과 같다. 이는 정나라 음악의 변(變)으로서 애처로운 소리와 어지러운 박자의 징조인 것이다. 그런데 이것으로 선왕의 악을 예시하려 하였으니 어찌 속임이 아니겠는가!(雙峰分始從成爲三節 東陽奉之以駮上蔡 看來 饒許自是不審 上蔡未甚失也 以成二字 緊頂上三句 原不另分支節 而上蔡之小疵 在故曰繹如也以成七字 似專以繹如屬成 蔡覺軒亦然 從之 純如也 皦如也 繹如也 以成 十三字本是一句 言旣從之後 以此而成樂之一終也 止有兩節 不分爲三 本文一以字是現成語 而繹如也連上二句一滾趨下 斷不可以純皦屬從 繹如屬成 上蔡語病 正在强分三支 割裂全錦 東陽反以不分三支咎上蔡 其愈誤矣 以樂理言之 元聲之發 固非無歸 而必不別立之歸 故曰禮主其減 減者 有變易之節也 樂主其盈 盈者 無孤立之餘也 禮減而進 進非加益 不兩端隆而中殺 在變不忘則進也 樂盈而反 反非拆合 不中放而兩端收 一止無餘爲反也 若已盈而又減之以反 是氣不昌而爲樂極之悲矣 故以成者 卽以此三者爲成 終其成而不易也 今之鼓琴者 鄭聲也 是以有泛 今之塡詞 淫樂也 是以端有引而尾有煞 若夫古之雅樂 與天地四時同其氣序 則貞元渾合而非孤餘以終 亦非更端以終也 斗合於人紀 而日合於天紀 一陽之復 在去冬之半 而大寒之末不足以爲歲終 故曰同歸而殊塗 一致而百慮 始於同 從於殊 始於一 成於百 逮其殊塗百慮 而不復束之以歸 斯與異端萬法歸一之說相爲霄壤而易終於未濟 亦用泰三陰三陽之盛而極致其文耳 從者泰也 成者未濟也 豈有二哉 故中呂之實 六萬五千五百三十六 必倍用其全 爲十三萬一千七十二 而其增也 則又起於未之大呂 而不於中呂 斯成與從無二致之理 尤自然之不可閒矣 始可異於從而爲二節者 盈之漸也 成不可

離乎從而非三節者 盈卽反而反於盈也 唯樂之理通於文藝 故古之工於文者 微有發端 而終無掉尾收合之體 其有此者 則世之所謂八大家是已 和不充而氣不持 汲汲然斷續鉤鎖 以爲首尾 如蚓之斷 僅有生氣施於顚末 是鄭聲之變 哀音亂節之徵也 乃欲以此例先王之樂 豈不誣哉)

7

『맹자』 7편에서 음악을 언급하지 않은 것은 그가 본래 미치지 못하는 곳이었기 때문이었으니, 맹자는 덕업은 컸지만 만민을 교화시키는 단계에는 못 미치고 만 것이다. 음악에 대해 터득한 것이 없기 때문에 문장도 그렇게 썼을 뿐이다. 맹자는 상편에서 '호변(好辯)'[49]으로 결론을 맺고 하편에서 '도통(道統)'[50]으로 마친 것처럼, 매 장 끝 부분에는 모두 결론이 있다. 공자께서 『춘추』를 지으실 때는 이렇지 않으셨다. 비록 '획린(獲麟)'[51]한 대목에서 절필하였으나, 바로 위의 두세 조목을 살펴보면 이 책이 끝마치고 있다는 것을 전혀 알 수 없다. 왕통(王通)[52]이 슬쩍 이것을 모방하여 『원경(元經)』을 지었는데, 그도 뒤

49) 호변(好辯) : 『맹자』 「등문공」 하에 "公都子曰 外人皆稱夫子好辯 敢問何也 孟子曰 予豈好辯哉 予不得已也"라고 하였다.

50) 도통(道統) : 『맹자』 「진심」 하에 "孟子曰 由堯舜至於湯 五百有餘歲 若禹 皐陶 則見而知之 若湯 則聞而知之……"라고 하였다.

51) 획린(獲麟) : 『춘추』 「애공(哀公)」 14년조에 "西狩獲麟"이라고 쓰여 있다.

52) 왕통(王通 584-617) : 수(隋)나라 때의 학자로, 자는 중엄(仲淹)이고, 시호는 문중자(文中子)임. 당대의 저명한 학자이자 교육자였음. 『역찬(易贊)』, 『원경(元經) 등을 저술하였는데 전해지지 않고, 『논어』를 모방하여 지은 『중설(中說)』(『문중자(文中子)』라고도 함) 만이 현전함.

에 가면 흐지부지 끝나는 것이 마치 '새벽바람에 스러지는 달빛[曉風殘月]'과 '주연이 끝나자 손님이 흩어져 돌아가는 [酒闌人散]' 상과 같다. 그러므로 '『시경』을 배우지 않으면 조리 있게 말을 할 수 없다'[53]고 한 것이다.

『시경』은 음악과 서로 표리가 된다. 「대명(大明)」의 끝장에 '회전(會戰)하는 날 아침 날씨가 청명하도다'[54]라고 하고만 말았고, 「면(綿)」의 끝장에서는 범범하게 '네 부류의 사람이 있다'[55]고 서술하여 모두 전혀 완결 짓지 않는 것처럼 하였으니, 이것이 바로 이 시들이 「아(雅)」가 되는 이유이다. 또 「관저」의 끝장은 두 번은 흥을 일으키고 두 번은 서술을 하면서 다시 거두어 단속하지 않았으니, 이것이 「남(南)」이 되는 이유이다. 이것들은 모두 곧 '종(從)'이면서 '성(成)'이니, 이 때문에 '좋아하되 깊이 빠지지 않고 슬퍼하되 몸을 손상하지는 않는'[56]것이다. 「곡풍(谷風)」은 원래 '그 옛날에 나를 와서 살게 한 일 생각지 않는구나'라고 하여 첫 장의 '힘쓰고 노력하여 마음을 함께 해야지'[57]하는 뜻을 매듭지었고, 「숭고(崧高)」와 「증민(烝民)」의 경우는 두 번 칭송(稱誦)하는 뜻을 언급하여 맺고 있으니, 이것이 음시(淫詩)가 되고 변풍(變風)이 되는 이유이다. 「아(雅)」와 「남(南)」이 그러

53) 시경……할 수 없다 : 『논어』 「계씨(季氏)」 제13장에 다음과 같이 적혀 있다. "鯉趨而過庭 曰 學詩乎 對曰 未也 不學詩 無以言 鯉退而學詩"

54) 회전하는……청명하도다 : 『시경』 대아 「대명(大明)」에 다음과 같이 쓰여 있다. "肆伐大商 會朝淸明"

55) 네 부류의 사람이 있다 : 『시경』 대아 「면(緜)」에 나오는데, 다음과 같다. "予曰有 附 予曰有先後 予曰有奔奏 予曰有禦侮"

56) 좋아하되……않는 : 『논어』 「팔일」 제20장에 나오는 구절로, 그 전문은 다음과 같다. "子曰 關雎 樂而不淫 哀而不傷"

57) 힘쓰고……해야지 : 『시경』 패풍 「곡풍(谷風)」에 나오는 싯구로, 그 원문은 다음과 같다. "不念昔者 伊余來塈"

한 것은 의도적으로 한 것이 아니라, 마음이 순리에 맞는 사람은 그 말이 원래 통달하기 때문이다. 그 마음이 혹 변하거나 혹 음란하여 묶이고 싸인 것을 고려하지 않으면 떨어지고 흩어지지나 않을까 절로 의심하게 된다. 위로 음악에 미루어 보아도 그러하고 아래로 문사(文詞)를 짓는데 미루어 보아도 그러하니, 이러한 이치는 한유(韓愈)와 소식(蘇軾)도 알 수 있는 것이 아니다.(孟子七篇不言樂 自其不逮處故大而未化 唯其無得於樂 是以爲書亦爾 若上篇以好辯終 下篇以道統終 而一章之末 咸有尾煞 孔子作春秋 卽不如此 雖絶筆獲麟 而但看上面兩三條 則全不知此書之將竟 王通竊倣爲元經 到後面便有曉風殘月酒闌人散之象 故曰不學詩 無以言 詩與樂相爲表裏 如大明之卒章 纔說到會朝淸明便休 綿之卒章 平平序四有 都似不曾完著 所以爲雅 關雎之卒章 兩興兩序 更不收束 所以爲南 皆卽從卽成 斯以不淫不傷也若谷風之詩 便須說不念昔者 伊子來塈 總束上黽勉同心之意 崧高烝民兩道作誦之意旨以終之 所以爲淫爲變 雅與南之如彼者 非有意爲之 其心順者言自達也 其心或變或淫 非照顧束裏 則自疑於離散 上推之樂而亦爾 下推之爲文詞而亦爾 此理自非韓蘇所知)

이인편

里仁篇

제2장

공자 : "인(仁)하지 못한 자는 오랫동안 곤궁함을 견딜 수 없으며, 장구하게 즐거움도 누릴 수 없다. 인자(仁者)는 인(仁)을 편안히 여기고, 지자(智者)는 인(仁)을 이롭게 여긴다."

子曰 不仁者 不可以久處約 不可以長處樂 仁者安仁 知者利仁

1

'공부를 하면서 인을 이롭게 여겨야 합니까[1]'라는 질문은 정녕코 전혀 공부를 해보지 않은 사람의 말이다. 만일 '인을 이롭게 여기'고자 한다면 이미 이롭게 여기지 않았던 것이다. 만일 인이 이롭고 불인이 이롭지 않음을 알았다면, 이것은 바로 이로움을 도모하고 공을 따지는 마음이니, 춘추시대 오패(五伯)가 '인을 가장한 것[假仁]'[2]일 뿐이다.

'인을 편안히 여기고[安仁]' '인을 이롭게 여기는[利仁]' 것은 모두 덕을 이룬 뒤에 할 수 있는 경지이다. '이(利)'자는 『주역』의 '가는 바를 둠이 이롭다'[3]고 할 때의 '이(利)'의 뜻이다. 이는 길이 순조로워서

1) 공부를……합니까 : 『논어』「이인」 제2장에서 "子曰 不仁者不可以久處約 不可以長處樂 仁者安仁 知者利仁"라고 하였는데, 혹자의 이 질문은 『논어집주』 '然未免於利之也' 아래 세 번째 소주이며, 그 전문은 다음과 같다. "或問 而今做工夫 且須利仁 曰 惟聖人自誠而明 合下便自安仁 若自明而誠 須是利仁"

2) 인을 가장한 것 : 『맹자』「공손추」 상에서 "孟子曰 以力假仁者霸 霸必有大國 以德行仁者王 王不待大 湯以七十里 文王以百里"라고 하였다.

3) 가는 바를 둠이 이롭다 : 『주역』「복괘(復卦)」 등에 다수 보이는데, 예문을 소개하면 다음과 같다. "反復其道 七日來復 利有攸往"

험난함이 없는 것이니, 원래 '이익을 획득한다'고 할 때의 '이(利)'자로 설명해서는 안 된다. 만약 '획리(獲利)'라고 경계를 짓는다면, 상채사씨(上蔡謝氏)가 '얻는 바가 있다고 한다면 옳지 않다'[4]고 한 말 그 자체로 분명하게 된다. 만약 그 얻음이 있음을 이롭게 여긴다고 한다면 '〈인자는〉 어려운 일을 먼저 하고 얻는 것을 뒤에 한다'[5]는 것과 뚜렷이 상반되게 되니, 이것을 인이라 할 수 없다.

인은 본래 이치에서 얻지만 효과를 통해서도 얻을 수 있다. 그러나 효과를 얻고 못 얻고를 미리 기약할 수 없을 뿐만 아니라, 이치를 얻고 못 얻고도 미리부터 부러워할 수 없다. 안자(顔子)가 '공자를 따르고 싶지만 어디로부터 시작해야 할지 모르겠다'[6]고 하였으니, 이러한 기대를 지녀야만이 '그 즐거움을 변치 않는'[7] 경지에 이를 수 있다. 만약 이(理) 중에 반드시 얻어야 하는 공효[功]를 규정하여 즉시 인인(仁人)이 되고자 한다면, 좌절했을 때 도리어 이것이 커다란 부끄러움이 되고 말아 '오랫동안 곤궁한 데 처하고 오랫동안 즐거움에 처할 수 없게' 되는 것은 바로 이 때문이다.

이로써 '이(利)'자를 가지고는 공부를 할 수 없음을 충분히 알 수 있다. 지자(智者)만이 분명히 깨달아서 곧장 실행하니, 자연 이롭지

---

4) 얻는 바가……옳지 않다 : 『논어집주』「이인」 제2장의 주자주에 나오는 구절로, 그 원문은 다음과 같다. "謝氏曰 仁者心無內外遠近精粗之間 非有所存而自不亡 非有所理而自不亂 如目視而耳聽 手持而足行也 知者謂之有所見則可 謂之有所得則未可"

5) 인자는……뒤에 한다 : 『논어』「옹야(雍也)」 제20장에서 "樊遲問知 子曰 務民之義 敬鬼神而遠之 可謂知矣 問仁 曰 仁者先難而後獲 可謂仁矣"라고 하였다.

6) 공자를……모르겠다 : 『논어』「자한(子罕)」 제10장에서 "顔淵喟然歎曰 仰之彌高 鑽之彌堅 瞻之在前 忽焉在後 夫子循循然善誘人 博我以文 約我以禮 欲罷不能 旣竭吾才 如有所立卓爾 雖欲從之 末由也已"라고 하였다.

7) 그 즐거움을 변치 않는 : 『논어』「옹야」 제9장에서 "子曰 賢哉 回也 一簞食 一瓢飮 …… 回也不改其樂"라고 하였다.

않음이 없을 뿐이다. 이와 같기 때문에 그 맛이 무궁하고 지키는 것을 변치 않게 되는 것이다. 그러므로 공부는 인자와 지자에서부터 한 층 올라가게 된다. 이른바 '극기복례(克己復禮)'[8] '경(敬)을 주장하고 서(恕)를 행함'[9] '선난후획(先難後獲)'[10] 같은 것은 모두 '안인(安仁)'의 본령이고 '사람이 지켜야 할 도리를 힘씀'은 '이인(利仁)'의 본령이다. 이 장에서는 인자와 지자의 심덕(心德)만 묘사하고 진정 공부에 대해 단단히 매듭을 짓지는 않고 있다. 성현의 문장은 또한 앞뒤의 문맥을 잘 살펴보아야지, 구절마다 단서를 찾으려 해서는 안 된다.(做工夫且須利仁 爲此問者 定是不曾做工夫底 如要去利仁 則已不利矣 若云見仁之利而不仁之不利 此正是謀利計功之心 五伯之假仁是已 安仁利仁總是成德後境界 利字如易利有攸往之利 一路順利 無有阻難 原不可作獲利字說 若說到岸爲獲利 則上蔡所云謂之有所得則未可者 已自破得分明 若云利其有獲 顯與先難後獲相反 不得謂之仁矣 仁固有得於理亦可有得於效 抑不特效之得不得 不可預期 卽理之得不得 亦不可早生歆羨 顏子說雖欲從之 末繇也已 具此心期 方能勾不改其樂 若刻畫著理中所必得之功 立地要做仁人 到蹭蹬處 卻大是一場懡㦬 而不可以久處約 長處樂 正在此矣 足知利字上用工夫不得 唯知者見得分明 一徑做去 自然無不利耳 唯爾 所以云味之無窮 而所守者不易也 工夫自在仁者知者上一層 如所云克復敬恕先難後獲 都是安仁的本領 務民之義

8) 극기복례(克己復禮) : 『논어』 「안연」 제1장에서 "顔淵問仁 子曰 克己復禮爲仁 一日克己復禮 天下歸仁焉 爲仁由己 而由人乎哉"라고 하였다.

9) 경을……행함 : 『논어집주』 「안연」 제2장의 주자주에서 "克己復禮 乾道也 主敬行恕 坤道也"라고 하였다.

10) 선난후획(先難後獲) : 『논어』 「옹야」 제20장에서 "問仁 曰 仁者先難而後獲 可謂仁矣"라고 하였다.

便是利仁的本領 在此章 則以寫仁知之心德 固不曾煞緊說工夫 聖賢文字 亦須參觀 不可隨句尋頭尾也)

2

'불인자(不仁者)' 세 자는 공자의 말씀 중에서 매우 엄격한 것으로, 맹자가 말한 '〈불인한 자와는〉 더불어 말할 수 없다'[11] '〈사서인(士庶人)이 불인하면〉 사지(四肢)를 보전하지 못한다'[12]는 등의 말과는 차원이 다르다. 맹자는 '작용[發用]'의 입장에서 말하였고, 공자는 '전체'의 입장에서 말씀하셨다. 그러므로 또 '군자로서 인하지 못한 자가 있다'[13]고 하신 것이다. '안인'과 '이인' 이외는 모두 불인이다. 『논어집주』에서 '〈불인한 사람은〉 그 본심을 잃었다[失其本心]'는 네 자는 아래에서 매우 중요하다. 그러나 그 본심을 얻지 못하면 불인한 것일 뿐 반드시 본심을 잃는 것은 아니다.

성인이 말씀하신 '구(久)'와 '장(長)'이나 '약(約)'과 '락(樂)'은 각 글자마다 의미가 담겨 있다. 지금 사람들은 천하에는 '곤궁하고' '즐거운' 경지만 있다거나 또 '부귀'와 '빈천' 두 길만 있다고 하는데, 이

11) 불인한……없다 : 『맹자』「이루(離婁)」 상에 나오는 구절로, 그 전문은 다음과 같다. "孟子曰 不仁者可與言哉 安其危而利其菑 樂其所以亡者 不仁而可與言 則何亡國敗家之有"

12) 서서인이……못한다 : 『맹자』「이루」 상에 나오는 구절로, 그 원문은 다음과 같다. "孟子曰 三代之得天下也以仁 …… 士庶人不仁 不保四體 今惡死亡而樂不仁 是猶惡醉而强酒"

13) 군자로서……있다 : 『논어』「헌문(憲問)」 제2장에서 "子曰 君子而不仁者有矣夫 未有小人而仁者也"라고 하였다.

는 모두 맹랑한 말이다. '약(約)'은 막히고 내몰리고 구속되어 자유롭지 못하다는 뜻이다. '락(樂)'은, 군자의 경우는 '천하의 한가운데에 서서 사해의 백성을 안정시킴'[14]이 있어야 즐겁고, 보통 사람의 경우는 뜻을 얻고 의지가 충만하며 어떤 일을 해도 모두 맞는 일이 있어야 즐겁다. 이것으로 생각해 보면 '약(約)'도 아니고, '락(樂)'도 아닌 경계가 많다. 포초(鮑焦)와 검루(黔婁) 같은 이들은 참으로 빈천을 행한 것이고, 천자나 제후는 참으로 부귀를 행한 경우이다. 그러나 공자와 맹자의 경우는 그들 당시에는 진실로 부귀했다고 할 수 없지만, 그렇다고 해서 어찌 빈천했다고 할 수 있겠는가? 그렇다면 빈부 외에는 원래 가난하지도 않고 부유하지도 않은 경계가 있는 것이고, 귀천 외에는 원래 귀하지도 않고 천하지도 않은 경계가 있는 것이다.

생각해보니, 불인한 사람은 이렇게 평범하게 곤궁하지도 즐겁지도 않지만, 그렇다고 해서 크게 낭패를 보거나 부족하지도 않는다. 그렇다면 그 본령에는 주재(主宰)함이 없어서 무슨 일을 조치하고 시행할 때에 참으로 편안하게 행동할 수 없는 것이 있다. 그러므로 일단 곤궁하거나 즐거운 데에 처하고 나면 어긋나게 되는데, 이런 것이 오래가면 갈수록 자신을 도와 유지할 수 없어서 무슨 일을 하든지 모두 허점이 보일 것이다. 그러므로 상채 사씨가 "인자는 마음에 내와 외, 원과 근, 정과 조의 간격이 없다."[15]고 하였고, 또 '〈마음을 보존하려고 하지 않아도 저절로〉 없어지지 않고' '〈다스리려고 하지 않아도 저절

14) 천하의……안정시킴 : 『맹자』 「진심」 상에서 "中天下而立 定四海之民 君子樂之 所性不存焉"이라고 하였다.

15) 인자는……없다 : 『논어집주』 「이인」 제2장의 주자주에 "謝氏曰 仁者心無內外遠近精粗之間 非有所存而自不亡 非有所理而自不亂"이라고 하였다.

로〉 혼란해지지 않는다'[16]고 하였으니, 모두 그 항상함이 있음을 말한 것이다.

오래도록 할 수 없다는 것은 이른바 '그 덕을 항상하지 않으면 혹 부끄러움에 이른다'[17]는 것이다. '혹 부끄러움에 이른다'는 것은 필연의 부끄러움이 아니라, 일이 오래되면 마음이 변하여 부끄러움이 스스로 유지하지 못한 바에서 나온다는 것이다. 그런데 일반적으로 사람의 덕은 인자만이 항상 유지한다. 진중자(陳仲子) 같은 사람은 사심을 극복하여 곤궁한 데 처하지 않은 것은 아니나, 처가 만들어준 음식은 먹고 우물가의 배나무 열매는 엉금엉금 기어가서 따 먹었으니,[18] 의리는 본뜰 수 있었겠으나, 인에 꼭 적합한 사람은 아니다.

성현의 심덕 외에는 '사욕을 이겨 예로 돌아가고' '사람이 지켜야 할 도리를 힘쓰는' 것은 반드시 잠시는 잘할 수 있으나 오래는 할 수 없고, '곤궁하지도 않고 즐겁지도 않을' 수는 있으나 '곤궁하면서 즐거울' 수는 없다. 성인께서 이점에 대해 사람을 감정한 것이 사리에 극진하셨다. 그렇지 않다면 빈천을 근심하고 부귀에 급급한 사람이 인을 편안히 여기고 인을 이롭게 여기는 마음과는 그 차이가 천지처럼 현격한데 어찌 같은 부류로 놓고서 모양을 비교할 수 있겠는가?

오씨(吳氏)는 "불인한 사람은 하루도 곤궁하고 즐거운 데 처할 수 없으나, 성인의 말씀은 사람을 후하게 대하기 때문에 오랫동안 처할

16) 마음을……않는다 : 『논어집주』「이인」 제2장의 주자주에 "有所存斯不亡 有所理斯不亂"이라고 하였다.

17) 그 덕을……이른다 : 『논어』「자로」 제22장에 "子曰 …… 人而無恒 不可以作巫醫 善夫 不恒其德 或承之羞"라고 하였다.

18) 진중자……먹었으니 : 이 이야기는 『맹자』「등문공(滕文公)」 하에 보이는데, 그 원문은 다음과 같다. "匡章曰 陳仲子豈不誠廉士哉 居於陵 三日不食 耳無聞 目無見也 井上有李 螬食實者過半矣 匍匐往將食之 三咽 然後耳有聞 目有見…"

수 없다고 말씀하신 것뿐이다."[19]라고 하였다. 성인의 후함이 어찌 애매모호하게 반만 말하고 반은 남겨두어 불초한 사람을 위해 여지를 남겨두는 말을 하시겠는가? '향원(鄕原)은 덕의 적'[20]이라 하시고, 또 '(얼굴빛은 위엄이 있으면서 마음이 유약한 것을) 소인에게 비유하면 벽을 뚫고 담을 넘는 도적과 같을 것'[21]이라고 하셨는데, 이 무슨 엎친 데 덮친 격이란 말이냐! 불인한 사람은 본래 정해진 명칭이 없는데, 무슨 일로 그런 자를 위해 휘하셨다고 보는가?(不仁者三字 在夫子口中說得極嚴 與孟子所稱不可與言 不保四體等不同 孟子在發用上說 孔子在全體上說 故又曰君子而不仁者有矣夫 除下安仁利仁 便是不仁者 集註失其本心四字 下得忒重 但不得其本心便不仁 非必失也 聖人言久言長 言約言樂 字字皆有意味 今人說天下只有約樂兩境 又云只有富貴貧賤兩塗 總孟浪語 約者 窘迫拘束不得自在之謂 樂者 在君子則須是中天下而立 定四海之民 在常人也須有志得意滿縱橫皆適之事 以此思之 則非約非樂之境多矣 若鮑焦黔婁 則允爲貧賤 如天子諸侯 則洵爲富貴 至於孔孟之在當時 固不可云富貴 而又豈可謂之貧賤乎 則貧富之外 自有不貧不富 貴賤之外 自有不貴不賤之境也 想來 不仁者只恁平平地不約不樂 也還不見大敗缺在 則他本領上無箇主宰 而於所措施儘有安頓發付不得底 故旣處約樂 便露乘張 待其長久 則益不自攝持 逢處皆破綻矣 所以上蔡說 仁者心無內外遠近精粗之閒 又說不亡不亂 俱

19) 불인한……것뿐이다 : 『논어집주대전』「이인」 제2장의 주자주인 "不仁之人 失其本心 久約必濫 久樂必淫'의 아래 세 번째 소주로, 그 전문은 다음과 같다. "吳氏曰 約與豐對 樂與憂對 對擧之互文也 不仁者不可一日處 聖人之言待人以厚 故以久長言之爾"

20) 향원은 덕의 적 : 『맹자』「진심」 하에 "孔子曰 過我門而不入我室 我不憾焉者 其惟鄕原乎 鄕原 德之賊也"라고 하였다.

21) 얼굴빛은……같을 것 : 『논어』「양화(陽貨)」 제12장에 나오는 구절로, 그 원문은 다음과 같다. "子曰 色厲而內荏 譬諸小人 其猶穿窬之盜也與"

謂其有恆也 不可久長者 則所謂不恆其德 或承之羞也 或承之羞者 非必然之羞 事久情變 羞出於所不自持也 乃夫人之德 唯仁斯恆 若陳仲子者 非不克意以處約 而以妻則食 以井李則匍匐而就 義可襲取而仁不適主爾 除卻聖賢心德 克己復禮而務民之義 必能乎暫 而不能乎久 能乎不約不樂 而不能乎約樂 聖人於此勘人 極盡事理 不然 則戚戚於貧賤 汲汲於富貴者 與安仁利仁之心體 天地懸隔 豈足與同類而相形哉 吳氏說不仁者不可一日處約樂 聖人之言待人以厚 故以久長言之爾 夫聖人之厚 豈呑吐含糊 說一半留一半 爲不肖者存餘地之謂哉 其曰鄕原德之賊 又曰譬諸小人 其猶穿窬之盜 是何等風霜雪霰語 此不仁者原無主名 而何事爲之諱耶)

제5장

공자 : "재물과 권력은 사람들이 원하는 것이나 그 정상적인 방법으로 얻을 수 없으면 욕심내지 않아야 한다. 가난과 비천함은 사람들이 싫어하는 것이지만 절로 찾아왔다면 이것을 버리지 않아야 한다. 군자가 인을 버린다면 어찌 그 명성을 이룰 수 있겠는가? 군자는 밥 한 끼 먹을 동안에도 인을 어김이 없어야 되니, 바쁜 와중에도 이러해야 하며, 위급한 상황에서도 이러해야 한다."

子曰 富與貴 是人之所欲也 不以其道得之 不處也 貧與賤 是人之所惡也 不以其道得之 不去也 君子去仁 惡乎成名 君子無終食之間違仁 造次必於是 顚沛必於是

3

'처하지 않아야 하고' '떠나지 않아야 함'[22]은 처음과 끝을 포괄하는 말로, 본문에서는 원래 매우 중요한 말이다. 『논어집주』의 "〈군자는〉 부귀를 살피고 빈천을 편안히 여긴다."[23]는 설명도 좋지만, '심(審)'자와 '안(安)'자를 쓴 것이 특히 좋다. '심(審)'에는 기미에 처하여 분명히 한다는 뜻이 있으니, 활을 쏘는 사람이 화살촉과 표적이 나란히 눈에 들어오는 것을 '심'이라고 하는 것이 이것이다. 또 자세히 살핀다는 뜻이 있으니, '심문한다[審錄]'고 할 때의 '심(審)'이 이것이다. '안(安)'에는 '편안하다[安頓]'의 뜻이 있으니, 『주역』의 "자기 몸을 편안히 한다"[24]는 것이 이것이다. 또 '서로 편안히 한다'는 뜻이 있으니,

22) 처하지……않아야 함 : 『논어』「이인」 제5장에 나오는 구절로, 그 전문은 다음과 같다. "子曰 富與貴是人之所欲也 不以其道得之 不處也 貧與賤是人之所惡也 不以其道得之 不去也 君子去仁 惡乎成名 君子無終食之間違仁 造次必於是 顚沛必於是"

23) 군자는……여긴다 : 『논어집주』「이인」 제5장의 주자주로, 그 원문은 다음과 같다. "不以其道得之 謂不當得而得之 然於富貴則不處 於貧賤則不去 君子之審富貴而安貧賤也如此"

『서경』의 "편안하고 편안하다"[25]는 것이 이것이다. '자세히 살피고 편안한' 것으로 보면 이른바 '취사의 분별이 분명하다'[26]는 것이다. '임기에 분명하고 서로 편안히 한다'는 것으로 보면 이른바 '취사의 분별이 더욱 밝다'는 것이 해당된다.

'군자가 인을 떠나면'으로 시작하는 두 구는 윗 글을 결론지은 것일 뿐, 아래와 연결되는 뜻이 없다. 그러므로 쌍봉 요씨가 한 말[27]은 옳지 않다. 다만 '처하지 않아야 하고' '버리지 않아야 하는' 것은 인을 보존하고 인을 떠나는 일대 한계점이다. '군자는 밥을 먹는 동안이라도 인을 떠남이 없는' 경지에 이르면 그 경계가 절로 구별되니, 훤히 천리가 서로 합일된다. 이로써 보고 듣고 말하고 행동하며 문을 나서고 사람을 부린다면 인욕의 침범을 막을 수 있을 뿐만이 아니라, 인욕이 침범하지 않더라도 천리가 현전(現前)하지 않을까를 염려한다.

사람은 본래 인욕이 침범하지 않더라도 천리가 보존되지 않는 때가 있다. 학문을 하는 자에 있어서는 인욕을 제거하여 정결해지더라도 뜻이 안정되지 않고 기가 충만하지 못하면 이치가 항구적일 수 없다. 그런 경우 경계를 당하면 어떤 일을 계기로 이치를 보지만, 경계를 당하지 않으면 천리가 이에 의지하여 머무르지 않는다. 만일 아직 배우지 않은 자라면, 천리가 마침내 의지하지 않더라도 사지(私智)와

---

24) 자기 몸을 편안히 한다 : 『주역』「계사」 하에 "子曰 君子安其身而後動 易其心而後語……"라고 하였다.

25) 편안하고 편안하시다 : 『서경』「요전(堯典)」에 "曰 若稽古帝堯 曰 放勳 欽明文思 安安 允恭克讓 光被四表 格于上下"라고 하였다.

26) 취사의 분별이 분명하다 : 『논어집주』「이인」 제5장의 주자주로, 그 원문은 이렇다. "然取舍之分明 然後存養之功密 存養之功密 則其取舍之分益明矣"

27) 쌍봉 요씨가 한 말 : 이는 "君子去仁 惡乎成名"의 집주 아래 두 번째 소주에 나오는데, 그 전문은 다음과 같다. "雙峯饒氏曰 君子去仁 惡乎成名 是結上生下"

속연(俗緣)이 일어나지 않았을 때에는 역시 명확할 때가 있다. 이러한 때에 그로 하여금 법을 가설하여 부귀를 취하고 빈천을 버리게 하더라도 즐겨하지 않을 것이다. 이런 사람을 군자라 할 수 있겠으며 인이라 할 수 있겠는가?

그러므로 부귀빈천 위에서 공부에 뜻을 전일하게 하여 애써 얻은 하나의 경계가 바로 정찰한 것이라면, 이는 바로 그 극치여서 천리자연의 법칙에 있어서도 전혀 구애되지 않는다. 이는 천리가 존재하기 이전에 그 사람을 유인하여 인에서 멀어지게 하는 것이 부귀와 빈천 두 가지보다 큰 것이 없는 것이다. 그러나 사욕이 막아진 뒤에는 유인하는 바가 없어도 인을 떠나는 것은 부귀와 빈천 때문이 아니라, 잠깐의 시간이 축적되거나[終食之積] 경황 중이거나 위급한 상황 때문이다. 그러므로 『논어집주』에서 "단지 부귀와 빈천을 취하고 버리는 사이일 뿐만이 아니다."[28]라고 한 것이다.

오직 마음을 보존하고 성을 기르는 공부가 이미 긴밀해졌다면, '처하지 않아야 하고' '버리지 않아야 하는' 것이 도리어 태산이 계란을 누르는 형세가 되어 그 즉시 가루가 되어버릴 것이다. 그러므로 저 '불처(不處)'와 '불거(不去)'의 뜻을 정밀히 연구하여 신묘한 경지에 들고【바로 심(審)이다.】 저 '불처' '불거'의 마음을 따라서 천리를 즐기는【바로 안(安)이다.】 것은 요컨대 또한 '불처' '불거'의 도를 완성한 것이다. 일의 경계가 분명하고 눈에 들여도 어지럽지 않다면, 또한 '심(審)'이라 할 수 있다. 마음의 경계가 태평하고 안정되어 외물에 따라 거역함이 없다면, 또한 '안(安)'이라 할 수 있다. 이는 처음 배우는 사람이나

28) 단지……아니다 : 『논어집주』 「이인」 제5장의 세 번째 단락에 나오는 주자주로, 그 원문은 다음과 같다. "蓋君子之不去乎仁如此 不但富貴貧賤取舍之間而已也"

극치에 이른 사람에게나 똑같이 '불처' '불거'의 이름을 부여할 수 있지만, 같지 않은 점은 하나는 '거(去)'라 하고 하나는 '위(違)'라고 하여 깊이가 절로 구별된다.

'거'는 보존하는 것에 대하여 말한 것이니, 보존하여 떠나가지 않을 생각이 있는 것이 '불거'이고 떠남에 뜻이 있는 것이 '거'이다. '위'는 의(依)를 상대로 말한 것이니, 서로 의지하지 않는 것을 '위'라 하고 의지하되 간단(間斷)이 없는 것을 '무위(無違)'라 한다. 떠남이 없으면 보존될 뿐만이 아니어서 또 '불거'라고 할 수 없다. 소주에서 '모쪼록 살펴야 한다' '도리어 안(安)하려 한다'[29]는 설은 윗 단락을 설명한 것일 뿐이어서, 정자가 '특별히 선 자만이 할 수 있다'[30]는 말과 같다. 성인의 본 뜻은 대강을 설명하신 것이어서 어느 한쪽으로 치우치지 않는다.(不處不去 是該括始末語 本文原是大段說 集註審富貴 安貧賤 亦寬說在 下得審字安字極好 審有臨幾分明之義 如射者鏃鵠齊入目之謂審是也 亦有詳察之義 如審錄之審是也 安有安頓之義 如易言安其身是也 亦有相安之義 如書言安安是也 自其詳察而安頓者 則所謂取舍之分明也 自其臨幾分明而相安者 則所謂取舍之分益明也 君子去仁兩句只結上文 無生下意 雙峰所言未是 只不處不去 便是存仁去仁一大界限到得君子無終食之閒違仁 則他境界自別 赫然天理相爲合一 視聽言動出門使民 不但防人欲之見侵 雖人欲不侵 而亦唯恐天理之不現前矣 人自有人欲不侵而天理不存之時 在爲學者 撇除得人欲潔淨 而志不定 氣

29) 모쪼록……한다 : 『논어집주대전』「이인」 제5장의 첫 번째 단락의 주자주 아래 두 번째 소주로서, 그 원문은 다음과 같다. "朱子曰 不以其道得富貴 須是審 苟不以其道 決是不可受 不以其道得貧賤 却要安"

30) 선 자만이 할 수 있다 : 『논어집주대전』「이인」 제5장의 첫 번째 단락의 주자주 아래 첫 번째 소주로서, 그 전문은 다음과 같다. "程子曰 無道而得富貴 其爲可恥 人皆知之 而不處焉 惟特立者能之"

不充 理便不恆 境當前 則因事見理 境未當前 天理便不相依住 卽在未學者 天理了不相依 而私智俗緣未起之時 亦自有淸淸楚楚底時候 在此際 敎他設法去取富貴 舍貧賤 亦非所樂爲 此其可謂之君子乎 可謂之仁乎 所以一意在富貴貧賤上用工夫 只掙扎得者段境界 便是他極致 而於天理自然之則 全未搭著涯際 蓋當天理未存之先 其誘人以去仁者 莫大於富貴貧賤之兩端 而於私欲旣遏之後 其無所誘而亦違仁者 不在富貴貧賤 而在終食之積與造次顚沛之頃 所以集註說不但富貴貧賤之閒而已 唯存養之旣密 則其於不處不去 卻是泰山壓卵之勢 立下粉碎 而所以精夫不處 不去之義以入神審 順夫不處 不去之心以樂天者安 要亦完其不處不去之道 事境分明 入目不亂 亦可謂之審 心境泰定 順物無逆 亦可謂之安 此始學之與極致 可同予以不處不去之名 而其所不同者則言去 言違 淺深自別也 去者 對存而言 有意存之爲不去 有意去之爲去 違者對依而言 未與相依之謂違 依而無閒之謂無違 無違則不但存而更不可以不去言矣 小註須是審 卻要安之說 只說得上截 與程子特立者能之一例 聖人本旨 則大綱說下 不墮一邊也)

4

'인욕을 막는[遏欲]' 데는 두 가지 단계가 있지만 이것들로는 모두 '천리를 보존하는[存理]' 경지에 이르지 못한다. 그 하나는 일의 경계[事境]가 앞에 펼쳐졌을 때 취할 것인지 버릴 것인지를 구분하여 전일한 힘으로 억제하면 비록 부귀를 바라고 빈천을 싫어하는 마음이 생기더라도 이런 마음이 억눌려서 일어나지 않게 된다. 취사(取捨)

를 구분(분별)할 때도 요점을 이해하여 인식을 굳게 지켜야 하니, 이것이 석씨가 말한 '현재 일어나는 번뇌를 꺾어 굴복시킨다'는 것이다. 다른 하나는 한결같이 부귀를 바라고 빈천을 싫어하는 데 물든 마음[情染]이 가벼워지면서, 또 그 고명하고 이해가 빠른 곳으로 향해 가서 이 마음을 항상 텅 비게 하여, 부귀한 즐거움과 빈천의 괴로움에 마음과 눈이 교차하지 않을 때에 마음을 텅 비게 한다면, 비록 부귀를 얻을 기회가 있고 빈천을 떠날 형편이 되더라도 모두 이런 생각이 일어나지 않을 것이다. 그가 마음을 쓰는 심체(心體)가 청한(淸閒)하기 때문에 그렇게 할 수 있는 것이니, 이는 석씨(釋氏)가 말한 '자성(自性) 번뇌가 영원히 단절되어 남김이 없게 된다'는 것이다.

석씨의 바둑 두는 능력과 주량은 이러한 경지에 이르러 절정을 이룰 뿐이다. 이로 말미암아 사물에 손해되는 바가 없고, 그 이른바 '칠보리(七菩提)'니 '팔성도(八聖道)'니 하는 것도 존재하는 것 위에서 행하는 수묵공부(水墨工夫)인 것이다. 성학(聖學)은 그렇지 않다. 비록 '부귀를 바라고 빈천을 싫어하는 마음을 억제하며' '〈이러한 마음을〉 억눌러서 일어나지 않게 하는' 당연한 이치를 받드는 것이 지극하지는 않더라도, 부귀를 바라고 빈천을 싫어하는 마음이 가벼워짐을 믿지 않고 그 고명하고 통투한 한 길로 나아가게 된다. 가는 곳마다 이 당연한 이치를 받들어 근거로 삼을 뿐 얕은 곳에서 깊은 곳으로, 편협에서 온전한 곳으로, 날 것에서 익은 것으로, 유사(有事)의 선택 고집에서 무사(無事)의 정일(精一)로 향해 간다. 그렇게 되면 마음이 천리를 따라서 저 부귀와 빈천을 택하는 경우는 의리를 정밀히 연구하여 신묘한 경지에 들게 되고, 부귀와 빈천에 응하는 경우는 인을 돈독히 하고 제 살 곳을 편히 여기게[敦仁守土]하게 된다. 이로 말미암아 크게 써서 드러나게 되니, 이것이 바로 천질(天秩)이고 천서

(天敍)[31]이다. 그러므로 '하루 동안이라도 사욕을 이겨 예로 돌아가면 천하가 인을 허여할 것이다.'[32]라고 한 것이니, 사물에 해가 되지 않을 뿐만 아니라 헛되이 왕래하고자 하지도 않을 것이다.

『논어집주』에서 두 번 '명(明)'자를 말한 것은[33] 그 사이에 여러 가지 조리가 존재한다. '가난해도 아첨하지 않고 부유해도 교만함이 없는' 경지 위에 '가난하면서도 즐거워하고 부유하면서도 예를 좋아함'[34]이 있다. 덕업(德業)과 경륜(經綸)이 모두 이 '명(明)'자로부터 나온다.(遏欲有兩層 都未到存理分上 其一 事境當前 卻立著個取舍之分 一力壓住 則雖有欲富貴惡貧賤之心 也按捺不發 其於取舍之分 也是大綱曉得 硬地執認 此釋氏所謂折服現行煩惱也 其一 則一向欲惡上情染得輕 又向那高明透脫上走 使此心得以恆虛 而於富貴之樂 貧賤之苦未交心目之時 空空洞洞著 則雖富貴有可得之機 貧賤有可去之勢 他也總不起念 繇他打點得者心體淸閒 故能爾爾 則釋氏所謂自性煩惱永斷無餘也 釋氏碁力酒量 只到此處 便爲絶頂 繇此無所損害於物 而其所謂七菩提 八聖道等 亦只在者上面做些水墨工夫 聖學則不然 雖以奉當然之理壓住欲惡 按捺不發者爲未至 卻不恃欲惡之情輕 走那高明透脫一路 到底只奉此當然之理以爲依 而但繇淺向深 繇偏向全 繇生向熟 繇有事之擇執向無事之精一上做去 則心純乎理 而擇夫富貴貧賤者 精

31) 천질(天秩)이고 천서(天敍) : 『서경』「고요모(皐陶謨)」에 "天敍有典 勅我五典 五惇哉 天秩有禮 自我五禮 有庸哉"라고 하였다.

32) 하루……것이다 : 『논어』「안연」 제1장에 "顔淵問仁 子曰 克己復禮爲仁 一日克己復禮 天下歸仁焉 爲仁由己 而由人乎哉"라고 하였다.

33) 『논어집주』에서……말한 것은 : 『논어집주』「이인」 제5장에 나오는 주자주로, 그 원문은 다음과 같다. "然取舍之分明 然後存養之功密 存養之功密 則其取舍之分益明矣"

34) 가난하면서도……좋아함 : 『논어』「학이」 제15장에서 "子貢曰 貧而無諂 富而無驕 何如 子曰 可也 未若貧而樂 富而好禮者也"라고 하였다.

義入神 應乎富貴貧賤者 郭仁守土 繇此大用以顯 便是天秩天敍 所以說一日克己復禮 天下歸仁 非但無損於物而以慮願往來也 集註說兩箇明字 中間有多少條理在 貧無諂 富無驕之上 有貧樂 富好禮 德業經綸都從此明字生出)

5

『논어집주』에서는 '밥 먹는 동안[終食]'과 '경황 중[造次]' '위급한 상황[顚沛]'을 가지고 '일기삼평설(一氣三平說)'로 만들고 있는데, 본문을 완미해 보면 두 번 '반드시 이 인에 한다[必於是]'라고 하여 어기(語氣)가 긴밀하면서 '필(必)'자에 또한 힘이 실려 있으니, 『논어집주』에서 정밀히 분석했음을 알 수 있다. 서산 진씨(西山眞氏)가 세 단락으로 나눈 것은 착오이다.[35] 서산은 끝의 두 구를 효과를 드러낸 말로 본 것 같으며, 또 종식(終食)을 하기가 쉽고, 조차(造次)와 전패(顚沛)는 하기가 어려운 것으로 말하고 있다. 그는 이것을 하는 것의 난이도가 원래 사람의 자품에 가까운 것으로 나눈 것이지 자로 그은 듯 일정한 차등이 있는 것은 아니라는 것은 알지 못한 것이다.

쉽게 말하자면 도정절(陶靖節) 일파의 경우, 요컨대 그들은 대체로 이런 마음이 쉽다는 것을 알지 못하였기에 조차(造次)와 전패(顚沛)

35) 서산 진씨가……착오이다 : 『논어집주대전』「이인」 제5장의 세 번째 단락의 주자주 아래 세 번째 소주에 나오며, 그 원문은 다음과 같다. "西山眞氏曰 此章當作三節看 處富貴貧賤而不苟 此一節猶是麤底工夫 至終食不違 又是一節 乃存養細密工夫"

의 상황에서 약점을 가지지 않을 수 없었다. 장수양(張睢陽)과 단태위(段太尉) 같은 이들은 비록 조차와 전패의 상황에서 본색을 드러내었고, '밥을 먹는 동안에도 인(仁)을 떠남이 없는' 공부를 기약하였으나, 여기에 종사한 적이 없었을 뿐만 아니라 비록 종사하고 싶어도 힘이 부족했을 것이다.

그러므로 군자는 자신의 자질에 가까운 것을 토대로 하여 움직이거나 고요할 때 서로 길러주고, 평상시에 변에 마음을 전일하게 하되 이미 의지로 기를 통솔하여 항상함을 유지한 뒤에는, 또한 기를 의리에 배합하여 험한 데에서 정고(貞固)하게 한다. 이러한 방법만이 인을 의지하는 온전한 공부이다. 그러므로 밥을 먹는 동안 인을 떠나지 않는 것을 '인위로 힘써서 이를 수 있다' 하고, 조차와 전패의 상황에는 '반드시 존심양성(存心養性)이 익은 후에 잃지 않는다'[36] 고 말해서는 안 된다. 그러므로 이 장은 두 절로 나누어야 되지 세 단락으로 나누면 안 된다.

두 절로 나누어야 되는 까닭은, 밥을 먹는 동안에는 부귀를 바라고 빈천을 싫어하는 일이 마음에 아직 접촉되지 않는다. 그러므로 반드시 고요할 적에 천리를 보존함으로써 인을 떠남이 없어야 되니, 다만 움직일 적에 인욕을 막아서 저 인을 떠나지 않을 뿐만이 아니다. 만약 조차와 전패의 상황에 진실로 지극히 불인(不仁)한 사람이 아니라면 항욱(項煜)이나 풍전(馮銓) 같은 사람들조차도 바라는 바와 싫어하는 바를 둘 겨를이 없을 것이다. 여기에서 욕(欲)과 오(惡)가 이르지

36) 반드시……않는다 : 위의 주에서 이어지는 서산 진씨의 말로, 그 원문은 다음과 같다. "若非平時存養已熟 至此鮮不失其本心 若能至此猶必於是仁 乃至細密工夫 其去安仁地位已不遠矣"

않는 경계를 볼 수 있으니, '천리가 앞에 드러나고[天理現前]' '충만하고 두루하여 응용하는[充周應用]' 것 외에는 알욕(遏欲)의 공을 전혀 의지할 수 없다. 왜 그런가? 이러한 경계를 막을 만한 인욕이 없기 때문이다.(集註將終食造次 顚沛 作一氣三平說 玩本文兩云必於是 語氣旣緊 而必字亦有力在 足知集註之精 眞西山分三段 卻錯 西山似將末兩句作效說 又將終食說得易 造次顚沛說得難 不知此之難易 原以人資稟之所近而分 非有畫然一定之差等也 以淺言之 如陶靖節一流 要他大段不昧此心卻易 到造次顚沛時 未免弱在 若張睢陽 段太尉 儘在造次顚沛上生色 以無終食之閒違仁之功期之 不特未嘗從事於此 且恐其雖欲從之而力亦不給也 所以君子不但恃其資之所近 而動靜交養 常變一心 旣以志帥氣而持之於恆 亦以氣配義而貞之於險 只此方是依仁之全功 不可謂終食無違爲可勉而至 造次顚沛必存養之熟而後不失也 故謂此章分兩節則可 分三段則不可 所以分二節而可者 終食之閒 未有可欲可惡之事接於心 故必靜存天理以於仁無違 非但動遏人欲以不去夫仁 若造次顚沛 苟非至不仁之人 若項煜馮銓之類 亦無暇有所欲 有所惡矣 卽此以見欲惡不至之境 除天理現前 充周應用者 遏欲之功 全無可恃 何也 以此境之無欲可遏也)

6

공부를 시작할 때에는 부귀와 빈천에 의거함이 있을 뿐이어서, 분수에 맞을 경우 취사의 한계를 명백히 하지만, 〈분수에 맞는 것을 얻어야 된다.〉 조차와 전패의 상황에 '정말 어찌해야 하는가'라고 한다면, 이는 말이 되지 않는다. 조차와 전패의 상황에 이르면 이 마음과 이 이치가 일치되어 일의 자취에 전혀 밑그림이 없게 된다. 그러므로 존양(存養) 공부의 치밀함만 의지할 뿐 〈취사의〉 분별의 명확함은 믿지 않는다. 은(殷)나라의 '세 인자[三仁]'[37]는 "스스로 〈의리에〉 편안하여 사람마다 스스로 선왕에게 뜻을 바쳐"[38] 취사할 바에 따랐으니 옳지 않은 경우가 없었다. 먼저 참으로 어찌해야 하는가라고 한다면 도리가 아닌 부귀는 처해선 안 되고 도리가 아닌 빈천은 떠나서는 안 되는 것처럼 해야 한다. 그렇다면 조맹부(趙孟頫)가 원(元)나라에 벼슬한 것은 미자(微子)와 같고, 유휴병(劉休炳)이 돼지밥을 먹은 것은 기자(箕子)와 같고, 설야(洩冶)가 죽은 것은 비간(比干)과 같다.

대체로 욕(欲)과 오(惡)가 권력을 쥐고 있는 상황에서 인을 떠나는 해를 멀리하면 한계가 자연 그 항상함을 지니게 되니, 병을 치료할 적에 약을 푼[分]이나 량(兩) 단위로 배합하는 것과 같다. 욕(欲)과 오(惡)가 이르지 않고 생사(生死) 득실(得失)의 경지에서 인을 구하여 인을 얻으면 천지 사방에 두루 유행하는 이러한 이치는 원래 준칙을 삼을 수 없다. 이는 양생할 적에 한끼 식사에 음식을 반드시 얼마를 먹어야 하는지를 정할 수 없어서 배가 부르면 그만 먹는 것과 같다. 인을 떠나지 않아서 인에 어김이 없는 경지에 이르면 이로써 부귀와 빈천에 처하는 경우, 그 사이에 여러 가지 정의 입신의 작용이 존재한다. 그러므로 공자께서는 연이어서 직설적으로 말씀하시고 더러는 돌

---

37) 은나라의 세 인자 : 미자(微子), 기자(箕子), 비간(比干)을 가리킴. 『논어』「미자(微子)」 제1장에서 이들의 행적을, "微子去之 箕子爲之奴 比干諫而死 孔子曰 殷有三仁焉"이라고 하였다.

38) 스스로……바쳐 : 『서경』「미자(微子)」에서 "自靖 人自獻于先王 我不顧行遯"라고 하였다.

려 말하지 않으신 것이다. 그런데 『논어집주』에서 말한 "취사의 분별이 더욱 명확해진다."는 것은 비록 돌려 한 말이긴 하나, '더욱 명확해진다'는 표현은 앞의 욕(欲)과 오(惡)로 인해 인을 떠나지 않는 것만이 아니다.(在入手工夫 只富貴貧賤有依據 分得者取舍之限界明白 若說造次顚沛該是怎生 卻說不得 到造次顚沛時 只此心此理是一致 事跡上全無粉本 故但恃功之密而不恃分之明 殷之三仁 自靖 人自獻於先王 隨所取舍 無不可也 若先說該是怎生 如非道之富貴不可處 非道之貧賤不可去者 然則趙孟頫之仕元 一微子也 劉休炳之同豕食 一箕子也 洩冶之死 一比干也 大抵在欲惡持權之地 遠去仁之害 則界限自有其常 如藥之治病 可以配合分兩 在欲惡不至之境 生死得失之地 求仁以得仁 則此理之周流六虛者 原不可爲典要 如食之養生 不可額設一餐必喫多少 屬飽而已矣 到不違仁而於仁無違地位 其以處夫富貴貧賤者 中閒有多少精義入神之用在 所以夫子只迤邐說下 更不回互 而集註所云取舍之分益明 雖爲回互語 乃其云益明者 非但向之不以欲惡去仁已也)

제6장

공자 : "나는 인(仁)을 좋아하는 자와 불인(不仁)을 미워하는 자를 보지 못하였다. 인(仁)을 좋아하는 자는 그보다 더 좋은 것이 없고, 불인(不仁)을 싫어하는 자는 그가 인(仁)을 행할 때에 불인(不仁)한 것이 자신에게 더해지지 않게 해야 된다. 하루라도 그 힘을 인(仁)에 쓰는 자가 있는가? 나는 여태껏 힘이 부족한 자를 아직 보지 못하였노라. 아마도 그런 사람이 있을 터인데 내가 아직 보지 못하였나 보다."

子曰 我未見好仁者 惡不仁者 好仁者 無以尙之 惡不仁者 其爲仁矣 不使不仁者加乎其身 有能一日用其力於仁矣乎 我未見力不足者 蓋有之矣 我未之見也

7

'하루라도 인에 힘을 쓴다'[39]는 것은, 바로 앞에서 말한 '인을 좋아하는 자, 불인을 미워하는 자'와 비교할 때 좋아하고 싫어할 수 있는 일단을 골라서 공부에 착수한다는 말이니, 원래 자품(資稟)을 가지고 이(利)와 면(勉)을 구분해서는 안 된다. 주자는 "힘을 쓴다 함은 기(氣)를 설명한 것이 비교적 많으나, 지(志)가 또한 위에 있다."[40]고 하였다. 이는 비록 기를 중시한 말이지만, 또 "지(志)가 이르는 곳에 기가 반드시 이르니, 지가 확립되면 자연히 분발하여 용감히 행동하게 된다."[41]고 한 것은, 기가 지의 명을 따라서 지가 진실로 주(主)가 된다는 말이다. '기(氣)'자는 본문의 '력(力)'자를 대신한 말이고 '지(志)'

---

39) 하루라도……쓴다 : 『논어』「이인」 제6장에 나오는 구절로, 그 전문은 다음과 같다. "子曰 我未見好仁者 惡不仁者 好仁者 無以尙之 惡不仁者 其爲仁矣 不使不仁者加乎其身 有能一日用其力於仁矣乎 我未見力不足者 蓋有之矣 我未之見也"

40) 힘을……있다 : 『논어집주』「이인」 제6장의 주자주 아래 첫 번째 소주로, 그 원문은 다음과 같다. "朱子曰 用力 說氣較多 志亦在上面了"

41) 지가……행동하게 된다 : 위의 소주에 이어서 나온 말로, 원문은 다음과 같다. "志之所至 氣必至焉 夫志氣之帥也 氣體之充也……志立 自是奮發敢爲"

자는 바로 '용력(用力)'의 '용(用)'자의 본령을 보충해낸 것이다. "지는 기의 장수이다."[42]라는 말은, 분명하게 기가 지에 의해 쓰여진다는 뜻이다.

인에 힘을 써서 지가 기를 사용한 뒤에는, 사람은 각각 힘이 있는데 무슨 까닭으로 인에 그 힘을 쓰지 않을 수 있겠는가? 인에 뜻을 두지 않았음을 볼 수 있을 뿐이다. 인에 뜻을 두지 않는다면 힘이 있어도 쓰지 않을 것이고 힘을 써도 인에 쓰지 않을 것이다. 눈의 힘[力]이 있으나 나쁜 색을 살피고 귀의 힘이 있으나 나쁜 소리를 듣는다. 고생을 견디고 익숙해질 힘이 있으나 도리어 게으른 여자가 어유등(魚油燈)을 가지고 한갖 박혁(博奕)하는 것에나 비추고 길쌈하는 것에는 비추지 않는 것과 같이 한다. 공자께서는 종자들에게서 인을 좋아하지 않음과 불인함을 미워하지 않는 데서 드러난 분명한 효과를 간파하셨다. 그러므로 "나는 힘이 부족한 자를 아직 보지 못하였다."라고 하신 것이다.

예컨대 소진(蘇秦)이 졸음을 쫓기 위해 허벅지를 송곳으로 찌르고 상투를 들보에 매달은 것과 혜가(慧可)[43]가 눈 위에 서서 팔뚝을 자른 것은 이 힘을 인에 쓴 것이니, 무엇이 어려워서 하지 않을 수 있겠는가? 아래로 무뢰한 자제들에 이르러서는 도박을 하면서는 밤을 이어서 새벽을 꼴딱 넘기더니, 급기야 부모가 병이 들자 그들에게 하룻밤 앉아서 시봉케 하였더니 졸음이 쏟아져 졸음을 쫓지 못하였다. 또 귀안(歸安)의 모원징(茅元徵)은 허벅지 살을 베어 첩의 병을 고치더

---

42) 지는 기의 장수이다 : 『맹자』「공손추」 상에 "告子曰 不得於言 勿求於心……夫志 氣之帥也 氣 體之充也 夫志至焉 氣次焉 故曰 持其志 無暴其氣"라고 하였다.

43) 혜가(慧可 487-593) : 중국 선종의 2대조로, 속성은 희(姬)이고 이름은 신광(神光)이며, 시호는 정종보각대사(正宗普覺大師)임. 40살에 숭산 소림사에 보리달마를 찾아가서 눈 속에 앉아 가르침을 구하였으나 허락지 않으므로, 드디어 왼팔을 끊어 그 굳은 뜻을 보여 마침내 허락을 받고 크게 깨달았다고 한다.

니, 어찌하여 자기 부모가 병을 났을 때는 그렇게 하지 않았단 말인가? 왜 그런가는 알 수 있다. 모든 불초한 사람들이 모두 충신과 효자가 될 수 있는 힘은 있지만 저런 데에는 쓰고 이런 데에는 쓰지 않는 것은 의지에 달렸기 때문이다. 그 의지가 한쪽으로 치우쳐서 저기에는 뜻을 두고 여기에 뜻을 두지 않는 것은 그 사람이 좋아하고 싫어하는 것이 다르기 때문이다.

분명한 것은 인을 좋아하고 불인을 미워하고 나서야 인에 제대로 힘을 쓸 수 있다는 것이다. 만일 사람이 술을 좋아하지 않는다면 뜻이 술에 있지 않은 것이고, 뜻이 술에 있지 않다면 기가 술을 이기지 못하는데, 어떻게 하루의 주량을 서슴없이 내던지고서 큰잔에 술을 채워 벌컥 들이키며 실컷 마실 수 있겠는가? 그러므로 공자께서는 병의 근원이 호오(好惡)에 있다고 제기하고서, 고금의 사람 중에 인의 골수에 제대로 힘을 쓴 자가 없다고 기록하신 것이다. "나는 힘이 부족한 사람을 아직 보지 못하였다."라고 하셨으니, 힘이 부족한 것이 아니라면 그 잘못이 어찌 호오를 성실히 살피지 못해서가 아니겠는가?

호오를 가리는 것은 일의 처음 단계이고 용력(用力)은 비로소 실제로 뭔가를 해 가는 단계이다. 인을 좋아하고 불인을 미워하고 나서야 힘을 제대로 쓸 수 있다. 인을 좋아하고 불인을 미워하지 않으면 아무리 힘을 쓴들 항상 힘이 부족함을 느낄 것이다. 이로써 인을 좋아하고 불인을 미워하는 것이 안행(安行)이고, 용력보다 훨씬 더한 것이 면행(勉行)이 아님을 알 수 있다.

인을 좋아하고 불인을 미워하는 것이 이미 성립된 경계이고 용력은 성공을 구하는 공이라고 한다면, 반드시 힘을 써서 인을 좋아하고 힘을 써서 불인을 미워한다고 생각할 것이다. 이렇게 되면 또 대단히 살피지 못한 것이 된다. 우선 한번 내 몸에 근거하여 본다면, 호오에 어떻게 힘을 써야 되겠는가? 좋아하는 것이 참으로 아름다운 여인을 좋아하는 것과 같고 미워하는 것이 참으로 악취를 싫어하는 것과 같다면, 천하 사람들 중에 아름다운 여인을 좋아하고 악취를 싫어하는 데 굳이 힘을 쓸 자가 있겠는가? 아니면 그중에 간혹 아름다운 여색을 좋아하지 않고 악취를 싫어하지 않는 사람이 있다면, 그런 사람이 어떻게 호오에 힘을 쓰겠는가?

주자는 본문의 '무이상지(無以尙之)' 두 단락의 설명이 정중하였기 때문에, 앞 한 절을 '성덕(成德)'으로 보고 뒤 한 절을 '면강(勉强)'으로 보았다. 공자께서 정중하게 호오를 설명하신 이유를 제대로 모르고서 한 말이다. 공자께서는 윗 글에서 다짜고짜 "나는 인을 좋아하는 사람과 불인을 미워하는 사람을 보지 못하였다."고 하신 것이 흡사 허공에 매달려 멀리서 단정짓는 것 같고, '호오는 사람의 마음에 숨어 있는데 사람들이 진실로 어떻게 우리가 제대로 호오할 수 있는지를 알 수 있는가'라고 생각할 수 있기 때문에, 두 개의 본보기와 자신이 본 것으로 설명하신 것이다. 호오의 마음은 숨어 있지만, '그보다 더할 수 없다'는 것과 '자기 몸에 가해지지 못하게 한다'는 것은 드러나 있다. 그가 제대로 '그보다 더할 수 없는' 것을 못하기 때문에 그가 인을 좋아하지 않는 것을 알게 되고, 그가 제대로 '자기 몸에 가해지지 못하게 할' 수 없기 때문에 그가 불인을 미워하지 않는다는 것을 알게 된다. 만일 인을 좋아하고 불인을 좋아할 수 있는 사람이 있다면, 반드시 '그보다 더할 수 없'고 '자기 몸에 가해지지 못하게 하는' 것이 있어서, '마음에 성실하면 외면에 나타나는'[44] 징험이 드러날 것이다.

44) 마음에 성실하면 외면에 나타나는 : 『대학장구』 전6장에 나오는 구절로, 그 원문은 다음과 같다. "此謂誠於中 形於外 故君子必愼其獨也"

그런데 '그보다 더할 것이 없게' 되었으면 반드시 뜻을 전일하게 하여 인을 추구해야 하고, '자기 몸에 가해지지 못하게' 하고 나면 반드시 뜻을 바르게 하여 불인을 제거해야 한다. 이로 말미암아 끊임없이 이어서 독실히 하고 빈틈없이 하여 끝까지 힘을 한결같이 하여 인에 종사한다면 힘이 부족함을 어찌 걱정하겠는가?

이것은 바로 하루라도 인에 힘을 쓰는 것이 비록 잠깐이고 장구하지 않아서 설게 되고 익숙하지 않는 것이다. 그러나 또한 반드시 그 하루 동안에 인을 좋아함이 참되어 '그보다 더할 수 없고' 불인을 미워함이 참되어 '자기 몸에 가해지지 못하게' 된다면, 마음과 뜻이 전일해지고 기도 따라서 이를 것이다. 그러고 나면 이목(耳目)과 구체(口體)가 모두 마음이 가는 대로 명령을 따르게 되어, 힘은 씀을 꺼리지 않고 씀은 그 시행을 속이지 않게 될 것이다.

앞의 한 절은 대강을 말한 것으로, 생숙(生熟)과 구잠(久暫)까지 내포되어 있다. 뒤의 '하루[一日]'라고 한 것은 공부가 오래지 않아 습관이 익지 않은 사람을 지적해서 한 말이다. 실제로는 호오를 인한 뒤에 힘을 쓰는 것이니, 그렇게 되면 종신토록 한 것이든 하루 동안 한 것이든 자연으로 한 것이든 인위로 힘써서 한 것이든 성취함은 같게 된다.

"나는 힘이 부족한 사람을 보지 못하였다."라고 하신 것은 호오를 참되게 하여 힘이 반드시 미치기를 요구한 것일 뿐이어서, 나는 하루라도 인에 힘을 쓰는 사람을 보지 못하였다는 말로 시작하지 않으신 것이다. "아마 있을 터인데 내가 아직 못 보았나보다."라고 하신 것은 한 걸음 유보한 말씀이지만, 요컨대 성인은 말을 수식하고 성을 세움에 '이일분수(理一分殊)의 절목에 어긋남이 없으시다. 이는 석씨가 말한 "모든 중생이 모두 불성을 지니고 있다."는 속임수와는 같지 않다. 이 말은 곧 사람의 성정은 이미 바르지만 기력이 견디지 못한다는 뜻이다. 조물주가 무심(無心)한 가운데 부여된 것에는 혹 이런 것이 있을지도 모른다. 그러나 결국에는 "내가 아직 보지 못하였나보다."라고 하셨으니, 이는 하늘에서 얻은 기력은 대략 같으나 물욕에 가려진 성정은 전혀 다르다는 뜻이다.【성정은 호오를 말한다.】 대개 지(志)는 신령하면서도 동적이어서 직접 정(情)의 명을 따르므로 가려지게 된다. 그리고 기는 동적이면서 신령스럽지 않아서 전적으로 지(志)의 명을 따르므로 정(情)과는 소원해진다. 그러므로 가려지지 않는 것이다. 지(志)는 가려지지 않지만 기(氣)가 가려지는 것은 이치상으로 간혹 있을 수 있는 일이지만【기(氣)가 지(志)보다 천하기 때문이다.】 실제로는 그런 일[氣同志異]이 발생하지 않는다.

"나는 힘이 부족해서 못하는 사람은 보지 못하였다."는 이하 세 구의 문장은, 땅속에 물이 흐르듯 이리 구불 저리 구불한 것이 모두 조리에 맞다. 그런데 『논어집주』에서는 순히 흘러내리는 형세를 막고서 억지로 나누고 꺾어 두 번의 '미견(未見)'을 하나의 예로 해석하고 말았다. 이는 공자께서 보고자 하신 것이 '참으로 힘을 쓰는 사람'임을 모른 것이니, 힘이 부족한 사람을 어디에 쓰겠는가? 만일 과연 그런 사람이 있다면 진실로 성인께서 매우 불쌍히 여기시어 봉사가 보지 못하고 상중(喪中)인 사람이 예를 폐기한 것처럼 여기실 것이니, 보기를 원하면서 보지 못한 것을 한탄하셨겠는가?(一日用力於仁 較前所云好仁惡不仁者 只揀下能好惡者一段入手工夫說 原不可在資稟上分利勉 朱子云用力 說氣較多 志亦在上面 此語雖重說氣 又云志之所至 氣必至焉 志立 自是奮發敢爲 則抑以氣聽於志 而志固爲主也 氣字是代本文力字 志字乃補帖出用力用字底本領 其曰志 氣之帥也 則顯然氣爲志用矣 用力於仁 旣志用氣 則人各有力 何故不能用之於仁 可見

只是不志於仁 不志於仁 便有力也不用 便用力也不在仁上用 有目力而以察惡色 有耳力而以審惡聲 有可習勞茹苦之力 卻如嬾婦魚油燈 只照博弈 不照機杼 夫子從者處所看破不好仁 不惡不仁者之明效 所以道我未見力不足者 如蘇秦刺股懸梁 慧可立雪斷臂 以此用之於仁 何難之不可爲 下至無賴子弟 投瓊賭采 連宵徹曙 及至父母病 教他坐侍一夜 瞌睡便驅不去 又如歸安茅元徵割股以療其妾 怎生他父母疾時 卻不能 卽此可知 盡不肖者 皆有做忠臣孝子底力在 而其所以於彼偏用 於此偏不用者 則唯志也 其志之偏 志於彼而不志於此者 則唯其所好所惡者異也顯然 須是好仁 惡不仁 方能勾用力於仁 如人不好酒 則志不在酒 志不在酒 則氣不勝酒 安能拚著一日之醉以浮白痛飮耶 故夫子提出病根在好惡上 箚著古今人不能用力於仁的血髓 曰我未見力不足者 非力不足則其過豈非好惡之不誠哉 好惡還是始事 用力纔是實著 唯好仁 惡不仁而後能用力 非好仁 惡不仁 雖欲用力 而恆見力之不足 是非好仁 惡不仁之爲安行 而高過於用力者之勉行 可知矣 若說好仁 惡不仁 已成之境 用力乃求成之功 則必將謂用力以好仁 用力以惡不仁 此又大屬不審且試體驗看 好惡如何用得力 好之誠如好好色 惡之誠如惡惡臭 天下有好好色 惡惡臭而須用力者乎 抑人之或不好好色 惡惡臭者 其能用力以好惡乎 朱子但緣本文無以尙之二段 說得鄭重 故以前一節爲成德 後一節爲勉强 不知夫子之須鄭重以言好惡者 緣上文驀地說我未見好仁者 惡不仁者 恰似懸空遙斷 而好惡隱於人心 人固可曰何以知我之不能好惡也 故說兩個榜樣與他看 好惡隱 而無以尙之 不使加身 顯也 繇其不能無以尙之 知其非好 繇其不能不使加身 知其非惡 使有能好仁 惡不仁者 則必有無以尙之 不使加身者 現其誠中形外之符 而旣無以尙之則必壹志以求仁 不使加身 則必正志以去不仁 繇此亘亘綿綿 篤實精靈一力到底 以從事於仁 何憂力之不足哉 乃卽一日之用力 雖暫而未久

生而未熟 然亦必其一日之中 好之誠而無以尙之 惡之誠而不使加身 情專志壹 氣亦至焉 而後耳目口體 一聽令於心之所之 有力而不憚用 用而不詭其施也 前一節是大綱說 兼生熟久暫在內 後言一日 則摘下功未久而習未熟者爲言 實則因好惡而後用力 終身一日 自然勉强 其致一也 至云我未見力不足者 則但以徵好惡誠而力必逮 初不云我未見一日用力於仁者 其云蓋有之而我未見 雖寬一步說 要爲聖人脩辭立誠 不詭於理一分殊之節目 不似釋氏所云一切衆生皆有佛性之誣 謂人之性情已正 而氣力不堪 在大造無心賦予中 莫須有此 而終曰我未之見 則以氣力之得於天者略同 而性情之爲物欲所蔽者頓異 性情言好惡 蓋志靈而動親聽於情 故受蔽 氣動而不靈 壹聽於志 而與情疎遠 故不受蔽 其志不蔽而氣受蔽者 於理可或有 以氣賤於志故 而於事則無也 我未見力不足者以下三句文字 如水行地 曲折皆順 乃集註阻其順下之勢 强爲分折 將兩箇未見作一例解 不知夫子要見者用力而力不足底人何用 若果有之固聖人之所深爲矜閔 如瞽之廢視 凶服者之廢禮然 曾顚見之 而以未見爲歎哉)

제13장

공자 : "예법(禮法)과 겸양(謙讓)으로써 나라를 다스린다면 무슨 어려움이 있으며, 예법과 겸양으로써 나라를 다스리지 못한다면 예(禮)가 있다 한들 무엇에 쓰겠는가!"

子曰 能以禮讓爲國乎 何有 不能以禮讓爲國 如禮何

8

쌍봉 요씨(雙峰饒氏) 이하 여러 학자들은 예양(禮讓)을 쟁탈(爭奪)의 대가 되는 것으로 설명하였는데, 주자는 원래 이렇게 설명하지 않았다.[45] 이것은 은미한 말이 끊어져 사라지고 대의(大義)가 숨은 것일 뿐이다. 주자가 남긴 뜻이 송나라 말기에 와서 흔적도 없이 사라지고 말았으니, 참으로 슬픈 일이다!

본문에서 "예를 어찌하겠는가!"라고 한 것은 예에 종사하면서도 끝내 마땅함을 얻지 못한다는 말이다. 그런데 상하의 분수를 확실히 구별하지 못하여, '다 빼앗지 않고서는 만족하지 못한다'[46]고 하였다. 이렇듯 상하의 구분이 엄격하지 못한 부분에 이르면[47] 무슨 예가 있겠는가? 어찌 예만 어찌할 수 없는 것이겠는가. 예도 이러한 사람과 이

45) 주자는……않았다. : 『논어』「이인」 제13장인 "子曰 能以禮讓爲國乎 何有 不能以禮讓爲國 如禮何"라는 경문의 주자 해석을 보면, 예양을 쟁탈과 대가 되게 해석하지 않고 있다.

46) 다 빼앗지……못한다 : 『논어집주대전』「이인」 제13장의 주자주 아래 네 번째 소주로, 그 전문은 다음과 같다. "雙峯饒氏曰 孟子告梁王 謂上下交征利而國危 又謂後義先利 不奪不饜 此正是不讓處 如何爲國 夫子是以春秋之時 禮文雖在 然陪臣僭大夫 大夫僭諸侯 諸侯僭天子 故有爲而言"

러한 시대는 어찌할 수 없는 것이다.

양(讓)은 참으로 쟁(爭)의 대(對)가 된다고 말할 수 있지만, 상대적인 뜻을 지닌 자의(字義)의 예는 전일하지 않다. 예를 들어 성(聖)의 대가 광(狂)일 경우, 이는 양 극점에 있는 대라 할 수 있다. 성(聖)은 현(賢)을 대로 할 수도 있으니, 그렇다면 이는 성인이 되지 못하고 현인에만 이른 것이니, 서로 비슷한 것을 가지고 서로 비교한 것이다. 이제 '예와 겸양으로 나라를 다스리지 못한다'고 하였으니, 이것 역시 '예와 겸양을 가지고 하는' 사람의 입장에서 비교하여 보인 것이다. 이는 현인이 성인이 될 수 없는 거리만큼의 비유와 같은데, 어찌 마침내 쟁탈에 이르겠는가?

'예와 겸양으로 나라를 다스리지 못하는' 것은 세속의 군주와 용렬한 신하가 원래 그렇다. 만일 쟁탈로 나라를 다스린다고 한다면 고금의 사악하고 탐욕스럽고 저속한 사람들이 또한 쟁탈을 일삼았을 뿐 그것으로 나라를 다스린 사람은 있지 않았다. 제환공(齊桓公)이 자기 아우를 죽여가면서 나라를 다투었으나 애초에 한 번도 아우를 죽이고 재물을 빼앗으라는 명령을 만들어 백성에게 시행한 적이 없었고, 계씨(季氏)는 주나라 공실을 사등분하고 임금을 쫓았으나, 남괴(南蒯)와 자중(子仲)의 반란을 인정하지 않았으니, 세상에 쟁탈로 나라를 다스린 경우가 없다는 것을 알 수 있다.

겸양하지 않는 것을 쟁탈이라고 할 수 없고, 단지 쟁탈하지 않았다 하여 이를 두고 겸양이라고 할 수 없다. 또한 재물을 앞에 두고 많이

47) 이렇듯……이르면 : 대만 하락도서출판사본 『독사서대전설』의 원문 주석에서는 '卽當'을 '郎當'으로 오기한 것으로 보았다. 또한 '怎'자도 '恁'자의 오기로 보았다. 번역문은 이런 주석을 따랐다.

가지라고 사양하는 것과 걸음을 걸을 때 먼저 가라고 양보하는 것을 겸양이라고 한다면 이러한 겸양은 말단적인 예절일 뿐이다. 이런 것조차도 할 수 없다면 또한 매우 무례한 것이지만, 그렇다고 해서 '예를 어찌하겠는가'라고 말할 수 없다. 황면재(黃勉齋)가 양(讓)을 밭두둑을 사양[讓畔]하고 길을 사양[讓路]한다고 할 때의 양(讓)으로 해석한 설[48]은 다만 '양'자류임을 이용하여 고어를 풀이한 것일 뿐, 원래 전혀 양반(讓畔)과 양로(讓路)가 무슨 의미인지 이해하지 못하였다. 양반과 양로는 바로 "나라를 다스리는 데 무슨 어려움이 있겠는가?"라고 하는 경지가 최극점에 이른 성왕(聖王)의 공업과 교화이니, 어찌 인군된 자가 정사(政事)를 닦고 교화를 세워서 이로써 나라를 다스리고 백성에게 준수하도록 하는 것과 차원이 같겠는가? 설령 그렇더라도 장차 길가와 밭두둑을 보고 저 사람은 이 사람이 먼저 사양하지 않는 것을 꾸짖고 이 사람은 저 사람이 속히 양보하지 않는 것을 꾸짖는다면 또한 서로 끊임없이 다투고 고자질하게 될 것이다.

이 장은 바로 성인이 천리에 근본을 두고 사람을 다스리는 데 마음을 근거로 표준을 세운 것이니, 천덕(天德)과 왕도의 본령이다. '여하(如何)'는 지워버리고 다투느냐 다투지 않느냐 하는 설만을 또한 형식적인 예의 측면에서 겸양[推遜]을 했느냐를 따지는가! 그러므로 『논어집주』에서는 "양(讓)은 예의 실제이다."라고 한 것이다.

주자는 또 "만약 다투기를 좋아하는 마음을 지닌 채로 한갓 지엽적인 예절을 행하여 사람을 감동시키고자 한다면 어떻게 다른 사람을 감화시킬 수 있겠는가!"[49]라고 하였고, 또 "선왕이 예양한 것은 바

---

48) 황면재가……해석한 설 : 황면재의 이 설은 『논어집주대전』「이인」 제13장의 주자주와 소주에는 보이지 않는다.

로 순박하고 진실하게 쓰고자 한 것이다."[50]라고 하였다. 살펴보니, 이른바 '박실하게[朴實頭]'라는 것은 바로 『논어』「팔일」편 '교소(巧笑)'장 주에 나오는 '충신(忠信)'[51]자와 일맥 상통한다. 『예기』「곡례(曲禮)」편에는 "군자는 공경(恭敬)하고 절제하고 겸양하여 예를 밝힌다."[52]라고 하였다. 다만 심덕에 돌이켜 구하여 반드시 충실하되 이미 극진하지 않음이 없고, 반드시 신실하되 이미 성실하지 않음이 없다면 남에게서는 항상 넉넉함을 볼 것이요 자신에게서는 항상 부족함을 볼 것이다. 그러므로 남에게는 감히 함부로 하지 않고 일에는 감히 분수에 넘치지 않고 형식적인 예절에는 감히 정에 지나치지 않게 하여 자연스럽게 얻은 것이 '예의(禮儀) 삼백 가지와 위의(威儀) 삼천 가지'[53]이니, 모두 천리의 당연한 법칙이다. 이로써 자신을 다스리고 남을 다스리는 자는 되도록 자신의 지기(志氣)를 키우고 정신을 수렴하며 사리에 따라 해나가서 자신에게 한 점도 어그러지거나 부족함이 없게 될 것이다. 이와 같아야 만이 예와 서로 호응하여 이를 경위로 해서 나라를 다스리는 자가 여유가 있게 될 것이다. 이것이 이른바 "「관저(關雎)」와 「인지(麟趾)」의 정의(精意)가 있고 난 뒤에 「주관(周官)」의 법도가 행해진다."는 것이다.

---

49) 만약……있겠는가 : 『논어집주대전』「이인」 제13장의 주자주 아래 첫 번째 소주인데, 그 원문은 다음과 같다."朱子曰 ……若以好爭之心 而徒欲行禮文之末以動人 如何感化得他"

50) 선왕이 한 것이다 : 위의 주에서 바로 다음에 이어지는 소주로, 그 원문은 다음과 같다. "先王之爲禮讓 正要朴實頭用 若不能以此爲國 則是禮爲虛文爾 其如禮何"

51) 충신(忠信) : 이는 『논어』「팔일」 제8장의 경문 "子曰 起予者商也 始可與言詩已矣" 아래의 주자주인 "禮必以忠信爲質"을 두고 한 말이다.

52) 「곡례(曲禮)」에는……하였다. : 『예기』「곡례」 제6장에서 "是以君子恭敬撙節退讓以明禮"라고 하였다.

53) 예의(禮儀) 삼백 가지와 위의(威儀) 삼천 가지 : 『中庸』 제26장에 "大哉聖人之道 洋洋乎發育萬物 峻極于天 優優大哉 禮儀三百 威儀三千 待其人然後行"라고 하였다.

『시경』「관저(關雎)」 장은 얻지 못한 그리움과 얻은 뒤의 즐거움이 모두 애모하고 존경하는 마음에서 나와서 저 숙녀를 존대하고 친애하여 지나친 바가 없고, 「인지(麟趾)」 장의 살아 있는 풀과 벌레를 밟지 않고, 뿔로 받지 않고 이마로 떠받지 않음[54]은 자연의 충후(忠厚)함을 한층 배가하여 남을 침범함이 없으니【이것은 두 시에 담긴 약간의 예양의 정의(精意)를 가지고 설명한 것이다.】 대저 이것을 겸양이라 한다. 어찌 다만 상하의 구분이 분명하여 서로 빼앗지 않는 것을 말하는 것이겠는가? 탕(湯) 임금의 '성경(聖敬)이 날로 올라간' 것[55]과 문왕(文王)이 '조심하고 공경한' 것[56]이 모두 이것을 뜻한다. 이는 훈고나 할 줄 아는 학자들이 알 수 있는 범주가 아님이 당연하다.(雙峰以下諸儒 將禮讓對爭奪說 朱子原不如此 只此是微言絶而大義隱 朱子之遺意 至宋末而蕩然 良可悼已 本文云如禮何 言其有事於禮而終不得當也 乃云上下之分不得截然 不奪不饜 若到恁郎當[57]地 還有甚麽禮 豈但不能如禮何 而禮亦直無如此人 此世界何矣 讓固有對爭而言者 然字義之有對待者 其例不一 如聖對狂 是儘著兩頭對也 聖亦可對賢 則不能聖而但至於賢 以相近而相形也 今曰不能以禮讓爲國 則亦就能以禮讓者形而見之 如賢不能聖之比也 而豈遂至於爭乎 不能以禮讓爲國者 自世主庸臣之恆 如云以爭爲國 則古今之凶頑貪鄙者 亦但爭而已矣 無有以之爲國者也 齊桓公殺其弟以爭國 初不立一殺弟奪財之令以施之民 季氏四

54) 살아있는……않음 : 『시경집전』「인지」의 주자주에 "麟之足 不踐生草 不履生蟲" ; "麟之額未聞 或曰有額而不以抵也"라고 하였다.

55) 성경이 날로 올라간 것 : 『시경』 상송(商頌) 「장발(長發)」 제3장에서, "帝命不違 至于湯齊 湯降不遲 聖敬日躋 昭假遲遲 上帝是祗 帝命式于九圍"라고 하였다.

56) 조심하고 공경한 것 : 『시경』 대아(大雅) 「대명(大明)」 제3장서, "維此文王 小心翼翼 昭事上帝 聿懷多福 厥德不回 以受方國"라고 하였다.

57) 郎當一詞 是唐宋以後習用語 此處郎誤作郎 恁怎亦形近而誤

分公室而逐君 卻不許南蒯子仲之叛 則世之無以爭爲國者 審矣 不能讓不可謂之爭 而但不爭 亦不可謂之讓 抑以臨財讓多取 步趨讓先行之謂讓 則此之爲讓 特禮之末節耳 並此不能 亦無禮之甚 而抑不可云如禮何也 黃氏讓畔讓路之說 但趁著讓字類塡古語 自不曾曉得讓畔 讓路是何等境界 讓畔 讓路 乃是爲國乎何有極至處底聖功神化 豈爲人君者脩爲政而立爲敎 以之爲國而使人遵者乎 使然 且見道周田畔 彼責此之不先讓 而此責彼之不速讓 亦交爭告訐而不可止矣 此章乃聖人本天治人因心作極 天德王道底本領 如何抹下 將爭不爭說 又在儀文上計較推遜故集註曰讓者禮之實也 朱子又云若以好爭之心 而徒欲行禮文之末以動人 如何感化得他 又云先王之爲禮讓 正要朴實頭用 看來 所謂朴實頭者 正與巧笑章註中忠信字一脈相通 曲禮曰君子恭敬撙節退讓以明禮 只是反求之心德 必忠而已無不盡 信而已無不實 則在人恆見其有餘而在己恆見其不足 故於物無敢慢 於事無敢侈 於儀文無敢過情 自然見得者禮儀三百 威儀三千 皆天理固然之則 以自治而治人者 儘著自家志氣 精神收斂 遜順做去 虧欠他一點不得 如此 方能與禮相應 而經之緯之以治國者 有餘裕矣 此所謂有關雎麟趾之精意 而後周官之法度可行也 關雎不得之思 旣得之樂 都是從愛敬之心上發出來 以尊親夫淑女而無所侈肆 麟趾之不踐不觸不抵 一倍自然底忠厚 以無犯於物 此就二詩一分禮讓底精意而說 夫是之謂讓 豈但上下截然 不奪不攘之謂哉 湯之聖敬日躋 文之小心翼翼 皆此謂也 其非訓詁之儒所得與知 宜矣)

9

상하간에 다투지 않는다는 것은 쉽게 말한 것이니, 이 또한 양(讓)이 아니다. 천자는 천하를 소유하고 제후는 국(國)을 소유하고 대부는 가(家)를 소유하여 서로 안주하면서 쟁탈하지 않는다면, 어찌 제후가 천자에게 천하를 양보하고 대부가 국을 제후에게 사양하고 사서인(士庶人)이 가를 대부에게 양보함이 있겠는가? 그러므로 쉽게 말한다면 또한 자기가 소유한 것을 미루어 남에게 주는 것을 양(讓)이라고 할 수 있다. 그런데 쌍봉 요씨는 생각을 깊게 하지 못한 나머지 마침내 이 지경에 이르고 만 것이다.

그의 생각에 따르면 춘추(春秋) 시대에 집정(執政)들이 권력을 다투었기 때문에 공자께서 이 장에서 그들을 풍자한 것이 아닐까 의심한 것이다. 그러나 그는 성인의 식견이 '상하에 천지와 함께 유행하고'[58] '백세에 성인을 기다려도 의혹되지 않음'[59]을 모르고 한 말이다. 만약 여러 곳에서 말씀하신 것을 모두 동일한 어조로 처리한다면 조앙(趙鞅)·진항(陳恒)·계사(季斯)·숙주구(叔州仇) 등 몇 사람의 행동이 신중치 못한 격투를 인정한 것을 두고 어떻게 공자라고 할 수 있겠는가? 이러한 유는 공자께서 노나라의 상(相)이 된 일을 가지고 징험하면 저절로 드러날 것이다.(上下不爭 以淺言之 亦不是讓 天子有天下 諸侯有國 大夫有家 相安而不爭奪 豈諸侯讓天下於天子 大夫以國讓諸侯 士庶人以家讓大夫乎 故以淺言之 亦曰推己所有以與人者 讓

---

58) 상하에……유행하고 : 『논어』「자장」 제25장의 주자주에서 "程子曰 此聖人之神化 上下與天地同流者也"라고 하였다.

59) 백세에……않음 : 『중용장구』 제29장에서 "故君子之道 本諸身 徵諸庶民 考諸三王而不繆 建諸天地而不悖 質諸鬼神而無疑 百世以俟聖人而不惑"이라고 하였다.

也 雙峰不思 乃至於此 緣其意 但爲春秋時執政爭權 疑夫子刺之 乃不知聖人見地 上下與天地同流 百世以俟聖人而不惑 若隨處隨說 只辨一口氣 與趙鞅陳恆季斯叔州仇幾箇沒行檢的廝鬨 何以爲孔子 此類以孔子相魯事徵之 自見)

제15장

공자 : "삼(參)아! 나의 도(道)는 하나로써 모든 것을 꿰고 있느니라."

증자(曾子) : "예! 알겠습니다."

대화를 마치고 공자께서 나가셨다.

이 대화를 들은 문하생들이 질문하기를 : "무슨 뜻입니까?"

증자 : "선생님의 도는 충실한 마음가짐[忠]과 이를 미루어 남을 생각하는 자세[恕]로써 모든 일에 일관(一貫)할 뿐이다."

子曰 參乎 吾道一以貫之 曾子曰 唯 子出 門人問曰 何謂也 曾子曰 夫子之道 忠恕而已矣

10

주자가 비록 "충(忠)은 일(一)이고 서(恕)는 관(貫)이다."[60]라고 하였지만, (그렇다고 해서) 반드시 '충이서지(忠以恕之)'라고 말해서는 안 된다. "자기 마음을 다하는 것을 충(忠)이라 하고 자기 마음을 미루는 것을 서(恕)라 한다."[61]는 말을 살펴보니, 두 개의 '기(己)'자에 약간 차이가 있다.【성인의 지위에 이르러야만 차이가 없게 된다.】 만약 차이가 없다면 미루기만 하고 다하지 못하니 미룬다고 할 수 없고, 다하되 미루지 못하니 어떻게 다한다고 말할 수 있겠는가? 또한 충(忠)이라 할 것도 더는 서(恕)라 할 것도 없다.

충(忠)도 마찬가지로 사물을 접할 때에 드러난다. 응접하는 바가 없을 때에는 충의 용(用)이 드러나지 않을 뿐만이 아니라 충의 체

60) 충(忠)은……관(貫)이다 : 『논어』「이인」 제15장인 "子曰 參乎 道一以貫之 曾子曰 唯 子出 門人問曰 何謂也 曾子曰 夫子之道 忠恕而已矣"의 주자주 "曾子有見於此而難言之" 아래 다섯 번째 소주에 나오는 구절이다.

61) 자기 마음을…서(恕)라 한다 : 『논어집주』「이인」 제15장 둘째 단락의 주자주에, "盡己之謂忠 推己之謂恕"라고 하였다.

(體)도 숨어 있게 된다. 만일 "하늘의 명이 아! 심원하여 다함이 없다."[62]는 것이 충(忠)이라 한다면, 반드시 명의 관점에서 보아야만이 다함과 다하지 않음이 있게 된다. 명(命)은 하늘이 물에 명한 것이니 바로 물에 허여하여 성명을 삼은 것이다. 그렇다면 충이 체이고 서(恕)가 용(用)이라는 말은 애초에 분명히 두 단락으로 나눌 수가 없어서 자기에게 있는 것이 체가 되고 남에게 입혀지는 것이 용이 된다.

진(盡)과 추(推)가 모두 자기로부터 남에 미치는 일이니, 이 두 자를 더는 나눠 이해할 수 없다. 그러므로 '진기(盡己)'를 합하여 말할 경우, 이 때의 '기(己)'는 성(性)이고 이(理)이며 추기(推己)를 합하여 말할 경우 이 때의 '기(己)'는 정(情)이고 욕(欲)임을 알 수 있다. 예컨대 요(堯)임금이 천하를 순(舜)임금에게 물려준 것은 본성대로 한 천리여서 매우 공평하고 사심이 없으며, 순리대로 받아서 마땅함을 얻은 것은 이미 자기 본성의 덕을 다한 것이다. 이것이 바로 순임금의 덕이 반드시 천자가 된 뒤에 그 용(用)을 다하는 것은 순임금의 마음이고, 천하의 신민들이 반드시 순임금을 얻어 천자로 삼은 다음에 평안한 것은 천하 사람들의 마음인 것이다. 순임금이 천하와 선(善)을 함께 하고자 하는 마음은 요임금도 갖고 있는 마음이고, 천하가 성인을 얻어 임금으로 삼고자 하는 마음도 또한 요임금이 갖고 있는 마음이다. 이러한 마음을 미루어 천하 사람들의 욕망을 채워준다면 이른바 '추기(推己)'가 또 정(情)과 욕(欲)에서 나타날 것이다.

오직 이와 같을 뿐이다. 그러므로 충서(忠恕)는 학자의 일이라고

62) 하늘의……다함이 없다 :『논어집주』「이인」제15장 둘째 단락의 주자주에 "又曰 維天之命 於穆不已 忠也 乾道變化 各正性命 恕也"라고 하였다.

한 것이다. 왜 그런가? 성인의 영역에 이르지 못하면 마음이 하고자 하는 것을 따라도 모두 천리일 수는 없으나, 이에 이치에 헤아려 봄에 성(性)이 다하고, 정(情)에 헤아려 봄에 욕(欲)이 미루어진다. 두 가지를 서로 감정하여 그 합일점을 얻으면 응체한 바를 미루어 또한 부족함이 없는 바를 극진히 할 것이니, 이로써 만사 만물에 행하여 관통하지 못할 것이 없게 된다.

성인이라면 욕(欲)이 곧 이(理)이고, 정(情)은 성(性)과 동일하다. 그러므로 굳이 충에서 구하고 서에서 구하지 않더라도 분수에 마땅함을 얻는다. 그러나 스스로 그 자신을 다한다면 자신의 마음과 천하 사람들의 욕(欲)에 있어 뜻을 통하고 일을 완성하지 않음이 없을 것이다. 그러므로 "오직 천하에 지극히 성실한 분이어야 능히 그 성을 다할 수 있으니, 그 성을 다하면 능히 사람을 성을 다할 것이다."[63]라고 한 것이다. 더 이상은 대현(大賢) 이하처럼 진기(盡己)하는 바에 있어서 모쪼록 벽을 마주하고 선 듯이 하여 인욕은 버리고 천리만을 행할 것이 아니니, 자기가 미루는 바에 있어서는 욕으로 욕을 관찰한 다음에 뜻이 통할 수 있다.

자신을 극진히 하면 서(恕)의 도가 또한 존재한다. 그러나 충만을 말한다면, 저 자신이 극진히 할 바가 반드시 이치상 극진히 해야 할 것임을 의심하여 천하 사람들의 마음에 통하지 못하게 된다. 그러므로 성인의 물아(物我)가 모두 마땅한 곳에서는 충만을 말할 수 없으니, 반드시 성(誠)이니 인(仁)이니 진성(盡性)이라고 해야 한다. 성(誠)은 이치에 성실함이고 또한 욕(欲)에 성실함이다. 인(仁)은 마음

63) 오직……것이다 : 『중용장구』 제22장에서 "唯天下至誠 爲能盡其性 能盡其性 則能盡人之性 能盡人之性"라고 하였다.

의 덕이면서 정(情)의 성(性)이고, 사랑의 이치이면서 성(性)의 정(情)이다. 성은 정이 나오는 곳이다.

또 이것을 미루어 올라가서 천(天)을 말한다면 충서를 배치할 수 없다. 왜 그런가? 천(天)은 기(己)가 없고, 천은 또한 성(性)이 없다. 성은 형체 안에 있는 것인데 천은 형체가 없다. 바로 사시(四時)가 운행하고 만물이 나는 것은 천도가 쉼이 없어서이니[64], 생사의 단절이 있지 않다면 매우 공평하여 피차의 구분이 없으니, 이것이 기(己)가 없는 것이다. 그러므로 명(命)이 있을 뿐 성(性)이 있는 것은 아니니, 명은 옮겨감이 없으나【적(適)은 정(丁)과 력(歷)의 반절이다.】 성은 경계[疆]가 있다.

쉼이 없고 베풂에 다함이 없고 그러한 이치가 있어서 모두 생성함을 내는 것이다. 이것은 곧 사람에게 있는 진기(盡己)를 함이니, 자기를 다하지 않음이 없는 것이다. 이렇게 하면 물의 성정에 있어서 그 욕을 기르고 그 추구함을 넉넉히 할 수 있으니, 선으로 향하고 악에서 멀리할 수 있으면, 각각 얻지 않음이 없어서 한 물이라도 혹 강요받지 않게 된다. 이것이 바로 사람의 추기에 달린 것이니, 기(己)가 미루지 않음이 없다. 그러므로 충서를 성(聖)이다 천(天)이다 할 수는 없지만, 또한 성(聖)과 천(天)에서 충서를 볼 수 있다.

증자는 공자께서 꿰뚫고 있는 방법이 욕이 이(理)에 맞고 성이 정과 통하여 대중(大中)을 잡고서 이치에 모두 진실하여 천변만화에 따라 정에 모두 순함을 보았다. 그러나 여기에 이르러 성(誠)을 말하고 진

64) 사시가 …… 없어서이니 :『논어집주대전』「이인」 제15장 둘째 단락의 주자주인 "曾子有見於此而難言之" 아래 네 번째 소주에 나오는 말로, 그 원문은 다음과 같다. "忠恕則一… …猶天道至敎 四時行 百物生 莫非造化之神 不可專以太虛無形爲道體 而形而下者爲粗迹也"

성(盡性)을 말한다면, 또 고립되어 그 성(誠)과 그 성(性)으로 사물의 빈 곳에 들어가 그 실(實)을 드는 것과 같다. 그렇게 되면 장차 암암리에 후세의 '돈을 풀어서 자식을 구하는[散錢索子]' 야비하고 도리에 어긋난 설과 서로 비슷해질 것이다. 그러므로 천도가 유행하는 관점에서 충서를 언급한 다음에, 성도(聖道)가 두루 충만하고[撲滿充周], 이치가 맞지 않음이 없고[理無不得] 마음에 통하지 않음이 없어서[情無不通] 여기저기 적용해 말하더라도 막히는 바가 없게 될 것이다.

요컨대 충서가 천하에 관통함에 물이 그것을 받는 것이 그 성정에 가득 차면, 비록 천도(天道)나 성인(聖人)도 충서로써 말할 수 있다. 지금 진기하고 추기할 때에 양쪽을 모두 폐기하지 않아서 만사의 이치와 만물의 정을 구하는 것은, 학자만이 그렇게 할 뿐 성인은 그렇지 않다.

그러므로 성인은 서(恕)를 가지고 말할 수는 없으나 충으로 말할 수 없는 것은 아니다. 그러므로 주자가 "〈성인에게는〉 '추(推)'자를 쓸 수 없다."고 하였으니, 또한 성인은 반드시 진기만 있고 추기는 없음을 볼 수 있다. 성인이 성을 극진히 하면, 바로 정을 다하는 것이고 욕을 다하는 것이다. 요컨대 이(利)와 욕(欲)을 다하고자 한다면, 경계로 나누어 추기를 말할 수 있으나, 이치는 본래 크게는 같아서 추기라고 해서는 안 된다.

그러나 마침내 서는 놔둔 채 충만 말한다면, 또 한결같이 이만을 극진히 하여 정에 통달하지 못할까 의심하게 된다. 그러므로 지성무식(至誠無息)은 바로 만물이 각각 얻은 제자리이고 만물이 각각 얻은 제자리는 바로 성인이 자득(自得)한 곳이다. 이(理)는 공평하기 때문에 미룰 것이 없고, 욕도 지극히 공정한 곳에 이르면 미룰 것이 없게 된다. 만물의 욕에 부여한 것은 그대로 성인의 고유한 정이다. 그렇다면 증자가 충서를 공자의 도라고 말한 것은, 자신의 관점으로 성인을 비교 분석한 천박한 말이 아니다. 송나라 유자들이 충서를 학자의 일로만 본 것은, 바로 사람이 성인이 되는 단계를 밝힌 것이고 이치에 부합하지 않은 적이 없다. 이것으로 '일이관지(一以貫之)'의 뜻을 생각하면, 또한 대략 알 수 있다.(朱子雖云忠是一 恕是貫 卻必不可云忠以恕之 看來盡己之謂忠 推己之謂恕 兩己字微有分別 至聖人地位 乃無分別 若無分別 則推而不盡 不可謂推 盡而不推 何以言盡 亦不須言忠復言恕矣 忠亦在應事接物上見 無所應接時 不特忠之用不著 而忠之體亦隱 卽如說維天之命 於穆不已是忠 也須在命上方有已不已 命者 天之命物也 卽與物以爲性命者也 然則言忠是體 恕是用者 初不可截然分作兩段 以居於己者爲體 被於物者爲用矣 盡與推都是繇己及物之事 則兩字更不得分曉 故知合盡己言之 則所謂己者 性也 理也 合推己言之 則所謂己者 情也 欲也 如堯授天下於舜 所性之理 大公無私 而順受得宜者 旣盡乎己性之德 乃舜之德必爲天子而後盡其用 舜之情也 天下臣民必得舜爲天子而後安 天下之情也 舜欲兼善天下之情 亦堯所有之情 天下欲得聖人以爲君之情 亦堯所有之情 推此情以給天下之欲 則所謂推己者 又於情欲見之也 唯其如是 所以說忠恕是學者事 何也 未至於聖人之域 則不能從心所欲而皆天理 於是乎絜之於理而性盡焉 抑將絜之於情而欲推焉 兩者交勘 得其合一 而推所無滯者亦盡所無歉 斯以行乎萬事萬物而無不可貫也 若聖人 則欲卽理也 情一性也 所以不須求之忠而又求之恕 以於分而得合 但所自盡其己 而在己之情 天下之欲無不通志而成務 故曰惟天下至誠 爲能盡其性 能盡其性 則能盡人物之性 不須復如大賢以降 其所盡之己 須壁立一面 撇開人欲以爲天理 於其所推則以欲觀欲而後志可通矣 纔盡乎己 恕道亦存 而但言忠 則疑夫己之所盡者 必理之當盡 而未徹於天下之情 所以於聖人物我咸宜處 單說是

忠不得 而必曰誠 曰仁 曰盡性 誠者 誠於理 亦誠於欲也 仁者 心之德情之性也 愛之理 性之情也 性者 情之所目生也 又推而上之 以言乎天則忠恕直安不上 何也 天無己也 天亦無性也 性 在形中者 而天無形也卽此時行物生者 斯爲天道不息 而非有生死之閒斷 則大公而無彼此之區宇也 是無己也 故但有命而非有性 命則無適 下歷切 而性有疆矣 但其無息而不窮於施 有其理則畢出以生成者 卽此爲在人所盡之己 而己之無不盡 其於物之性情 可以養其欲給其求 向於善遠於惡 無不各得 而無一物之或强 卽此爲在人所推之己 而己之無不推 所以不可以忠恕言聖言天 而亦可於聖人與天見忠恕也 曾子見夫子所以貫之者 欲合乎理性通於情 執大中而於理皆實 隨萬化而於情皆順 到此說誠 說盡性 則又成孤另 而似乎以其誠 以其性入物之虛以擧其實 則且暗與後世散錢索子鄙倍之說相似 故於其流行上以忠恕爲言 然後聖道之撲滿充周 理無不得 情無不通者 浹洽言之而無所礙 要以忠恕之貫於天下而物受之者飽滿於其性情 則雖天道聖人 亦可以忠恕言之 而方其盡己推己 兩俱不廢 以求萬事之理 萬物之情 則唯學者爲然 而聖人不爾 乃聖人不可以恕言 而非不可以忠言 故朱子謂下不得一箇推字 亦以見聖人有必盡之己 而無己之可推 聖人纔盡性 卽盡情 卽盡乎欲 要盡乎理欲 有分界可以言推 理本大同 不可以推言也 然竟舍恕言忠 則又疑於一盡於理而不達於情 故至誠無息者 卽萬物各得之所 萬物各得之所 卽聖人自得之所 理唯公 故不待推 欲到大公處 亦不待推 而所與給萬物之欲者 仍聖人所固有之情 則曾子以忠恕言夫子之道 非淺於擬聖 而宋儒以忠恕專屬學者 正以明夫人作聖之階 理亦未嘗不合符也 而以此思一以貫之之旨 亦約略可識矣)

11

성인에게도 욕(欲)이 있으니, 그 욕은 바로 하늘의 이치이다. 천(天)에는 욕이 없으니, 그 이치는 바로 사람의 욕구이다. 학자는 이가 있고 욕이 있으니 이가 극진하면 사람의 욕구에 부합하고, 욕이 미루어지면 하늘의 이치에 부합한다. 여기에서 다음과 같은 것을 알 수 있다. 인욕을 각각 얻은 것이 바로 천리의 대동(大同)이니, 천리의 대동에는 인욕의 차이가 없다. 백성을 다스리는 데 도가 있다는 것도 이러한 도이고, 윗사람의 신임을 얻는 데 도가 있다는 것도 이러한 도이며, 벗에게 믿음을 얻는 데 도가 있다는 것도 이러한 도이고, 어버이를 순히 따르는 데 도가 있다는 것도 이러한 도이며, 자기 몸을 성실히 하는 데 도가 있다는 것도 이러한 도이다. 그러므로 "우리 도는 하나로써 관통되었다."고 하신 것이다.

이와 같이 말하면 여러 설의 다른 점을 합치시킬 수 있으니, 정자의 '유심(有心)'·'무심(無心)'[65]의 설과 비교해 볼 때 명확하고 적절하여 정자에게 공을 세울 수 있다.【나의 이러한 해석은 박실한 맛이 있다. 이 장을 해석하는 사람이 이로부터 찾는다면 속유에 빠지지도 이단에 들어가지도 않게 될 것이다.】(聖人有欲 其欲卽天之理 天無欲 其理卽人之欲 學者有理有欲 理盡則合人之欲 欲推卽合天之理 於此可見 人欲之各得 卽天理之大同 天理之大同 無人欲之或異 治民有道 此道也 獲上有道 此道也 信友有道 此道也 順親有道 此道也 誠身有道 此道也 故曰吾道一以貫之也 如此下

65) 정자의 유심·무심 : 『논어집주대전』「이인」 제15장 둘째 단락의 주자주 아래 여덟 번째 소주에 보이는데, 그 전문은 다음과 같다. "程子曰 天地無心而成化 聖人有心而無爲 此語極是親切"

語 則諸說同異可合 而較程子有心無心之說爲明切 可以有功於程子 愚此解 樸實有味 解此章者 但從此求之 則不墮俗儒 不入異端矣)

12

천리에서 인욕에 도달하는 것은 다시는 전환점이 없고, 인욕에서 천리를 봄은 모쪼록 〈인욕을 적절히〉 안배해야 하니, 이렇게 해야 만이 인(仁)과 서(恕)가 구별된다.(於天理達人欲 更無轉折 於人欲見天理 須有安排 只此爲仁恕之別)

13

이(理)만을 천(天)이라 하고 욕(欲)만을 인(人)이라 한다. 주리면 먹고 추우면 입는 것은 천이다. 음식에 각각 입에 맞는 것이 있고, 옷에도 각각 기호가 있는 것은 인이다. '밥은 정한 것을 싫어하지 않는다' '감색과 붉은 빛으로 옷을 선두르지 않는다'[66]는 두 장을 가지고 본다면, 이것으로 만물을 재성(裁成)하고 천지를 보상(輔相)하여, 충(忠)은 동(動)하기를 천(天)으로 하고 서(恕) 또한 동하기를 천으로

66) 밥은……않는다 : 『논어』「향당(鄕黨)」 제8장의 "食不厭精 膾不厭細"와 같은 곳의 제6장 "君子不以紺緅飾"에 보인다.

한다.(只理便謂之天 只欲便謂之人 飢則食 寒則衣 天也 食各有所甘 衣亦各有所好 人也 但以食不厭精 不以紺緅飾兩章觀之 則以此而裁成萬物 輔相天地 忠動以天 恕亦動以天矣)

14

면재 황씨(勉齋黃氏)의 "충은 미발(未發)에 가깝다."[67]는 설은 정자의 대본(大本)과 달도(達道)[68] 설에 바탕을 둔 것으로 매우 정밀하다. 이 진기(盡己)가 비록 사물이 응접(應接)하는 곳에서 발현되고 응용되지만, 물과 감응하기 이전에도 분명히 존재한다. 이발(已發)의 화(和)는 미발 시에 있는 것이 아니고, 중(中)은 이발(已發)에 이른 뒤에도 여전히 마음속에 존재하여 발한 곳에 따라 흩어지지 않는다. 그러므로 존양(存養)은 동정(動靜)에 간단이 없지만 성찰(省察)은 반드시 동할 때를 기다린다. 충만을 말하더라도 당연히 서가 있을 것이지만, 서만 말한다면 충과 분리되는 수가 있다. 그러므로 "충은 미발에 가깝다."라고 한 것이다.【모쪼록 '근(近)'자를 완미해야 한다.】

동하면 욕(欲)이 드러나는 것은 성인도 없을 수가 없다. 그러나 미발의 이치가 성실하고 만족하여 포괄하는 것이 동 가운데의 정이 내

---

67) 충은 미발(未發)에 가깝다 : 『논어집주대전』「이인」 제15장 둘째 단락의 주자주인 '忠恕一以貫之' 아래 여섯 번째 소주를 가리키는데, 그 원문은 다음과 같다. "黃氏曰 以聖人比學者 聖人之忠 是天之天 ……必竟忠是體 近那未發 故雖學者亦有箇天"

68) 정자의 대본과 달도 : 『논어집주』「이인」 제15장 둘째 단락의 주자주에서 정자는 "忠者體 恕者用 大本達道也 此與違道不遠異者 動以天爾"라고 하였다.

재하여 동한 상태에서 자기 마음을 살피는 것과 구별되지 않는다. 이는 충을 말함에 서가 이미 갖추어진 것이다. 만약 희노애락(喜怒哀樂)이 일어났을 때에 정과 욕의 단서가 드러나는 곳을 찾아 올라가면, 욕 밖에 이가 있고 이 밖에 욕이 있으니, 반드시 진기(盡己)와 추기(推己)를 병행하여 써야 한다.

만일 진기의 이치로 그 욕을 누른다면 천하에 통하지 않는 바가 많이 있을 것이다. 만약 자기의 욕망을 미루고자 할 뿐 이치에 궁구하지 않는다면, 남과 나의 이해가 형세상 서로 막아서 미룰 수가 없게 되지만 전일한 힘으로 추진하면서 묵자(墨子)의 겸애를 이룬다면, 자신을 잊고 남을 따르는 인에 이를 것이다.

증자는 성인의 동정일치(動靜一致)와 천인일리(天人一理)인 곳을 알았다. 그러므로 비록 추(推)에 힘쓰지는 않았지만 진기(盡己)에서 구하여 지극히 하지 않음이 없는 자였다. 이는 바로 추기(推己)에서 구하더라도 미루지 않는 것이 없었을 것이기에 확연하게 '충서일 뿐'이라고 말하였으니, 이 말은 철저하지 않은 곳이 없다.(勉齋說忠近未發 體程子大本達道之說 甚精 者所盡之己 雖在事物應接處現前應用 卻於物感未交時 也分明在 和非未發時所有 中則直到已發後依舊在中 不隨所發而散 故存養無閒於動靜 省察必待於動時 但言忠 固將有恕 但言恕 或離於忠 故曰忠近未發 須玩一近字 動則欲見 聖人之所不能無也 只未發之理 誠實滿足 包括下者動中之情在內 不別於動上省其情 斯言忠而恕已具矣 若於喜怒哀樂之發 情欲見端處 卻尋上去則欲外有理 理外有欲 必須盡己 推己並行合用矣 倘以盡己之理壓伏其欲 則於天下多有所不通 若只推其所欲 不盡乎理 則人己利害 勢相扞格 而有不能推 一力推去 又做成一個墨子兼愛 及忘身徇物之仁矣 曾子見得聖人動靜一致 天人一理處 故雖無所於推 而求之於盡己而無

不盡者 卽以求之於推己而無不推 確然道箇忠恕而已矣 更無不徹處)

15

하늘은 미룰 만한 것이 없기에 미루기를 기다리지 않는다고 할 수 있다. 하늘이 비록 다함에 무심하지만, '번개와 우뢰로 고동(鼓動)시키고 비와 바람으로 적셔주며'[69] 천지의 기운이 얽히고설킴에 만물이 화(和)하여 엉기고[70] 우레와 비가 가득한 곳[71]을 보게 되면, 이미 저절로 다 드러남이 있지만 다만 기(己)가 없을 뿐이다. 이것이 곧 명이고 천이며, 리(理)이고 상수(象數)이며, 화육(化育)하는 하늘인 것이다. 이 이치가 사람에게 부여되면 성(誠)이 되고 인(仁)이 되고 충서(忠恕)가 되니, 이것을 하나의 이치로 꿰뚫으면 도가 서지 않음이 없고 행해지지 않음이 없을 것이다.

주자가 『시경』의 '아 심원하여 그침이 없다'는 것과 『주역』의 '건의 도가 변화한다'는 것을 인용하여 말한 것은, 분명히 체와 용이 합일한다는 뜻이 내포되어 있다. 만일 '하늘은 다하기를 기다리지 않는다'라고 한다면, 별개의 청허하고 자연무위한 하늘이 있게 되니, 반드시 다해야 하고 반드시 미루어야 하는 충서로는 이러한 천도를 꿰뚫을 수

69) 번개와……적셔주며 : 『예기』 「악기(樂記)」편에서 "地氣上齊 天氣下降 陰陽相摩 天地相蕩 鼓之以雷霆 奮之以風雨 動之以四時 煖之以日月 而百化興焉"라고 하였다.

70) 천지의……엉기고 : 『주역』 「계사전」 하에서 "天地絪縕 萬物化醇 男女構精 萬物化生"라고 하였다.

71) 우뢰와……가득한 곳 : 『주역』 「둔괘(屯卦)」에서 "雷雨之動 滿盈"라고 하였다.

없다.

별개의 하늘이 있지 않다면 일이관지(一以貫之)하게 된다. 별개의 청허무위(淸虛無爲)한 하늘이 있다면, 반드시 별개의 청허무위한 도가 있어서 허로 실을 관통하게 하니, 이는 '이일관지(以一貫之)'이지 '일이관지'가 아니다. 이것이 바로 성학과 이단의 일대 경계이다. 그러므로 도를 말하는 사람은 반드시 천(天)을 언급할 때 신중해야 한다.(天無可推 則可云不待推 天雖無心於盡 及看到鼓之以雷霆 潤之以風雨 絪縕化醇 雷雨滿盈處 已自盡著在 但無已而已 只此是命 只此是天 只此是理 只此是象數 只此是化育亭毒之天 此理著在人上 故爲誠爲仁 爲忠恕 而一以貫之 道無不立 無不行矣 朱子引詩於穆不已 易乾道變化爲言 顯然是體用合一之旨 若云天不待盡 則別有一淸虛自然無爲之天 而必盡必推之忠恕 卽貫此天道不得矣 非別有一天 則一以貫之 如別有淸虛無爲之天 則必別有淸虛無爲之道 以虛貫實 是以一貫之 非一以貫之也 此是聖學異端一大界限 故言道者必愼言天)

16

『시경』에서 '오목불이(於穆不已)'라고 한 것은 천명에는 간단이 없음을 찬양한 말이다. 주자는 이 장을 끊어 인용하면서, 도리어 천명은 간단이 없으니【『중용』의 해석도 이와 같다.】 태극이 얽히고설키고, 음양이 변합(變合)하게 하여 만물에 명함에 그치는 바가 없게 한다고 설명하였다. 이것을 안다면 '부대진(不待盡)'설이 도가의 '천지는 불인하다'[72]는 경계를 범했음을 면치 못한다. 하늘이 어긋남이 있다고 한다면, 이는 도가 모두 어긋났다는 말이다.

중용에서 "함이 없이 이룬다."[73]고 한 것은, 명법(名法)과 지력(智力)에 기인하지 않고서 공을 이루었기 때문이다. 경륜(經綸)하고 근본을 세우고[立本] 사물의 변화의 이치를 통찰한 사람은, 보이면 공경하고 말하면 믿고 행동하면 기뻐하니, 어찌 본령 전부를 마음대로 쓰지 않을 수 있겠는가? 이것으로 하늘에 짝하면 하늘을 알 수 있다.(詩說於穆不已 是贊天命無閒斷 朱子斷章引來 卻是說天命不閒斷 中庸意亦如此 儘著者太極絪縕 陰陽變合 以命萬物而無所已也 知此 則不待盡之說 未免犯道家天地不仁疆界 言天差 則言道皆差也 中庸說無爲而成 以其不因名法智力而就功耳 經綸立本知化 見而敬 言而信 行而說 何嘗不是全副本領 儘著用去 以此配天 天可知矣)

17

잠실 진씨(蠶室陳氏)는 "충이 일이고 서는 관이다."라는 설을 쓰지 않았으니, 해석이 자연 분명하다. 그가 말한 '생숙(生熟)'[74]의 비유도 훌륭하다. 숙(熟)은 미룰 것이 없다는 것이 아니라, 미루는 대상에 구

72) 천지는 불인하다 : 『노자』 제5장에서 "天地不仁 以萬物爲芻狗 聖人不仁 以百姓爲芻狗"라고 하였다.

73) 함이 없이 이룬다 : 『중용장구』 제26장에서 "如此者 不見而章 不動而變 無爲而成"라고 하였다.

74) 생숙 : 『논어집주대전』 「이인」 제15장 둘째 단락의 주자주인 '中庸忠恕違道不遠' 아래 다섯 번째 소주로서, 그 원문은 다음과 같다. "潛室陳氏曰 聖人一心 渾然天理 ……要知忠恕是一貫意思 一貫是包忠恕而言 忠恕是箇生底一貫 一貫是箇熟底忠恕"

별이 없는 것일 뿐이다. 주자는 하나의 '서(恕)'자를 쪼개서 학자와 성인으로 나누었다. 증자가 '충서'를 합하여 말한 것은 하학상달(下學上達)이다. 하나의 일이 두 가지 공부가 된 것은 초기 생성 단계이기 때문이다. 이것을 합하여 하나의 일로 만든 것은 익숙히 하는 단계이기 때문이다. 하학상달하고 천인 합일하면 숙(熟)할 뿐이다.(潛室看來不用朱子忠是一 恕是貫之說 解自分明 其言生熟亦好 熟非不待推 只所推者無別已耳 朱子拆下一恕字 分學者聖人 曾子合言忠恕 則下學而上達矣 一事作兩件下工夫 唯其生也 合下做一件做 唯其熟也 下學上達天人合一 熟而已矣)

18

잠실 진씨는 『주역』의 말을 거꾸로 풀이하였으니, 매우 잘못되었다. 『주역』에서 "목표는 같으나 길은 다르고 이치는 한 가지이나 생각은 백 가지이다."[75]라고 한 것은 '일이관지'이다. 만일 "길은 다른데 귀착점은 같고 생각은 백 가지인데 이치는 하나이다."라고 한다면 이는 관통하기를 일(一)로써 하는 것이다. 석씨의 "모든 법은 하나로 귀착된다."는 설이 바로 여기서 나왔다.

이렇게 분별하는 것은 미세한 차이가 천리를 나눈다는 격이다. '동귀수도 일치백려(同歸殊塗一致百慮)'는 한 알의 곡식을 심으면 무수

75) 목표는……백가지이다 : 『주역』「계사전」 하에서 "子曰天下 何思何慮 天下同歸而殊塗 一致而百慮 天下 何思何慮"라고 하였다.

한 곡식이 싹터 나오니, 이는 이미 천리의 자연함이면서 또한 성인이 능함을 이루는 일[76]이다. 만일 '수도동귀 백려일치(殊塗同歸 百慮一致)'라고 한다면, 이는 태창(太倉)의 곡식을 모아서 거꾸로 한 알로 만들려는 것이니, 천지간에 이러한 이치가 없을 뿐더러 이러한 일도 없다.

그런데 석씨가 이렇게 말한 것은 그가 소멸하고자 하는 세계가 그 전지(田地)를 하나도 소유하지 않는 데에 이르는 것이다. 그러나 전광석화(電光石火)나 번개 빛과 어슴푸레 뭔가 있는 듯한 것을 남겨두고 이를 '일(一)'이라 하였다. 그리고 나서 이 일까지도 제거하려 하여, 그리고 '하나는 어느 곳으로 돌아가는가[一歸何處]'라고 하였다. 그러므로 파초의 속[蕉心]을 가지고 비유를 든 것이니, 파초는 무심(無心)일 뿐이다.

저 진기(盡己)의 경우는 자기를 다함이고, 추기(推己)는 자기를 미루는 것이니, 기는 '동귀(同歸)'이고 '일치(一致)'이며, 진(盡)과 추(推)는 '수도(殊塗)'이고 '백려(百慮)'이다. 만약 『주역』의 문장을 바꾸어 말한다면, 천하의 고유한 도를 거둬 통섭(統攝)하여 반대로 하고, 일기(一己)를 강하게 잡고서 귀착점으로 삼는 것이니, 어찌 '삼계가 유심(唯心)이고 만법이 유식(唯識)'이라는 말의 찌꺼기가 아니겠는가? 요즈음에 보니, 속유들이 이 두 마디 말을 거꾸로 사용하는 경우가 매우 많으니, 잠실 진씨가 그 시초자였을 줄은 생각지 못하였다.(潛室倒術易語 錯謬之甚也 易云同歸殊途 一致百慮 是一以貫之 若云殊途同歸 百慮一致 則是貫之以一也 釋氏萬法歸一之說 正從此出

76) 성인이 능함을 이루는 일 : 『주역』「계사전」 하에서 "天地設位 聖人成能 人謀鬼謀 百姓與能"라고 하였다.

此中分別 一線千里 同歸殊塗 一致百慮者 若將一粒粟種下 生出無數粟來 旣天理之自然 亦聖人成能之事也 其云殊塗同歸 百慮一致 則是將太食之粟 倒併作一粒 天地之閒 旣無此理 亦無此事 而釋氏所以云爾者 他只要消滅得者世界到那一無所有底田地 但留此石火電光 依稀若有者 謂之曰一 已而並此一而欲除之 則又曰一歸何處 所以有蕉心之喩 芭蕉直是無心也 若夫盡己者 己之盡也 推己者 己之推也 己者同歸一致 盡以推者殊塗百慮也 若倒著易文說 則收攝天下固有之道而反之硬執一己以爲歸宿 豈非三界唯心 萬法唯識之唾餘哉 比見俗儒倒用此二語甚多 不意潛室已爲之作俑)

제18장

공자 : "부모님을 섬길 때는 완곡하게 간언을 해야만 한다. 이 도중에 부모님이 나의 간언을 따르지 않으시더라도, 더욱 공경하고 어긋남이 없어야 한다. 그리고 이렇게 하는 것이 매우 괴롭더라도 부모님을 원망해서는 안 될 것이다."

子曰 事父母幾諫 見志不從 又敬不違 勞而不怨

19

소주에서 "'기간(幾諫)'은 기미를 보고서 간하는 것입니까?"[77] 하는 질문에 대한 설명이 매우 조리가 있다. 자의(字意)를 가지고 말한다면 '기(幾)'를 비록 기미로 훈해하지만 미(微)자에는 미약하다[弱]·세미하다[細]·완미하다[緩]·은미하다[隱]는 네 가지 뜻이 있다. 기를 미로 푼다면, 세미하다는 한 가지 뜻만 취한 것일 뿐, 약하다·완미하다·은미하다는 뜻에는 합당하지 않다. 미(微)는 은(隱)으로 풀 수 있으나, 기(幾)는 참으로 은(隱)이라 할 수 없다. 『예기』「단궁(檀弓)」에서 말한 "〈부모에게 간할 때〉 은미하게 하고 직접 범하지 않는다."[78] 라고 할 때의 은(隱)은 원래 범(犯)의 대로 한 말이 아니다. 이 문장 아래의 "스승을 섬기는 데 스승에게 과실이 있으면 일단 은미하게 간

77) 기간은 ……것입니까 : 『논어』「이인」 제18장인 "子曰 事父母幾諫 見志不從 又敬不違 勞而不怨"라는 경문의 주자주인 '所謂父母有過' 아래 세 번째 소주에 나오는데, 그 전문은 다음과 같다. "問幾諫 是見微而諫否 曰 人做事 亦自有驀地做去來 那裏去討幾微處"

78) 부모에게……않는다 : 『예기』「단궁」편에 "事親有隱而無犯 左右就養無方 服勤至死 致喪三年 事君有犯而無隱 左右就養有方 服勤至死 方喪三年 事師無犯無隱 左右就養無方 服勤至死 心喪三年"라고 하였다.

하는 일도 없기 때문에 얼굴을 대하고 직간하는 것도 없다."고 하였으니, 만일 곧은 말을 범한다고 여기고 은미한 말을 숨긴다고 생각한다면, 은미하게 하지 않는데 어떻게 다시 직접 범하지 않을 수 있으며 범하지 않는데 어떻게 은미하지 않은 것이 될 수 있겠는가? 그렇다면 이른바 은미하다는 것은 대중 앞에서 드러내놓고 말하지 않았다는 뜻일 뿐이다.

부모와 자식의 사이는 은미한 가운데에 말하는 것으로 분쟁이 해결된다고 믿어야 된다. 속담에 이른바 '사람을 만나면 우선 삼분(三分)만 이야기한다'는 것은, 그 사이에 몸을 빼낼 한 가지 방법을 남겨두는 것이다. 이처럼 한다면 부모자식간에 진정한 사랑이 일찍이 멸렬된 것이다. 그리고 은미한 말로 감동시킬 수 있는 대상은 반드시 지혜로운 사람이어야 깨우칠 수 있다. 만일 그 부모가 혹 순박하다면【어머니까지 포함하여 말한 것이니, 여자가 반드시 비유 대상이 되는 것이다.】 장차 가시로 뼛속의 종기를 찌르는 것과 같아서 서로 전혀 미치지 않을 것이니, 어찌 부모를 섬기는 공통된 의리이겠는가?

『예기』「내칙」에서 '기운을 내리고 목소리를 낮추고 얼굴빛을 부드럽게 한다'[79]고 한 것은, 역시 말투[辭氣]의 온화함을 말한 것일 뿐, 말의 내용을 숨긴다는 것은 아니다. 기운을 낮추고 안색을 부드럽게 하고 목소리를 낮춘다 할지라도 말을 다하지 않을 수 없다. 가령 부모가 남을 죽이려 한다면 우선 '이 사람은 죽이는 것이 마땅하지 않을 듯하니 우선 그를 놔두어 살리기를 좋아하는 덕을 체득하소서'라고 한다면, 어찌 '월(越)나라 사람이 활을 당겨 남을 쏘려고 하면 담소하

79) 기운을……한다 : 『예기』「내칙」편에 "父母有過 下氣怡色 柔聲以諫"라고 하였다.

면서 그만두라 말하는 것'[80]과 비견되지 않겠는가?

이로써 '기간'은 '은미하게 말하고 다하지 않는다'는 뜻이 아님을 알 수 있으니, '기미를 보고 먼저 간한다'는 설이 타당하다. 상하가 명확히 구분되지 않는 곳에서는, 원래 고상한 말과 싫어하는 기색이 아니면 들판에 번지는 불길 같은 악의 확장을 저지할 수 없다. 그러므로 기미가 처음 드러날 때에 한 번 나오면 거두기 어려운 형세가 없고, 눈물을 흘리는 원망을 씀이 없을 수 있다면, '기간'을 체로 한 뒤에 '기운을 내리고 목소리를 낮추고 얼굴빛을 부드럽게 하는 것'이 용이 되어서, 두 가지가 서로 원인과 결과가 되어 더욱 기미를 보고서 미리 간하는[見微先諫] 묘를 알 수 있다.

'뜻이 따르지 않는다는 것을 본다[見志不從]'고 할 때의 '지(志)'자는, 분명히 과실이 이뤄지기 이전이다. 따르지 않았다면 점차로 이뤄질 것이기에, '더욱 공경하고 부모의 뜻을 어기지 않는다[又敬不違]'는 말로 이은 것이다. 만약 반드시 따르지 않아서 '수고로움[勞]'에 이르면, 또한 반드시 자기의 직언과 진언(盡言)이 부모의 노여움을 고양시킬 수가 있다. 만약 말을 은미하게 하여 다하지 않고 대충 속에 품고 있으면, 비록 매우 포악한 부모라도 어찌 피가 흐르도록 매질할 리가 있겠는가? 말을 은미하게 하고 다하지 않는다고 하고서, 또 부모에게 죄를 얻는다고 하였으니, 한 장 안에서 앞뒤 논리가 서로 모순이 된다.

대체로 이 장에서는 모두 '기미를 보고서 간한다'는 설이 우세함을 알 수 있다. 대개 자식은 부모를 차마 악의 구렁텅이에 빠뜨리지 않

80) 월나라……말하는 것 : 『맹자』「고자」 하에서 "越人關弓而射之 則己談笑而道之 無他 疏之也"라고 하였다.

게 해야 되니, 〈어버이의〉 관심이 이르는 곳을 때때로 경계하고 살펴야 된다. 악의 싹이 틀 때마다 일찍 잘못되었음을 알아서 흡사 자신의 신독(愼獨)공부처럼 세밀하게 해야 한다. 가정에서는 부모가 비록 덮어주고 있지만, 그렇다 하더라도 원래 은미한 것이 드러나지 않음이 없다. 이는 신하가 임금을 섬기는 것과 형편이나 입장이 매우 달라서, 반드시 드러난 뒤에 말할 수 있는 점이 저절로 구별된다. 그러므로 신하가 기간할 때 그 일이 그림자나 메아리처럼 분명치 않다면, 그 임금은 반드시 자기를 비방한다고 여기겠지만, 부모는 그렇지 않다. 그리고 군신 간은 의리를 목적으로 하기 때문에, 신하는 임금이 잘못을 고치는 것을 영예로 여긴다. 그러나 부모님은 자신과 한 몸이기 때문에, 반드시 고칠 만한 잘못이 있기를 기다린다면 효자의 마음에 다만 자기에게 악이 있을 때 남이 들춰내어 공격하는 것처럼 여긴다. 이렇게 되면 비록 나중에 도움을 받아 구제되더라도 이전에 이미 부끄럽게 되는 것이다.

주자가 질문에 답하기를 "사람이 일을 할 때 만일 경솔히 한다면, 어디에서 기미를 토론하겠는가?"라고 하였으니, 이 말로는 정히 견미(見微)의 설을 설파할 수 없다. 경솔히 하는 것은 본래 일을 처리하고 외물을 접하는[處事接物]의 때이니, 경솔히 허여하고 경솔히 믿으며 경솔히 받고 경솔히 사용하는 유이다. 이것은 생각해봐야 할 사체(事體)이니, 상량했다면【즉(卽)은 기(旣)의 오류이다.】 간(諫)이라고 명명할 수 없다. 반드시 간해야 할 것은, 필시 음악이나 여색 · 재물에 빠진 경우나 싸워서 빼앗고, 원수 맺고 송사하는 일이어야 한다. 이것은 바로 빠져드는 데에는 반드시 평소에 함이 있고, 침잠하는 데에는 반드시 원인이 있기 때문이다. 천하에 어찌 경솔히 한 여자를 쳐서는 곧 방안으로 끌고 들어가는 것이 있겠으며, 갑자기 한 생각이 자기 분수가 아닌 재물에 미쳐서 경솔히 뜻밖에 얻은 재물을 수중에 넣을 리가 있겠는가? 그렇다면 그것을 하는 것은 일시이지만 계획한 지는 이미 오래되어서, 타인은 그 기미를 알지 못하겠지만 자식은 진실로 이미 알고 있는 것이다.

하루아침의 분함은 근거 없이 나오는 경우가 있다. 그러나 악은 본래 근원이 없으니, 나오는 것도 빠르고 이뤄지는 것도 빠르다. 이뤄지고 난 뒤에는 탓할 수 없는 기왕의 일이 되어 간할 곳이 없게 된다. 만일 전의 허물을 나열하여 재차 과오를 범하는 것을 방지한다고 한다면, 전의 허물은 드러난 것이 되고 나중의 과실은 은미한 것이 된다. 이로써 알 수 있으니, 모든 간해야 할 것은 반드시 기미가 있는 법이고, 경솔한 데서 벌어진 실수는 여기에 포함되지 않는다. 경솔한 실수는 일에 있지 뜻에 있지 않으니, 뜻이 따르지 않는데 '더욱 공경하는' 재차의 간언을 할 필요가 있겠는가? 본문으로 추론하면 대의가 훤히 드러난다. 질문자가 이를 제대로 응용하여 서로 교학상장하지 못한 점이 애석할 뿐이다.(小註中有問幾諫是見微而諫否者 說甚有理 以字義言 幾雖訓微 而微字之義 有弱也細也緩也隱也四意 幾之爲微 則但取細微之一義 而無當於弱緩與隱 微可謂之隱 幾固不可謂之隱也 檀弓所云有隱無犯 隱原不對犯而言 觀下云事師無犯無隱 倘以直詞爲犯 微言爲隱 則無隱何以復得無犯 無犯何以復得無隱 然則所謂隱者 但不昌言於衆之謂耳 父子之際 恃談言微中以解紛 此諺所謂逢人且說三分話者 中閒留一抽身法 而眞愛早已滅裂矣 且微詞之所動 必慧了人而後能喩 使其父母而或朴鈍也 兼母言之 尤必婦人所得喩 將如以棘刺切骨之疽 其不相及遠矣 豈事父母之通義乎 內則云下氣怡聲柔色 彼亦但言辭氣之和 而非謂言句之隱 氣雖下 色雖柔 聲雖怡 而辭抑不得不盡 假令父母欲殺人 而姑云此人似不當殺 請舍之 以體好生之德 豈非越人關弓 談

笑而道之比哉 以此知幾諫者 非微言不盡之謂 而見微先諫之說爲允當也 到郞當地位 自非危言苦色不能止燎原之火 而在幾微初見之際 無一發難收之勢 可無用其垂涕之怨 則唯幾諫爲體 而後下氣 怡聲 柔色得以爲用 二者相因 而益以知見微先諫之妙也 見志不從一志字 明是過之未成 不從則漸成矣 故以又敬不違之道繼之 若其必不從而至於勞 則亦必己之直詞盡言有以嬰父母之怒 若微言不盡 約略含吐 則雖甚暴之父母 亦何至有撻之流血之事 旣云微言不盡 又云得罪於父母 一章之中前後自相矛盾矣 凡此 皆可以知見微而諫之說爲優 蓋人子於親 不忍陷之於惡 關心至處 時刻警省 遇有萌芽 早知差錯 恰與自家愼獨工夫一樣細密 而家庭之閒 父母雖善蓋覆 亦自無微不著 與臣之事君 勢位闊殊 必待顯著而後可言者自別 故臣以幾諫 則事涉影響 其君必以爲謗己而父母則不能 且君臣主義 故人臣以君之改過爲榮 而親之於己 直爲一體 必待其有過之可改 則孝子之心 直若己之有惡 爲人攻發 雖可補救於後 而已慙恧於先矣 朱子之答問者曰 人做事 亦自有驀地做出來 那裏去討幾微處 此正不足以破見微之說 驀地做來底 自是處事接物之際輕許輕信輕受輕辭之類 此是合商量底事體 旣有商量 不名爲諫 所必諫者 必其聲色貨利之溺 與夫爭鬪仇訟之事也 此其眈之必有素 而釀之必有因 天下豈有驀地撞著一個女子 便摟之入室 忽然一念想及非分之財驀地便有橫財凑手之理 則爲之於一時 而計之已夙 他人不知其幾 而子固已知之矣 至於一朝之忿 或發於無根 乃以惡本無根 則發之速而成之亦速 迨其已成 則已爲旣往之不咎 而無所於諫 若云列其前愆 以防其貳過 則於前過爲著 而於後過爲幾 足知凡當諫者 必其有幾 而驀地之失不與焉 驀地之失 在事而不在志 安得有志之不從 以待又敬之再諫乎以本文推之 大義炳然 惜乎問者之不能引伸以相長於斆學也)

20

자식이 부모님께 간하는 것은 부모를 차마 악에 빠뜨릴 수 없기 때문이다. 그러므로 권도로써 경중을 살펴야 한다. 『예기』 「내칙」에서 “부모가 향당(鄕黨)과 주려(州閭)에서 죄를 얻기보다는[與其]’ ‘차라리[寧] 익숙히 간해야 한다.”[81]는 것은, 바로 자식이 변사(變事)를 당하여 이를 처리할 때에 이렇게 저렇게 변통해 보아 깊이 생각하고 신중하게 처리하는 것이다. 이 때문에 더욱 알겠으니, 주자가 말한 ‘경솔하게 한다’는 것은 간하는 예(例)에 있지 않다. ‘경솔하게 한다’는 것은 그 악이 반드시 천근하여, 자기의 과실을 확신하고 고집이 세어 누구의 권유도 듣지 않고서 자식을 피가 흐르도록 매질하여 부자간의 은혜를 해치는 일들과 비교해본다면 매우 가벼운 잘못이라고 할 수 있다.

갑자기 한번 몽둥이를 휘둘러 사람을 타살하였다면 인지상정상 그것이 큰일이라고 보겠지만, 이것도 과오로 사람을 죽인 것이어서 사형에 해당되지 않고, 향당(鄕黨)과 주려(州閭)에서도 그를 가엾게 여겨 더는 “향당에 죄를 얻었다.”고 하지 않을 것이다. 그러므로 맹자도 몰래 부모를 들춰 업고서 도망가는[82] 한 가지 방법을 설정했을 뿐이니, 무심에서 나온 악행은 책선(責善)하여 부모 자식간의 은혜를 해쳐서는 안 되고, 이미 사람을 죽였다면 간해도 무익하기 때문이다.

가령 절제 없이 술 마시고 주정하다가 잘못해서 사람을 죽였다면, 당연히 간할 만한 기미가 있어야 한다. 부모가 평소에 절제가 없이 통

---

81) 부모가 …… 간해야 한다 : 『예기』 「내칙」편에서 “諫若不入 起敬起孝 說則復諫 不說 與其得罪於鄕黨州閭 寧孰諫 父母怒 不說而撻之流血 不敢疾怨 起敬起孝”라고 하였다.

82) 몰래……도망가는 : 『맹자』 「진심」 상에서 “曰 舜視棄天下 猶棄敝蹝也 竊負而逃 遵海濱而處 終身訢然 樂而忘天下”라고 하였다.

음(痛飮)하면서 술주정하며 노했을 때에, 곧바로 술을 마시면 잘못해서 남을 죽이는 해가 있을 수도 있다는 것을 미리 말씀드리는 것이 좋다. 그러나 그런 때에는 반드시 눈물을 흘리면서 자신의 할말을 다해야 한다. '원망하지 않는다'라고 한 것은 자기가 매질을 당해 고통스러운 것을 원망하지 않는 것이다. 원망하지 않으면 두 번 세 번 끊임없이 간해야 하고, 원망한다면 더 이상 간하지 않아야 한다. 만일 부모가 악에 빠지려 하는데 자신은 즐거운 모습으로 웃으면서 부드러운 얼굴로 완곡하게 말한다면, 어찌 더 이상 사람의 마음을 지녔다고 할 수 있겠는가?(子之諫親 只爲不忍陷親於惡 故須權以審乎輕重 內則云與其 云寧者 正人子處變之時 千回百折 熟思審處來底 以此 益知朱子所云驀地做出來底 不在諫例 驀地做出來底 其惡必淺 較之怙過愎諫而撻子流血以賊父子之恩 則彼輕而此重矣 卽至忽然一棒打死一人 雖於常情見其大 然亦只是過誤殺人 不陷重辟 鄉黨州閭亦且憐之 不得云得罪於鄉黨 故孟子亦唯立一竊負而逃之法 以惡出無心 不可責善以賊恩 而業已殺人 諫亦無益也 假使因酗酒而誤殺 則固有可諫之幾在 其平日痛飮無節 使酒妄怒時 正好預陳酒中或有誤殺之害 卻於彼時則須垂涕泣以盡其辭 不怨云者 不以己之被撻痛楚爲怨也 不怨而後諫之再三不已 怨則不復諫矣 若親方將陷於惡 己乃歡容笑口 緩頰而談 則豈復有人之心哉)

21

서산 진씨(西山眞氏)는 '기간(幾諫)'의 뜻을 미루어 천자와 제후의 자식에게까지 미쳤으니[83], 이는 결코 의리에서 살피지 않은 것이다. 천자와 제후의 자식은 간쟁하는 예가 없다. 그러므로 『예기』「내칙」에 "향당과 주려에서 죄를 얻는다."라고만 한 것이니, 문장에 뭔가를 빠뜨려서 서산 진씨가 보충해 채우기를 기다린 것이 아니다.

천자와 제후에게 잘못이 있으면 공경으로부터 악공(樂工)과 수레 만드는 장인[工輿]에 이르기까지 간할 사람이 없을까를 걱정하지 않는다. 그러므로 세자는 문안하고 식사 때에 잘 드시도록 음식을 거드는[視膳] 것[84] 외에는 모두 자신의 직무가 아니다. 조정의 정사는 일단 자기가 참여하여 알 바가 아니고, 궁궐 내에서 실덕(失德)한 바가 있으면 바로 잘못을 살펴 간하는 부서를 만든 것이다. 과오를 구제하여 부자간의 은혜를 온전히 할 겨를도 없는데 어찌 공언(空言)으로 부모의 마음을 격발시켜 실제의 틈을 재빨리 조성하여 부자간의 인을 해치겠는가? 바로 어쩔 수 없어서 말해야 하는 것은 반드시 임금의 안위(安危)에 관련된 것이어야 하니, 이때도 인정으로 해야지 이치로만 따져서는 안 된다. 서산 진씨가 말한 '천하에 죄를 얻는다'는 것은, 본래 태자가 참여하여 알 수 있는 바가 아니다.

대개 천자와 제후의 자식은 자기 부모에게 자식의 도리나 혹은 신하의 도리가 있으며, 천하를 세습하게 되면 또 선후 간에 서로 계승하고 시대나 자리에 따라 서로 핍박당하는 도리가 있다. 일단 간쟁할 사

83) 서산 진씨는……미쳤으니 : 『논어집주대전』「이인」 제18장의 주자주인 '父母怒不悅' 아래 두 번째 소주에 나오는데, 그 원문은 다음과 같다. "西山眞氏曰 不諫 是陷親於不義 使得罪於州閭 等而上之 諸侯不諫 使親得罪於國人 天子不諫 使親得罪於天下 是以寧孰諫也 怒撻之流血 猶不敢怨 况下於此乎 諫不入 起敬起孝 諫而撻 亦起敬起孝"

84) 세자는……거드는 것 : 『예기』「문왕세자(文王世子)」에서 "文王之爲世子 朝於王季日三 雞初鳴而衣服至於寢門外……安 文王乃喜……王季復膳 然後亦復初 食上 必在視寒煖之節 食下 問所膳 命膳宰曰 末有原 應曰 諾 然後退"라고 하였다.

람이 없는 것을 걱정하지 않는다면, 이는 남의 도움을 빌어서 은혜를 온전히 할 수 있는데, 무슨 일로 거만하게 남을 업신여겨서 신임 받지 못하는 초야의 선비를 본받겠는가?

한나라 명제(明帝)의 "하남(河南)과 남양(南陽)은 물을 수 없다."는 것에 대한 대답은, 또한 우연히 국사에 참여하여 내정(內情)을 알고서 은미한 말로 주상의 노여움을 푼 것일 뿐 애당초 간언한 것이 아니다. 그러나 장차 이로써 군부(君父)가 태자를 바꾸는 과오를 범하게 하고, 자기 재주를 과시하여 적자의 자리를 빼앗겼다는 의심을 받게 하였으니, 그는 숙제(叔弟)가 임금의 자리를 사양하면서 이룩한 인과 같다고 할 수 없다. 의문태자(懿文太子)가 의심을 품은 채 요절한 것은 현명한 군주와 인자한 아비를 만나지 못해서가 아니었는데, 이로써 과오를 부르고 은혜를 손상하여 2대(代)의 화를 빚어내었으니, 더구나 이보다 아래에 있는 자이겠는가? 그러므로 "신하와 자식된 사람이 『춘추』의 대의를 알지 못하여 일상 사무[經事]를 처리하면서도 합당하게 할 줄을 모르고, 돌발적인 사태[變事]를 만났을 때도 융통성 있게 처리할 줄을 모른다."[85]라고 한 것이다. 권(權)은 경중(輕重)을 선정하는 것이다.

'간언을 한다'고 말하면서 반드시 '따르지 않는다', '수고롭다'고 말하니, 간언을 함에 〈부모님이〉 따르지 않는 것은 참으로 항상 있는 일이다. 그러나 사서(士庶)의 집안에 있어서는 부모가 순히 하지 않는 뜻이 있어 드러나서 단서가 나타나게 되더라도, 형제와 여러 첩들이

---

85) 신하와……모른다 : 『사기』「태사공자서(太史公自序)」에 나오는 구절로, 그 원문은 다음과 같다. "故有國者不可以不知春秋 前有讒而弗見 後有賊而不知 爲人臣者不可以不知春秋 守經事而不知其宜 遭變事而不知其權"

서로 틈을 타서 후한 이익을 취하는 일이 없게 된다. 그러나 천자와 제후의 경우는 몰래 엿듣는 귀에 나라를 뒤엎는 위태로움이 잠복해 있다. 뜻이 일단 단서를 보이면 장차 이필(李泌)이 말한 '서왕(舒王)에게 나아가 수책(首策)을 바친다'는 것이 이 때에 발생할 것이다. 그런데 부모가 따르지 않으니 장차 수고로움에 이르겠는가?

사서인(士庶人)의 자식은 매 맞을 뿐이니, 매를 맞아서 피를 흘리면 그만이다. 대저 사람이 만일 잘못된 방법으로 자식을 피가 나도록 매질하더라도, 요컨대 큰 잘못은 아니다. '향당과 주려에서 죄를 얻는다'는 것에 저울질하면, 그 선악과 이해가 모두 저것은 가볍고 이것은 중하기 때문이다. 천자와 제후가 자기 자식에게 어찌 그럴 뿐이겠는가? 작게는 의구(宜臼)의 사건이고 크게는 신생(申生)의 일이다. 요컨대는 또한 한 번의 노함이고 또한 한 번의 매질이다. 악으로 말한다면 나라의 근본을 해쳐서 종묘를 위태롭게 한 것이다. 다른 악이 있을지라도 전혀 함께 중한 정도를 따질 만한 것이 없다. 해로 말하자면 작게는 진(晉)나라의 난리이고 크게는 서주(西周)의 망함이다. 이 또한 해가 이보다 중한 것이 없다. 그러므로 사서의 자식은 간하지 않음으로써 부모를 불의에 빠뜨리고, 천자와 제후의 자식은 바로 간하다가 부모를 대악(大惡)에 빠뜨릴까 두려워한다. 그러므로 "변사에 처하여 권도를 안다."고 하였으니, 그 경중을 살피라는 말이다. 『예기』「내칙」에 '여기(與其)'니 '녕(寧)'이니 한 것도 역시 경중을 살피라는 말이다.

사서의 자식이 피가 흐르도록 매질을 당하면서도, 자식의 도리는 원망하지 않는 데 있어야 하니, 그렇다면 자식을 피가 흐르도록 매질하는 것은 부모의 과오가 작은 것이다. 천자와 제후의 자식이 폐위 당할 정도로 노여워하게 한다면, 부모의 잘못이 큰 경우이다. 부모의 잘못이 큰데도 원망하지 않는 것은 불효이니, 맹자가 소반장(小弁章)[86] 에서 자세히 언급하였다. 일의 시초를 살피지도 않고서 덮어놓고 간하다가, 끝내 부모님이 노여워하신다면 화가 집안에서 시작된 것이니, 원망하겠는가 안 하겠는가? 또 무슨 수로 자신을 다스릴 수 있겠는가?

성인은 권도를 짐작하여 만세의 법을 세운다. 그러므로 천자와 제후를 위해 자식이 부모에게 간하는 예를 세우지 않은 것이다. 부모가 현명하다면 단정한 사람과 바른 선비가 스스로 자신의 직언을 다하여서 자식이 간할 필요가 없게 된다. 그렇지 않다면 간신(諫臣)을 죽이고 축출하는 일이 있을 수는 있을지라도 나라의 근본을 뒤흔들어 천하에 병란의 단초를 불러들이게 해서는 안 된다. 혐의를 받는 동안에도 미자(微子)는 여러 불초한 아우들을 본받지 않았는데, 더구나 자식이 부모에게 그렇게 하겠는가? 서산 진씨는 『춘추』의 대의를 모르고서 사서(士庶)의 예를 천자와 제후에 적용시켜 인(仁)이 우매함에 빠지고 의(義)가 고자질하는 데로 흘러서 잘 독서하지 못하는 사람들에게 무궁한 해악을 열어주고 말았다. 그러므로 군자는 논리를 세울 때 신중하지 않아서는 안 된다.(西山推幾諫之義 而及於天子諸侯之子 此未嘗審之於義也 天子諸侯之子 卻無諫諍之禮 所以內則但云得罪於鄕黨州閭 非文有所遺 待西山之補疏也 天子諸侯之有過 自公卿以至於矇瞍工輿 不患諫者之無人矣 所以世子自問安視膳之外 皆非其職

86) 소반장(小弁章) : 『맹자』「고자(告子)」하에 나오는 데, 그 원문은 다음과 같다. "公孫丑問曰 高子曰 小弁 小人之詩也 孟子曰 何以言之 曰 怨 曰 固哉 高叟之爲也 …… 小弁之怨 親親也 親親 仁也 固矣夫 高叟之爲詩也 曰 凱風何以不怨 曰 凱風 親之過小者也 小弁 親之過大者也 親之過大而不怨 是愈疏也 親之過小而怨 是不可磯也 愈疏 不孝也 不可磯 亦不孝也"

朝廷之政 旣非其所與聞 宮壼之閒有所失德 則正爲嫌隙窺伺之府 夫以救過以全恩之不暇 而敢以空言激成實釁 以賊父子之仁哉 卽其萬不得已而有所言 必其關於君身之安危 亦以情而不以理 若如西山所云得罪於天下者 固非靑宮之所得與聞也 蓋天子諸侯之子 於其父有子道 抑有臣道 當世及之天下 則又有先後相承 時位相逼之道 旣不患諫諍之無人 是可籍手以全恩矣 何事效草野之倨侮 以犯危疑耶 漢明帝河南南陽不可問之對 亦偶爾與聞 微言以釋上怒耳 初非諫也 然且以成君父易儲之過 疑於炫才以奪嫡 不得與叔齊同其仁矣 若懿文太子之懷疑以致夭折 非不遇明主慈父 且以召過傷恩 釀再世之禍 況其下此者乎 故曰爲人臣子而不知春秋 守經事而不知宜 遭變事而不知權 權者 輕重之所取定也 夫曰諫而必曰不從 曰勞 則諫之至於不從而且勞者 固其恆也 特在士庶之家 則父母有不順之志 所發露而見端者 止此兄弟僕妾之儔 無相乘以取厚利之事 其在天子諸侯 則屬垣之耳 傾危伏焉 志一見端 將李泌所謂就舒王而獻首謀者 於此起矣 況不從之 且至於勞也 士庶之子 撻而已矣 撻而流血而已矣 夫人卽以非道撻其子 卽至於流血 而要非其過之大者 以權之於得罪於鄕黨州閭 其爲善惡利害 皆彼輕而此重 若天子諸侯之於子 而豈徒爾哉 小者爲宜臼 而大者爲申生 要亦一怒也 亦一撻也 以惡言之 則戕國本以危宗廟 雖有他惡 曾莫得與比重 以害言之 則小者爲晉之亂 而大者爲西周之亡 亦害之莫有重焉者也 故士庶之子 以不諫而陷親於不義 天子諸侯之子 正恐以諫而陷親於大惡 故曰處變事而知權 言其輕重之審也 內則之云與其云寧者 亦審乎輕重之詞也 士庶之子 蒙撻流血而道在不怨 則以撻子流血 親之過小者也 天子諸侯之子蒙怒見廢 則親之過大矣 親之過大而不怨 是爲不孝 孟子於小弁 言之詳矣 不審其始 冒昧以諫 卒逢親怒 禍首宮庭 怨耶 不怨耶 其又何以自靖耶 聖人酌權以立萬世之經 故不爲天子諸侯立以子諫父之禮 蓋親

而賢也 則端人正士自盡其讜言 而無待於子 若其不賢也 則可使有誅逐諫臣之事 而不可使搖國本以召天下之兵端 嫌疑之際 微子且不能效諸不肖之弟 而況子之於親乎 西山不知春秋之義 以士庶例天子諸侯 將使仁而陷於愚 義而流於訐 啓不善讀書者無窮之害 故君子之立言 不可不愼也)

제19장

공자 : "부모님이 살아 계실 때에는 너무 먼 지방으로 여행하지 말 것이며, 부득이 가야 된다면 반드시 간다고 한 그곳에 가야만 한다."

子曰 父母在 不遠遊 遊必有方

22

쌍봉 요씨(雙峰堯氏)가 "성인은 상도(常道)를 말하고 변사(變事)를 말하지 않는다."[87]라고 하였으니, 성인은 언어를 매우 경시함을 알 수 있다. 세속에서도 "유자(儒者)들을 높은 다락에 놔두고서 천하가 태평하기를 기다려야 한다."고 하였으니, 이러한 것들이 모두 유자들을 계도(啓導)하는 말이다.

성인의 한 말씀은 하늘이 덮어주고 땅이 실어주는 것과 같은데 어찌 빠뜨린 것이 있겠는가? 그러나 성인은 한 가지 일에 대해서 말한 것은 가지와 줄기가 근원에서 나눠진 것이다. 공자께서 '먼 데 가서 놀지 말라'고 하신 것은, 노는 것만을 말한 것일 뿐 대체적으로 원행(遠行)하지 말라는 말이 아니다. '유(遊)'는 외국에 나가서 배우고[遊學] 외국에 나가서 벼슬하는[遊宦] 뜻이다. 벼슬하고 학문하는 것이 큰 일

87) 성인은……않는다 : 『논어』「이인」 제19장에 대한 해석으로, 경문은 다음과 같다. "子曰 父母在 不遠遊 遊必有方" 요씨의 설은 『논어집주』 '遠遊' 아래 두 번째 소주인데, 그 전문은 다음과 같다. "問有不得已而遠遊 如之何 雙峯饒氏曰 不遠遊 是常法 不得已而遠出 又有處變之道 聖人言常不言變"

이기는 하지만 도리어 여유로울 수 있다. 그러므로 한가히 노닌다[閒遊]는 뜻이 있다. 만약 이미 벼슬하여 군명이 있으면 소무(蘇武)와 같은 경우, 어머니가 살아 있더라도 흉노(匈奴)의 사절로 가서 19년간 지내는 것을 사양할 수 없다. 이는 소무의 사행이 원래 원유(遠遊)에 비할 것이 아니기 때문이다. 노는 것은 본디 항상 있는 일이고 군명을 받고서 멀리 사행 가는 것도 항상 있는 일인데 무슨 언급할 만한 변사라고 성인께서 말씀하지 않으셨단 말인가? 원수를 피하고 난리를 피해 숨을 경우에는 부모와 함께 가겠지만, 장사꾼이 사방으로 다니는 것은 이른바 "예제(禮制)는 서인(庶人)에게 미치지 않는다."[88]는 것이니, 논할 대상이 아니다. "부모가 살아 계실 적에는 먼 데 가서 놀지 말라."는 한마디 말씀으로 자식된 자의 법을 정하셨으니, 어찌 미진한 변사(變事)가 있겠는가?(雙峰云聖人言常不言變 看得聖人言語忒煞小了 流俗謂儒者當寘之高閣 以待太平 皆此等啓之也 聖人一語 如天覆地載 那有漏 只他就一事而言 則條派原分 子曰不遠遊 但以言遊耳 非槩不遠行之謂 遊者 遊學遊宦也 仕與學雖是大事 卻儘可從容著 故有閒遊之意 若業已仕而君命臨之 如蘇武之母雖存 匈奴之行 十九年也辭不得 蓋武之行原非遊比也 遊固常也 卽銜君命而遠使 亦常也 何變之可言而聖人不言哉 至於避仇避難 則與父母俱行 若商賈之走四方 所謂禮不下於庶人 非所論也 父母在不遠遊 一言而定爲子者之經 何有變之未盡)

88) 예제는 …… 미치지 않는다 : 『예기』「곡례」편에서 "禮不下庶人 刑不上大夫"라고 하였다.

제22장

공자 : "옛 사람이 말을 함부로 하지 않은 까닭은 실천함이 내뱉은 말에 미치지 못함을 부끄러워해서였다."

子曰 古者言之不出 恥躬之不逮也

23

후재 풍씨(厚齋馮氏)는 '언(言)'자를 강설(講說)'[89]로 풀어서 『논어집주』의 소략함을 보충하였다. 강설하면 반드시 유전된다. 그러므로 천백 년이 흐르고 난 뒤에도 '말을 함부로 내지 않았음'을 알 수 있다. 일상 생활하는 동안에 주고받은 문답이나 무슨 일을 시행하고 조치할 적에 분명히 깨우쳐 준 것이라면 고인의 말이 번거로운지 간략한지를 공자께서 어떻게 아시겠는가?

맹자가 말한 '견이지지(見而知之)'와 '문이지지(聞而知之)'[90]는 모두 도를 전수한 고인들을 두고 한 말이다. 태공망(太公望)과 산의생(散宜生)은 전하는 책이 없고, 이윤(伊尹)과 내주(萊朱)가 지은 훈고

---

89) 강설 : 『논어』「이인」 제22장을 해석한 것으로, 경문은 다음과 같다. "子曰 古者言之不出 恥躬之不逮也" 풍씨의 설은 주자주 아래 세 번째 소주로서, 그 전문은 다음과 같다. "厚齋馮氏曰 古人言之必行 不能躬行而徒言之 是所恥也 後之學者 直講說而已 義理非不高遠 而吾躬自在一所 不知恥之 何哉"

90) '견이지지(見而知之)'와 '문이지지(聞而知之) : 『맹자』「진심」 하에 "孟子曰 由堯舜至於湯 五百有餘歲 若禹 皐陶 則見而知之 若湯 則聞而知之 由湯至於文王 五百有餘歲 若伊尹 萊朱則見而知之 若文王 則聞而知之 由文王至於孔子 五百有餘歲 若太公望 散宜生則見而知之 若孔子 則聞而知之"라고 하였다.

(訓詁)도 모두 사건을 계기로 지은 것이어서 노자(老子)와 장자(莊子)·관자(管子)·여불위(呂不韋)가 특별히 한 편의 문자를 만든 것과는 같지 않다. 숙손표(叔孫豹)가 '그 다음은 입언(立言)'[91]이라고 하였는데, 춘추 시대에 와서는 풍속에서 숭상하는 것이 이미 그러했지만 고인은 그렇지 않았다. '궁행(躬行)이 미치지 못할까 부끄러워해서였다'는 것은 자신이 저술한 이치에 미치지 않는 것이지, 자기가 말한 일을 실천하지 않는 것은 아니니, 본문 자체로 분명하다. 주자가 '저술만 했을 뿐이고 실재 적용한 것이 없다'[92]고 했을 때의 '공언(空言)'은, 공자의 "나의 생각을 문사(文詞)와 의론에 기탁한다."[93]는 말씀에서 유래한 것으로, 분명히 저술을 말한 것이다. 범씨(凡氏)가 '입에서 나오다'[94]라고 했을 때의 '구(口)'자는 어폐가 있다.

이 장은 맹자의 "사람의 병폐는 남의 스승 되기를 좋아하는 데 있다."[95]고 한 것과 같은 이치지만, "인자(仁者)는 그 말을 참아서 쓸 수 있는 사람이다."[96]는 것과는 같지 않다. 말이 많고 적고 조용하고 떠

91) 그 다음은 입언 : 『춘추좌씨전』「양공(襄公)」 24년에 그 내용이 실려 있는데, 다음과 같다. "二十四年春 穆叔如晉 范宣子逆之 問焉 曰 古人有言曰 死而不朽 何謂也 …… 豹聞之 大上有立德 其次有立功 其次有立言 雖久不廢 此之謂不朽"

92) 저술만……없다 : 『논어집주대전』「이인」 제22장의 주자주 아래 두 번째 소주로서, 그 전문은 다음과 같다. "人之所以易其言者 以其不知空言無實之可恥也 若恥 則自是力於行而言之出也 不敢易矣"

93) 나의……기탁한다 : 『춘추위(春秋緯)』에 "我欲託之空言 不如載之行事之深切著明也"라고 하였는데, 이 때의 공언은 포폄과 시비를 뜻한다.

94) 입에서 나오다 : 『논어집주』「이인」 제22장의 주자주에 소개되어 있는데, 그 원문은 다음과 같다. "范氏曰 君子之於言也 不得已而後出之 非言之難而行之難也 …… 言之如其所行 行之如其所言 則出諸其口 必不易矣"

95) 사람의……있다 : 『맹자』「이루(離婁)」 상에서 "孟子曰 人之患在好爲人師"라고 하였다.

96) 인자는……사람이다 : 『논어』「안연(顔淵)」 제3장에서 "司馬牛問仁 子曰 仁者其言也訒 曰 其言也訒 斯謂之仁已乎 子曰 爲之難 言之得無訒乎"라고 하였다.

드는 것은 보존된 마음[存心]에 달려 있고, 저술의 유무는 호명(好名)[97]과 무실(務實)의 차이이다. 고인이라고 해서 반드시 보존된 마음이 모두 순수한 것은 아니지만, 그들의 무실은 후세와는 달랐을 뿐이다.(馮氏以講說釋言字 可補集註之疎 有講說則必有流傳 故從千百年後 而知其言之不出 若日用之閒有所酬答 措施之際有所曉譬 則古人言之煩簡 夫子亦何從而知之 孟子說見知聞知 皆傳道之古人也 太公望散宜生旣無傳書 伊尹萊朱所作訓誥 亦皆因事而作 不似老莊管呂 特地做出一篇文字 叔孫豹曰其次有立言 至春秋時習尙已然 而古人不爾 恥躬之不逮者 不逮其所撰述之理 非不踐其所告語之事 本文自明 朱子云空言無實 空言字從夫子我欲託之空言來 明是說著述 范氏出諸口一口字 便有病 此章與孟子人之患在好爲人師一理 卻與仁者其言也訒不同辭之多寡靜躁 繫於存心 著述之有無 則好名務實之異 古人非必存心之皆醇 特其務實之異於後世耳)

97) 호명 : 『맹자』「진심」하에서 "孟子曰 好名之人 能讓千乘之國 苟非其人 簞食豆羹見於色"라고 하였다.

제25장

공자 : "덕(德)은 홀로 있는 법이 없으니, 반드시 많은 이웃이 함께 한다."

子曰 德不孤 必有隣

24

도를 행하여 마음에 얻음이 있는 것을 '덕(德)'이라 하니, 도를 행하여 얻은 것이 있는 것을 '외롭지 않다'[98]고 한다. 만일 도에 의지해서 답습만 하고 터득한 것이 없으면 사람의 상정(常情)과 사물의 상리(常理) 사이에서 떠돌 뿐, 자신에 대해 우선적으로 관심을 갖지 않게 되어 취산(聚散)이 일정함이 없게 되고 외물도 따라서 응하는 것이 없다.

'덕'은 마음에 있고 '외롭지 않음'은 외물에 달려 있다. 서로 밀접한 관계가 있는 명언(名言)도 장차 다함이 있다. 그러므로 신안 진씨가 '천리가 자연스럽게 합함[天理自然之合]'[99] 6자를 두어서 대체적으로 설명하였으니, 미묘하면서 친절하다. 백이(伯夷)에게는 반드시 숙제(叔齊)가 있고, 태백(太白)에게는 반드시 중옹(仲雍)이 있기 마련

---

98) 외롭지 않다 : 『논어』「이인」 제25장으로, 그 경문은 다음과 같다. "子曰 德不孤 必有鄰"

99) 천리가 자연스럽게 합함 : 『논어집주대전』「이인」 제25장의 주자주 아래 네 번째 소주로서, 그 전문은 다음과 같다. "新安陳氏曰 秉彝好德 人心所同 同德相應 天理自然之合也"

이다. 마침내 소하(蕭何)와 조참(曹參), 병길(丙吉)과 위징(魏徵)에 와서는 자연 서로를 이루어줌이 있게 되었다. 사령운(謝靈運)의 경우, 그가 '충의는 군자를 감동시키네'[100]라고 시를 읊을 수 있었기 때문에, 마침내 그의 반역을 돕는 자가 없었던 것이다.

이 장은 "요임금과 순임금이 천하를 인으로 이끌자 백성들이 따르고, 걸과 주가 천하를 포악함으로 이끌자 백성들이 따랐으니, 그들의 명령이 그들이 좋아하는 것과 반대로 하자 백성들이 따르지 않았다."[101]는 뜻과 실로 같다. 그러므로 주자는 소인의 덕으로써 반증(反證)하여 그 이치가 같음을 증험하였으니, 이 또한 『대학』의 '걸과 주가 포악함으로 거느리자 백성이 따랐다'는 뜻이다. 소주를 읽을 때에는 분별해서 활간(活看)해야 하니, 대체로 그렇게 해야 한다.(行道而有得於心之謂德 唯行道之所得者爲不孤 若只依附著道 襲取而無所得 則直是浮游於倫物之際 自家先不關切 而聚散無恆 物亦莫之應矣 德在心 不孤在物 到此痛癢相關之處 名言將窮 所以陳新安著個天理自然之合六字 大槩說來 微妙親切 伯夷便必有叔齊 太伯便必有仲雍 乃至蕭曹丙魏 自爾相成 若謝靈運 儘他說忠義感君子 畢竟無助之者 此與堯舜帥天下以仁而民從之 桀紂帥天下以暴而民從之 其所令反其所好而民不從 意旨正同 故朱子以小人之德反證 以驗其理之同 則亦大學桀紂帥暴民從之義爾 讀小註當分別活看 大率類然)

---

100) 충의는 군자를 감동시키네 : 『송서(宋書)』「열전」 제27에 "司徒遣使隨州從事鄭望生收靈運 靈運執錄望生 興兵叛逸 遂有逆志 爲詩曰 韓亡子房奮 秦帝魯連恥 本自江海人 忠義感君子 追討禽之 送廷尉治罪"라고 하였다.

101) 요임금과……않았다 : 『대학장구』 전9장에서 "堯舜帥天下以仁 而民從之 桀紂帥天下以暴 而民從之 其所令反其所好 而民不從 是故君子有諸己而后求諸人 無諸己而后非諸人 所藏乎身不恕 而能喩諸人者 未之有也"라고 하였다.

25

"덕은 외롭지 않다."는 것은 근본에서 설명한 것으로, 주자가 말한 '이치로써 말했다'[102]는 것이 이것이다. 그러한 이치가 있으면 그러한 일이 있게 된다. 그렇지 않으면 고금이 모두 의심의 창고가 되는데, 어떻게 공자의 문하에 허다한 영재가 있겠는가? 일이 이미 참으로 그러한데도 소이연(所以然)을 알기가 쉽지 않으니, 오직 덕이 있는 이는 외롭지 않게 된다.

덕이 있는 이가 외롭지 않게 된 까닭에 대해서, 공자께서 보여주신 것이 친절하고 설명해 주신 것이 이처럼 분명하고 명백한 것은, 위로 천고를 살펴보고 아래로 만년을 살펴보는 식견과 도량이 있을 뿐만이 아니어서 서로 밀접한 관련이 있는 곳에서 저절로 문맥을 분명하게 만드신 것이다. 이웃이 있다는 것은 거주지에 이웃이 있는 것과 같다는 것이다. 즉 우연히 서로 만나서 결국에는 마음이 맞은 것이지 어떤 생각을 품고서 불러들인 것이 아니다. 그 덕이 선천적인 것이면 지(志)가 기(氣)를 움직이고, 후천적인 것이면 기가 지를 움직이지만, 덕이 없는 사람을 위해 말한 것은 아니다. 그러므로 『논어집주』에서는 "그러므로 덕이 있는 자는 반드시 동류가 있다."[103]고 한 것이다. '덕불고(德不孤)'의 아래에 '유덕자(有德者)'를 첨가하였으니, 『논어집주』에서 이처럼 부족한 부분을 보충하여 정밀하게 한 것을 세심하지 못하게 슬쩍 보아 넘겨서는 안 된다. 그래야만이 '유덕자필유린

---

102) 이치로써 말했다 : 『논어집주대전』「이인」 제25장의 주자주 아래 첫 번째 소주로서, 전문은 다음과 같다. "朱子曰 德不孤 以理言 必有鄰 以事言"

103) 그러므로……있다 : 『논어집주』「이인」 제25장의 주자주인 "德不孤立 必以類應 故有德者 必有其類從之 如居之有鄰也"를 가리킨다.

(有德者必有隣)' 이전에 덕은 본래 외롭지 않은 도리가 있음을 확신할 수 있다.

『주역』에 "같은 소리끼리는 서로 응하고 같은 기운끼리는 서로 찾는다."는 것은 사람을 말한 것이고, 또 "물은 젖은 데로 흘러가고 불은 건조한 데로 타들어 간다."[104]는 것은 하늘을 말한 것이다. 물은 무심히 젖은 데로 흘러가고, 습한 곳도 무심히 물 있는 곳으로 나아가며, 불은 무심히 마른 데로 타들어 가고, 마른 곳도 무심히 불길로 끌려온다. 이 대목에 와서는 감응을 설명한 것이 이미 한 단계가 부족하다. 그러므로 "천리가 자연스럽게 합일한 것이다."라고 한 것이다. 그러나 근해 구역은 한 국자의 물도 저절로 바다에 이르고, 바싹 마른 날에는 불씨 하나로도 숲을 태우는 법이다. 저 황하가 만리의 견고하고 마른 토양을 지나 바다에 이르고, 사방으로 통하는 도시와 거대한 고을에 불이 나서 맹렬해지면 습한 땔나무와 마르지 않은 꼴도 순식간에 재가 되어 날린다. 전자는 기가 지를 움직인 것이고 후자는 지가 기를 움직인 것이지만, 그 귀착점은 하나이다.

대개 덕의 깊이와 때의 난이는 또한 천리자연의 소식(消息)이다. 백이는 숙제에게서 그것을 얻었고, 계찰(季札)은 합려(闔廬)에게서 얻지 못했으니, 의심할 것이 없다. 요컨대 그것이 '덕불고'의 이치임을 성인은 이미 통찰하여 아신 것이다.

『논어』에서 덕을 언급한 대목은 이해하기 쉽지 않다. '정치를 덕으로 할[爲政以德]' 경우, '비유하자면 북두성이 제자리에 있으면 여러

---

104) 같은……타들어간다 : 『주역』「건괘」에서 "子曰 同聲相應 同氣相求 水流濕 火就燥 雲從龍 風從虎"라고 하였다.

별들이 그것을 받들면서 도는 것'[105]과 같은데, 여기서 또 갑자기 '덕불고'를 언급하신 것은, 모두 공자께서 집안에 소장한 진귀한 보물을 꺼내서 대체로 사람들이 알 수 있도록 설명해주신 것이다. 지혜로운 자는 그 소이연을 알지만, 지혜롭지 못한 자는 그 필연임을 알 수 있을 뿐이다. 아! 설명하기 어렵구나!(德不孤是從原頭說起 朱子所謂以理言是也 唯有其理 斯有其事 不然 則古今俱爲疑府 如何孔子之門便有許多英材 事旣良然 而所以然者不易知也 則唯德之不孤也 至於德之所以不孤 則除是孔子見得親切 說得如此斬截 不但有上觀千古 下觀萬年識量 而痛癢關心之際 直自血脈分明 鄰者 如居之有鄰 偶然相遭而遂合 非有心招致之也 其爲德先於天則志動氣 其爲德後於天則氣動志特不可爲無德者道耳 所以集註云故有德者必有其類 於德不孤之下添箇有德者 集註之補帖精密如此類者 自不可粗心看過 方信得有德者必有鄰之上 有德本不孤的道理 易云同聲相應 同氣相求 人也 又云水流溼 火就燥 天也 水無心而赴溼 溼亦無心而致水 火無心而趨燥 燥亦無心而延火 到此處 說感應已差一層 故曰天理自然之合 乃近海之區 一勺之水 亦自達於海 枯暵之候 一星之火而焚林 與夫黃河經萬里堅燥之壤以赴海 通都大邑 火發旣烈 則溼薪生芻 亦不轉盼而灰飛 前者氣動志 而後者志動氣 其歸一也 蓋德之深淺 與時之難易 亦天理自然之消息 而伯夷能得之叔齊 季札不能得之闔廬 不足疑也 要其爲德不孤之理聖人則已洞見之矣 論語中 唯言及德處爲不易知 爲政以德 則譬如北辰居其所而衆星共之 此又驀地說箇德不孤 皆夫子搬出家藏底珍寶 大段說與人知 知者知其所以然 不知者可以知其必然而已 嗚呼 難言之矣)

105) 정치를……도는 것 : 『논어』「위정」 제1장에서 "子曰 爲政以德 譬如北辰 居其所而衆星共之"라고 하였다.

공야장편

公冶長篇

제5장

공자께서 칠조개(漆雕開)에게 벼슬하기를 권하셨다.
이 말씀을 들은 칠조개 : "저는 벼슬하는 것에 대하여 아직 자신할 수 없습니다."
이에 공자께서 기뻐하셨다.

子使漆雕開仕 對曰 吾斯之未能信 子說

1

공자의 말씀은 천만년을 오르내린다. 이분을 제외하면 맹자 이하로는 모두 때를 이용해서 논리를 세우지 않은 이가 없다. 정자가 "증점(曾點)과 칠조개(漆雕開)는 이미 대의를 보았다."[1]라고 하였는데, 정자는 유학과 치도(治道)가 어둡고 꽉 막힌 뒤에 이런 말을 한 것이다. 그러므로 후인들은 힘들게 위를 향해 의미를 탐구하다가 의망(疑網)에 빠져서는 안 된다. 대개 진(秦)나라 이후로는 소위 유학자들이 기송(記誦)과 사장(詞章)의 학문에 그칠 뿐이었고, 소위 치도라는 것은 권모술수에 불과하며 신심(身心)의 학문은 도리어 석가와 노자에 의탁하였다. 그러므로 정자의 이 말은 우리 도에는 원래 이러한 사적(事跡) 위에서 공명을 세우고 문자(文字) 위에서 문맥을 토론하지 않아서 단정히 앉아서 무위(無爲)한 채로 만사만물의 근본을 세울 수 있

1) 증점과……보았다 : 이 장은 『논어』 「공야장(公冶長)」 제5장에 대한 해석으로, 경문은 다음과 같다 "子使漆雕開仕 對曰 吾斯之未能信 子說" 그리고 정자의 말은 주자주에 보이는데, 그 전문은 다음과 같다. "程子曰 漆雕開已見大意 故夫子說之"

는 것이 있다는 의미이다. 천덕(天德)과 왕도(王道)의 대의가 존재하기 때문에 두 사람이 그것을 볼 수 있었던 것이다.

주자 때에 와서는 비록 절학(浙學)이 있었지만 고명한 사람들은 이미 그것에 종사하는 것을 부끄러워하여 아호(鵝湖)로 빠져들기도 하였다. 그래서 주자는 직접 칠조개의 본지(本旨)를 드러내고자 정자의 말을 막아서 음사(淫辭)가 의지하지 못하게 하고자 하였다. 이 때문에 실제로 그것을 가리켜서 "사(斯)는 이 이치를 가리켜서 말한 것이다."[2]라고 하였다. 그렇게 하지 않으면 장차 '사(斯)'가 이 마음을 가리키거나 아니면 눈앞의 경물이나, 푸른 대나무와 노란 국화꽃[翠竹黃花][3], 등불 초롱이 노주에 걸려 있다[燈籠露柱][4]를 지적하는 것으로 오해할까 염려한 것이다. 이 때문에 주자는 이 장의 해석에서 정자보다 매우 큰 공이 있다 하겠다.

또 "공자께서 그 뜻이 돈독함을 기뻐하신 것이다."라고 하였으니, 공자의 문하에 사적을 남긴 염구(冉求)와 자로 등을 제외하고는 안연(顔淵)과 민자건(閔子騫)·염백우(冉伯牛)·증자(曾子) 등은 모두 이 이치에 종사하였으니, 본래 칠조개만 그러했을 뿐만이 아니다. 그런데도 공자께서 칠조개의 대답에 기뻐하신 것은, 그가 자신하지 않음이 자신을 구하는데 절실함을 기뻐하신 것이니, 정자가 말한 '대의를 보았다'는 말과 같지 않다.

---

2) 사는……것이다 : 『논어집주』「공야장(公冶長)」 제5장의 주자주인 "斯 指此理而言"을 말한다.

3) 푸른……국화꽃 : 중국에서 선불교가 성행할 때 유행하던 화두의 하나로, 『변자류편(騈字類編)』에 "여우 손자와 개 새끼는 맨 기둥에 꽂힌 절간의 깃대이고, 노란 국화꽃과 푸른 대나무는 부처를 받는 꽃이다[狐孫狗子 露柱刹竿 黃花翠竹 捧佛花草]."라고 하였다.

4) 등불……있다 : 이 말도 중국에서 선불교가 성행할 때 유행하던 화두의 하나로, 『오등회원(五燈會元)』에 "등불 초롱이 노주에 걸려 있다[燈籠掛露柱]"라고 하였다.

주자는 "자신이 앞으로 그러할 것임을 자신하지 못한 것이다."[5]라고 하였고, 진씨는 "공부가 정점에 이르지 못하고 대의(大意)를 보는 데에 그쳤다."[6]라고 하였으니, 설명 그 자체가 충실하다. 춘추 시대에는 공자의 문하에 속유(俗儒)는 실로 적었으니, 반드시 부득이 하여 자로와 염유를 속유로 보았으나, 소하와 조참, 방현령(房玄齡)과 두여회(杜如晦)에 비하면 실로 차이가 난다. 유자[劉康公]의 경우에도 "백성은 천지의 중화(中和)의 기운을 받고서 태어났으므로 위의(威儀)로써 천명을 안정시킨다."[7]라고 하였다. 이것을 보면 당시 사대부들의 취미와 숭상하는 풍속을 알 수 있으니, '대의를 본' 사람이 어찌 칠조개 한 사람뿐이겠는가?

상채 사씨(上蔡謝氏)가 "작은 성취에 안주하지 않았다."[8]고 한 말의 성(成)은 또한 일의 성공인데, 일에는 본령이 있기 마련이다. 주자가 여기에서 인의충효(仁義忠孝)를 게시함으로써, 마침내 문장의 의미가 분명하고 절실해졌다. 주자가 또 "그 극을 미루면 성(性)일 뿐이다."[9]라고 한 것은 정자의 언외(言外)의 뜻에 근본한 것이니, 원래 '성학(性學)' 두 자를 두어서 속유나 속리(俗吏)의 학(學)과 구별한 것이

5) 자신이……것이다 : 『논어집주대전』 「공야장(公冶長)」 제5장의 주자주 "未可以治人 故夫子說其篤志" 아래 세 번째 소주를 가리키는데, 그 원문은 다음과 같다. "不免或有過差 尙自保不過 雖是知其已然 未能決其將然 故曰 吾斯之未能信"

6) 공부가……그쳤다 : 『논어집주대전』 「공야장(公冶長)」 제5장의 주자주 '程子曰' 아래 두 번째 소주로서, 그 전문은 다음과 같다. "陳氏曰 開於心體上 未到昭晣融釋處 所以未敢出仕 其所見處 已自高於世俗諸儒 但其下工夫不到頭 故止於見大意爾"

7) 백성은……안정시킨다 : 『춘추좌씨전』 「성공(成公)」 13년조에서 "王以行人之禮禮焉 孟獻子從…… 遂從劉康公 成肅公會晉侯伐秦 成子受脤于社 不敬 劉子曰 吾聞之 民受天地之中以生 所謂命也 是以有動作禮義威儀之則以定命也……"라고 하였다.

8) 작은……않았다 : 『논어집주』 「공야장(公冶長)」 제5장의 주자주의 사씨설을 가리키는데, 원문은 다음과 같다. "謝氏曰 開之學無可考 然聖人使之仕 必其材可以仕矣……而其器不安於小成 他日所就 其可量乎 夫子所以說之也"

다. 그러므로 이를 응용하여 그 극을 미룸에, 이와 같은 데에 이른 것이다. 칠조개가 말한 '사(斯)'의 때에는 애당초 '성(性)'자가 그 안에 포함되었다고 할 수 없다.

인·의·충·효는 본래 성(性) 아닌 것이 없어서, 현전(現前)한 것은 만 가지로 다르지만 근원은 하나이니, 또한 일괄해서는 안 된다. 성은 곧 리(理)이니, '성'학에 있는 것은 '이'학에도 있다. 『주역』「설괘전(說卦傳)」에서 "이치를 궁구하고 성을 극진히 하여 명에 이른다."[10]라고 한 것은 본래 이미 차등을 분명히 나눈 것이다. 성은 저 이치를 숨기고 있고 이치는 저 성을 드러내고 있다. 그러므로 반드시 이치를 궁구하고서 마침내 그로써 성을 극진히 하면, 명(明)으로 말미암아 성실해질 것이니, 이 때문에 저 성(誠)으로 말미암아 밝아진 천도(天道)를 엽등할 수 없다. 학문은 그 의지처가 있기 마련이고, 성(性)은 그 도달점이 있기 마련이다. 그렇다면 칠조개가 자신(自信)을 구한 것은 또한 일에서 이치를 말한 것일 뿐, 애초에 이치에서 성을 말한 것이 아니다. 그가 한 말을 가지고 깊이 풀어보면, 자연히 그가 가리키는 바를 알 수 있다.

정자의 말은 이유가 있어서 한 말이다. 비록 속유나 속리들 사회에서는 부유하고 궤휼(詭譎)한 것을 숭상하지만, 아득한 천 년 전에는 칠조개와 증점이 이 마음과 이 이치에서 구하여 벼슬과 학문을 하였다. 그러므로 정자가 이유로 삼은 것은 마음에 합당하여 그것이 기뻐

---

9) 그 극을……뿐이다 : 『논어집주대전』「공야장(公冶長)」 제5장의 주자주 '程子曰' 아래 첫 번째 소주로서, 그 전문은 다음과 같다. "朱子曰 大意便是本初處 若不曾見得大意 如何下手做工夫 若已見得大意 而不下手做工夫亦不可 斯者 非大意而何 若推其極 只是性 蓋帝之降衷便是"

10) 이치에서……이른다 : 『주역』「설괘전(說卦傳)」에서 "和順於道德而理於義 窮理盡性以至於命"라고 하였다.

할 만한 것임을 안 것이다.

그러나 칠조개의 말은 이유가 있어서 한 말이 아니다. 수사(洙泗)의 교육이 융성하던 때에 재주가 큰 일을 할 만한 자들은, 작은 일은 소홀히 하고 큰 일만을 도모하여 자신에게서 구하는 데 불신하지 않음이 없기를 기필하는 데 불만족하여, 다투는 것이 서원을 세워 결심하는 것[矢志]이 후한가 박한가 공경한가 방자한가에 있지, 사리의 정조(精粗)를 따지는 데 있지 않았다. 이에 주자가 "그의 뜻이 돈독함을 기뻐하신 것이다."라고 한 말이 더욱 분명하고 절실하다.

주자는 본래 정자의 설을 표장(表章)하여 성학을 바로잡고 사공지학(事功之學)[11]을 물리치려고 하였다. 그러므로 그 말을 보존하고 그 실을 드러내어 '성(性)'이라 한 것이다. 그리고는 성학의 설이 드러난 뒤에 장차 "삼계(三界)의 제현상은 모두 일심(一心)에서 나타난 것이고, 본래 가지고 있는 불성으로 중생을 널리 섭수(攝受)한다."는 사설(邪說)로 이 장의 '신사(信斯)'의 뜻을 마음대로 해석할까 두려워하였다. 그러므로 이것을 구별하여 '리(理)'라 하고 '독지(篤志)'라 하고 '인의충효(仁義忠孝)'라 하여 같고 다른 것으로 비교 대조해 가면서 이렇게도 말해 보고 저렇게도 말해 본 것이다. 이것을 보면 훌륭한 장인의 마음이 얼마나 고달팠을지 짐작할 수 있다. 독자들은 다른 점에 놀라서 취하거나 버리지도 말고, 그렇다고 억지로 같게 하여 쌍봉 요씨처럼 견강부회(牽强附會)하지만 않는다면 선유(先儒)에게 죄를 짓지 않을 수 있다.(除孔子是上下千萬年語 自孟子以下 則莫不因時以立

11) 사공지학(事功之學) : 남송(南宋) 때 이학(理學)에 반기를 들고 일어난 사상으로, 섭적(叶適)과 진량(陳亮)이 대표적인 인물이다. 이들은 도가 사물에 존재하기 때문에 학문을 할 때 실제적인 공용(功用)과 효과를 중시하였다. 이리하여 이학가(理學家)들이 꺼리는 공리(功利)에 적극적인 반면, 심성(心性)과 명리(命理)에 대한 공담(空談)을 반대하였다.

言 程子曰 曾點漆雕開已見大意 自程子從儒學治道晦蒙否塞後作此一語 後人不可苦向上面討滋味 致墮疑網 蓋自秦以後 所謂儒學者 止於記誦詞章 所謂治道者 不過權謀術數 而身心之學 反以付之釋老 故程子於此說 吾道中原有此不從事跡上立功名 文字上討血脈 端居無爲而可以立萬事萬物之本者 爲天德王道大意之存 而二子爲能見之也 及乎朱子之時 則雖有浙學 而高明者已羞爲之 以奔騖於鵝湖 則須直顯漆雕開之本旨 以閑程子之言 使不爲淫辭之所託 故實指之曰 斯指此理而言恐其不然 則將有以斯爲此心者 抑將有以斯爲眼前境物 翠竹黃花 燈籠露柱者 以故 朱子於此 有功於程子甚大 而又曰夫子說其篤志 則以夫子之門 除求路一輩頗在事跡上做去 若顔閔冉曾之徒 則莫不從事於斯理 固不但開爲能然 而子之所以說開者 說其不自信之切於求己 而非與程子所謂見大意者同也 朱子謂未能決其將然 陳氏謂工夫不到頭 止於見大意 下語自實 春秋之世 夫子之門 其爲俗儒者正少 必不得已而以子路冉有當之 然其視蕭曹房杜 則固已別矣 卽至劉子 也解說民受天地之中以生 威儀所以定命 則當時士大夫風味習尙可知 而見大意者 豈獨一開哉 上蔡云不安於小成 成者亦事功之成也 而事功必有本領 朱子於此 卻以仁義忠孝帖出 直是親切 若朱子又云推其極只是性 則原程子言外之旨 原有性學二字 以別於俗儒俗吏之學 故爲引伸以推其極至如此若漆雕開言斯之時 初未嘗卽含一性字在內 仁義忠孝 固無非性者 而現前萬殊 根原一本 亦自不容籠統 性卽理也 而有於性學者 抑有於理學者 易曰窮理盡性以至於命 固已顯分差等 性藏夫理 而理顯夫性 故必窮理而乃以盡性 則自明誠者 所以不可躐等夫自誠明之天道 學必有其依 性必有其致 然則開之求信者 亦但於事言理 初未於理言性 卽其言而熟繹之 當自知其所指矣 程子之言 有爲而言也 從俗儒俗吏風尙浮詭之餘 而悠悠然于千載之上 有開與點 求諸此心此理以爲仕學 程子所爲

當諸心 而見其可說也 開之言 非有爲而言也 當洙泗敎隆之日 才可有爲 而略小以圖大 欿然求諸己以必其無不信者 則所爭者在矢志之厚薄敬肆 而不在事理之精粗 斯朱子說其篤志之言爲尤切也 朱子固欲表章程子之說以正聖學而絀事功 是以存其言 而顯其實曰性 亦恐性學說顯之後 將有以三界惟心 自性普攝之邪說 文致此章信斯之旨 是以別之曰理曰篤志曰仁義忠孝 反覆於異同之閒 而知良工之心獨苦矣 讀者毋驚其異而有所去取 抑毋强爲之同 如雙峰之所附會者 則可無負先儒矣)

제6장

공자 : "도(道)가 행해지지 않으니, 내 뗏목 타고 바다로 떠나려 한다. 나를 따를 자, 아마도 자로이겠지."
자로(子路)가 이 말씀을 듣고 기뻐하였다.
이를 보신 공자 : "자로의 용맹은 나보다 나으나, 사리에 맞게 일 처리함은 부족하지."

子曰 道不行 乘桴浮于海 從我者 其由與 子路聞之喜 子曰 由也好勇過我 無所取材

2

"바다로 떠나겠다는 탄식은 천하에 어진 임금이 없음을 안타깝게 여겨 하신 말씀이다."[12]라고 한 정자의 말이 이 장의 뜻을 제일 잘 표현하고 있다. 경원 보씨(慶源輔氏)는 정자의 뜻을 헤아리지 못하고서 "혼탁한 세상에 분개하여 아주 떠나려 하신 것이다."[13]라고 보았으니, 잘못 본 것이다. 그런데 심지어 호씨(胡氏)도 "자신이 용납될 곳이 없을지라도 성인이 어찌 그만 둘 수 있겠는가."[14]라고 하였으니, 더더욱 엉뚱한 해석이다.

---

12) 바다를……말씀이다 : 『논어』「공야장」 제6장인 "子曰 道不行 乘桴浮于海 從我者其由與 子路聞之喜 子曰 由也好勇過我 無所取材"라는 경문 아래 주자주에 나오는데, 그 원문은 다음과 같다. "程子曰 浮海之歎 傷天下之無賢君也"

13) 혼탁한……것이다 : 『논어집주대전』「공야장」 제6장의 주자주 '子路以爲實然' 아래 첫 번째 소주를 가리키는데, 그 전문은 다음과 같다. "慶源輔氏曰 聖人欲浮海 豈有憤世長往之意 其憂時閔道之心 蓋有不得已者 子路不惟今日遂以夫子爲必行 而喜其與己 其平日所爲 多傷於剛果 而不能裁度以適義 如率爾之對 迂也之言 皆是也 夫子所以敎之"

14) 자신이 …… 있겠는가 : 위의 소주 다음에 이어지는 소주로서, 그 원문은 다음과 같다. "胡氏曰 得時行道 使天下無不被其澤 此聖人之本心 世衰道否 至於無所容其身 豈聖人之得已 乘桴浮海 雖假設之辭 然傷時之不我用也"

자신이 용납될 곳이 없다는 것은 장검(張儉)처럼 궁박하여 인가(人家)가 있으면 투숙하는 처지에 해당하는 것이지,[15] 공자께서 어찌 그러하셨겠는가! 도가 행해지지 않더라도 본래 일신을 용납한 곳은 충분하셨다. 만일 '세상에 분개하여 아주 떠나려하신 것'이라 한다면, 하필이면 구태여 바다에 은거하려 하셨겠는가? 위(衛)나라에서 노(魯)나라로 돌아온 뒤로 공자는 단호히 벼슬하지 않으셨는데, 어찌하여 발끈 성이 나서 아무도 없는 곳에 몸을 의탁한 뒤에야 자신의 뜻을 이루려 하셨겠는가?

정자가 『춘추』의 주해(註解)를 달면서 노환공(魯桓公)이 융(戎)과 맹약한 일을 두고 '지(至)'라고 쓰고는, 자기 의도를 드러내어 "이것은 성인이 이적(夷狄)에 살려고 바다를 항해하겠다는 뜻이다."[16]라고 하였다. 이는 성인이 중국에 참다운 임금이 없음을 상심하여 바닷가의 미개국에 가서 도를 행하려고 하신 것이다. 이것이 어찌 관영(管寧)이 병란을 피해 달아난 것처럼 아주 가서 돌아오지 않는다는 말이겠는가? 여기서의 바다는 노나라 동쪽의 비읍(費邑)과 기수(沂水)의 경계와 만나는데, 그 남쪽이 오(吳)나라와 월(越)나라이고 북쪽이 구이(九夷)와 연(燕)나라이고 동쪽이 조선(朝鮮)과 추맥(追貊)[17]이다. 성인은 경솔하게 남과 절교하지 않으시므로 여기서도 자신의 기대를 잠

15) 장검(張儉)처럼……것이지 : 『후한서』 당고(黨錮) 「장검전(張儉傳)」에 "儉得亡命 困迫遁走 望門投止 莫不重其名行 破家相容"라고 하였다.

16) 이것은……뜻이다 : 『정씨경설(程氏經說)』에 "公及戎盟于唐 冬 公至自唐 君出而書至者有三 告廟也 過時也 危之也 …… 戎若不如三國之黨惡 則討之矣 居夷浮海之意也 中國旣不知義 夷狄或能知也"라고 하였다.

17) 추맥 : 『시경』 탕(蕩) 「한혁(韓奕)」에 "溥彼韓城 燕師所完 以先祖受命 因時百蠻 王錫韓侯 其追其貊 奄受北國 因以其伯 實墉實壑 實畝實籍 獻其貔皮 赤豹黃羆"라고 하였는데, 주자주에 추(追)와 맥(貊)은 이적국이라고 하였다.

시 나타내신 것뿐이다.

그러나 동이와 월나라는 결국 제하(諸夏)와 비교할 때 교화하기 어렵다. 이에 반복해서 생각하면, 요컨대 함부로 중화(中華)를 버리고서 상도가 아닌 일을 바라서도 안 되고, 사리로 헤아려 볼 때 부질없이 어려운 일을 구차히 해내서도 안 된다. 자로는 도를 행하는 데 용감하여 이적을 교화시키는 일의 어려움을 꺼리지 않았다. 그러므로 "자로는 용맹을 좋아함이 나보다 낫다."라고 하신 것이다. 혹자는 호용(好勇)을 관직에서 미련 없이 물러난 것[勇退]으로 보았는데, 위(衛)나라 임금 첩(輒)에게 벼슬하고 자고(子羔)를 비읍(費邑)의 읍재(邑宰)[18]로 삼은 자로가 어찌 용퇴한 자이겠는가?(程子曰 浮海之歎 傷天下之無賢君也 只此語最得 慶源不省程子之意 而云憤世長往 則旣失之矣 至胡氏又云無所容其身 則愈謬甚 無所容其身者 則張儉之望門投止是已 而夫子豈其然 道雖不行 容身自有餘地也 若云憤世長往 則苟其欲隱 奚必於海 自衛反魯以後 夫子固不仕矣 何至悻悻然投身於無人之境而後遂其志哉 程子傳春秋 於魯桓公及戎盟而書至 發其意曰此聖人居夷浮海之意 蓋謂聖人傷中國之無君 欲行道於海濱之國也 豈長往不返如管寧之避兵耶 海値魯東費沂之境 其南則吳越 其北則九夷燕 其東則朝鮮追貊 聖人不輕絶人 故亦聊致其想望 然夷之於越 終視諸夏爲難化 斯反覆思之 要不可輕舍中華以冀非常之事 則裁度事理 不得徒爲苟難者也 子路勇於行道 不憚化夷之難 故曰好勇過我 或謂好勇爲勇退 則仕衛輒 使子羔之子路 豈勇退者哉)

18) 위나라……읍재 : 『논어』 「자로」편에는 "子路曰 衛君待子而爲政 子將奚先"라고 하였고, 「선진」편에는 "子路使子羔爲費宰 子曰 賊夫人之子 子路曰 有民人焉 有社稷焉 何必讀書 然後爲學 子曰 是故惡夫佞者"라고 하였다.

3

장문중(臧文仲)에게 불인(不仁)한 일 세 가지가 있고 부지(不知)한 일 세 가지가 있다[19]는 것은, 그의 불선(不善)이 쌓여 크게 되어서 훤히 드러나 가릴 수 없었기 때문이다. 그러므로 이 여섯 가지를 근거해 보면 그 사람이 이미 극도로 악에 빠져 있음을 알 수 있다. 이 여섯 가지는 장문중이 노나라의 재상이 되어 수완을 부리고 기량을 발휘한 곳이니, 이 밖의 것은 오히려 그가 저지른 악행 중 사소한 것에 속한다. 그러므로 공자께서는 언젠가 그가 걸맞지 않은 지위를 차지한 것[20]에 대해서는 지적만 하셨고, 『춘추(春秋)』에서도 그가 제(齊)나라에 양곡(糧穀)의 판매를 요청한 일[21]에 대해서는 그의 죄목만 언급했을 뿐이었다. 그러니 오씨(吳氏)가 말한 '그가 선한 점이 많기 때문[22]'이라는 것이 어찌 있을 수 있겠는가?

군자의 도 네 가지를 지니고 있었다고 평을 받은 자산(子産)의 경우에, 그 네 가지는 자신을 수양하고[脩己] 남을 다스리고[治人] 인

19) 장문중에게……있다 : 『춘추좌씨전』「문공」 2년조에 "秋八月丁卯 大事於大廟 躋僖公逆祀也. …… 君子曰 禮 謂其姊親而先姑也 仲尼曰 臧文仲 其不仁者三 不知者三 下展禽廢六關 妾織蒲 三不仁也 作虛器 縱逆祀 祀爰居 三不知也"라고 하였다.

20) 걸맞지 않은 지위 : 『논어』「위령공(衛靈公)」 제13장에 "子曰 臧文仲其竊位者與 知柳下惠之賢 而不與立也"라고 하였는데, 주자주에서 절위(竊位)는 그 자리에 어울리지 않아서 마음속으로 부끄럽다는 뜻이라고 하였다.

21) 제나라에……요청한 일 : 『춘추좌씨전』「장공(莊公)」 28년조에 "冬 饑 臧孫辰告糴于齊禮也"라는 기사와 『춘추공양전(春秋公羊傳)』에 "臧孫辰告糴于齊 告糴者何 請糴也 何以不稱使 以爲臧孫辰之私行也 曷爲以臧孫辰之私行 君子之爲國也 必有三年之委 一年不熟告糴譏也"라는 기사가 있다.

22) 그가……많았기 때문 : 『논어』「공야장」 제15장에서 "子謂子産 有君子之道四焉 其行己也恭 其事上也敬 其養民也惠 其使民也義"라고 하였는데, 주자주에서 오씨는 "吳氏曰 數其事而責之者 其所善者多也 臧文仲不仁者三 不知者三是也"라고 하였다.

륜을 돈독히 하고[敦倫] 행실을 독실히 하는[篤行] 큰 덕목이었다. 이로 보면 자산이 군자에 합당하지 않은 점이 또한 적었던 것이다. 오씨(吳氏)는 악행을 쌓은 장진(臧辰)은 추켜올리고 선을 완비(完備)한 자산은 깎아 내리다니[23], 그가 대체 무슨 생각인지 모르겠다!

만일 삼(三)이니 사(四)니 하는 숫자에 매달려 흠이 없다 있다를 비교한다면, 불선한 사람을 두고 어찌 반드시 그의 불인한 점이 천 가지이고 부지한 점이 만 가지라는 식으로 일일이 셀 수 있겠는가? 마찬가지로 공자께서 '군자의 도 네 가지를 지녔다'라든가 '군자의 도 세 가지를 지녔다'[24]라고 하신 말씀 역시, 어찌 그 외에는 모두 결점이라는 말이겠는가?

장손(臧孫)의 악행 중에 태묘(太廟)에 체제(禘祭)를 지낼 때에 희공(僖公)의 신주(神主)를 민공(閔公)의 신주 위에 올리고, 어진 전금(展禽)을 하위(下位)에 둔 경우는 그 하나만 보더라도 천리(天理)가 다 없어져 버린 것이다. 점칠 때 쓰는 큰 거북을 사적으로 보관한 것[25]은 오히려 작은 일이지만, 이것으로도 그의 근본이 어리석고 우매하며 멋대로 행동하는 자임을 징험할 수 있다. 희공(僖公)의 신주(神主)를 민공(閔公)의 신주 위에 올린 마음으로 그것을 해야 되는 일이라고 여긴다면, 아비와 군주를 시해하는 것도 가능하다 할 것이다. 전금을 하위에 둔 마음으로 천하를 다스리게 한다면, 이임보(李林

23) 선을……깎아내리다니 : 『논어집주』 「공야장」 제15장의 주자주에서 오씨는 다음과 같이 말하였다. "數其事而稱之者 猶有所未至也 子產有君子之道四焉是也"

24) 군자의……지녔다 : 『논어』 「헌문」 제30장에서 "子曰 君子道者三 我無能焉 仁者不憂 知者不惑 勇者不懼"라고 하였다.

25) 점칠 때……보관한 것 : 『논어』 「공야장」 제17장에서 "子曰 臧文仲居蔡 山節藻梲 何如其知也"라고 하였다.

甫)와 사미원(史彌遠)의 악행도 이보다 더할 수가 없을 것이다. 자산 같은 이는 삼대(三代) 이상의 인물로 비교하자면 수(垂)·익(益)·여망(呂望)·산의생(散宜生)의 아류이니, 원래 오씨가 장구(章句)를 단 지혜로 알 수 있는 바가 아니다.(臧文仲不仁者三 不知者三 繇其不善之積成 著而不可揜 則但據此六者 而其人之陷溺於惡已極矣 此六者是文仲相魯下很手顯伎倆處 此外尙其惡之小者 故夫子他日直斥其竊位 而春秋於其告糴 特目言其罪 安得有如吳氏所云善者多哉 若子産有君子之道四 其四者則脩己治人敦倫篤行之大德也 子産之於君子 其不得當者 蓋亦鮮矣 吳氏揚積惡之臧辰 抑備美之子産 吾不知其何見也 若區區於三四兩字上較全缺 則人之不善者 豈必千不仁 萬不知之可指數 而夫子云君子之道四 君子道者三 亦爲闕陷之詞耶 臧孫之惡 若躋僖下展 隨得其一 卽天理蔑盡 居蔡之事 猶其小者 特以徵其昏迷狂妄之本耳 以其躋僖公之心 得當爲之 弑父與君可也 以其下展禽之心 使宰天下 李林甫史彌遠蔑以加也 若子産 自三代以上人物 垂益呂散之流亞 自非吳氏章句之智所知)

제7장

맹무백(孟武伯) : "자로(子路)는 인(仁)합니까?"

공자 : "알지 못하겠습니다."

이에 맹무백이 다시 같은 질문을 하였다.

공자 : "자로는 천승(千乘)의 제후국에 그 군대를 지휘하게 할 수는 있겠지만, 그가 인(仁)한지는 알지 못하겠습니다."

맹무백 : "구(求)는 어떻습니까?"

공자 : "구(求)는 천호(千戶)의 큰 읍(邑)과 백승(百乘)의 경대부(卿大夫)의 집안에 장(長)으로 삼을 수는 있겠지만, 그가 인(仁)한지는 알지 못하겠습니다."

맹무백 : "적(赤)은 어떻습니까?"

공자 : "적(赤)은 조정에서 예복의 띠를 두르고 서서 빈객(賓客)을 맞아 대화를 나누게 할 수는 있겠지만, 그가 인(仁)한지는 알지 못하겠습니다."

孟武伯問 子路仁乎 子曰 不知也 又問 子曰 由也 千乘之國 可使治其賦也 不知其仁也 求也何如 子曰 求也 千室之邑 百乘之家 可使爲之宰也 不知其仁也 赤也何如 子曰 赤也 束帶立於朝 可使與賓客言也 不知其仁也

4

"그가 인한지는 알지 못하겠습니다."[26] 고 하신 것은, 당시 인물들에게 촉망(囑望)의 뜻이 있음을 말씀하신 것이니, 그 말씀이 매정하게 끊지는 않은 것이다. 그러나 "모르겠다. 어찌 인이 될 수 있겠는가?"[27]라고 하신 것은, 그 사람의 마음도 알 수 없는 데다 자취도 인정할 수 없었기 때문에 다만 '어찌 그를 인이라 할 수 있겠는가'라고 하였으니, 이는 결국 이들은 불인하다고 인정한 것이다. 그러므로 『논어집주』에서 뒤에 '여기서도 그의 인하지 못함을 볼 수 있다'[28]는 한 단락의 말을 보충하였으니, 원래 본질을 벗어난 것이 아니다. 주자

26) 그가……모르겠다 : 『논어』「공야장」 제7장에서 "孟武伯問 子路仁乎 子曰……千乘之國 可使治其賦也 不知其仁也 求也何如……不知其仁也 赤也何如 子曰 赤也 束帶立於朝 可使與賓客言也 不知其仁也"라고 하였다.

27) 어떻게……있겠는가 : 『논어』「공야장」 제18장에서 "子張問曰 令尹子文三仕爲令尹 曰 仁矣乎 曰 未知 焉得仁 崔子弑齊君……曰 仁矣乎 曰 未知 焉得仁"라고 하였다.

28) 여기서도……있다 : 『논어집주』「공야장」 제18장의 주자주에서 다음과 같이 말하였다. "愚聞之師曰……子文之相楚 所謀者無非僭王猾夏之事 文子之仕齊 既失正君討賊之義 又不數歲而復反於齊焉 則其不仁亦可見矣"

가 "자문(子文)이 초(楚)나라를 도울 적에 획책한 것은 모두 천자를 참칭하고 중국을 어지럽히는 일 아님이 없었다."고 한 것은, 그가 군신의 관계와 신구(新舊)의 사이에서 영욕(榮辱)을 잊고 은원(恩怨)을 망각한 행위가, 다만 대가의 한 마음을 부추겨서 초나라를 난적(亂賊)의 괴수로 만들고자 한 것임을 헤아린 것이다. 그리고 문자(文子)는 제(齊)나라에 벼슬할 때에 역적을 토벌하지도 못하였고, 얼마 안 있어 다시 제나라로 돌아왔으니, 난을 피하려는 뜻이 대부분을 차지함을 또한 여기서 알 수 있다. 그렇기 때문에 공자께서 단정지어서 '어떻게 인이 될 수 있겠는가'라고 하셨으니, 이는 '어찌 검소하다고 하겠는가' '어찌 강(剛)하다고 하겠는가'[29]라고 말씀하신 의도와 동일하다.

그러나 반드시 '모르겠다'고 하신 것은, 성인이 경솔하게 남과 절교하지 않는 덕일 뿐만 아니라, 이치상으로도 원래 일괄적으로 말하기 어려운 점이 있어서이다. 이것을 근거하면 두 사람은 대체로 불인한 자들이다. 그러나 이 두 가지 사건은 자리를 떠난 때이거나 난리를 피한 시기여서 우연히 천리가 발현한 것일 뿐이다. 자문이 전에 천자를 참칭하고 중국을 어지럽히려고 도모했던 생각이 이 일을 계기로 뭔가를 벗어버린 듯하였고, 계문자(季文子)가 뒤에 다시 제나라로 돌아가서는 여전히 최저(崔杼)·경극(慶克) 등 동렬에 있는 자들과 함께 하였지만, 또한 지키기에 부족하였기에 생각을 바꿔 그것을 하였으니, 이는 그가 애초에 먹었던 마음이 아니다. 일에 당해 일어난 한

29) 어찌……하겠는가 : 『논어』「팔일」 제22장과 「공야장」 제10장에서 다음과 같이 말하였다. "子曰 管仲之器小哉 或曰 管仲儉乎 曰 管氏有三歸 官事不攝 焉得儉"; "子曰 吾未見剛者 或對曰 申棖 子曰 棖也慾 焉得剛"

생각은 어린아이가 우물로 기어가는 것[30]을 얼핏 보고서 일어난 측은한 마음과 그 발현됨은 같다. 그러므로 이 두 가지 사건을 곧바로 불인한 짓이라고 지적하지 않으시고 '잘 모르겠다'고 의심하신 것이다.

그러나 사건을 당하여 일어난 한 생각이 사심이 없이 천리에서 일어난다면, 요컨대 인의 단서가 드러난 것일 뿐, 바로 인은 아니다. 더군다나 우리의 지혜(논리)로 이해하기 힘든 천(天)의 영역이 아니겠는가. 자문은 일삼는 바에 마음을 다했을 뿐이고, 문자는 이록(利祿)에 대한 마음이 지나치게 경솔했을 뿐이다. 평상시에는 두 가지가 장점을 보이는 바가 없어서 실패가 모두 드러난다. 그러나 일단 변화에 임하면 이처럼 상황에 꼭 알맞은 충(忠)과 청(淸)이 주머니 속의 송곳 끝이 삐져 나오듯 드러나게 된다. 그렇기 때문에 전적으로 사리에 합당하여 사심이 없을 것 같지만, 이것도 한 가지 일의 충(忠)과 청(淸)일 뿐이다. 백이(伯夷)·숙제(叔齊)의 청(淸)과 비간(比干)의 충(忠)[31]의 경우는 이리저리 변화를 거듭한 끝에 수습하여 천리와 인심의 극처에 이른 것이니, 이에 그에게 이렇게 꼭 맞는 충과 청을 허여한 것이다. 그러므로 기자를 비간과 함께 언급한 경우에는 "은(殷)나라의 세 인자[三仁]는 스스로 (의리에) 편안하여 사람마다 스스로 선왕에게 뜻을 바쳤다"라고 하였다. 공자께서 백이와 숙제를 논하시면

30) 어린아이가 기어가는 것 : 『맹자』 「공손추」 상에서 "孟子曰 人皆有不忍人之心 ……所以謂人皆有不忍人之心者 今人乍見孺子將入於井 皆有怵惕惻隱之心 非所以內交於孺子之父母也 非所以要譽於鄕黨朋友也 非惡其聲而然也"라고 하였다.

31) 백이……충(忠) : 『맹자』 「만장」 하에서 "孟子曰 伯夷 聖之淸者也 伊尹 聖之任者也 柳下惠 聖之和者也 孔子 聖之時者也"라고 하였으며, 『논어집주대전』 「공야장」 제18장의 주자주 "而仁之爲義可識矣" 아래 세 번째 소주에서는 "二子忠淸 只就事上說 若比干夷齊之忠淸 只就心上說 比干夷齊 是有本底忠淸 忠淸裏有仁 二子之忠淸 只喚做忠淸"이라고 하였다.

서 '인을 구하여 인을 얻었다'[32]라고 하셨다. 이로 볼 때 한번 지나간 지기(志氣)를 믿어준 것이 아니라 한결같이 곧게 해나간 것이 좋았다는 것을 분명히 하신 것이다. 자문은 마음속에 목적이 있었기 때문에 일을 오래 버틸 만하여 잃은 것이 더욱 멀었고, 문자는 마음에 목적이 없었기 때문에 경솔하고 유쾌하여 장차 병통이 없을 것 같지만 뒤에는 이를 계속할 수 없었다. 체를 의탁한 것이 낮고 작으며, 용(用)이 우연한 기회에 편승하였으니, 이는 온전한 체가 쉼이 없어서 이치에 합당하여 사가 없는 자와는 그 차이가 현격하다 하겠다.

이로 말미암아 생각하면 정자가 "〈이들의 충과 청을 성인이 하시면 인입니까 하는 질문에〉 성인이 하시더라도 충과 청일 뿐이다."[33]라고 한 것은, 혹여 문인이 일을 하면서 이치를 망각하는 실수를 범할까 경계하신 말씀이지 합당한 논리는 아니다. 성인 중에 벼슬자리를 떠나면서도 서운해 하지 않고 녹을 사양하면서도 아까워하지 않은 사람을 두고 반드시 충과 청을 다하였다고 하지 않을 것이다. 그러므로 성인이 하시는 것은 또한 반드시 두 사람의 행동과는 같지 않을 것이다. 만일 성인이 자문과 같은 짓을 하신다면 동료와 벗에게 고하는 것이 전혀 자문이 고하는 것과는 같지 않을 것이다. 성인이 문자와 같은 짓을 하신다면 십승(十乘)을 버리고 떠나는 것을 고상하게 여길 뿐만이 아니라, 전으로는 시역(弑逆)하려 싹튼 마음을 소멸시키고 후로는 역적을 토벌하는 의리를 바로잡는 것을 반드시 해내실 것이다. 성인이

32) 인을……얻었다 : 『논어』「술이」 제14장에서 "入曰 伯夷 叔齊何人也 曰 古之賢人也 曰 怨乎 曰 求仁而得仁 又何怨 出 曰 夫子不爲也"라고 하였다.

33) 이들의 …… 성일 뿐이다 : 『논어집주대전』「공야장」 제18장의 주자주인 "而仁之爲義可識矣" 아래 첫 번째 소주에 나오는데, 그 전문은 다음과 같다 "問陳文子之淸 令尹子文之忠 使聖人爲之 則是仁否 程子曰 不然 聖人爲之 亦只是淸忠"

되신 것은 바로 두 사람의 소행을 하지 않으시기 때문인데, 어찌 성인이 하시더라도 충과 청일 뿐이라고 할 수 있겠는가?

인과 불인의 구분은 본체의 관점에서 분별하는 데 달려 있으니, 용(用)만으로 하는 것이 아니다. 그러나 그 체가 있는 자는 반드시 그 용이 있으니, 성인이 보통 사람과 다른 점을 용(用)에서도 징험할 수 있다. 그렇지만 체가 다른 자가 용이 같고, 덕이 다른 자가 도가 같은 것은 아니다. 성인이 겨우 충성스럽고 청렴하기만 하시겠는가? 모든 소주에서 인용한 정자의 설은 집주에서 수록하지 않은 것들로서 대체로 이치상으로는 합당하나 실제 일에서는 적용되지 않는[得理遺事] 논리가 많으니, 독자들은 분별하여 보는 것이 좋다.

남헌 장씨(南軒張氏)가 말한 '류차(類此)'[34] 두 자가 비교적 정밀하지만 또 '무방하다'고 한 것은 어폐가 있다. 성인께서 바로 이러한 거처(去處)에서 인의 전체대용(全體大用)을 드러내 보이신 것이니, 어찌 무방하실 뿐이겠는가?(不知其仁 是說當時人物有屬望之意 言不決絕 未知 焉得仁 則心旣不可知 迹猶不可許 故直曰焉得而謂之仁 是竟置之不仁之等矣 故集註向後補出不仁可見一段 原非分外 其云所謀者無非僭王猾夏之事 找定他君臣之閒 新舊之際 所爲忘榮辱 忘恩怨者 只要大家一心攛掇教楚做個亂首 而文子仕齊 旣不討賊 未幾而復反 則避亂之意居多 亦自此可見 唯然 故夫子決言之曰焉得仁 猶言焉得儉 焉得剛也 乃所以必云未知者 非但聖人不輕絕人之德 而於理亦自

34) 류차(類此) : 『논어집주대전』「공야장」 제18장의 주자주인 "而仁之爲義可識矣" 아래 네 번째 소주에 나오는데, 그 전문은 다음과 같다 "南軒張氏曰 程子之意 大要以爲此事 只得謂之淸忠 然在二子爲之 曰忠曰淸而止矣 仁則未知也 在聖人事 或有類此者 以其事言 亦只得謂之忠淸 然而所以然者 則亦不妨其爲仁也 如伯夷之事 雖以淸目之 亦何害其爲仁乎"

有難以一槩言者 據此 二子大體 則是不仁 特此二事 或其去位之際 避難之時 偶然天理發見 而子文前之所謀僭王猾夏之志 因而脫然如失 文子後日之復反於齊 仍與崔慶同列者 亦持守之不足 轉念爲之 而非其初心 乃若當事一念 則與乍見孺子入井之惻怛同其發現 故不能直斥此二事之不仁 而以未知疑之 然使其當事一念 卽無所私而發於天理 要爲仁之見端而非卽仁 況其猶在不可知之天者乎 子文只是盡心所事 文子只是利祿情過輕 遇著平居時 兩件無所見長 則敗缺盡見 一蒞乎變 恰恰好敎者忠淸露穎而出 故一似中當事之理而若無私 然亦一事之忠淸而已 若夷齊之淸 比干之忠 卻千回萬折 打疊到天理人心極處 纔與他箇恰好底忠淸 故箕子之與比干言者 曰自靖 人自獻于先王 夫子之論夷齊曰求仁而得仁 明其非信著一往之志氣 一直做去便好 子文心有所主 故事堪持久 而所失愈遠 文子心未有主 故驀地暢快 且若無病 而後不可繼 託體卑小 而用乘於偶然 其與全體不息以當理而無私者 直相去如天淵矣 繇此思之 則程子有云聖人爲之 亦止是忠淸者 或亦泛門人執事忘理之失 而非允論也 聖人之去位而不慍 辭祿而不吝者 必不可以忠淸盡之 乃聖人之所爲者 則亦必不同於二子 使聖人而爲子文 其所告於僚友者 旣萬不如子文之所告矣 使聖人而爲文子 則不但以棄十乘爲高 而前乎所以消弑逆之萌 後乎所以正討賊之義者 其必有爲矣 則聖人之所以爲聖人者 正以不爲二子之所爲 而豈可云爲之亦但忠淸也哉 仁不仁之別 須任本體上分別 不但以用 然有其體者 必有其用 則聖人之異於人者 亦可於用徵之 而非其異以體者有同用 異於德者有同道也 曾聖人而僅忠淸也乎 凡小註所引程子之說爲集註所不收者 大抵多得理遺事之論 讀者分別觀之可也 南軒所云類此二字 較爲精密 而又云不妨 則亦有弊 聖人正於此等去處見仁之全體大用 豈但不妨而已耶)

제19장

계문자(季文子)는 세 번 생각한 뒤에야 행하였다.
이 말을 들으신 공자 : “두 번 생각하였으면 이에 행동으로 옮기는 것이 좋다.”

季文子三思而後行 子聞之 曰 再 斯可矣

5

정자가 사(思)라 한 것[35]은 선(善) 일변에서 설명한 것이니, 그래야만 성인의 뜻을 이해할 수 있다. 어떻게 생각이 어지럽다 하여 사(思)라고 하지 않을 수 있겠는가. 『서경』「홍범」에는 "생각은 지혜롭게 한다."[36]라 하고, 맹자는 "생각하면 얻는다."[37]라고 하였다. 생각함은 원래 사람의 천부적인 기능[良能]인데, 어찌 악이 있을 수 있겠는가? 생각함이란 그 시비(是非)를 생각하는 것이고 또한 그 이해(利害)를 생각하는 것이다. 이해를 생각하는 사(思) 역시 사(思)라 하기 때문에, 사에는 악(惡)의 길도 있는가 의심한 것이다. 그러나 이는 천하의 장

35) 정자가 사(思)라 한 것 : 『논어』「공야장」 제19장의 "季文子三思而後行 子聞之 曰 再斯可矣"라는 경문에 대하여, 주자가 단 주에 정자의 다음과 같은 말이 보인다. "程子曰 爲惡之人 未嘗知有思 有思則爲善矣"

36) 생각은 지혜롭게 한다 : 『서경』「홍범(洪範)」에 "二五事 一曰貌 二曰言 三曰視 四曰聽 五曰思 貌曰恭 言曰從 視曰明 聽曰聰 思曰睿 恭作肅 從作乂 明作哲 聰作謀 睿作聖"라고 하였다.

37) 생각하면 얻는다 : 『맹자』「고자(告子)」 상에서 "公都子問曰 鈞是人也……耳目之官不思 而蔽於物 物交物 則引之而已矣 心之官則思 思則得之 不思則不得也"라고 하였다.

인들이 이익을 좇고 해를 피하는 데 능하여 필경에는 부박한 감정과 들뜬 기운으로 이목의 감관을 좇아 살지고 부드러운 것만 가려낸 것임을 모르고 한 말이다. 제대로 생각만 한다면 이것이 바로 천연의 법칙이어서 곧 시(是)가 되고 곧 이(利)가 되는 것이다. 그러므로 『서경』「홍범」에서는 사(思)를 토(土)와 짝하였다.[38] '물이 적셔주고 아래로 흐른다'는 것과 같다면, 흘러 다니고 이동하며 정고(貞固)하지 않아서 토양에 따라 적셔주고 하방(下方)을 따라 아래로 흘러가게 된다. '흙은 이에 곡식을 심고 거둔다'는 것과 같다면, 씀에 반드시 공효가 있는 것이다.

계문자(季文子)가 세 번 생각하고 나서 행동에 옮겼는데, 공자께서 '두 번이면 충분하다'라고 하신 것은, 생각한 것 자체가 잘못이 아니라 잘못은 세 번 한 데에 있음이 분명하다. 이욕(利欲)을 생각한 것이라면, 한 번도 안 되는데 두 번이겠는가? 세 번 생각했다는 것은 다만 생각이 한 방향으로 세 번 생각한 것일 뿐이다. 만일 앞의 두 번은 잘 살펴서 천리를 택하였다가 끝에 가서는 이욕에서 따져보았다면, 이는 선을 하다가 잘 끝맺지 못하고 선쪽으로 자신의 생각을 모두 쓰려고 하지 않아서 결국에는 다른 쪽을 향해 간 것이라고 할 것이니, 어찌 이를 통틀어서 세 번이라고 지목할 수 있겠는가?

후세 사람들은 선공(宣公)을 위해 왕위를 찬탈하고 임금을 시해한 일이 한푼의 가치도 없는 짓이라고 문자를 신랄히 풍자하였다. 살펴보니, 공자께서 원래 문자에 대해 그 동기가 무엇인지를 파고들어 비난하지[誅心] 않으신 것은, 그에게 그럴 만한 것이 없었기 때문이셨

38) 사(思)를……짝하였다 : 『서경』「홍범」에서 "一五行……五曰土 水曰潤下 火曰炎上 木曰曲直 金曰從革 土爰稼穡 潤下作鹹 ……稼穡作甘"라고 하였다.

다. 김인산(金仁山) 같은 이도 그가 거복(莒僕)을 축출한 일을 가지고 선공의 권력을 찬탈한 것으로 보았다. 이처럼 털을 불어가며 흠을 찾자면 난적(亂賊)이라는 오명을 면할 수 있는 사람이 얼마 되지 않을 것이다.

문자가 거복을 내쫓은 것은 바로 그가 풀밭을 쳐서 뱀을 놀라게 한[打草驚蛇] 대용(大用)이다. 이는 바로 일단의 정기가 처음 기미를 드러낸 것으로, 역란이 횡행하는 조정에서 지주(砥柱)가 된 것이다. 그러나 나중에는 역적을 토벌하지 않고 그 일로 뇌물을 들였으니, 이는 또한 자기 일신과 일가의 화를 피하기 위해서였을 뿐만 아니라 그의 부당함이 도리어 나라를 잘못되게 할까 두려워했기 때문이다. 그러므로 제(齊)나라로 가서 인접국들이 그들을 따르는가 어기는가를 살펴서 계책을 만든 것이다. 문자가 시종일관 때를 기다리는 마음을 엿보아 곧 귀보(歸父)를 축출하는 날에 이를 것을 생각하였으니, 그가 적을 따르지 않은 일대 결과였다. 이 사실로 보면 행위가 좋아서 거의 적양공(狄梁公)과 같다.

그리고 임금의 후계자를 시해한 자는 중수(仲遂)이고 경영(敬嬴)이지, 모두 선공(宣公)이 한 짓은 아니다. 선공은 굽히고 동문씨(東門氏)는 신원한 것은, 또한 의리가 극히 세밀한 부분이다. 선공도 문공의 자식이다. 악(惡)과 시(視)가 죽고 나서 선공도 자기 죄에 복주하고 말았으니, 문공의 혈육이 꺾여서 거의 다 없어졌다. 그러므로 문자가 이때에 바닥까지 깊이 생각한 것이며 의리상으로도 시간을 질질 끌며 신중하게 살핀 대목이다. 그렇지 않다면 첩에게 비단옷을 입히지 않고 말에게 곡식을 먹이지 않았으며 초구(苕丘)의 난을 만났을 때에도 굽히지 않았는데, 어찌 녹을 생각하고 죽음을 두려워하면서 기꺼이 역당이 되겠는가? 그러나 그가 도모하고 계획한 것이 심오하고 침착하며 행위가 교묘하여 평이한 데 처하여 천명을 기다리는 정도(正道)가 아니었으니, 도리어 거복을 축출하면서 보여준 충성과 용기가 가득하여 충분히 임용할 만하던 때만은 못하였다.

그가 선공에게 대답한 말이 "임금에게 무례한 자를 보거든 매가 새를 뒤쫓아 낚아채듯이 그를 주살하라."[39]라고 하고, 또 "〈행보(行父)가 흉악한 사람을 제거한 것을〉 순임금이 이룬 공적에 비교하면 이십분의 일은 된다."[40]라고 한 것은, 모두 선공에게 중수를 죽이도록 넌지시 충고한 말이다. 중수가 주벌되자, 선공은 원래 숙손사(叔孫舍)가 자리를 얻은 것처럼 꺼리지 않았다. 선공이 그의 말을 따르지 않게 되자, 조용히 직접 착수해서 처리할 것을 생각하였다. 공자의 '두 번이면 된다'는 뜻으로 처리해 본다면 이 행위가 '빨리 바로잡아 적을 토벌해야 한다'는 말에 해당한다. 만일 일을 제대로 해내지 못했으나, 이 마음이 이미 바루어졌다면, 반드시 동문을 축출한 것을 쾌한 일로 여기지는 않았을 것이다. 대중(大中)하고 지정(至正)하신 성인 외에 문자와 온태진(溫太眞)·적양공(狄梁公)은 원래 천고의 강직하고 정직한 사람[血性人]이니, 경솔히 그들을 비판해서는 안 된다.(程子言思 在善一邊說 方得聖人之旨 那胡思亂想 卻叫不得思 洪範言思作睿 孟子言思則得之 思原是人心之良能 那得有惡來 思者 思其是非 亦思其利害 只緣思利害之思亦云思 便疑思有惡之一路 乃不知天下之工於趨利而避害 必竟是浮情囂氣 趁著者耳目之官 揀肥擇軟 若其能思 則

39) 임금에게……주살하라 : 『춘추좌씨전』 「문공(文公)」 18년조에 "季文子使大史克對曰 先大夫臧文仲敎行父事君之禮 行父奉以周旋 弗敢失墜 曰 見有禮於其君者 事之 如孝子之養父母也 見無禮於其君者 誅之 如鷹鸇之逐鳥雀也"라는 기록이 있다.

40) 행보가……일은 된다 : 『춘추좌씨전』 「문공(文公)」 18년조에 "舜有大功二十而爲天子 今行父雖未獲一吉人 去一凶矣 於舜之功 二十之一也 庶幾免於戾乎"라고 하였다.

天然之則 卽此爲是 卽此爲利矣 故洪範以思配土 如水曰潤下 便游移不貞 隨地而潤 隨下而下 若土爰稼穡 則用必有功也 季文子三思而行 夫子卻說再斯可矣 顯然思未有失 而失在三 若向利欲上著想 則一且不可 而況於再 三思者 只是在者一條路上三思 如先兩次是審擇天理 落尾在利欲上作計較 則叫做爲善不終 而不肯於善之一途畢用其思 落尾掉向一邊去 如何可總計而目言之曰三 後人只爲宣公簒弑一事 徯落得文子不値一錢 看來 夫子原不於文子施誅心之法 以其心無可誅也 金仁山摘其黜莒僕一事 爲奪宣公之權 如此吹毛求疵 人之得免於亂賊者無幾矣 文子之黜莒僕 乃其打草驚蛇之大用 正是一段正氣之初幾 爲逆亂之廷作砥柱 到後來不討賊而爲之納賂 則亦非但避一身一家之禍 而特恐其不當之反以誤國 故如齊以視彊鄰之從違而爲之計 文子始終一觀釁待時之心 直算到逐歸父之日 是他不從賊一大結果 看來 做得也好幾與狄梁公同 且弑嗣君者 仲遂也 敬嬴也 非盡宣公也 屈之於宣公 而伸之於東門氏 亦是義理極細處 宣公亦文公之子也 惡視旣死 而宣公又伏其辜 則文公之血脈摧殘幾盡矣 故文子於此熟思到底 也在義理上遲回審處 不然 則妾不衣帛 馬不食粟 遇苕丘之難而不屈 豈懷祿畏死而甘爲逆黨者哉 特其圖畫深沈 作法巧妙 而非居易俟命之正道 則反不如逐莒僕時之忠勇足任爾 其對宣公之詞曰見無禮於君者 誅之如鷹鸇之逐鳥雀也 又曰於舜之功二十之一 皆諷宣公以誅仲遂 仲遂誅 則宣公固不妨如叔孫舍之得立也 宣公旣不之聽 便想從容自下手做 乃以夫子再斯可矣之義處之 則當亟正討賊之詞 卽事不克 此心已靖 而不必決逐東門之爲快耳 除聖人之大中至正 則文子之與溫太眞狄梁公 自是千古血性人 勿事輕爲彈射)

6

악행을 저지르는 자는 생각하지 않아서일 뿐이다. 조조(曹操)는 미리 속으로 헤아려 보고 일을 처리한 것이 공교한 재주를 지극히 다했다고 할 수 있다. 그의 「양환삼현령(讓還三縣令)」을 읽어보면, 이런 수법을 적용한 것이 적지 않다. 그 때문에 천자를 맞이하여 허(許) 땅에 도읍했을 때에도 자존심을 버려가며 일을 했던 것인데, 만일 관도(官渡)의 싸움에서 승리하지 못했다면 패망하여 형편없이 되고 말았을 것이다. 또 후한(後漢)의 왕망(王莽)의 경우도 시세를 타고 경망스럽게 행동하여 당시 일도 그의 음험한 마음의 작용에서 나온 것이었을 뿐이다. 나중에는 한층 어리석음이 배가되고 말았으니, 가소롭다. 삼대 이후로는 한(漢)나라 광무제(光武帝)만이 자기 생각을 제대로 써서 구구절절(句句節節) 사리에 합당하였다. 바람을 잔뜩 안은 돛배를 끌고서 사지(死地)로 들어가 그의 간험(姦險)을 실컷 부린 것은, 모두 그 마음이 신령하지 못한 것이지만, 계문자(季文子)는 그렇지 않았다. 후세에 위상(魏相)과 이필(李泌)만이 그와 유사했을 뿐이다. 이로써 생각에는 선만 있고 악이 없음을 더욱 알 수 있다.(凡爲惡者 只是不思 曹操之揣摩計量 可謂窮工極巧矣 讀他讓還三縣令 卻是發付不下 緣他迎天子都許時 也只拚著膽做去 萬一官渡之役不勝 則亦郎當無狀矣 又如王莽於漢 也只乘著時勢莽撞 那一事是心坎中流出的作用 後來所以一倍惷拙可笑 三代而下 唯漢光武能用其思 則已節節中理 掣滿帆 入危地 饒他姦險 總是此心不靈 季文子則不然 後世唯魏相李泌似之 益以知思之有善而無惡也)

제25장

안연(顔淵)과 계로(季路 : 子路)가 공자를 모시고 있었다.

공자 : "어찌 각기 너희들의 품은 뜻을 말하지 않느냐?"

자로(子路) : "저는 타는 수레와 말, 그리고 입는 가벼운 가죽옷을 친구와 함께 쓰다가 헤지더라도 유감이 없고자 하옵니다."

안연(顔淵) : "저는 자신의 잘하는 것을 자랑함이 없으며, 공로를 과시함이 없고자 하옵니다."

자로 : "선생님의 뜻을 듣고자 하옵니다."

공자 : "노인을 편안하게 해주고, 붕우(朋友)에게는 미덥게 해주며, 젊은이는 감싸주고자 한다."

顔淵季路侍 子曰 盍各言爾志 子路曰 願車馬衣輕裘 與朋友共 敝之而無憾 顔淵曰 願無伐善 無施勞 子路曰 願聞子之志 子曰 老者安之 朋友信之 少者懷之

7

공자의 뜻이 안자보다 크다[41]고 하고 또 '공자의 기상(氣象)이 천지와 같다'[42]고 했기 때문에, 모르는 사람들은 확장하여 그 큼을 말하는데 힘썼으니, 이것이 바로 매우 잘못된 곳이다. 만일 사람의 많고 적음과 공효의 크고 작음을 가지고 성현을 구분한다면, '공허가 다하고 세계가 다하고 나의 원이 다함이 없는' 것이 아니라면, 극처(極處)에 이를 것이다. 이것을 볼 때 공자의 말씀은 또한 작은 부분에도 자세히 살피신 것이다. 이러한 점을 살피지 않았기 때문에 노자(老者)와 붕우(朋友)·소자(少者)가 '모든 천하 사람을 포괄한다'[43]는 설이

41) 공자의……크다 : 『논어』「공야장」 제25장에서 "顔淵 季路侍 子曰 盍各言爾志 子路曰 願車馬 衣輕裘 與朋友共 敝之而無憾 顔淵曰 願無伐善 無施勞 子路曰 願聞子之志 子曰 老者安之 朋友信之 少者懷之"라고 하였다.

42) 공자의……같다 : 『논어집주』「공야장」 제25장의 주자주에서 정자는 다음과 같이 말하였다. "先觀二子之言 後觀聖人之言 分明天地氣象"

43) 모든……포괄한다 : 『논어집주대전』「공야장」 제25장의 주자주인 '老者養之以安' 아래 두 번째 소주에서 다음과 같이 말하였다. "問 孔子擧此三者 莫是朋友是其等輩 老者是上一等人 少者是下一等人 三者足以盡該天下之人否 朱子曰 然"

있게 된 것이니, 자취는 옳지만 실제는 잘못되어서 후학을 오도함이 적지 않다.

그리고 물론 공자께서 노자와 소자를 언급하신 것이 애초에 천하의 노소(老少)를 모두 다 포괄하는 것이 아니었으니, 반드시 그중에 노자와 소자가 나와 접하고 나서야 노자를 편안히 하고 소자를 품어주는 일을 시행할 수 있다. 이른바 붕우는 반드시 나이가 나와 비슷한 연배라고 해서 붕우라고 말할 수 있는 것이 아님이 매우 명백하다. 천하 사람들 중에 노자와 소자가 아닌 이들이 숲처럼 빽빽하다. 만약 이들을 모두 붕우라고 한다면 양백정이나 술 파는 사내도 군자가 사귀기를 구해야 할 자란 말인가? 유비(孺悲)의 경우에는 병이 없는데도 병이 났다 하시고, 양화(陽貨)의 경우에는 그가 없는 틈을 타 가서 사례하셨다.[44] 이러한 사례는 붕우를 믿는 자의 입장에서 그들을 신뢰한 행동이 아니었으니, 이러한 예가 대체로 많다.

동문(同門)을 붕(朋)이라 하고 동지(同志)를 우(友)라 한다. 동문이고 동지인 뒤에야 신의를 먼저 베풀 수 있다. 붕우가 이미 이러하다면 노소를 알 만하다. 편안하게 대할 수 없는 사람은 또한 억지로 편안하게 할 수 없고, 신뢰할 수 없는 자는 또 억지로 신뢰할 수 없고 감싸 줄 수 없는 사람은 또한 억지로 감쌀 수 없다. 그러나 성인은 가슴속에 미리 편안하지 않고 믿지 않고 품어주지 않는 마음을 조금이라도 쌓아두고서 이러한 사람들을 대하지 않으셨으니, 그 자체로 확연하여 매우 공평하셨다.

---

44) 유비의……사례하셨다 : 유비의 일은 『논어』「양화(陽貨)」 제20장 "孺悲欲見孔子 孔子辭以疾 將命者出戶 取瑟而歌 使之聞之"에서 볼 수 있고, 양화의 일은 같은 편 제1장 "陽貨欲見孔子 孔子不見 歸孔子豚 孔子時其亡也 而往拜之"에서 볼 수 있다.

한 노인을 편안히 모시는 것도 편안히 모시는 것이고, 천하의 노인을 편안히 모시는 것도 편안히 모시는 것이다. 한 젊은이를 감싸주는 것도 감싸주는 것이고, 천하의 젊은이를 감싸는 것도 감싸주는 것이다. 붕우의 많고 적음은 더욱이 억지로 할 수 없는 것이다. 때를 만난 것이 같지 않고 지위를 얻는 것도 차이가 있으며 세력을 펼 수 있는 것도 차등이 있기 때문이다. 성인은 본래 소대(小大)와 다소(多少)를 겸하여 말씀하셨으니, 나의 편안히 돌봐주고 믿어주고 감싸줌을 베풀 수 없는 것은, 바로 천지의 조화가 생성할 수 없는 바가 있더라도 사(私)는 생성하지 않는 것과 같다.

그러나 노자와 소자를 위하는 데 있어서는, 원래 경애(敬愛)와 애긍(哀矜)의 이치가 깃들어 있다. 그러므로 친소(親疎)의 차이가 있지만, 소원한 자의 경우에는 진실로 나와 일로 교접하기 때문에 또한 반드시 자신의 편안히 대해주고 감싸주는 마음을 헤아려서 극진히 해야 한다. 만일 그가 노자도 소자도 아니라면, 더 많이 경애하고 더 많이 애긍해야 할 대상이 아니다. 그가 길 가는 사람이라면, 비록 나와는 명성을 듣고 일로 만나더라도, 결국은 역시 길 가는 사람일 뿐이다. 결국 길 가는 사람이 되고 만다면, 내가 충심으로 선한 도리를 말해 주고 깊은 골짝에서 학이 울면 그 새끼가 화답하는 미더움[45]이 자연 함부로 던져짐을 용납하지 않게 된다. 그러므로 저 모든 천하 사람들이 진실로 나의 붕우(朋友)가 아니라면, 다만 근심하지 않고 속이지 않으면 족할 뿐이다. 믿는 사람이라면 어찌 근심하지 않고 속이지 않을 뿐이겠는가? 붕우에게는 반드시 정겹게 말하고 성의를 다해 일

45) 깊은 골짝에서……미더움 : 『주역』 「중부괘(中孚卦)」에서 “九二 鳴鶴在陰 其子和之 我有好爵 吾與爾靡之”라고 하였다.

해서 이를 끝까지 실천하고 반드시 순서대로 하여 처음과 어김이 없게 해줄 것이다.

안(安)·신(信)·회(懷)라는 것은 덕을 베푼다는 뜻이지, 다만 저것에게 덜어냄이 없는 것만을 이르는 것이 아니다. 천지의 밝음이 반드시 일월에 모이고 오성(五性)의 영험함이 반드시 사람에게 부여되지만 금수와 초목은 여기에 참여하지 못하는 것과 같다. 바로 여기에서 성인의 기상이 천지의 조화와 그 일을 같이 함을 상상해 볼 수 있다. 만약 모든 천하 사람들이 안이 아니면 신을, 신이 아니면 회를 범범하게 외물에서 구하여 먼저 자기를 상실한다고 한다면, 묵자(墨子)가 될 뿐이고 부처가 될 뿐인 것이다. 성인의 기상을 잘 살펴본 사람은 헛되이 공허한 짓을 하여 실(實)을 놓쳐서는 안 된다.(緣說孔子之志大於顏子 又云氣象如天地 故不知者務恢廓以言其大 卽此便極差謬 如以人之多少 功之廣狹分聖賢 則除是空虛盡 世界盡 我願無盡 方到極處 而孔子之言 亦眇乎小矣 繇此不審 乃有老者 朋友 少者該盡天下人之一說 迹是實非 誤後學不淺 且勿論夫子言老者少者 初非以盡乎天下之老少 必須其老其少與我相接 方可施其安之懷之之事 而所謂朋友者 則必非年齒與我上下而卽可謂之朋友 則尤明甚 天下之人 非老非少林林總總皆是也 若咸以爲朋友 則屠羊酤酒之夫 亦君子之應求乎 於孺悲則無疾而言疾 於陽貨則瞯亡而往拜 如此類者 不以信朋友者信之 蓋多矣 同門曰朋 同志曰友 同門同志 而後信以先施也 朋友旣然 老少可知 不可與安者 亦不得而强安之 不可與信者 亦不得而强信之 不可與懷者 亦不得而强懷之 特聖人胸中 不預畜一不安不信不懷之心 以待此等 則已廓然大公矣 安一老者亦安也 安天下之老者亦安也 懷一少者亦懷也 懷天下之少者亦懷也 而朋友之多寡 尤其不可强焉者也 時之所値不同 位之得爲有別 勢之所可伸者亦有其差等 聖人本兼小大多少而爲

言 而其不可施吾安信懷者 正如天地之化有所不能生成而非私耳 特在爲老 爲少 則原爲愛敬哀矜之理所託 故親疎雖有等殺 而卽在疎者 苟與吾以事相接 亦必酌致其安之懷之之心 若其非老非少 則非愛敬所宜加隆 哀矜所宜加厚者 其爲塗之人也 雖與我名相聞而事相接 終亦塗之人而已矣 終爲塗之人 則吾忠告善道 鶴鳴子和之孚 自不容於妄投 故夫盡天下之人 苟非朋友 特勿虞勿詐而已足矣 信之者 豈但勿虞勿昨而已哉 言必以情 事必加厚 踐之於終 必其循而無違於始也 安信懷者 施之以德也 非但無損於彼之謂也 如天地之有明必聚於日月 五性之靈必授於人 而禽獸艸木不與焉 卽此可想聖人氣象與造化同其撰處 若云盡天下之人 非安卽信 非信卽懷 汎汎然求諸物而先喪其己 爲墨而已矣 爲佛而已矣 善觀聖人氣象者 勿徒爲荒遠而失實也)

8

자로는 갖옷을 해지도록 함께 입고 말을 함께 타면서도 유감이 없고 싶었고, 안자(顔子)는 자신을 자랑하지 않고 공을 과시하지 않고 싶었다. 이는 그들의 기상이 공자의 대처(大處)만은 못한 것이니, 바로 소식(消息)이 딱 맞는 곳에는 이르지 못했기 때문이다. 노자와 소자·붕우의 절목이 나뉜 뒤에는, 이 세 가지 이외의 것이 다시 일대 경계가 된다. 그러므로 체를 잃지 않고 용이 다함이 없게 되었다. 장자(張子)의 『서명(西銘)』은 이일분수(理一分殊)를 드러내자마자 천도(天道)와 성성(聖性)과 서로 부합되었다. 그러나 결국 만물들이 모여 일기(一己)가 됨을 이해한 사람은 오직 성인뿐이라고는 할 수 없다.【출전은 석씨(釋氏)의 『조론(肇論)』이다.】(子路願共敝裘馬 顏子願無伐無施 其氣象不如夫子之大處 正在消息未到恰好地 老少朋友三者 已分節目 而三者之外 尤爲一大界限 所以體不失而用不匱 張子西銘一篇 顯得理一分殊 纔與天道聖性相爲合符 終不可說會萬物爲一己者 其唯聖人也 出釋氏肇論)

옹야편

雍也篇

제1장

공자 : "옹(雍 : 仲弓)은 얼굴을 남쪽으로 향하게 하여 임금 노릇을 하게 할 만하다."중궁(仲弓)이 이 말을 듣고 자상백자(子桑伯子)의 인품에 대하여 여쭈었다.

공자 : "그의 간소(簡素)한 마음도 좋도다."

중궁 : "마음을 경(敬)에 두고 일을 간소하게 행하여 이로써 백성들을 다스린다면, 이 또한 좋은 것이 아니겠습니까. 만약 마음을 간소함에 두고 일 또한 간소하게 한다면, 이는 크게 간소한 것일 테지요."

공자 : "너의 말도 옳다."

子曰 雍也 可使南面 仲弓問子桑伯子 子曰 可也簡 仲弓曰 居敬而行簡 以臨其民 不亦可乎 居簡而行簡 無乃大簡乎 子曰 雍之言然

1

"경(敬)에 처해 있으면 행하는 것이 저절로 간략해진다."는 설[1]은 또한 천리(天理)가 자연스럽게 상응하는 것이다. 예컨대 성경(聖敬)이 날로 올라간 탕임금[2]의 경우, 그의 너그럽고 인자함이 백성들에게 가혹하게 요구함이 없었으니, 진실로 조리(條理)가 상인(相因)함에 이미 공경하여 또한 따로 간략함을 구할 것이 없다. 그러므로 주자(朱子)는 "정자(程子)의 말씀이 저절로 서로 해가 되지 않는다."[3]고 하였으니, 『논어집주』에서 비록 이 설을 쓰지는 않았으나, 반드시 보존시켜야 한다.

---

1) 경(敬)에……는 설 : 이 구절은 『논어』 「옹야」 제1장의 "子曰 雍也可使南面 仲弓問子桑伯子 子曰 可也簡 仲弓曰 居敬而行簡 以臨其民 不亦可乎 居簡而行簡 無乃大簡乎 子曰 雍之言然"라는 경문 중 네 번째 단락인 '子曰 雍之言然'아래의 주자주(朱子註)에 나오는 정자의 말로, 원문은 다음과 같다. "又曰 居敬則心中無物 故所行自簡"

2) 성경(聖敬)이……탕임금 : 이 구절은 『시경(詩經)』 상송(商頌) 「장발(長發)」 3장에 나오는 데, 그 원시는 다음과 같다. "帝命不違 至于湯齊 湯降不遲 聖敬日躋 昭假遲遲 上帝是祗 帝命式于九圍"

3) 정자의……않는다 : 이 구절은 『논어집주대전』 「옹야」 제1장의 네 번째 단락의 주자주인 "多一簡字矣 故曰太簡"의 아래 첫 번째 소주 중간쯤에 나온다.

그러므로 경으로 말미암아 간략함을 얻는다는 것은 경의 덕이 이미 완성된 다음의 공(功)이다. 바야흐로 경(敬)에 처하는 것을 일삼는 처음에는 경에 힘을 쓰지 않을 수 없고, 경에 힘을 쓰게 되면 마음이 이미 세밀해져서 시비(是非)와 득실(得失)에 스스로를 속임이 없을 것이다. 이렇게 되면 크거나 작거나 남이거나 자신이거나 상관없이 그 일치됨을 보지 못하면, 또한 간략함에 편안할 수 없어서 남에게 번잡하게 요구하는 것이 너무 많게 된다. 그러므로 자신은 경에 처하고 백성들에게는 간략함을 베푸는 것을 두 가지로 나누어서, 한쪽은 경이고 한쪽은 간략함으로 하지 않을 수 없게 된다.

정자(程子)는 사람들이 경과 간략함을 두 가지 일로 나누어 보는 것을 걱정하여, 중궁(仲弓)은 경에 처한 자로 자상백자(子桑伯子)는 간략함을 행한 자로 여겼는데, 이는 문맥이 서로 통하지 않는 것이다. 이에 그 극치를 요약해서 말한다면, 경(敬)하면 반드시 간략(簡略)해진다는 것은 경의 덕의 큼을 보여 준 것이니, 『주역(周易)』「곤괘(坤卦)」의 "곧고 방정하여 익히지 않아도 이롭지 않음이 없다.[直方所以不習而無不利]"[4]는 것은 천덕과 왕도의 완전한 것이다.

주자는 남면(南面)하여 백성들에게 임함에 경에 처하는 것을 그 근본으로 여겼으며, 간략함을 행하는 것을 그 실상으로 간주하였다. 그런데 나의 경의 덕이 충실해져서 빛이 나기를 기다린 뒤에야 백성들에게 임하는 일에 미친다고 여기지는 않았다. 때문에 자신을 유지하는 것은 경으로써 하고 남을 다스리는 것은 간략함으로써 하는 두 가지의 일을 동시에 거행토록 하였다. 이렇게 하면 이 경의 덕은 엄격함

4) 「곤괘」의……없다 : 이 구절은 『주역』「곤괘(坤卦)」 육이효(六二爻)의 효사(爻辭)이며, 원문은 다음과 같다. "直方大 不習 无不利."

으로써 날로 완성되고 간략한 교화는 너그러움으로써 점차 깨우쳐 줄 것이니, 이치의 전일함을 엽등(獵等)하여 구하지 않더라도 나뉘진 이치가 서로의 원인으로 작용하는 것이다. 이것이 바로 천덕을 닦고 왕도를 실행하는 요체이다.

중궁은 다만 간략함을 논했을 뿐인데, 간략함 위에 다시 하나의 경을 더하여서, 이로써 수기(修己)와 치인(治人)의 절목(節目)을 문란하게 해서는 안 된다는 것을 드러내었다. 그렇다면 바로 간략함에 처해 있으면서 간략함을 행하는 자도 병폐가 있으며, 경에 처해 있으면서 경으로 남을 책망하는 자도 또한 폐단이 있는 것이다. 간략함을 공자께서 이미 괜찮다고 하였으니, 그 말씀의 무게가 경으로 귀착되는 것 같지만 실상은 간략함의 괜찮음에 대하여 논하신 것이다. 왜냐하면 간략함을 간직한 자는 반드시 경에서 그것을 구하고, 간략할 수 없는 자는 규모가 협애(狹隘)하고 거동이 소쇄(小瑣)하여 족히 백성들에게 임할 수 없음은 말할 필요도 없기 때문이다. 중궁은 아마도 간략함을 행하는 자의 입장에서 나아가 순수한 공부를 추구한 것이니, 그가 경으로 말을 시작했다고 해서 경으로서 간략함을 통어(統御)했다고 여겨서는 안 된다. 사리에서 따져 보고 본문에서 구해 보면, 주자의 설이 정자에 비해 정밀하고 절실한 것임을 알 수 있다.(說居敬則行自簡 亦天理自然之相應者 如蕩之聖敬日躋 則其寬仁而不苛責於民 固條理之相因 無待已敬而又別求簡也 故朱子曰程子之言 自不相害 集註雖不用其說 而必存之 然繇敬得簡者 敬德已成之功也 若方事居敬之始 則不得不用力於敬 用力於敬 則心已密 而是非得失之不自欺者 必無小無大無人無己而不見其一致 則且不安於簡而至於求物已煩者多矣 故不得不將居於己與行於民者 分作兩事 而一以敬 一以簡也 程子怕人將敬簡分作兩橛 則將居以仲弓 行以伯子 而血脈不相貫通 故要其極致而

言之 謂敬則必簡 以示敬德之大 坤之直方所以不習而無不利者 天德王道之全也 朱子則以南面臨民 居雖其本 而行乃其實 旣不容姑待我敬德之充實光輝而後見諸臨民之事 則持己以敬 御人以簡 兩者之功 同時並擧 斯德以嚴而日成 敎以寬而漸喩 不躐求之於理之一 而相因於分之殊 此脩天德 行王道之津涘也 仲弓只是論簡 而於簡之上更加一敬 以著脩己治人之節目不可紊亂 則居簡而行簡者病也 居敬而責人以敬者亦病也 簡爲夫子之所已可 故其言若歸重於敬 而實以論簡之可 則在簡者必求諸敬 而不能簡者 其規模之狹隘 擧動之瑣屑 曾不足以臨民 又不待言矣 仲弓蓋就行簡者進求純粹之功 非驀頭從敬說起 以敬統簡之謂 求之事理 求之本文 知朱子之說 視程子爲密切矣)

2

천자(天子)로부터 서인(庶人)에 이르기까지 경(敬)에 처하는 것으로 덕을 삼지 않음이 없으니, 경이란 단지 남면한 임금만이 일삼는 바는 아니다. 간략함을 행하는 것은 오직 임금의 도만이 마땅히 그러할 수 있다. 오직 임금의 도만이 그러하다면 중궁의 말은 간략함을 행하는 경지에서 진일보하여 경에 처함을 언급한 것이다. 실로 군자의 학문은 경에 처하는 경지에서 다시 하나의 법을 더할 수 있으니, 바로 간략함을 행하는 것이다.

또한 말은 길러도 되나 닭과 돼지는 기르면 안 되는 대부[畜馬乘 不察於雞豚][5]의 경우는 비록 이익을 멀리 하게 할 수 있으나, 명사(命士)[6] 이하에 있는 자들과 같은 경우는 더불어 할 수 있으니, 또한 반드시 경(敬)하지 않더라도 번거롭지는 않을 것이다. 대개 남면(南面)한 임금이 아닌 경우에는 다만 경하기만 하면 되니, 경의 덕의 완성은 정자가 말한 '마음에 사사로운 뜻이 없다[中心無物]'[7]는 것과 같다. 이는 일체의 그만둘 수 있지만 그만두지 않는 일에 있어서 교만하고 방자한 생각으로 억지로 해 나가지 않는 것이다. 만약 남면한 임금의 경우라면, 교만하고 방자한 의지로 일해서는 안 되고, 백성들의 일에 응당 구해야 될 바에 근본하되 또한 구비하기를 요구하지 않아야 된다.

다만 이 규모는 저절로 구별이 되니, 그런 까닭에 '하나의 리에서 다양하게 나눠진다[理一分殊]'라고 말할 수 있는 것이다. 은거하여 살며 간략하지 않는 이도 마땅히 하지 않는 바가 있으니, 만약 마땅히 해야 되는 것이라면 저절로 번거롭지 않을 것이다. 제왕은 마땅히 해야 될 것을 진실로 다할 수 없을 수 있다. 그러나 곧바로 경하지 않을 수 없는 데 이르러 머무르는 바의 곳에서 편안하다면, 바야흐로 쉬움으로써 주관하고 간략함으로써 능함[易知簡能][8]을 얻어 천하를 통어(統馭)함에 한 몸과 한 집안의 일과 같이 할 수 있을 것이다. 만약 이러한 경지에 이르지 못하고 다만 은거해 살고 홀로 자신을 선하게 하는 자가 마음에 일이 없는 경우, 시험 삼아 그를 남의 위에 둔다면 아마 간략할 수 없을 것이다.

---

5) 말은……대부 : 이 구절은 『대학장구』 전10장에 나오는데, 여기서 '畜馬乘'은 처음 벼슬하는 대부를 가리킨다.

6) 명사(命士) : 고대 중국에서 벼슬에 임명된 사(士)를 가리킴.

7) 마음에……없다 : 이 구절은 『논어』「옹야」 제1장의 네 번째 단락의 주자주에 나오며 원문은"心中無物"이라 되어 있는데, 소주에서 쌍봉 요씨(雙峰饒氏)는 물(物)을 '사의(私意)'라고 풀이하였다.

8) 쉬움으로써……능하니 : 『주역』「계사전」 상에 나오는 말로 원문은, "乾以易知 坤以簡能"인데, 주자(朱子)는 『주역본의(周易本義)』에서 '지(知)'를 '주관하다[主]'라고 풀이하였다.

중궁은 아직 '종심소욕불유구(從心所慾不踰矩)'[9]의 경지에 이르지 못하였다. 그러므로 공자께서 대문을 나서면 큰 손님을 보듯이 행동하고 백성을 부릴 때는 큰 제사를 받들 듯이 하라라는 말씀 외에 다시 자신이 하고 싶지 않는 일을 남에게 베풀지 말라고 말씀하셨다.[10] 이는 그로 하여금 자신과 세상에 관한 일 두 가지를 다 잘하고 관용과 엄격함을 모두 이루게 하고자 한 것이다. 그런데 정자는 갑작스럽게 일관된 이치로서 이 경문을 합해 보았으니, 또한 엽등(獵等)을 면치 못하였다.(自天子以至於庶人 無不以居敬爲德 敬者非但南面之所有事也 行簡則唯君道宜然 唯君道爲然 則仲弓之語 於行簡上進一步說居敬實於君子之學 居敬上更加一法曰行簡也 且如畜馬乘 不察於鷄豚 雖以遠利 若在命士以下 卽與料理 亦未必不爲敬而爲煩 蓋就非南面者而言之 則只是敬 敬德之成 將有如程子所云中心無物者 自然一切可已而不已之事 不矜意肆志去攬著做 若其爲南面也 則不待矜意肆志以生事 而本所應求於民之務 亦有所不可責備 只此處規模自別 故曰理一而分殊 窮居之不簡 必其所不當爲者 若所當爲 本自不煩 帝王 則所當爲者固有不得盡爲者矣 直到無不敬而安所止田地 方得以其易知簡能者 統馭天下 如一身一家之事 若其未逮於此 但以窮居獨善之居行 而心中無物者 試之人上 恐正不能得簡也 仲弓且未到從心不踰矩地位 故夫子於見賓承祭之外 更須說不欲勿施 使之身世兩盡 寬嚴各致 程子遽以一貫之理印合之 則亦未免爲躐等矣)

---

9) 종심소욕불유구(從心所欲不踰矩) : 『논어』「위정」 제4장에 나오는 구절로 공자의 나이 70에 도달한 경지이다.

10) 공자께서……말씀하셨다 : 『논어』「안연」 제2장에 나오는 말로 그 원문은 다음과 같다. "仲弓問仁 子曰 出門如見大賓 使民如承大祭 己所不欲 勿施於人 在邦無怨 在家無怨 仲弓曰 雍雖不敏 請事斯語矣"

3

자상백자(子桑伯子)는 의관을 차리지 않고 거처하였으니[11] 이는 크게 지위에 어울리는 것은 아니었으나, 이로써 백성을 다스린다는 것은 또한 불가(不可)한 것은 아니다. 만약 임금이라면 반드시 그 백성을 부림에 법도에 맞는 의관을 갖추어서 움직임에 필히 예에 맞게 해야 된다. 그렇지 않으면 비단 백성들의 소요가 그치지 않을 뿐 아니라, 위세도 또한 행해지지 않을 것이다. 백성들에게 시행하는 관점에서 보면 어찌 다만 중궁의 간략함을 행하는 것이 자상백자와 다르겠는가? 오제(五帝)와 삼왕(三王)도 또한 다름이 없을 것이다.

두 곳의 '간략함을 행한다[行簡]'는 말은 곧 차별이 없다. 자상백자는 명법(名法)의 밖에서 얻음이 있었기에 반드시 자신의 느슨함으로써 백성들에게 베풀지 않았을 것이며, 이러한 것으로써 남을 다스린다면 사람들이 쉽게 따를 수 있었을 것이다. 때문에 공자께서 '그의 간략함은 괜찮다'라고 한 것이니, 이 사람은 또한 남면하여 임금할 만하다는 말씀이다. '거(居)'라는 것은 자처한다는 것이며, '행(行)'이란 것은 백성들에게 행한다는 뜻이다.

정자(程子)는 '거(居)'를 심(心)에 소속시키고 '행(行)'을 일에 분속시켜 보았으니, 이는 왕통(王通)의 '마음과 자취의 나눠짐이다'이라는 것과 같은 오류를 범한 것이다. 만약 요와 순의 두려워하고 조심하는 마음으로 자상백자의 의관을 차리지 않는 일을 행한다고 하면 옳겠는가?

---

11) 자상백자는……거처하였으니 : 이 구절은 『논어집주』 「옹야」 제1장 세 번째 단락의 주자주에 나오는데, 원출전은 『공자가어(孔子家語)』이다.

자신에게서 명령이 나오는 것을 '행(行)'이라 하고, 백성들에게 명령을 시행하는 것을 '임(臨)'이라 한다. '임(臨)'이란 곧 행하는 바로써 그들에게 임하는 것이다. '경에 처해 있으면서 간략함을 행하여 그 백성들에게 임한다'는 것은, 스스로를 다스림에는 공경하게 하고 남을 다스림에는 간략하게 한다는 말과 같다. 그런데 자신을 다스림에 공경하면 남을 다스리는 것도 반드시 간략해진다라고 하면, 또한 엽등(獵等)이 있는 것이다. 모름지기 '만방(萬邦)을 화합시키자, 백성들이 변하여 이에 화목하게 되었다'[12]고 할 때만이 바야흐로 수미(首尾)가 관통한다고 할 수 있다. 공자는 '남면하게 할 만하다'고 하셨으며, 중궁은 '또한 가하지 않겠습니까?'라고 하였는데, 두 가지 말이 모두 짐작한 것으로 그렇게 고원한 경지는 아니다.(直到伯子不衣冠而處大不可地位 以之治民 自亦無不可 若君人者必使其民法冠深衣 動必以禮 非但擾民無已 而勢亦不可行矣 到行於民處 豈特仲弓之行簡無以異於伯子 卽五帝三王亦無異也 兩行簡字 更無分別 伯子有得於名法之外 則必不以自弛者張之於民 於以治人 人且易從 故夫子曰可也 言其亦可以南面也 居者 所以自處也 行者 行之於民也 程子似將居屬心 行屬事看 此王通心跡之判 所以爲謬 假令以堯舜兢業之心 行伯子不衣冠之事 其可乎 出令於己曰行 施令於民曰臨 臨者卽以所行臨之也 居敬而行簡以臨其民 猶言自治敬而治人簡也 謂自治敬則治人必簡 亦躐等在 須到協和萬邦 黎民於變時雍時方得貫串 夫子曰可使南面 仲弓曰不亦可乎 下語俱有斟酌 且不恁地高遠)

12) 만방(萬邦)을……되었다 : 『서경(書經)』 우서(虞書) 「요전(堯典)」에 나오는 구절로, 원문은 다음과 같다. "協和萬邦 黎民 於變時雍"

4

경에 처하는 것도 쉽지 않고, 간략함을 행하는 것도 또한 어렵다. 그러므로 주자는 간략함을 행하는 것을 마음에 귀착시키면서, 여진백(呂進伯)의 일로 경계로 삼았다.[13] 경에 처하는 넉넉함이 있고 간략함을 행함에는 부족함이 있는 것이 유학자들의 큰 병폐이니, 자신을 책망하는 것으로써 남에게서 구함이 있다면 사람들은 진실로 그 책망을 이길 수 없을 것이다. 또한 술에 취하거나 포식하는 것이 지나치며 거처함에 마땅함을 잃는 것은 자신에게는 반드시 있어서는 안 되지만 남에게는 없을 수 없는 것이다. 그러므로 사람으로서 사람을 다스려야지, 자기의 도끼자루[기준]로 남의 도끼자루를 다듬어서는 안 된다고 한 것이다.

조참(曹參)[14]이 술을 마시다가 기쁜 나머지 외사리(外舍吏)의 죄를 덮어 주었다[15]. 이는 먼저 자신이 경에 처하지 않았으니, 진실로 옳다고 할 수 없다. 그러나 만약 관리의 시끄러움을 불문에 부치고 그 스스로 새로워짐을 서서히 느끼게 했다면 어찌 폐단이라 하겠는가!

---

13) 여진백(呂進伯)의……삼았다 : 이 이야기는 『논어집주대전』「옹야」 제1장의 네 번째 단락의 주자주인 "多一簡字矣 故曰太簡"의 아래 첫 번째 소주 말미에 나오는데, 그 원문은 다음과 같다. "世間有那居敬而所行不簡 如上蔡說 呂進伯是箇好人 極至誠 只是煩擾 便是請客也須臨時兩三番換食次 又自有這般人 又有不能居敬 而所行卻簡易者 每事不能勞攘得 只從簡徑處行"

14) 조참(曹參 ?-B.C. 190) : 서한(西漢) 때 패(沛)땅 사람으로 평양후(平陽侯)에 봉해졌으며, 시호는 의(懿)임. 한고조를 도와 한을 건국하는 데 일조를 하였으며, 소하(蕭何)의 뒤를 이어 한 혜제(惠帝) 때에는 승상을 지냈다.

15) 조참(曹參)이……덮어 주었다 : 이 이야기는 『논어집주대전』「옹야」 제1장의 네 번째 단락의 주자주인 "多一簡字矣 故曰太簡"의 아래 첫 번째 소주 끝에 나오는데, 그 원문은 다음과 같다. "如曹參之治齊 專尙淸靜 及至爲相 每日酣飮不事事 隔牆小吏酣歌叫呼 參亦酣飮歌呼以應之"

백성들에게 임하려고 하면 모름지기 간략함을 행하는 데 뜻을 두어야지, 하나의 '경'이라는 글자로 모든 것을 통섭하려고 해서는 안 된다.(居敬旣不易 行簡亦自難 故朱子以行簡歸之心 而以呂進伯爲戒 看來 居敬有餘 行簡不足 是儒者一大病痛 以其責於己者求之人 則人固不勝責矣 且如醉飽之過 居處之失 在己必不可有 而在人必不能無 故曰以人治人 不可執己柯以伐人柯也 曹參飮酒讙呼以掩外舍吏之罪 則先己自居不敬 固爲不可 若置吏之喧豗於不問 以徐感其自新 亦奚病哉 欲得臨民 亦須着意行簡 未可卽以一敬字統攝)

제2장

애공 : "제자들 중에 누가 학문(學問)을 좋아합니까?"

공자 : "안회(顔回)라는 이가 학문을 좋아하여, 노여움을 남에게 옮기지 않으며 같은 잘못을 두 번 다시 저지르지 않았는데, 불행(不幸)히도 명(命)이 짧아 죽었습니다. 그리하여 지금은 볼 수 없으니, 아직 학문(學問)을 좋아한다는 이가 있다는 말을 듣지 못하였습니다."

哀公問 弟子孰爲好學 孔子對曰 有顔回者好學 不遷怒 不貳過 不幸短命死矣 今也則亡 未聞好學者也

5

주자는 이미 "노여움을 옮기지 않고, 잘못을 두 번 하지 않은 것은 바로 안자가 학문을 좋아한 증험이다."[16]라고 하였다. 그리고 또 "공부가 아직 이르지 않았으면, 노여움을 옮기고 잘못을 거듭할 때 또한 이것을 내버려둔다."[17]는 말은 아니라고 하였으니, 이 문장은 매우 분명하게 이해하기가 쉽지 않다. 주자는 고심하고 또 함부로 말을 하지 않아서 좌우의 사람들이 말에 집착하여 막힘이 있을까를 걱정했다. 이 모든 말은 자질이 노둔한 사람을 위하여 그들을 분명하게 가르치고자 한 것인데, 눈앞에 있는 도를 유사한 것으로 들어 보이고자 하니 곧 어려운 것이다. 후인들은 독서를 함에 바로 이 왼쪽에서 의심스럽

16) 노여움을……증험이다 : 이 구절은 『논어집주대전』「옹야」 제2장인, "哀公問 弟子孰爲好學 孔子對曰 有顏回者 好學 不遷怒 不貳過 不幸短命死矣 今也則亡 未聞好學者也" 아래의 주자주 '可謂眞好學矣'의 바로 밑의 소주에 나오며, 그 원문은 다음과 같다. "朱子曰 不遷怒貳過 是顏子好學之符驗"

17) 공부가……내버려둔다 : 이 구절은 『논어집주대전』「옹야」 제2장의 주자주 끝 구절인 '顏子之學矣'의 아래 다섯 번째 소주에 나오며, 그 원문은 다음과 같다. "不成道我工夫未到那田地 而遷怒貳過只聽之耶"

고 오른쪽에서 막히는 곳에서 모래를 헤치고 금을 찾듯이 하는 것이 좋다. 만약 이렇게 찾아내지 않는다면 가는 곳마다 가시밭길일 것이다.

대개 노여움을 옮기지 않는다는 것은 노여움이 발생했을 때 그 옮기지 않음을 보인다는 말이고, 허물을 거듭하지 않는다는 것은 허물이 생겼을 때 그 거듭하지 않음을 보이는 것이다. 노여움도 없고 허물도 없는 때의 경우라고 해서 어찌 다시 한결같이 배우는 바가 없겠는가? 만약 근본(根本)을 버리고 말단(末端)만을 다스린다면 옮겨감이 없고자 하다가 도리어 옮겨감이 있고, 거듭함이 없고자 하다가 도리어 거듭함이 있게 될 것이다. 그러므로 "이 두 가지 일만 배움이라고 할 수는 없다. 옮겨감이 없고 거듭함이 없다는 것은 바로 이루어진 효과이다."[18]라고 하였다. 그런데 노여움이 없고 허물이 없을 때에도 이미 배움이 있는데, 바야흐로 노여움과 허물이 있을 때에 어찌 도리어 배우지 않겠는가? 이 같은 긴요한 곳을 소홀히 한다면 다시 힘을 낼 수가 없을 것이다. 그러므로 주자는 또 "다만 극기(克己)의 공부가 이르지 않았을 때는 또한 모름지기 돌아보아야 된다."[19]라고 말한 것이다. 이 본문의 원의를 총괄해 보면 모두 안자의 마음의 순수(純粹)하고 근엄(謹嚴)하며 간단(間斷)이 없는 곳에서 나왔음을 볼 수 있다. 그러므로 두 가지 설이 서로 다른 듯하나 그 실상은 하나이다. 『주역』에 "〈안자는〉 불선(不善)이 있으면 일찍이 알지 않음이 없었다."고 말한 것은 바로 극기의 증험이요, "그것을 알면 다시는 행하지 않았

18) 이 두 가지 일만……효과이다 : 이 구절은 『논어집주대전』 「옹야」 제2장의 주자주인 '可謂眞好學矣'의 바로 아래 소주에 나온다.

19) 다만……돌아보아야 된다 : 이 구절은 『논어집주대전』 「옹야」 제2장의 주자주 끝 구절인 '顔子之學矣'의 아래 다섯 번째 소주에 나온다.

다."[20]는 것은 허물이 있을 때의 공부에 해당된다. 여기에서 그 공효와 공부를 병행하여 한쪽을 폐하지 않음을 볼 수 있다.

이것으로 미루어 보면 노여움을 옮기지 않는다는 것도 또한 두 층위를 포괄하여 한 구절로 말한 것이다. 마땅히 노여워해야 되지 않을 것에 대하여 이유 없이 망령되이 노여워한다면, 그 옮김과 옮기지 않음에 대하여 다시 논할 것이 없다. 노여움은 옮김을 기다린 뒤에 그 불가함을 볼 수 있으니, 그 옮기지 않았다는 말은 반드시 노여워할 만한 것이 있다는 것이다. 노여움을 다만 옮기지 않아서 곧 노여움에 해됨이 없는 것이 공효이고, 노여움에 대하여 옮겨감이 없는 것은 공부이다. 그렇다면 이 구절은 또한 공부와 공효를 아울러 드러낸 말이다. 그러므로 공자께서 안자가 이미 죽은 뒤에 그의 성덕(成德)을 추론한 것이니, 말한 바의 공부가 이미 이루어졌다는 뜻이다.

주자는 효험에 대하여 말하지 않았는데, 묻는 자들은 모두 이 두 건의 설을 가지고 어렵게 생각하여 착수할 곳이 없는 듯 여겼다. 그래서 한결같이 극기에 치중하여 익숙해진 뒤에는 곧바로 기미(幾微)에 임하여 신중함을 더하는 공부를 망각하곤 하였다. 때문에 앞의 설과 서로 위배되는 것을 꺼리지 않았다.

그런데 『논어집주』에서 "안자의 극기의 공부가 이와 같음에 이르렀다."고 말한 여덟 글자는 매우 타당하여 다시 엉성한 구석이 없다. 이 구절에서 '이와 같음에 이르렀다'는 것은 공효이다. 그리고 '공부'라고 말한 것은 또한 비록 오로지 두 가지를 학문이라고 여기지는 않지만

---

20) 『주역』에……않았다 : 『주역(周易)』「계사전」 하에 나오는 말로 그 원문은 다음과 같다. "子曰顏氏之子 其殆庶幾乎 有不善 未嘗不知 知之 未嘗復行也 易曰不遠復 无祗悔元吉"

이 두 가지는 진실로 공부가 있으니, 공효를 말하지 않더라도 이와 같음에 이르면 반드시 공부를 말하였음을 볼 수 있다.

이 단락은 오직 면재 황씨의 설이 그 포괄해 냄이 정밀하고 믿을 만하다. 그가 "노여움이 생기기 전에는 거울에 사물이 비춰지지 않고 저울대가 평형을 유지하였으며, 바야흐로 허물이 싹틀 때는 옥의 티도 숨길 수가 없다."[21]라고 말하였으니, 이는 그 공부의 익숙함을 통괄하여 헤아린 것이다. 그리고 "이미 노여워한 뒤에는 얼음이 풀리고 안개가 걷히는 듯 하였으며, 이미 알고 난 뒤에는 뿌리와 그루터기가 모두 뽑힌 듯 하였다."라고 하였으니, 이는 노여움과 허물이 생겨날 때 공부를 더하였고, 앉아서 공효가 완성되지 않음을 이름이다. 아! 이는 면재 황씨가 직접 증험하고 친히 알아서 실천으로 스승의 말을 인증하여 무너뜨리지 않는 것이니, 이점은 미칠 수 없는 것이다.(朱子旣云不遷怒 貳過 是顔子好學之符驗 又云不是工夫未到 而遷怒貳過只且聽之 只此處極不易分曉 朱子苦心苦口 左右怕人執語成滯 總爲資質魯鈍人 須敎他分明 而道在目前 擧似卽難 後人讀書 正好於此左疑右礙處 披沙得金 若未揀出 直是所向成棘 蓋不遷怒者 因怒而見其不遷也 不貳過者 因過而見其不貳也 若無怒無過時 豈便一無所學 且舍本以治末 則欲得不遷而反遷 欲得不貳而又貳矣 故曰卻不是只學此二事 不遷不貳 是其成效 然無怒無過時 旣有學在 則方怒方過時 豈反不學此扼要處放鬆了 更不得力 故又曰但克己工夫未到時 也須照管 總原要看出顔子心地純粹謹嚴 無間斷處 故兩說相異 其實一揆 易云有不善未嘗不知 此是克己上的符驗 知之未嘗復行 是當有過時工夫 可見亦效亦

21) 노여움이……수가 없다 : 이 구절은 『논어집주대전』「옹야」 제2장의 주자주인 '可謂眞好學矣'의 아래 두 번째 소주에 나온다.

功 並行不廢 以此推之 則不遷怒亦是兩層該括作一句說 若是無故妄怒於所不當怒者 則不復論其遷不遷矣 怒待遷而後見其不可 則其以不遷言者 必其當怒者也 怒但不遷而卽無害於怒 效也 於怒而不遷焉 功也 則亦功效雙顯之語也 然夫子於顔子旣沒之後 追論其成德 則所言功者亦已成之詞矣 朱子不說效驗之語 爲問者總把這兩件說得難 似無可下手處 而一聽之克己旣熟之後 則直忘下臨幾加愼一段工夫 故不嫌與前說相背 而集註云顔子克己之功 至於如此八字 下得十成妥穩 更無滲漏其言至於如此 則驗也 而其曰功者 則又以見夫雖不專於二者爲學 而二者固有功焉 則不可言效至如此而必言功也 此段唯黃勉齋說得該括精允 所云未怒之初 鑑空衡平 方過之萌 瑕纇莫逃 是通計其功之熟也 其云旣怒之後 冰消霧釋 旣知之後 根株悉拔 則亦於怒與過加功 而非坐收成效之謂矣 嗚呼 此勉齋之親證親知 以踐履印師言而不墮者 爲不可及也)

6

학문하는 자의 입장에서 말하자면 노여움과 허물은 자신의 사사로움이 타오를 때, 크게 옮아 메는 곳으로 매우 중요하다. 그러므로 이곳은 바로 힘을 써야 된다. 안자의 입장에서 말하자면 노여움을 옮기지 않거나 허물을 거듭하지 않는 것은 천리가 이미 완숙한 경지로, 자신의 사사로움이 솟아날 때 그의 역량을 볼 수 있는 곳이다. 그렇다면 안자의 허물이 없고 노여움이 없을 때의 학문함을 알만하다.

극기의 공부는, "예가 아니면 보지 말고, 예가 아니면 듣지 말며, 예가 아니면 말하지 말고, 예가 아니면 움직이지 말라."[22]는 것이다. 이른바 예가 아니라는 것은 외물(外物)에게서 그 예가 아닌 것을 보는 것이지, 자신에게 이미 예가 아닌 것이 있다는 것은 아니다. 노여움과 허물 같은 것은 사정(私情)이 발현된 것이지, 밖으로부터 이른 것이 아니다. 외물에 비록 감응되었다 하더라도 사정(私情)이 아직 발현되지 않았으면 이는 정(靜)에 속하며, 사정이 이미 발현되어 외물과 교감을 했으면 이는 동(動)에 속한다. 정(靜)할 때의 보존한 것을 선에 근본을 두고 발현한다면 노여움을 옮기지 않고 허물을 거듭하지 않을 것이니, 이는 '사물(四勿)'의 효과라고 할 수 있다. 발현된 것이 보존된 것에 어긋나지 않은 뒤에야, 보존된 것이 심밀(深密)하여 허(虛)에 의탁한 것이 아님을 알 수 있다.

동(動)과 정(靜)은 어느 한쪽을 폐지해서는 안 된다. 정(靜)에 공부가 있는데, 동(動)에 어찌 공부가 없겠는가? 그러나 여기에서 이른바 동(動)이란 것은 또한 공부하기에는 어렵다. 나머지 노여움을 잊지 않으면 이는 즉시 옮겨갈 것이다. 그리고 뒤에 생겨나는 허물은 반드시 앞의 허물과 같지 않으므로, 이러한 허물이 없더라도 다시 저 같은 허물이 있다면 이 또한 거듭하는 것이다. 이 같은 지경에 이르렀다면 어찌 이런 공부를 통해 효험을 취할 수 있겠는가? 안자의 학문은 이미 저절로 독실해져서 빛이 남이 있다.【'독실하여 빛이 난다[篤實光輝]'는 네 글자라야 바야흐로 그를 형용해 낼 수 있다.】

학문이 지극하지 않는 자는 천리(天理)가 드러나는 곳에서, 천리 위에서 공부를 해야지 기사(己私)위에서 힘을 쓸 수 없다. 노여움은 정(情)이며, 또 정 가운데 불평(不平)한 것이다. 허물은 또한 말할 것

22) 예가 아니면……움직이지 말라 : 이 구절은 『논어』 「안연」 제1장에 나오는 말이다.

도 없다. 정은 사기(私己)이니, 정이 불평(不平)하다는 것은 사기(私己)가 더욱 대공(大公)하지 못하다는 것이다. 그러므로 노여움과 기쁨은 동일한 정이지만 나오는 근원이 다르다. 무릇 기쁨이 나오는 것은 비록 자기가 기뻐하는 것이지만, 반드시 외물의 기뻐할 만한 점으로 인하여 밖으로부터 마음이 움직여지는 것이다. 그런데 노여움의 발현은 자기에게서 그러한 바와 그렇지 않은 것이 먼저 있는 것이니, 외물과 자신의 그렇지 않는 점이 부딪히면 노여움이 생겨나는 것이다. 그러므로 천하의 노여워할 만한 것도 반드시 성낼 것이 없고, 내 감정상 노여운 것도 반드시 성낼 수 있는 것은 아니다. 비록 똑같이 노여워할 만하나, 도적을 보면 성을 내고 시랑(豺狼)이나 사갈(蛇蝎)을 보면 미워하고 두려워하면서 노여움은 생겨나지 않으니, 이 어찌 나에게 먼저 구비되어 있는 노여움이 한갓 남에게 해를 당하는 것에서만 기인하겠는가?

자기에게 먼저 노여움이 있는 것이니, 이는 외물(外物)에게서 기인하지 않는다. 외물에게서 기인하지 않기 때문에 외물이 이미 가버리더라도 노여움은 남으니, 이것이 바로 노여움이 옮겨가는 근원이다. 그러므로 사람은 사랑은 옮겨갈 수 있으나 기쁨은 옮겨갈 수 없고, 슬픔은 옮겨갈 수 없으나 노여움은 옮겨갈 수 있다. 기쁨은 외물에서 기인하기 때문에 이 외물과 저 외물이 다른 경우, 비록 매우 기뻐할 만한 하더라도 노여워할 만하면 반드시 노여워한다. 그런데 노여움은 나에게 있는 것이니 외물이 바뀌더라도 내가 바뀌지 않으면 매우 화가 났을 때에 기뻐할 만한 것이 있더라도 혹 노여워하게 된다. 외물에 감응하여 내가 움직이는 경우 외물을 거절하면 이기는 것이 쉽다. 그러나 나에게서 발현되어 외물에 더해지는 경우, 마음을 제제하기가 어렵다. 때문에 극기의 공부는 반드시 노여움에서 증험한 뒤에야 지극해진다.

자기에게서 기인한다면 노여움은 옮겨가고, 외물에게서 기인한다면 노여움은 옮겨가지 않는다. 희로애락(喜怒哀樂)은 본래 외물에게서 기인한 것인데, 혼미한 자들은 이것을 알지 못하고 자신으로서 외물을 따르다가 그 자신이 해를 입게 된다. 그러므로 외물에게서 기인함을 확실하게 안다면 외물에 나아가는 자기를 이길 수 있을 것이다. 그리고 외물에 기인한 것에 근본이 있다면 흘러가 돌아오기를 잊어버리는 자신을 비교적 쉽게 알아서 이기기도 쉬울 것이다. 노여움은 자신에게서 기인한 것이지 다 외물에서 기인한 것은 아니다. 때문에 이제 우선 그것을 극복하여 외물에서 기인하게 한다면, 고집(固執)스러운 기사(己私)도 또한 남아 있지 않게 될 것이다.

저 외물에 있는 것은 천리(天理)이고 나에게 있는 것은 사욕(私欲)이다. 자신에게서 기인하는 것으로 또한 천리의 공을 따른다면, 극기의 공은 진실로 더할 것이 없을 것이다. 이 어찌 고요히 보존한 것의 심밀함과 천리가 유행됨에 그 광휘가 발현되어 숨길 수 없는 것이 아니겠는가? 그러므로 여기에서 안자의 공부가 이미 지극함을 알 수 있다.

노여움과 허물은 모두 손쉽게 다룰 수 있는 것이 아니다. 왜냐하면 이 모두는 자기에게서 생성되는 것이기 때문이다. 허물이란 것도 또한 만난 바의 경계에서 반드시 허물을 얻는 것은 아니니, 자신이 스스로 허물을 낸 것이다. 자기에게 있는 허물을 누가 그것을 알겠는가? 안다 하더라도 누가 그것을 다시 행하지 않게 할 수 있겠는가? 대체로 사람은 허물이 있으면 스스로 알지 못하며 비록 안다 하더라도 일찍이 스스로 그 다시 행함을 두려워하지 않는다. 이미 두려워하지 않기 때문에 다시 허물을 거듭하는 것이니, 진실로 이러하다. 가령 남에게 허물이 있으면 알지 못함이 없고, 후에 다시 그러하리라고 의심하지 않음이 없다. 허물이 있으면 알고 알면 다시 행하지 않는 것은, 이것은 대공(大公)의 마음으로 자기를 보기를 남과 같이 하여 미혹되는 바가 없는 것이니, 그 불가한 점을 빨리 알아 미리 뒤를 경계하는 자가 아니라면 어찌 그렇게 할 수 있겠는가? 대개 자신으로서 남의 허물을 살피는 것은 시비지심(是非之心)이고 천리의 올바름이다. 곧 이 같은 대공무사(大公無私)한 천리로 자신을 다스린다면, 사기(私己)한 마음은 남김없이 깨끗하게 없어짐을 또한 볼 수 있을 것이다.

공자는 여기에서 곧바로 천리(天理)와 인욕(人欲), 경중(輕重)과 천심(淺深), 내외(內外)와 표본(標本) 상에서 두 항목을 뽑아내어, 이로써 안자의 극기의 공부가 지극히 심밀하고 완숙하여 발현됨에 어긋남이 없는 것을 징험하여 일컬으신 것이다. 안자(顔子)가 아니라면 이렇게 학문을 할 수 없을 것이고, 공자가 아니라면 또한 이와 같이 학문을 좋아함을 깊이 알지 못했을 것이며, 정자와 주자가 아니라면 또한 그 본원(本源)의 깊은 곳을 드러낼 수 없었을 것이다. 이 어찌 쉽게 말할 수 있겠는가! 노여움과 허물은 비록 공부가 지극하지 않더라도 반드시 일삼음이 있어야 된다고 한 것은, 초학자를 위해 말한 것이니, 바로 옮기지 않고 거듭하지 않는 덕을 극진하게 표현했다고 할 수는 없다.(自爲學者言 則怒與過是已私將熾時大段累處 喫是要緊 故卽此正當用力 自顔子言 則不遷 不貳 是天理已熟 恰在己私用事時見他力量 則未過未怒時 其爲學可知已 克己之功 非禮勿視 非禮勿聽 非禮勿言 非禮勿動 所謂非禮者 於物見其非禮也 非己之已有夫非禮也 若怒與過 則已情之發 不繇外至矣 外物雖感 己情未發 則屬靜 己情已發 與物爲感 則屬動 靜時所存 本以善其所發 則不遷 不貳者 四勿之驗也 所發不忒於所存 而後知所存者之密 而非託於虛矣 動靜不可偏

廢 靜有功 動豈得無功 而此所謂動者 則又難乎其爲功者也 餘怒不忘 卽已是遷 後過之生 不必與前過爲類 無此過 更有彼過 亦是貳 到此地位 豈是把捉可以取效 顔子之學 已自篤實而光輝矣 篤實光輝四字 方形容得他出 蓋學之未至者 天理之所著 自在天理上見功 不能在己私上得力 怒情也 又情之不平者也 過則又不待言矣 情者 己也 情之不平者 尤己之不能大公者也 故怒與喜同爲情 而從出自異 凡喜之發 雖己喜之 而必因物有可喜 以外而歆動乎中者也 若怒之發 則因乎己先有所然 有所不然 物觸於己之所不然而怒生焉 故天下之可怒者未必怒 而吾情之所怒者非必其可怒 雖等爲可怒 而見盜則怒 見豺狼蛇蝎則惡之 畏之 而怒不生 豈非己先有怒 而不徒因其能爲人害也哉 己先有怒 則不因於物 不因於物 故物已去而怒仍留 遷之所自來也 故人有遷愛 無遷喜 無遷哀 而有遷怒 喜因物 則彼物與此物殊 而雖當甚喜 有怒必怒 怒在己則物換而己不換 當其盛怒 投之以喜而或怒也 感乎物而動己 則外拒而克之易 發乎己而加物 則中制而克之難 故克己之功 必驗之怒而後極焉 因於己則怒遷 因於物則怒不遷 喜怒哀樂 本因於物 昏者不知 以己徇物 而己始爲害 故廓然知其因於物 則卽物之己可克矣 而以其本因於物則蕩而忘反之己 較易知而易克 怒因於己 不盡因物 而今且克之使因於物 則固執之己私 亦蕩然而無餘矣 夫在物者天理也 在己者私欲也 於其因於己而亦順於天理之公 則克己之功 固蔑以加矣 是豈非靜存之密天理流行 光輝發見之不容掩者哉 故以知顔子之功爲已至也 怒與過 總是不容把制處 所以然者 則唯其皆成於己也 過者 亦非所遇之境必於得過也 己自過也 己有過 而誰知之乎 知之 而誰使之不復行乎 夫人之有過 則不自知也 雖知之而未嘗自懼其復行 旣不以爲懼而復過者 固然矣假令他人之有過 則無不知也 則無不疑其後之復然也 有過而知 知而不復行 此非以大公之心 視在己者如其在人而無所迷 因以速知其不可而

預戒於後者 詎能然乎 蓋以己察人之過者 是非之心 天理之正也 卽奉此大公無私之天理以自治 則私己之心 淨盡無餘 亦可見矣 夫子於此直從天理人欲 輕重 淺深 內外 標本上 揀着此兩項 以驗顔子克己之功至密至熟 發見不差者而稱之 非顔子不能以此爲學 非夫子亦不深知如此之爲好學 非程朱二子亦無以洗發其本原之深 而豈易言哉 若於怒於過 雖功未至而必有事 則爲初學者言 正未可盡不遷不貳之德也)

7

정(情) 가운데는 원래 공격하고 취하는 두 갈래 길이 있다. 기쁨은 저곳에서 취하는 것이며, 노여움은 나로부터 공격하는 것이다. 그러므로 너무 많이 취하는 자는 염증을 내기 쉽고, 망령되이 공격하는 자는 발출은 하되 쉽게 수습하지는 못한다. 외물의 공격할 만한 것으로 인하여 한결같이 공격하되, 자기에게는 반드시 공격할 마음이 없다면, 극기의 공부가 어찌 지극한 것이 아니겠는가!

자기에게 부족한 것을 따라 취하여 자신에게 남음이 있는 것을 공격해야 되니, 부족한 것과 남음이 있는 것은 기(氣)이지 리(理)가 아니다. 기가 부족하면 리가 오는 것이 더 쉽고, 기가 넉넉하면 장차 리를 거부하여 그 다시 옴을 받아들이지 않는다. 오직 리를 받들어 기를 다스려야 되니, 리가 마음에 있고 기가 권세를 부릴 수 없으면 이에 발출할 수도 있고 또한 거두어들일 수 있으니, 천리의 유행이 충족된 자가 아니라면 이렇게 할 수 없다.

리가 가득 차서 기를 다스리면 이에 노여움을 옮기지 않고, 리가 마음에 있으면서 움직임을 살피면 허물을 거듭하지 않게 된다. 경원 보씨는 "노여움을 만나면 이기고, 허물을 만나면 이긴다."[23]라고 하였으니, 이는 배우는 일에 뜻을 둔 것이다. 그리고 주자는 "전적으로 비례물시(非禮勿視), 비례물청(非禮勿聽), 비례물언(非禮勿言), 비례물동(非禮勿動)에 달려 있다."[24]라고 했으니, 이는 도에 함께 나아가고[適道] 함께 서는[立] 일이다.[25]'노여움을 만나면 이기고, 허물을 만나면 이긴다'고만 한다면, 노여워하지 않고 허물이 없을 때는 또한 장차 어찌 할 것인가? 이 구절에 대한 경원 보씨의 말은 사람으로 하여금 배워서 안자의 경지에 이르게 하고자 한 것이고, 주자의 말은 안자가 배워서 성인이 되었다는 의미로서, 또한 구별이 있다.(情中原有攻取二塗 喜 取於彼也 怒 以我攻也 故無濫取者 易於饜厭 無妄攻者 發不及收 攻一因物之可攻 而己無必攻之心 則克己之功 豈不至乎 取緣己之不足 攻緣己之有餘 所不足所有餘者 氣也 非理也 氣不足 則理之來復易 氣有餘 則將與理扞格而不受其復 唯奉理以御氣 理足在中而氣不乘權 斯可發而亦可收 非天理流行充足者不能也 理居盈以治氣 乃不遷怒 理居中以察動 乃不貳過 慶源所云遇怒則克 遇過則克 是志學事 朱子所云全在非禮勿視聽言動上 是適道與立事 遇怒則克 遇過則克 不怒不過時 又將如何 此慶源之言所以使人學爲顏子 而朱子之言則顏子之學爲聖人也 其亦有辨矣)

---

23) 경원 보씨는……이긴다 : 이 구절은 『논어집주대전』「옹야」 제2장의 끝에서 세 번째 소주에 나오는데, 그 원문은 다음과 같다. "遇怒則克 不使之流蕩於外 以過於物 遇過則克 不使之伏藏於內 以爲之根"

24) 전적으로……달려 있다 : 이 구절은 『주자어류(朱子語類)』 30 논어(論語) 「애공문제자장(哀公問弟子章)」에 나오는 데, 그 원문은 다음과 같다. "顏子學處 專在非禮勿視聽言動上"

25) 도에……일이다 : 이 구절은 『논어』「자한」 제29장에 나오는데, 그 원문은 다음과 같다. "子曰 可與共學 未可與適道 可與適道 未可與立 可與立 未可與權"

8

경원 보씨(慶源輔氏)는 "노여움을 만나면 이기고, 허물을 만나면 이긴다.[遇怒則克 遇過則克]"[26]고 하였는데, 이기지 못하면 쉴 수 없다는 것인가? 어찌 이다지도 통렬(痛烈)하게 자신을 후회하고 다스리기를 그만두지 않는가? 진실로 주자(朱子)가 말한 사물(四勿)은 경원 보씨와 동일함을 알 수 있다. 그러나 또한 사람들이 보거나, 듣거나, 말하거나, 움직일 때, 예를 따라 행하는 데도 도리어 노여움과 허물이 기승을 부리면 힘을 낼 수 없게 된다. 이때 허물을 옮기고 노여움을 거듭하는 기미가 보이기 전에, 바로 반성하는 마음을 내어 스스로 잘못의 근원을 구하는 것이 좋다. 그러므로 경원 보씨의 설도 또한 폐지할 수는 없다.

이 항목에서 마음과 생각을 수고롭게 하더라도 노여움과 허물을 이길 수 없을 때, 사물(四勿)의 공부를 이같이 해야 됨을 알 수 있다. 그리고 이전에 보고 듣고 말하고 움직인 것은 다만 겉모양만 꾸민 것으로, 예를 회복하는 학문이라 하기에 부족하다는 것을 깨달아 뉘우칠 수 있다. 그러므로 노여움과 허물이 생겨날 때 그 뜻을 돈독히 하는 것으로, 공부를 다했다고 할 수는 없다.(遇怒則克 遇過則克 克不得不成便休 又豈只痛自悔艾於無已乎 固知朱子之言四勿 正與慶源一下手處 然人亦有依樣去視聽言動上循禮而行 卻於怒過乘權時不得力 則正好因此遷貳之非幾 以生警省而自求病根 故慶源之說 亦不可廢 此項須困心衡慮 到克不去時 方知四勿之功是如此做 而悔悟夫向之從事於

26) 경원 보씨는……이긴다 : 이 구절은 『논어집주대전』「옹야」 제2장의 끝에서 세 번째 소주에 나온다.

視聽言動者 徒描模畫樣 而不足與於復禮之學也 故可因怒 因過以生其篤志 而功則不盡於此)

9

소주(小註)에서 주자의 문답 중에, "성인은 노여움이 없다.[聖人無怒]"라는 한 마디[27]는, 문인(門人)들이 허물이 없다는 설에 근거하여 견강부회(牽强附會)하여 이루어 놓은 말로써 주자의 말이 아니다. 『논어집주』에 순(舜) 임금이 사흉(四凶)을 주벌(誅伐)하는 한 단락을 인용하는 대목에 보면, 성인도 또한 단지 노여움을 옮기지 않을 뿐임을 명확하게 말하고 있다. 기쁨과 노여움, 슬픔과 즐거움이 발현될 때, 모두 조화롭게 할 뿐이니, 어찌 유독 노여움만 절도에 맞게 함이 없겠는가? 곤(鯀)은 우(禹)의 부모였으며 또한 위치가 팔의(八議)[28]에 있었는데, 어찌 순 임금이 잡목(雜木)을 베듯이 잡초를 제거하듯이 담담한 마음으로 그를 벌주었겠는가? 공자가 계단을 올라가서 제후(齊侯)를 책망하고, 악기(樂頎)와 신구수(申句須)에게 명하여 후(郈)땅 사람들을 칠 때, 사안(謝安)처럼 태연자약한 모습을 지니지는 않았을 것이다. 이것이 바로 천리(天理)의 대공(大公)으로 외

27) 성인은……한 마디 : 이 구절은 『논어집주대전』「옹야」 제2장의 주자주 끝 구절인 '顏子之學矣'의 아래 네 번째 소주에 나온다.

28) 팔의(八議) : 『주례(周禮)』「추관(秋官)」에 보면, 주(周)나라 법제에 다음과 같은 여덟 종류의 범죄는 팔의(八議) 또는 팔벽(八闢)이라 하여, 특별 심의를 거쳐 그 형벌을 감면해 주었다고 함. 그 원문은 다음과 같다. "以八闢麗邦法附刑罰 一曰議親之闢 二曰議故之闢 三曰議賢之闢 四曰議能之闢 五曰議功之闢 六曰議貴之闢 七曰議勤之闢 八曰議賓之闢"

물과 접할 때 외물에 따라 마음을 내는 올바름이다. 주자는 일찍이 "웃으면서 살인하는 것은 절대로 안된다."고 하였으니, 성인에게 어찌 노여움이 없을 리가 있겠는가?

노여움은 자기에게 넘쳐나는 것에서 기인한다. 기(氣)가 넘쳐나는 것은 보통 사람들의 노여움이며, 리(理)가 넘치는 것은 성인의 노여움이다. 그러나 자신이 다르다고 여기는 것을 공격한다는 점에서는 동일하다. 지금 안자가 성인과 다름이 없다고는 감히 말할 수 없다. 그러나 노여움을 옮기지 않는 것은 성학(聖學)의 완성이고 성공(聖功)의 지극함이니, 안자가 성인을 배우지 않고 무엇을 배웠겠으며, 배우되 성인과 합치되지 않았다면 어찌 학문을 좋아한다고 말할 수 있겠는가? 구구하게 이러한 점을 가지고 성인(聖人)과 안자(顔子)의 천심(淺深)을 비교하다니, 고루하도다![29] (小註朱子答問中 有聖人無怒一語 多是門人因無過之說而附會成論 非朱子之言也 集註引舜誅四凶一段 明說聖人亦但不遷怒耳 喜怒哀樂 發皆和也 豈怒獨無必中之節哉 鯀爲禹父 又位在八議之條 豈舜恬然愉然而殛之 如伐惡木 除蕪草相似 孔子歷階而升 以責齊侯 命樂頎申句須下伐郈人時 當自不作謝安圍碁賭墅風味 此方是天理大公 因物付物之正 朱子嘗曰談笑殺人 斷乎不可 則豈有聖人無怒之理哉 怒者緣己之有餘 氣有餘者 衆人之怒也 理有餘者 聖人之怒也 其以攻己之所異 則一而已矣 今不敢謂顔子之無異於聖 然不遷怒者 聖學之成 聖功之至也 顔子非學聖而何學 學而不與聖人合 何云好學 區區於此較量淺深 固矣夫)

29) 성인은……한 마디 : 이 구절은 『논어집주대전』「옹야」 제2장의 주자주 끝 구절인 '顔子之學矣'의 아래 네 번째 소주에 나오며, 그 원문은 다음과 같다. "問不遷怒 此是顔子與聖人同處否 曰不遷怒在聖人分上說便小 在顔子分上說便大"

10

『장자(莊子)』에 열어구(列禦寇)가 "돼지에게 먹이기를 사람에게 먹이듯 하였다."[30] 라고 하였으며, 석가(釋迦)는 "내가 옛날 가리왕(歌利王)에게 사지(四肢)를 베이게 되었을 때 아견(我見)과 인견(人見)을 내지 않았다."라고 하였는데, 이른바 "성인은 노여움이 없다."고 하는 것은 바로 이러한 것일 뿐이다. 『춘추(春秋)』에 "초(楚)나라 세자 상신(商臣)이 그 임금 군(頵)을 시해하였다."[31] 고 쓰여 있는데, 이 아홉 글자는 천 년 뒤에 보아도 마치 우레가 치는 소리를 듣는 듯하다.(莊子說列禦寇食豕如食人 釋氏說我爲歌利王割截支體時 不生我見人見 所謂聖人無怒者 止此而已矣 春秋書楚世子商臣弑其君頵 只此九字 千載後如聞雷霆之迅發)

11

허형(許衡)[32] 은 "안자는 비록 마음의 허물은 있었지만, 몸의 허물은

30) 돼지에게……하였다 : 『장자』 「응제왕(應帝王)」에 나온다.

31) 『춘추(春秋)』에……을 시해하였다 : 『춘추좌씨전』 문공(文公) 원년(元年) 조에 나온다.

32) 허형(許衡 1209-1281) : 자는 중평(仲平), 호는 노재(魯齋), 시호는 문정(文正)이며, 원나라 때 경학가로 집현전대학사(集賢殿大學士) 등을 역임하였다. 원대(元代)의 대표적 주자학자로서 주자의 사서장구집주(四書章句集注)를 과시의 채택되게 하였으며, 주자와 육상산의 학설을 조화시키려 하였다. 저서에 『독역사언(讀易私言)』, 『노재유서(魯齋遺書)』 등이 있다.

없었다."[33]고 하였는데, 감히 어리석은 도적의 마음으로 성현을 기망(欺罔)한 점이 심하도다!

장횡거(張橫渠)는 "자신에게 불만스럽게 여겼던 것은 다시는 싹트게 하지 않는다."[34]고 하였는데, 불만스럽게 여겼다는 것은 마음에 불만스럽게 여겼다는 것이고, 마음에 불만스럽게 여겼다는 것은 마음속으로 자기 몸의 허물을 불만스럽게 여겼다는 것이다. 잘못된 쪽으로 마음이 움직일 때, 그 혼미한 마음을 누가 알 수 있겠는가? 마음에 악함이 있으면 사특하다고 하는 것이지, 이것이 곧 허물이 되는 것은 아니다. 만약 한 마음의 움직임이 예에 합치되지 않는다 하더라도 이것이 행사(行事)에 나타나지 않았다면, 이는 다만 마음의 실수이지 허물이 되는 것은 아니다. 허물이란 것은 자취가 있어야만 하는 것이니, 초(楚)나라에 가려다가 잘못하여 월(越)나라에 이르는 것과 같다. 마음의 실수는 곧 되돌릴 수 있지만, 행사의 잘못은 이미 그 자취가 이루어져서 가릴 수 없고 다만 장래에 거듭하지 않도록 징계할 수 있을 뿐이다. 혹여 마음에 다시 가릴 수 없는 허물이 있다면, 다만 몸가짐이나 움직이는 사이에 꾸미고 가려서 지적받을 만한 하자(瑕疵)가 없게 하니, 이것은 바로 공자가 말한 향원(鄕原)인 것이다. 허형(許衡)은 반듯한 행실과 걸음걸이로 몽고(蒙古)의 조정에서 하늘의 이치와 인간의 윤리에 관한 도학(道學)을 강론하였지만, 이 마음의 편안함을 돌보지 않고 다만 자긍심을 겉으로만 드러내어 남의 이목을 현란케하여 구차하게 기롱과 비난을 모면한 자이다. 허형이 허형이 되는 점이

33) 안자는……없었다 : 이 구절은 『논어집주대전』「옹야」 제2장의 주자주인 "張子曰 慊於己者 不使萌於再"아래 두 번째 소주에 나온다.

34) 장횡거(張橫渠)는……않는다 : 이 구절은 『논어집주』「옹야」 제2장의 주자주에 나오며, 그 전문은 다음과 같다. "張子曰 慊於己者 不使萌於再"

바로 여기에 있으니, 안자가 이러한 점이 있겠는가?

오직 안자의 심덕(心德)은 순일(純一)하였지만, 그 밖으로 드러나는 것이 거의 이순(耳順)과 종심소욕불유구(從心所欲不踰矩)의 오묘함에 다다르지 못했을 뿐이다. 그러므로 증자(曾子)가 갓옷을 껴입고 조문(弔問)한 것과 같은 류[35]는 말과 행동이 예에 합치되지 않는 점이 혹 때때로 있지만, 그 마음의 본체는 밝아서 잠깐을 기다릴 것도 없이 곧바로 그 불안함을 깨닫게 된다. 이 때문에 외물과 부딪칠 때 이를 적용하여 널리 예를 통하게 하였으니, 이러한 뒤에 다시 이같은 잘못이 있지 않게 된다.

허형이 "몸의 허물이 없는 것은 쉽다."라고 하였는데, 어찌 그리도 말을 쉽게 하는가? 마음이란 성(性)과 정(情)이 통합된 것이니, 학문을 좋아하는 자가 얻어서 스스로 주인 삼는 것이다. 몸이란 기품(氣稟)에 구애받고 외물과 접촉할 때 끌려가는 것으로 형질(形質)에 얽매이게 되면, 마음을 따르지 않는 것이 걱정거리가 된다. 자신이 지극한 성덕(盛德)을 지니지 못했다면 어찌 움직임에 한결같이 예에 맞게 할 수 있겠는가! 그러므로 증자(曾子)는 깊은 연못가에 서 있는 듯 얇은 얼음 위를 밟는 듯 살았는데도, 또한 임종(臨終)의 순간에 대부(大夫)의 자리를 바꾸는 것을 잊어버렸다.[36] 허형이 "몸의 허물이 없

35) 증자(曾子)가……같은 류 : 『예기(禮記)』「단궁」 상에 나오는 데, 그 전문은 다음과 같다. "曾子襲裘而弔 子游裼裘而弔 曾子指子游而示人 曰 夫夫也 爲習於禮者 如之何其裼裘而弔也 主人旣小斂 袒 括髮 子游趨而出 襲裘帶経而入 曾子曰 我過矣 我過矣 夫夫是也"

36) 임종……잊어버렸다 : 『예기(禮記)』「단궁」 상에 나오는 데, 그 전문은 다음과 같다. "曾子寢疾 病 樂正子春坐於牀下 曾元曾申坐於足 童子隅坐而執燭 童子曰 華而睆 大夫之簀與 子春曰 止 曾子聞之 瞿然曰 呼 曰 華而睆 大夫之簀與 曾子曰 然 斯季孫之賜也 我未之能易也 元起易簀 曾元曰 夫子之病革矣 不可以變 幸而至於旦 請敬易之 曾子曰 爾之愛我也不如彼 君子之愛人也以德 細人之愛人也以姑息 吾何求哉 吾得正而斃焉 斯已矣 擧扶而易之 反席未安而沒"

는 것은 쉽다."라고 말한 것에서 그의 마음이 오랫동안 세속에서 헤매고 있음을 알 수 있으니, 이는 '거론할 만한 잘못과 풍자할 만한 과오가 없음'을 믿는 자가 몸을 감추는 거짓된 술수인 것이다.

총괄하자면, 대현(大賢) 이상의 사람도 본성(本性)에서 본성을 보는 것은 쉬우나 정감(情感)에서 본성을 보는 것은 어려우니, 노여움을 옮기지 않는다는 것은 정감에서 본성을 보는 것이다. 형이상(形而上)의 도(道)에서 도를 보는 것은 쉬우나 형이하(形而下)의 기물(器物)에서 도를 보는 것은 어려우니, 허물을 거듭하지 않는 것은 형이하의 기물에서 도를 보는 것이다. 이는 천리의 순수함과 신심(身心)의 일치를 이룩한 자이니, 어찌 천리(天理)를 어긋나게 하고 윤리(倫理)를 어지럽힌 허형이 알 수 있는 경지이겠는가!(許衡云顏子雖有心過無身過 甚矣 其敢以愚賊之心誣聖賢也 橫渠云慊於己者不使萌於再 慊者 心慊之也 而心之所慊者 則以心而慊其身之過也 心動於非 迷而誰覺之乎 心之有惡 則謂之慝 不但爲過 若其一念之動 不中於禮 而未見之行事 斯又但謂之此心之失 而不成乎過 過者有迹者也 如適楚而誤至於越也 失則可以旋得 過則已成之迹不可掩 而但懲諸將來以不貳 倘於心旣有不可復揜之愆 徒於容貌動作之間 粉飾周遮 使若無瑕疵之可摘 是正孔子所謂鄕原 而許衡之規行矩步 以講道學於蒙古之廷 天理民彝不顧此心之安 徒矜立坊表 炫人耳目 苟免譏非者 衡之所以爲衡者此也 而顏子其然乎 蓋唯顏子心德已純 而發見於外者 不能幾於耳順 從心之妙 則如曾子襲裘而弔之類 言動不中於禮者 時或有之 乃其心體之明不待遲之俄頃 而卽覺其不安 是以觸類引伸 可以旁通典體 而後不復有如此之誤矣 衡云無身過易 何其談之容易也 心者 性情之所統也 好學者之所得而自主也 身者 氣稟之所拘 物交之所引者 形質爲累 而患不從心 自非盛德之至 安能動容周旋而一中於禮 故以曾子之臨深履薄 而

臨終之頃 且忘易大夫之簀 衡乃云無身過易 吾以知其心之久迷於流俗 而恃其非之無擧 刺之無刺者 爲藏身之僞術矣 總以大賢以上 於性見性 易 於情見性難 不遷怒 則於情而見性 於道見道易 於器見道難 不貳過 則於器而見道 此以爲天理渾然 身心一致者也 而豈悖天理亂民彝之許 衡所得知哉)

제5장

공자 : “안회(顔回)는 그 마음이 석 달 동안 인(仁)을 어김이 없었지만, 그 나머지 사람들은 하루나 한 달에 한 번 인(仁)에 이를 뿐이다.”

子曰 回也 其心三月不違仁 其餘則日月至焉而已矣

12

“석 달 동안 인(仁)을 어김이 없다.”[37]는 말은 또한 공자(孔子)께서 안자(顔子)의 공부의 경지를 설명하신 것이다. ‘그 마음[其心]’이란 두 글자는 그가 머물고 있는 마음이 이 같음을 지적하신 것이다. 만약 심체(心體)의 이루어진 효과로 말한다면, ‘하루에 한 번이나 한 달에 한 번 이르는 자’와 서로 상대하여 비교할 수 없다. 『논어집주』의 몇 마디 말은 정밀하고 절실하여 어긋남이 없지만,[38] 정자(程子)와 장횡거(張橫渠)의 말은 또한 매우 합당하다고 할 수는 없다.[39] 그런데 여러 소주(小註)에서 정자와 장횡거가 말한 곳에서 지름길을 찾으려고

37) 삼개월……어김이 없다 : 이 구절은 『논어』「옹야」 제5장에 나오는 말로, 그 전문은 다음과 같다. “子曰 回也 其心 三月不違仁 其餘則日月至焉而已”

38) 『논어집주』의……없지만 : 『논어집주』「옹야」 제5장에서 주자는 다음과 같이 말하였다. “三月言其久 仁者 心之德 心不違仁者 無私欲而有其德也 日月至焉者 或日一至焉 或月一至焉 能造其域而不能久也”

39) 정자(程子)와 장횡거(張橫渠)의……할 수는 없다 : 『논어집주』「옹야」 제5장에서 정자(程子)와 장횡거(張橫渠)는 각기 다음과 같이 말하였다. “程子曰 三月天道小變之節 言其久也 過此則聖人矣 不違仁 只是無纖毫私欲 少有私欲 便是不仁” “張子曰 始學之要 當知三月不違 與日月至焉 內外賓主之辨 使心意勉勉循循而不能已 過此 幾非在我者”

하였으니, 구하면 구할수록 경(經)의 본지(本旨)에서 멀어진 것이다.

『논어집주(論語集註)』에서 "그 경계에 나아간다."라고 한 것은 마음이 인(仁)에 도달함을 말한 것이지, 인이 와서 도달함을 말한 것은 아니다. 그 간단(間斷)이 없는 점에서 보면 '어김이 없다'라고 말할 수 있고, 그 의거하기도 하고 어김이 있기도 하는 점에서 보면 '이른다'고 말할 수 있다. 그러나 이르게 된다면 어김이 없는 경지와 또한 다를 바가 없다. 면재 황씨(勉齋黃氏)가 "마음은 손님이 되니, 인의 밖에 있다."라고 하였는데, 내용이 있는 말 같으나 별다른 의미는 없다.

『논어집주』에서 "사욕(私欲)이 없고, 그 덕을 소유하였다.[無私欲而有其德也]"고 하였는데, 이 '덕을 소유하였다[有其德]'는 세 글자에 바로 성학(聖學)의 모습이 드러나 있다. 그런데 이는 불가(佛家)의 "번뇌(煩惱)가 모두 끊어진 곳이 곧 보리(菩提)이다.[煩惱斷盡 卽是菩提]"라는 말과는 다른 것이다. 서산 진씨(西山眞氏)가 "여러 제자들은 욕심이 적었고, 안자(顔子)는 욕심이 없었다."[40]고 하였는데, '욕심이 적다'는 것은 현재의 번뇌를 끊어 버림을 말하는 것이고, '욕심이 없다'는 것은 근본적인 번뇌를 끊어 버림을 말하는 것이다. 다만 이러한 경지에 이르고서야 일체의 동작과 행위를 그칠 수 있고[休去], 일체의 대립과 분별의 견해를 없앨 수 있으며[歇去], 한 필의 물들지 않는 순정(純淨)한 비단 같은 마음을 세울 수 있고[一條白練去], 고묘(古廟)의 향화(香火)가 다 타버린 듯 일체의 집착을 없앨 수 있으니[古廟香爐去],[41] 어찌 이를 성학(聖學)이라 할 수 있겠는가?

40) 서산 진씨(西山眞氏)가……없었다 : 이 구절은 『논어집주대전』 「옹야」 제5자의 주자주 "能造其域而不能久也"아래 두 번째 소주 말미에 나온다.

41) 일체의 동작과……없앨 수 있으니 : 당대(唐代)의 석상 선사(石霜禪師 807-888)가 제시한 일곱 가지 수행태도, 즉 '휴거(休去)', '헐거(歇去)' '일조백련거(一條白練去)', '고묘

이러한 관점에서 생각해보면, 주자가 "인(仁)이 주인이 되고, 사욕(私欲)이 손님이 된다."[42]고 말한 것은, 장횡거(張橫渠)의 말 중 정밀하지 못한 것을 택한 것으로, '견문(見聞)과 지각(知覺)은 동일한 도수(度數)이다'라는 말과 서로 앞뒤가 맞지 않는다. 또한 주자의 "앎이 지극해지면 뜻도 성실해진다.[知至意誠]"는 언급과도 부합(符合)되는 것이 아니다. 그러나 이러한 대목은 오직 주자가 마음을 다해 사람들에게 보이고자 한 것이고, 정자(程子)와 장횡거는 도리어 말의 실마리만 던지고 다 말하지 않은 점이 있다.

공자(孔子)와 안자(顔子)의 학문으로 육경(六經)과 사서(四書)에 보이는 것의 큰 요점은 천리(天理)를 보존하는 것이다. 그렇다고 어찌 인욕(人欲)을 사갈시(蛇蝎視)하면서 다스리고, 이것을 일도양단(一刀兩斷)하듯이 모조리 없앤 뒤에야 그만둘 수 있는 것이겠는가? 그리고 그 나머지 '하루에 한 번, 한 달에 한 번 이르는 자'들도 어찌 이르지 않았을 때에 항상 생각이 인욕을 따라서만 발출되며, 일마다 인욕(人欲)을 따라서만 하겠는가? 이것은 다만 공자 문하의 현인들 뿐 아니라, 오늘날 보통 사람으로 악을 쌓은 이가 아니라면, 어찌 항상 생각이 끊임없이 오직 인욕만을 따라 바쁘겠는가? 배가 부르면 먹지 않고자 하며, 잠을 충분히 자고 나면 더 이상 자려고 하지는 않을 것이다. 사마천이 온 천하의 사람들이 모두 쉬지 않고 분주히 쫓아다니는 것은 오직 이익(利益) 때문이라고 하였는데, 이 또한 시속(時

향로거(古廟香爐去)', '냉추추지거(冷湫湫地去)', '한회고목거(寒灰枯木去)', '일념만년거(一念萬年去)' 중의 네 가지임. 각 구절의 말미에 '거(去)'자가 붙어 있기 때문에 '석상칠거(石霜七去)'라 하기도 한다.

42) 인(仁)이……손님이 된다 : 이 구절은 『논어집주』「옹야」 제5장의 주자주 끝구절인 "幾非在我者" 아래 두 번째 소주에 나온다.

俗)에 심하게 매몰된 설이다. 평상심으로 논했다면 어찌 이와 같이 말했겠는가? 이렇다면 인욕이 일어나지 않는 것을 인으로 여긴 것이니, 평범한 오늘날의 사람들로 하루에 한 번이나 한 달에 한 번 인에 이른 자들을 또한 수레에 싣고 되로 헤아려도 이루 다 기록할 수 없을 것이다. 이임보(李林甫)[43]가 언월당(偃月堂)에 들어가지 않았을 때에 살기(殺氣)를 발동하지 않았으니, 이때 그가 잠시라도 인에 이르렀다고 인정할 수 있겠는가?

이단(異端)이 숭상하는 것은 다만 인욕(人欲)이 맑아진 곳에 극력 이르고자 하는 것이다. 이는 곧 위음왕(威音王)의 저 일과 같은 것으로, 원래 그다지 긴요한 것은 아니다. 성현의 학문은 명백하게 인이 있어야 되며, 명확하게 어김이 없고 이르름이 있어야 된다. 드러나서는 보고 듣고 말하고 움직이는 사이에 있고, 은밀한 곳에는 만물이 모두 나에게 갖추어져 있는 실상이 있다. '삼 개월간 어김이 없다'는 것은 이것을 어김이 없다는 것이며, 하루에 한 번, 한 달에 한 번 이른다는 것은 이것에 이른다는 것이다. 이를 어찌 속일 수 있겠는가? 어찌 속일 수 있겠는가?(三月不違仁 夫子亦且在顔子用功上說 其心二字是指他宅心如此 如以心體之成效言 則與日月至焉者 不相對照矣 只集註數語精切不差 程張之說亦未得諦當 諸小註只向程張說處尋逕路 則愈求愈遠 集註言能造其域 謂心至仁也 非謂仁之來至也 從其不閒而言 則謂之不違 從其有依有違而言 則謂之至 而當其至 與其不違則亦無所別 勉齋云心爲賓 在仁之外 幾幾乎其有言說而無實義矣 註言無私欲而

43) 이임보(李林甫 ?-752) : 당나라의 종실(宗室)로써 예부시랑을 역임하였으며, 교활한 성품에 권모술수가 능했다고 한다. 조정에 있는 19년 동안 전정(專政)을 하면서 사람들과 교류함에 겉으로는 우호적이었지만 안으로는 음모를 잘 꾸몄기에 당시 사람들이 '구밀복검(口蜜腹劍)'이라 일컬었다고 한다. 죽고 나서 태위(太尉)에 추증되었다.

有其德 究在有其德三字上顯出聖學 而非煩惱斷盡卽是菩提之謂 西山云諸子寡欲 顔子無欲 則寡欲者斷現行煩惱之謂 無欲者斷根本煩惱之謂 只到此便休去歇去 一條白練去 古廟香爐去 則亦安得有聖學哉 以此思之 則朱子所謂仁爲主 私欲爲客 亦擇張子之語有所未精 而與見聞覺知只許一度者相亂 朱子知至意誠 不是配來話 此等處 唯朱子肯盡情示人 程張卻有引而不發之意 孔顔之學 見於六經四書者 大要在存天理 何曾只把這人欲做蛇蝎來治 必要與他一刀兩段 千死千休 且如其餘之日月至者 豈當其未至之時 念念從人欲發 事事從人欲做去耶 此不但孔門諸賢 卽如今尋常非有積惡之人 亦何嘗念念不停 唯欲之爲汲汲哉 旣飽則不欲食矣 睡足則不欲寢矣 司馬遷說盡天下之人奔走不休 只是爲利 此亦流俗已甚之說耳 平心論之 何至如是 旣然 則以人欲不起爲仁者 將凡今之人 其爲日一至 月一至者 亦車載斗量而不可勝紀 李林甫未入偃月堂時 殺機未動 而可許彼暫息之時爲至於仁乎 異端所尙 只掙到人欲淨處 便是威音王那畔事 卻原來當不得甚緊要 聖賢學問 明明有仁 明明須不違 明明可至 顯則在視聽言動之間 而藏之有萬物皆備之實 三月不違 不違此也 日月至焉 至於此也 豈可誣哉 豈可誣哉)

13

장횡거(張橫渠)의 손님과 주인의 구분은, 잠깐 가고 오는 것을 손님으로 편안히 기거하면서 오랫동안 머무는 것을 주인으로 여긴 것이다. 또한 그 내외(內外)의 구분은, 보존한 천리(天理)로 밖에서 이른 감응(感應)에 대응하는 것을 내(內)로 여기며, 밖에서 이른 감응으로 당연한 바의 이치를 구하는 것을 외(外)로 여기는 것이다. 그가 말한 '손님'은 별도의 '주인'을 필요로 하는 것은 아니며, '주인' 또한 처음부터 '손님'과 상대되는 개념은 아니다.

주자의 "밖에 있는 것을 불편하게 여겨 나가자마자 들어온다."[44]는 말도, 또한 잠깐 드나들고 오래 머무는 것을 구별한 것이다. 주자가 집을 빌려서 한 비유는 또한 경문을 활간(活看)했다고 볼 수 있다. 그러나 인(仁)이 집이 되고 마음이 집에 거주하는 사람이 될 수 없으며, 더욱이 마음이 집이 되고 인이 출입하는 사람이 될 수는 없다. 그리고 마음의 안을 집 안으로 마음의 밖을 집 밖으로 여겨서도 안 된다. 장횡거의 뜻을 따르자면, 다만 사람들이 일에 따라 이치를 구해서, 일이 있으면 이치가 있고 일이 없으면 이치도 없는 법을 경계한 것이다. 그러나 그 말이 소략하고 모호하며, 또한 '손님'과 '주인'이라는 두 글자는 석씨(釋氏) 이래로 조금 타당하지 않는 점이 있다. 때문에 후대의 사람들이 장횡거의 의견에 따라 그 구분점을 명확히 하고자 한다면, 더욱 혼란스러울 것이다.

안자(顔子)의 "삼 개월 동안 인(仁)에 어긋남이 없었다."는 것은, 또한 삼 개월 안에 자신의 사욕(私欲)을 이기고 예를 회복하여 노여움을 옮기지 않고 허물을 거듭하지 않았으며, 문(文)을 넓히고 예(禮)에서 요약하여 그만두고자 하여도 그만둘 수 없었을 뿐이다. 성학(聖學)에 이르는 한 걸음이 매우 중요한 지점인데 도리어 이처럼 소박하니, 때문에 "은미한 곳에서 날마다 빛난다.[闇然而日章]"[45]라고 한

---

44) 밖에 있는 것을……들어온다 : 『논어집주대전』 「옹야」 제5장의 주자주의 "過此幾非在我者" 아래 세 번째 소주에 나온다.

45) 은미한……빛난다 : 『중용장구』 제33장에 나온다.

것이다. 여기에 다른 것을 덧붙여 헛된 생각을 내어서는 안 될 것이다.(張子賓主之分 只以乍去乍來爲賓 安居久住爲主 其內外之辨 亦以所存之理應外至之感爲內 於外至之感求當然之理爲外 其云賓者 旣不必別立一主 其云主者 亦初非對待有賓 朱子云在外不穩 纔出便入 亦乍來久住之別也 其借屋爲喩 亦須活看 不可以仁爲屋 心爲居屋之人 尤不可以心爲屋 仁爲出入之人 更不可將腔子內爲屋裏 腔子外爲屋外 緣張子之意 但以戒人逐事求理 事在理在 事亡理亡 說得來略帶含糊 而賓主二字 又自釋氏來 所以微有不妥 後人只向此處尋討別白 則愈亂矣 顔子三月不違仁 也只三月之內克己復禮 怒不遷 過不貳 博文約禮 欲罷不能而已 聖學到者一步 是喫緊處 卻也朴實 所以道闇然而日章 更不可爲他添之 遶弄虛脾也)

14

"삼 개월 동안 인을 어기지 않았다."는 말 속에는, "우레와 비의 움직임이 천지 안에 가득하다.[雷雨之動滿盈]"[46]는 뜻이 있다. 그러므로 "오직 천하에 지극히 성실한 분이어야 천하의 대경(大經)을 경륜(經綸)한다……간곡(懇曲)하고도 지극(至極)한 인(仁)이로다."[47]라고 말하는 것이다. 주자의 '인은 거울이 깨끗한 것과 같다'는 설명[48]은 내가 감히 거론할 수 있는 것이 아니다. 그러나 거울과 서로 유사하다는 것이지,

46) 우뢰와……가득하다 : 『주역』「감괘(坎卦)」 단전(彖傳)에 나온다.

47) 오직……인(仁)이로다 : 『중용장구』 제33장에 나온다.

거울은 거울이다. 거울이 인(仁)이 될 수야 있겠는가!(三月不違仁中有雷雨之動滿盈意思 故曰唯天下至誠 爲能經綸天下之大經……肫肫其仁 朱子鏡明之說 非愚之所敢據 若只與鏡相似 只是個鏡 鏡也而仁乎哉)

15

주인과 손님의 비유에 관한 분분한 논의[49]는, 다만 '마음 밖에 인이 없다[心外無仁]'는 네 글자에 얽매였기 때문이다. '마음 밖에 인이 없다'는 말은 '마음 안에 인이 있다'라고 하는 것과 같으니, 이는 곧 '마음이 바로 부처이다[卽心卽佛]'라는 사설(邪說)과 천양지차(天壤之差)임을 모르고서 한 말이다. 이 '마음'이라는 글자를 활간(活看)하면, 이는 바로 허령지각(虛靈知覺)의 작용(作用)의 측면에서 말한 것이다. 그런데 이 마음을 인(仁)과 동일시한다면, 이는 바로 불가(佛家)의 '작용이 곧 성이다[作用是性]'라는 매우 그릇된 해석과 같으니, 어찌 옳겠는가!(紛紛賓主之論 只爲心外無仁四字所膠轕 不知心外無仁猶言心中有仁 與卽心卽佛邪說 正爾天淵 且此心字是活底 在虛靈知覺之用上說 將此竟與仁爲一 正釋氏作用是性之狂解 烏乎可)

---

48) 주자주 '日月至焉者, 或日一至焉, 或月一至焉, 能造其域而不能久也' 바로 아래의 소주에 나오는데, 그 원문은 다음과 같다. "心有鏡, 仁有鏡之明. 鏡本來明, 被塵垢一蔽, 遂不明. 若塵垢一去, 則鏡明矣."

49) 주인과 손님의 비유에 관한 분분한 논의 : 장횡거가 인(仁)을 주인, 사욕(私欲)을 손님으로 비유한 것에 대하여, 주자(朱子), 면재 황씨(勉齋黃氏), 북계 진씨(北溪陳氏), 잠실 진씨(潛室陳氏), 신안 예씨(新安倪氏) 등이 다양하게 논의를 하였는데, 그 내용이 『논어집주대전』「옹야」 제5장의 소주에 나온다.

제6장

계강자 : “중유(仲由)는 정사에 종사하게 할 만합니까”
공자 : “유(由)는 과감하니 정사에 종사하는 데 무슨 어려움이 있겠습니까.”
계강자 : “사(賜 : 子貢)는 정사에 종사하게 할 만합니까?”
공자 : “사(賜)는 사리에 통달하였으니 정사에 종사하는 데 무슨 어려움이 있겠습니까.”
계강자 : “염구(求)는 정사에 종사하게 할 만합니까?”
공자 : “구(求)는 재능이 많으니 정사에 종사하는 데 무슨 어려움이 있겠습니까.”

季康子問 仲由可使從政也與 子曰 由也果 於從政乎何有 曰 賜也可使從政也與 曰 賜也達 於從政乎何有 曰 求也可使從政也與 曰 求也藝於從政乎何有

16

성인은 자주 세 제자들의 장점을 칭찬하였다.[50] 그런데 쌍봉 요씨(雙峰饒氏)는 세 제자들의 단점만을 교묘하게 찾았다.[51] 그리고 그가 단안(斷案)을 내린 곳은 더욱 천박(淺薄)하다. 배우는 자들이 이런 식으로 궁리(窮理)한다면, 이는 가장 큰 병통이다. 그리고 '사(賜)는 통달했다'는 공자의 말은 어느 정도의 경지를 인정한 것인데, 어찌 쉽게 폄하할 수 있겠는가? 만약 일에는 통달했지만 이치에는 통달하지 못했다라고 한다면, 천하에 이치없이 통달할 수 있는 것이 있겠는가?(聖人亟於稱三子之長 雙峰巧以索三子之短 而下斷案處又淺薄 學者如此以爲窮理 最是大病 且如賜也達 是何等地位豈容輕施貶剝 如云達於事 未達於理 天下有無理之達乎)

---

50) 성인은……칭찬하였다 : 이 내용은 『논어』「옹야」 제6장에 나오는데, 그 전문은 다음과 같다. "季康子問 仲由可使從政也與 子曰 由也果 於從政乎何有 曰 賜也 可使從政也與 曰 賜也達 於從政乎何有 曰 求也 可使從政也與 求也藝 於從政乎何有"

51) 쌍봉 요씨(雙峰饒氏)는……찾았다 : 이 내용은 『논어집주대전』「옹야」 제6장의 주자주 "藝 多才能"아래 소주에 나온다.

제8장

백우(伯牛)가 병(病)을 앓자, 공자께서 문병을 가셨다.

남쪽 창문을 통해 그의 손을 잡고 공자께서 하신 말씀 : "이런 병에 걸릴 리가 없는데, 운명(運命)이로다! 이 사람이 이런 병에 걸리다니! 이 사람이 이런 병에 걸리다니!"

伯牛有疾 子問之 自牖執其手曰 亡之 命矣夫 斯人也而有斯疾也 斯人也而有斯疾也

17

주자가 '그 태어나는 처음에 기품(氣稟)이 한 번 정해져서 바꿀 수 없는 것'으로 명(命)을 말한 것[52]은 다른 곳에서 한 말인데, 『논어집주대전』을 편찬하는 이들이 잘못 이곳에다 집어넣은 것이다. 호광(胡光)을 비롯한 여러 큰 학자들이 이렇게 조잡하고 엉성하단 말인가!

백우(伯牛)의 소생할 수 없는 질병은 나병과 나병 아님에 상관없이, 모두 기품(氣稟)으로 돌리는 것은 잘못이다. 기(氣)로써 말한다면 이는 이허중(李虛中)[53]의 생극왕폐(生尅旺廢)의 설이고, 품(稟)으로써 말한다면 『황제내경(黃帝內經)』「소문(素問)」의 삼음삼양(三陰三

52) 주자가……말한 것 : 이 내용은 『논어집주대전』「옹야」 제8장의 "伯牛有疾 子問之 自牖 執其手曰 亡之 命矣夫 斯人也而有斯疾也 斯人也而有斯疾也"라는 경문 아래, 주자주인 "亦可見矣"구절의 바로 아래 소주에 나오는 데, 그 전문은 다음과 같다. "有生之初 氣稟有一定 而不可易者 孟子所謂 莫之致而至者也"

53) 이허중(李虛中) : 당(唐)나라 사람으로 자는 상용(常容)이다. 관직은 전중시어사(殿中侍御史)에 이르렀으며, 『명서(命書)』라는 책에 주를 달았다고 한다. 음양오행의 술수에 밝아서 오행의 상생상극과 생성소멸로 인간의 수요(壽夭)와 귀천(貴賤)을 추측하였으며, 사후에 한유(韓愈)가 그에 대하여 묘지명을 찬술하였다고 한다.

陽)[54]의 상법(相法)일 뿐이니, 군자는 이러한 것으로써 명(命)을 말하지는 않는다. 예측할 수 있는 술수학(術數學)은 머나먼 진리를 향해 가는 데 방해가 되기 때문이다[55]. 이는 기품(氣稟)이 나약한 사람의 경우, 추위와 더위, 바람과 햇볕을 막기에 부족하여 심하게 병에 잘 걸린다고 하는 것과 같다. 그러나 『서경(書經)』「홍범(洪範)」의 육극(六極)에서 나약함과 질병, 요절을 셋으로 구분하였으니,[56] 애초에 약한 자가 반드시 병에 걸리고 병에 걸린 자가 필히 요절하는 것은 아니다. '이르게 함이 없었는데도 이르는 것[莫之致而至者]'이 명(命)이라면, 명(命)은 시간과 공간에 상관없는 것으로 그 태어나는 초기에 한정할 수 있는 것이 아니다. 그러므로 '기품이 태어나는 처음에 정해진다'라고 한다면, 이는 그 태어나는 처음에 기품이 정해진 것뿐이니 어찌 이것이 명(命)이겠는가?

선유(先儒)들은 기품지성(氣稟之性)이 있다고 말하였다. 성(性)은 인간에게 응취(凝聚)되어 있기에 기품(氣稟)이라고 말할 수 있지만, 명(命)은 하늘에서 행해지는 것이기에 기품이라고 말할 수 없는 것이다. 논에 있는 벼를 예로 들어보기로 하자. 벼가 갑자기 바람을 맞게 되면 결실을 맺을 수 없게 되는데, 이것이 어찌 벼의 기품(氣稟)이 불러들인 것이겠는가? 기(氣)에는 서로 부르는 기미가 있으니, 기가 실

54) 삼음삼양(三陰三陽) : 삼음(三陰)은 육경락(六經絡) 중의 태음(太陰), 소음(少陰), 궐음(厥陰)을 가리키며, 삼양(三陽)은 양(陽), 소양(少陽), 양명(陽明)을 가리킨다.

55) 예측할……때문이다 : 공문(孔門)에서는 전통적으로 술수학이나 농상(農商) 같은 것을 작은 도로 여겨 그 가치를 인정하였다. 그러나 머나먼 진리를 향해 가는 데는 이러한 소도(小道)가 방해가 된다고 여겼으니, "子夏曰 雖小道 必有可觀者焉 致遠恐泥 是以君子不爲也(『논어』「자장(子張)」 제4장)"라는 구절은 바로 이러한 인식을 잘 보여주는 대목이라 할 수 있다.

56) 『서경(書經)』……구분하였으니 : 『서경(書經)』「홍범(洪範)」에서 말하는 육극(六極)은 다음과 같다. 흉단절(凶短折), 질(疾), 우(憂), 빈(貧), 악(惡), 약(弱).

(實)하면 실한 것을 부르고 기가 허(虛)하면 허한 것을 부르게 되며, 품(稟)에는 서로 받아들이는 양(量)이 있으니 품(稟)이 크면 큰 것을 받아들이고 품이 작으면 작은 것을 받아들이게 된다. 벼는 빨리 자라거나 느리게 자라기도 하며, 열매를 맺는 것이 혹 많기도 하거나 작기도 하는데, 이는 질병과 원래 서로 관련이 없다. 때 아닌 바람으로 인해 곡식은 싹이 패지 않고, 맑지 않은 기로 인해 몸에 병이 들기도 하는데, 이는 하늘에서 받은 것으로 사람이 이르게 하지 않았는데도 저절로 이른 것이다. 그러므로 이를 명(命)이라 하니, 이것이 기품(氣稟)과 무슨 상관이 있다는 말인가! 그 태어나는 처음에 곧 백우에게 이같은 병이 심어져 있어서 반드시 회복될 수 없는 병이 있게 되었다고 한다면, 명은 정해진 것이라는 설에 의하면 그렇게 말할 수도 있겠지만 모두가 망령된 설에 불과할 뿐이다.

성인이 명(命)을 말할 때, 모두 하늘에 있는 무심(無心)한 기화(氣化)가 만물에 미치는 것을 가지고 말씀하였다. 하늘에는 하루라도 그 명이 쉼이 없고, 사람은 하루라도 하늘에서 그 명을 이어받지 않음이 없다. 때문에 '명을 응취(凝聚)하였다[凝命]'라고 말하거나, '명을 받았다[受命]'라고 말하는 것이다. 만약 '태어나는 처음'이라고 한다면 또한 지식(知識)이 열리지 않고 인사(人事)가 아직 일어나지 않았으니, 누가 응취를 했고 또 어떤 대덕(大德)이 이를 받아들였다는 것인가?

이 음(陰)이 변하고 양(陽)이 합하여 그 사이에서 밀고 당김에, 평이하고 간략한 변화의 와중에 자연스럽게 다양한 형상이 있게 된다. 변화는 하늘에 있는 것이고 이를 받아들임은 인간에게 있다. 그 덕(德)으로 보자면 '너와 함께 왕래하고 너와 함께 노닌다'[57]는 것이 성(性)이고, 그 복(福)으로 말하자면 화육(化育)하여 살고 죽는 그 처음과 끝이 명(命)이 된다.【덕(德)은 리(理)에 속하고, 복(福)은 기(氣)에 속한다.】 태어난 이후의 명(命)은 그 공용(功用)이 태어나는 처음과 같으니, 태어난 이후에 만들어지는 바가 있다면 더욱 어긋나는 것이 된다.

천명(天命)은 무심(無心)하고 쉼이 없는데, 어찌 사람이 태어나는 처음에 일생의 근간(根幹)으로서 모두 베풀어졌다가 태어난 이후에 드디어 그 일을 그만두고 따르기만 할 줄 알겠는가? 그리고 또 어찌 처음 태어나는 순간에 명을 맞아들이는 자질이 있다가 태어난 뒤에는 죽은 것과 같이 받아들일 수 없단 말인가? 한결같이 처음 태어나는 곳에 귀착시키니, 술수학(術數學)과 같은 소도(小道)가 이로부터 흥성하게 되는 것이다.(朱子以有生之初 氣稟一定而不可易者言命自他處語 脩大全者誤編此 胡光大諸公 直恁粗莽 伯牛不可起之疾 無論癩與非癩 皆不可歸之氣稟 以氣言 則是李虛中生尅旺廢之說 以稟言則素問三陰三陽相法而已 君子正不以此言命 術之所可測者 致遠則泥也一如云氣稟弱荏 不足以禦寒暑風日 而感疾以劇 則洪範六極分弱疾短折爲三 初非弱者之必疾 疾者之必折也 夫莫之致而至者命也 則無時無鄉 非可執有生之初以限之矣 氣稟定於有生之初 則定於有生之初者亦氣稟耳 而豈命哉 先儒言有氣稟之性 性凝於人 可以氣稟言 命行於天 不可以氣稟言也 如稻之在畝 忽然被風所射 便不成實 豈禾之氣稟有以致之乎 氣有相召之機 氣實召實 氣虛召虛 稟有相受之量 稟大受大 稟小受小 此如稻之或早或遲 得粟或多或少 與疾原不相爲類 風不時而粟虛於穗 氣不淑而病中於身 此天之所被 人莫之致而自至 故謂之命 其於氣稟何與哉 謂有生之初 便栽定伯牛必有此疾 必有此不可起之疾 唯相命之說爲然 要歸於妄而已矣 聖人說命 皆就在天之氣化無心而

57) 너와 함께……노닌다 : 『시경』 대아 「판(板)」에 나오는 싯구로 그 원시는 다음과 같다. "敬天之怒 無敢戲豫 敬天之渝 無敢馳驅 昊天曰明 及爾出王 昊天曰旦 及爾游衍"

及物者言之 天無一日而息其命 人無一日而不承命於天 故曰凝命 曰受命 若在有生之初 則亦知識未開 人事未起 誰爲凝之 而又何大德之必受哉 只此陰變陽合 推盪兩間 自然於易簡之中有許多險阻 化在天 受在人 其德 則及爾出王游衍而爲性 其福 則化亭生殺而始終爲命 德屬理福屬氣 此有生以後之命 功埒生初 而有生以後之所造爲尤倍也 天命無心而不息 豈知此爲人生之初 而盡施以一生之具 此爲人生之後 遂已其事而聽之乎 又豈初生之頃 有可迓命之資 而有生之後 一同於死而不能受耶 一歸之於初生 而術數之小道繇此興矣)

제9장

공자 : "어질구나, 안회(顔回)여! 한 개의 대나무 도시락밥과 한 잔의 표주박의 물로 누추한 거리에 살고 있도다. 남들은 그 근심을 견뎌내지 못하는데, 안회(顔回)는 그 즐거움을 바꾸지 않는구나. 어질구나, 안회여!"

子曰 賢哉 回也 一簞食 一瓢飮 在陋巷 人不堪其憂 回也不改其樂 賢哉 回也

18

공자(孔子)께서 안자(顏子)가 "그 즐거움을 바꾸지 않았다."[58]고 말씀하실 때, 안자의 바꾸지 않는 즐거움을 현명하게 여긴 것이다. 그런데 주돈이(周敦頤)와 정자(程子) 두 선생은 도리어 안자가 즐거움을 바꾸었느냐 바꾸지 않았느냐에 대해서는 묻지 않고, 즐거움에 대해서만 밝히려고 하여 그 말들이 비교적 고원(高遠)한 경지로 한 걸음 내디뎠는데 더욱 절실(切實)하다고 할 만하다. 즐거운 뒤에야 바꾸느냐 바꾸지 않느냐가 있는 것이니, 그 즐거움이 없다면, 또한 무슨 바꿀 것이 있겠는가?

바꾸지 않는 것은 즐거움의 극치로 가난 속에서도 그것을 볼 수 있으니, 즐거움은 가난에 상관없이 원래 있는 것이다. 배우는 자들은 바꾸지 않음에 대하여 생각함이 없이 다만 그 즐거움이 어떠한지에 대

58) 그 즐거움을……않았다 : 이 구절은 『논어』「옹야」 제9장에 나오는 것으로, 그 전문은 다음과 같다. "子曰 賢哉 回也 一簞食 一瓢飮 在陋巷 人不堪其憂 回也 不改其樂 賢哉 回也"

해서만 묻는다. 그리고 그 즐거움을 고찰하지 않고 먼저 바꾸지 않음에 대해서만 추구하기도 하니, 이는 '산사의 해 높이 떴는데, 중은 일어나지 않네[山寺日高僧未起]'라거나 '농가의 가난한 살림 비웃지를 말게나[莫笑田家老瓦盆]'라는 삶의 태도와 같다. 이와 같으면 기질(氣質)이 강건(剛健)한 자는 오만해지며, 유약(柔弱)한 자는 게으르게 될 뿐이다. 이것은 이른바 "교만하게 즐기는 것을 좋아하며, 편안히 노는 것을 좋아한다.[樂驕樂 樂佚遊]"[59]는 것에서 오는 손실(損失)이다.(夫子說顔子不改其樂 賢其不改也 周程兩先生卻且不問其改不改 而亟明其樂 其言較高一步 而尤切實 樂而後有改不改 倘無其樂 則亦何改之有哉 不改是樂之極致 於貧而見之 樂則不待貧而固有也 學者且無安排不改 而但問其樂何如 未究其樂而先求不改 則且向山寺日高僧未起 莫笑田家老瓦盆上作生活 氣質剛者爲傲而已矣 其柔者爲慵而已矣 此所謂樂驕樂 樂佚遊之損者也)

19

정자(程子)는 안자(顔子)가 도로써 즐거움을 삼은 것은 아니라고 생각하였다.[60] 그런데 뒷사람들은 도리어 이것을 가지고 한 마디 두

---

59) 교만하게……좋아한다 : 『논어』「계씨(季氏)」 제5장에 나온다.

60) 정자(程子)는……생각하였다 : 『논어집주』「옹야」 제9장의 주자주에 인용된 정자(程子)의 말을 살펴보면, 이 점은 분명해지는데, 그 전문은 다음과 같다. "程子曰 顔子之樂 非樂簞瓢陋巷也 不以貧窶累其心 而改其所樂也 故 夫子稱其賢 又曰 簞瓢陋巷 非可樂 蓋自有其樂爾 其字當玩味 自有深意 又曰 昔受學於周茂叔 每令尋仲尼顔子樂處 所樂何事"

마디씩을 하니, 이것은 곧 바람을 희롱하고 그림자를 잡는 말이다. 오직 주자(朱子)만이 성실하고 친절한 까닭에, 이 말을 바꾸어 "요컨대 도를 즐긴다고 말해도 또한 해로울 것은 없다."라고 하였다. 도를 즐겨서 해(害)가 있다면, 이윤(伊尹)과 맹자(孟子)도 모두 '도(道)를 하나의 물건으로 여겨 완상하고 노닌' 사람일 것이다.【서산 진씨(西山眞氏)의 말이다.】

다만 도를 즐거움으로 삼아도 해로울 것은 없으나, 대개는 그 즐거움을 얻을 수 없을 것이다. 예컨대 술을 즐기는 사람은 자연스럽게 술을 즐기는 것이다. 만약 술로써 즐거움을 삼았다라고 한다면, 본래 술을 즐기는 것이 아니라 다만 술을 빌려서 가득 쌓인 불평한 기운을 해소한 것이다. 이는 곧 술잔을 대하고서 가슴속의 회포를 다 털어내는 것이다.

만약 사람이 정(情)이 가는 데로 맡겨서 즐거움을 구한다면, 천하에 즐거울 만한 것은 필경 도(道)는 아닐 것이다. 그러므로 어찌 도를 즐거움으로 삼아서 바꾸지 않을 수 있겠는가! 오직 먼저 한 번 즐거워하는 마음을 내지 않아야만 뒤에 도에 있어서 즐거울 만한 실상이 있게 될 것이다. 이는 천리(天理)가 현전(現前)하고 좌우에서 근원(根源)을 만나 조용한 가운데 자득(自得)의 묘리(妙理)를 얻은 것이다. 그러니 어찌 '~로써[以]'라고 하거나, '~로 삼는다[爲]'라고 말할 수 있겠는가? 도로써 즐거움을 삼는다면 이는 즐거움의 차원에서 하는 공부이고, 안자의 즐거움은 바로 도의 차원에서 하는 공부이니, 이것이 구별되는 지점이다.

즐거움의 차원에서 공부를 하면 곧 단단하게 마음이 안정되니, 고자(告子)가 두려움과 의혹이 없었던 것은 이 때문이다.[61] 도의 차원에서 공부를 하면 예(禮)가 회복되고 인(仁)이 지극하게 되는 때를 즐거워하게 된다. 이는 모든 동정(動靜)과 말하고 행동함에 마치 가벼운 수레를 달리게 하듯, 나는 새를 하강시키듯 하며, 또한 바둑에서 상대편 집을 줄여나가는 것과 비슷하여 손 가는 데로 무너뜨리게 되니, 어찌 즐거움이 없을 것이며, 어찌 고칠 것이 있으랴!(程子謂顏子非以道爲樂 後人卻在上面說是一是二 這便是弄風捉影語 唯朱子委實親切 故爲之易其語曰 要之 說樂道亦無害 蓋樂道而有害 則伊尹孟子都是將道爲一物而玩弄之矣 眞西山語 但以道爲樂雖無害 而大槩不能得樂 如嗜酒人 自然於酒而樂 若云以酒爲樂 則本非嗜酒 特借酒以消其磊砢不平之氣 到底他臨觴之下 費盡消遣 且人若任着此情以求樂 則天下之可樂者 畢竟非道 如何能勾以道爲樂而不改 唯不先生一樂之之心 而後於道有可樂之實 此天理現前 左右逢原從容自得之妙 豈可云以 而豈可云爲哉 以道爲樂 只在樂上做工夫 而顏子之樂 乃在道上做工夫 此其所以別也 在樂上做工夫 便是硬把住心 告子之所以無恐懼疑惑也 在道上做工夫 則樂爲禮復仁至之候 擧凡動靜云爲 如馳輕車 下飛鳥 又如殺低碁相似 隨手輒碎 如之何無樂 如之何其改也)

20

안자(顏子)가 어찌하여 그 즐거움을 바꾸지 않았는지를 알고자 한

61) 고자(告子)가……때문이다 : 『맹자』「공손추」상에 고자(告子)의 부동심(不動心)에 대한 언급이 나오는 데, 그 원문은 다음과 같다. "公孫丑問曰 夫子加齊之卿相 得行道焉 雖由此霸王 不異矣 如此則動心 否乎 孟子曰 否 我四十不動心 曰若是則夫子過孟賁 遠矣 曰是不難 告子 先我不動心"

다면, 반드시 '사람들이 견디기 어려운 근심'이 어디에서 생겨나는 지를 보아야만 할 것이다. 어떤 사람이 주자(朱子)에게, "아버지인 안로(顔路)가 맛있는 음식을 먹지 못하였을 때, 안자(顔子)는 어찌 하였을까요?"라고 물었는데,[62] 이 질문에서 착안해 보는 것이 매우 좋다.

도(道)를 아직 소유하지 못하고 인(仁)에 있어서 예(禮)를 회복하지 못하여 한 가지 일도 처리하지 못하였지만, 단표누항(簞瓢陋巷)을 말하지 않는다면, 천하를 소유하여도 또한 초췌할 뿐이다. 천리(天理)가 난숙(爛熟)하면 천 갈래의 조목과 만 갈래의 갈림길에 있어서 그 당연한 이치에 어두워지지 않을 것이지만, 단표누항(簞瓢陋巷)을 말하지 않으면, 번뜩이는 칼날이 이마 위에 어른거려도 유유자적(悠悠自適)할 수 있을 것이다. 즐거움이란 뜻을 얻음을 말하는 것이다. 천리(天理)에 있어서도 뜻을 얻지 않음이 없다면, 어찌 황면재(黃勉齋)가 "무릇 걱정할 만하고 근심할 만한 일이 모두 그 마음에 얽매임이 되기에는 부족하다."[63]라고 말한 것과 같을 뿐이겠는가? 다만 그것을 얻음에 있을 뿐이다.(要知顔子如何不改其樂 須看人不堪其憂是怎生地 或問朱子顔路甘旨有闕時如何 此處正好着眼 道之未有諸己 仁之未復於禮 一事也發付不下 休說簞瓢陋巷 便有天下 也是憔悴 天理爛熟 則千條萬歧 皆以不昧於當然 休說簞瓢陋巷 便白刃臨頭 正復優游自適 樂者 意得之謂 於天理上意無不得 豈但如黃勉齋所云凡可憂可戚之事 擧不足以累其心哉 直有以得之矣)

62) 아버지인……물었는데 : 이 문답은 『논어집주대전』 「옹야」 제9장의 주자주 '庶乎有以得之矣'의 아래, 11번째 소주(小註)에 나온다.

63) 무릇……부족하다 : 이 구절은 『논어집주대전』 「옹야」 제9장의 주자주 '庶乎有以得之矣'의 아래, 16번째 소주(小註) 말미에 나온다.

21

서산 진씨(西山眞氏)는 "대나무 도시락의 밥과 한 그릇 표주박의 물로 누추한 거리에 살면서도[簞瓢陋巷] 그 가난함을 알지 못하고, 만종의 녹봉과 구정의 지위[萬鍾九鼎]에도 그 부유함을 모른다."[64]라고 말하였는데, 이는 장자(莊子) 「소요유(逍遙遊)」의 취지와 같다. 단표누항(簞瓢陋巷)은 두더지와 굴뚝새 같은 형편이고, 만종구정(萬鍾九鼎)은 남쪽의 대해(大海)와 북쪽 큰 바다 같은 처지이다. 그리고 그 가난함을 알지 못하는 것은 남쪽의 대해(大海)와 북쪽 큰 바다처럼 바라보는 것이요, 그 부유함을 모르는 것은 두더지와 굴뚝새처럼 살펴보는 것이다. 외물(外物)을 저만큼 떼어놓고 본다면, 이는 돼지에게 먹이건 사람에게 먹이건 소라고 부르건 말이라고 부르건 모두 구분됨을 알지 못할 것이다. 성현(聖賢)의 도(道)와 성현의 학문은 절대로 이와 같을 수는 없다. "녹음이 우거진 창 앞 풀잎 베지 않으니, 내 마음과 똑같구나!"라고 하였으니, 어찌 넋을 놓고 알지 못할 수야 있겠는가?

당(唐)나라 사람의 시 중에, "남쪽에서 훈풍(薰風) 불어오고, 궁전 모퉁이 서늘하구나.[薰風自南來 殿角生微凉]"[65]라는 구절과 "남풍(南風)의 훈훈함이여! 우리 백성들의 근심 풀어주네.[南風之薰兮 可以解吾民之慍兮]"[66]라는 구절은 착목점이 현격하게 다르다. 그 자신 성

64) 서산 진씨(西山眞氏)는……모른다 : 이 구절은 『논어집주대전』 「옹야」 제9장의 주자주 '庶乎有以得之矣'의 아래, 18번째 소주(小註) 말미에 나온다.

65) 남쪽에서……서늘하구나 : 『강남통지(江南通志)』에 의하면, 이 시는 원오선사(圓悟禪師)가 읊은 것으로, 대혜선사(大彗禪師)가 이 시를 듣고 확철대오(廓徹大悟)했다고 한다.

66) 남풍의……풀어주네 : 『공자가어(孔子家語)』 「변악해(辯樂解)」에 나오는 싯구로 순(舜)임금이 오현금(五絃琴)을 타면서 불렀다고 한다.

현(聖賢)이 아니면, 즐거움을 말한 모든 곳이 실제(實際)를 버려두고 풍광(風光)만을 완상한 것이로다. 서산 진씨는 빈부(貧富)의 학설을 알지 못하였지만, 한 걸음은 내디뎠다고 할 만하다. 도정절(陶靖節)의 "뭇새들 의탁할 곳 있어 기뻐하는데, 나 역시 내 초막 사랑한다.[衆鳥欣有託 吾亦愛吾廬]"라는 시의 생각은 매우 좋다. 하지만, 하단의 "주나라 임금의 이야기 죽 읽고, 『산해경(山海經)』의 그림을 훑어본다.[汎覽周王傳 流觀山海圖]"라는 구절[67]은, 공자(孔子)와 안자(顔子)의 즐거움과는 거리가 아주 멀다. 이는 그가 이에 이르러 근심을 해소하고 분노를 삭이는 방법을 찾느라, 목전(目前)의 역경(逆境)을 망각하였기 때문이다. 공자와 안자, 정자(程子)와 주자(朱子)의 현신설법(現身說法)[68]은 다만 인륜(人倫)과 물리(物理)의 바탕위에서 종횡(縱橫)으로 체득한 것이니, 이는 서산 진씨가 터득할 수 있는 경지가 아니다.(眞西山所云簞瓢陋巷不知其爲貧 萬鍾九鼎不知其爲富 一莊生逍遙遊之旨爾 簞瓢陋巷 偃鼠 鷦之境也 萬鍾九鼎 南溟 北溟之境也 不知其貧 南溟北溟之觀也 不知其富 偃鼠 鷦之觀也 將外物撇下一壁看 則食豕食人 呼牛呼馬而皆不知矣 聖賢之道 聖賢之學 終不如是 綠滿窗前草不除 與自家意思一般 豈漫然不知而已哉 如唐人詩薰風自南來 殿角生微涼 與南風之薰兮 可以解吾民之慍兮 落處固自懸隔 自非聖賢 則總到說樂處 須撇開實際 玩弄風光 西山不知貧富之說 亦只

67) 뭇새들…… 훑어본다 : 이 도연명(陶淵明)의 시는 그의 장편시 『독산해경(讀山海經)』 13중, 첫 째수에 들어 있는데, 첫 수만 보이면 다음과 같다. "孟夏草木長 繞屋樹扶疏 衆鳥欣有託 吾亦愛吾廬 旣耕亦已種 時還讀我書 窮巷隔深轍 頗迴故人車 歡然酌春酒 摘我園中蔬 微雨從東來 好風與之俱 汎覽周王傳 流觀山海圖 俯仰終宇宙 不樂復何如"

68) 현신설법(現身說法) : 부처가 중생을 제도하기 위하여 갖가지 모습으로 나타나 여러 사람에게 하는 설법. 여기서는 현실 속에서 단표누항지락(簞瓢陋巷之樂)을 영위하는 안자의 삶에 대한 공자의 칭찬과, 이에 대한 주자와 정자의 다양한 해석을 가리킨다.

到者一步 陶靖節云衆鳥欣有託 吾亦愛吾廬 意思儘好 到下面卻說汎覽周王傳 流觀山海圖 便與孔顏之樂 相去一方 緣他到此須覓箇療愁躅忿方法 忘卻目前逆境也 孔顏程朱現身說法 只在人倫物理上縱橫自得 非西山所庶幾可得)

제13장

공자 : "맹지반(孟之反)은 공(功)을 자랑하지 않았다. 전쟁에서 패하여 도망갈 때에 뒤에서 싸우더니, 장차 성문을 들어가려 할 적에 말을 채찍질하며 말하기를 '내 용감하여 뒤에 남아 싸운 것이 아니요, 말이 빨리 달리지 못하였을 뿐이다.'고 하였다."

子曰 孟之反不伐 奔而殿 將入門 策其馬曰 非敢後也 馬不進也

22

성인(聖人)은 항상 '겸손함'에 대하여 가벼이 말하지 않는다.[69] 그러므로 『주역』을 편찬하실 때, 오직 하늘의 '더해줌'과 땅의 '흐름', 그리고 귀신의 '복'과 인간의 '좋아함'에 대하여 말하였으니,[70] 이는 또한 만물(萬物)에 응대하는 덕의 권도(權道)【병(柄)은 권도의 뜻이 있다.】이지, 덕에 들어가는 처음 공부는 아니다. 그러므로 "겸(謙)은 형통하니, 군자(君子)라야 끝마침이 있도다.[謙 亨 君子 有終]"[71]라고 말하였으니, 반드시 군자라야 이에 마침이 있다는 의미로 군자가 아니라면 그 시작도 어려운 것이다.

상채 사씨(上蔡謝氏)는 "사람이 남보다 앞서지 않으려는 마음을 간직할 수 있다면, 인욕(人欲)은 날마다 소멸되고 천리(天理)는 날로

69) 성인은……않는다 : 이하의 내용은 『논어』「옹야」 제13장 "子曰 孟之反 不伐 奔而殿 將入門 策其馬 曰非敢後也 馬不進也"라는 경문에 대한 왕부지의 해석이다.

70) 『주역』을 편찬하실 때……말하였으니 : 『주역』「겸괘(謙卦)」의 단전(彖傳)에서 "天道虧盈而益謙 地道 變盈而流謙 鬼神 害盈而福謙 人道 惡盈而好謙"이라고 하였다.

71) 겸(謙)은……있도다 : 이 구절은 『주역』「겸괘(謙卦)」의 단사(彖辭)이다.

밝아질 것이다."[72]라고 하였는데, 이 말은 보편타당한 것이 아니다. 상채 사씨의 기질이 강명(剛明)하여, 자존심과 자랑하고자 하는 마음이 매우 많았다. 때문에 그 자신 공부를 함에 자존(自尊)의 마음을 없애는 것으로 기질(氣質)을 변화시키고자 하였다. 그러나 이는 상채 사씨 그 자신의 유익함이고 한때의 공부이니, 의거하여 전범으로 삼을 수는 없다. 인욕이 말소되지 않는 것은 성의(誠意)의 공부가 없어서이고, 천리가 밝아지지 않는 것은 격물치지(格物致知)의 노력이 없었기 때문이다. 그런데 단지 맹지반(孟之反)이 가지고 있는 하나의 장점만을 법으로 삼는다면, 반드시 노자(老子)의 가르침으로 빠져 들게 될 것이다. 맹지반은 원래 노자의 문하생으로 그의 공을 자랑하지 않는다는 한 절목(節目)은 군자의 위기지학(爲己之學)에 가깝다. 또한 그는 노자의 학풍을 듣고는 깊이 열복(悅服)하였기에 점차 성취(成就)함이 있었다. 때문에 패배하여 달아나는 경황 없는 가운데서도 거연(居然)한 자세로 헤매지 않을 수 있었다. 아마도 겸손함의 한 길로 무르익도록 매진하였기에 이럴 수 있었을 것이다. 그러나 맹지반의 사람됨은 이와 같음에 그칠 뿐이었으니, 그가 이로 말미암아 날마다 천리가 밝아지고 인욕이 소멸되는 경지에 이르렀다는 것은 듣지 못하였다.

천근(淺近)한 측면에서 말한다면, 공을 자랑하는 것도 또한 사욕(私欲)의 한 부분이니, 이를 없앨 수 있는 자는 인욕(人欲) 가운데 한 푼의 작은 잘못도 저절로 제거할 수 있을 것이다.【작다는 것은 크다는 것과

72) 상채 사씨(上蔡謝氏)는……것이다 : 이 구절은 『논어집주대전』「옹야」 제13장의 주자주에 나오는 데, 그 전문은 다음과 같다. "謝氏曰 人能操無欲上人之心 則人欲日消 天理日明 而凡可以矜己誇人者 皆無足道矣 然不知學者 欲上人之心 無時而忘也 若孟之反 可以爲法矣"

대비되는 말이다.】 진실로 공을 자랑하는 마음을 없앨 수 있어서 다른 욕망을 제거할 필요가 없는 자, 예컨대 풍이(馮異)와 조빈(曹彬) 같은 부류들도 성색(聲色)과 재화(財貨) 같은 큰 욕망에 대해서 어찌 담박(淡泊)할 수 있었겠는가? 또한 군이 공을 자랑하는 마음을 제거하지 않았는데도, 욕망이 이미 소멸되고 이치가 밝아지는 경우는, 비록 백이(伯夷) 같은 이라 하더라도 아마도 이처럼 할 수는 없을 것이다.

만약 심원(深遠)한 경지에서 말한다면, 공을 자랑하지 않음에서 덕을 이루는 것은 원망(怨望)을 멀리하고 다툼을 종식시키는 하나의 방법이라고 할 수 있다. 그래서 성인도 이를 덕에 머무는 도량(度量)으로 여겼으니, 『주역』에서 "세상을 선하게 하고도 자랑하지 않는다.[善世而不伐]"[73]라고 하였으며, 『서경』에서도 "네가 과시하지 않으나, 천하에 너와 더불어 공을 다툴 자가 없다.[汝惟不伐 天下 莫與汝爭功]"[74]라고 하였다. 이는 공덕(功德)이 이미 융성해진 뒤에 스스로 지극히 고명(高明)하고 광대(廣大)해진 것으로서, 풍속을 변화시키거나 조정(朝廷)과 재야(在野)에 사양(辭讓)의 기풍을 완성한 자의 경지이다. 이러한 자들은 이것을 기다리지 않더라도 처음부터 욕망이 사그러들고 이치가 밝아짐을 일삼음이 있다. 그러므로 안자(顔子)가 이를 소원으로 삼은 것[75]은, 바로 공자의 대도(大道)와 위공(爲公)의 뜻으로 기약하는 바가 있는 일이었기 때문이다. 그러므로 이는 극기

73) 세상을……자랑하지 않는다 : 이 말은 『주역』 「건괘(乾卦)」 문언전(文言傳)의 구이효(九二爻)를 설명하는 구절에 나온다.

74) 천하에……없다 : 이 말은 『서경』 우서(虞書) 「대우모(大禹謨)」에 나온다.

75) 안자(顔子)가……삼은 것 : 이 내용은 『논어』 「공야장(公冶長)」 제25장의 세 번째 단락에 나오는 데, 그 원문은 다음과 같다. "顔淵曰 願無伐善 無施勞"

(克己)의 공부로 자주 종사(從事)하기를 요청한 대목[76]과 비할 바가 아니다. 성현의 도는 이로써 완성되는 것을 좋게 여겼으므로 "군자는 마침이 있다."라고 말하였다. 그리고 이로써 천하에 행해지는 것을 이롭게 여겼으므로, "겸손하여 형통하다."라고 말한 것이니, 이치를 밝히고 욕망을 소멸시키는 것의 처음에 어찌 이것을 쓰겠는가?

이는 또한 성현(聖賢)의 덕을 간직하고 세상을 선하게 하는 묘용(妙用)이기에 공자가 맹지반(孟之反)을 인정한 것이다. 그러나 맹지반은 이것에만 능하였고 빈 껍질만 갖추었기에, 대덕(大德)을 지니고 대공(大功)을 실행할 수는 있었어도 그 지닌 바와 실행함에 실상이 따라주지 못하는 것이 많았다. 유독 맹지반(孟之反)만이 아니라, 저 노자(老子)를 숭상하는 무리들은, 큰 단서가 이미 잘못되어 있다. 그러나 이처럼 '융성한 덕과 모습이 마치 어리석은 듯한' 도량에 대해서는, 공자 또한 그 좋은 점을 소홀히 여기지는 않았다. 그렇지만 그 지닌 바와 실어내는 바가 허무(虛無)해서 실(實)이 없는 데에 이르러서는, 마침내 겉으로는 주는 것 같지만 속으로는 이득을 취하여 훌륭한 상인이 좋은 물건을 깊이 숨겨두는 것과 그 기심(機心)을 함께 하는 데 이르렀다. 그리하여 결국은 사욕(私欲)을 몰래 행하거나 천리(天理)가 밝아지지 않는 병통을 면치 못하게 되었다. 오직 이것만을 믿고 욕망을 소멸하고 이치를 밝히려고 한다면, 소멸되는 것은 그 소멸시켜야 할 것이 아니고 밝아지는 것도 그 밝혀야 될 것이 아니다. 이기려 하거나 공을 자랑하고자 하지 않은 것이 인(仁)이 되기에 부족한

76) 극기의……대목 : 이 구절은 『논어』「안연(顔淵)」 제1장에 나오는 데, 그 전문은 다음과 같다. "顔淵問仁 子曰 克己復禮爲仁 一日克己復禮 天下歸仁焉 爲仁由己而由人乎哉 顔淵曰 請問其目 子曰 非禮勿視 非禮勿聽 非禮勿言 非禮勿動 顔淵曰 回雖不敏 請事斯語矣"

것은 바로 이 때문이다.

『논어혹문』에서 “먼저 합당하게 해야 할 일을 알아야 된다.”라고 했는데, 이 구절은 공을 자랑하는 것을 없애는 공부는 되지만, 이는 성현의 학문 중에서 하위(下位)에 속하는 것이다. 주자(朱子)는 이 설을 옳다고 여기지 않았다. 그래서 “다만 마음이 평안했기에 이 때문에 욕망을 소멸시킬 수 있었다.”[77]라고 하였으니, 이는 맹지반(孟之反)의 입장에서 맹지반을 논평한 것으로, ‘수컷을 알면서 암컷을 지킨다[知雄守雌]’[78]든가 ‘마음에 문을 없애고 마음에 담장을 두지 말라[無門無毒]’[79]고 하는 이들의 마음이 이 같음을 안 것이다. 주자는 맹지반을 보고 그를 간파하였기 때문에 처음부터 끝까지 그를 별도의 한 부류로 여겼다. 그래서 “맹지반의 다른 일은 알지 못하고, 다만 이 일만은 본받을 만하다.”[80]고 하였으니, 이는 바로 내가 말한 ‘인욕(人欲)의 미세한 부분까지도 없앤다’는 설과 같다. 그러므로 또한 사람들에게 온몸으로 이것으로부터 착수하도록 가르쳐서는 안 된다.

상채 사씨(上蔡謝氏)의 학문이 노자(老子)의 부류로 흘러들어갔는지의 여부는 내 감히 알 수 있는 바가 아니다. 다만 그가 자신의 편벽된 기질(氣質)을 변화시키는 일을 가지고 천하의 학문하는 자들을 다 포괄하려 한 것은 옳지 않다. 그러므로 사상채(謝上蔡)가 말한 ‘남보다 앞서려는 마음이 없다[無欲上人]’는 네 글자는 또한 병폐가 있다.

---

77) 『논어혹문』에서……소멸시킬 수 있었다 : 『논어혹문』의 견해와 이에 대한 주자의 반박은, 『논어집주대전』 「옹야」 제13장의 사씨(謝氏)의 말 아래 두 번째 소주에 나온다.

78) 수컷을……지킨다 : 『도덕경』 제28장에서 ‘知其雄 守其雌’라고 하였다.

79) 문이……없다 : 이 구절은 『장자』 「인간세(人間世)」에 나온다.

80) 맹지반의……만하다 : 『논어집주대전』 「옹야」 제13장의 사씨(謝氏)의 말 아래 첫 번째 소주에 나온다.

공자가 "군자는 자긍심을 갖되 다투지는 않는다.[君子矜而不爭]"[81]고 하였는데 이는 다만 남과 서로 대립각을 형성하지 않는다는 뜻이니, 만길 낭떠러지에 이르러서야 어찌 남에게 양보할 수 있겠는가? 맹자가 "남과 같지 못함을 수치스럽게 여기지 않는다면, 어찌 남과 같아질 수 있겠는가![不恥不若人 何若人有]"[82]라고 하였는데, 이 말이야말로 배우는 자가 뜻을 세우는 처음의 일이며 욕망을 없애고 이치를 밝히는 문경(門徑)이다.(聖人尋常不輕道一謙字 而於贊易 唯以天之益 地之流 鬼神之福 人之好言之 則亦應物之德柄 柄有權意 非入德之始功也 故曰 謙 亨 君子有終 必君子而乃有終 未君子而難乎其始矣 上蔡云人能操無欲上人之心 則人欲日消 天理日明 此語未得周浹 在上蔡氣質剛明 一向多在矜伐上放去 故其自爲學也 以去矜爲氣質變化之候 然亦上蔡一人之益 一時之功 而不可據爲典要 若人欲未消 無誠意之功 天理未明 無致知之力 但以孟之反一得之長爲法 則必流入於老氏之教 孟之反原是老子門下人 特其不伐一節 近於君子之爲己 亦其聞老氏之風而悅之已深 故漸漬成就 至於奔敗倉皇之時 居然不昧 蓋於謙退一路 已爲爛熟 而孟之反之爲人 亦如此而止矣 未聞其能繇是而日進於理明欲消之域也 以淺言之 伐者亦私欲之一端 能去伐者 自是除下人欲中一分細過 細對粗而言 固有能去伐而他欲不必除者 如馮異曹彬之流 其於聲色貨利之粗過 詎得淡泊 亦有不待去伐而欲已消 理已明者 則雖伯夷恐未能於此得釋然也 若以深言之 則不伐之成德 自爲遠怨息爭之一道 而聖賢以之爲居德之量 是易所謂善世而不伐 書所謂女唯不伐 天下莫與女爭功 此在功德已盛之後 以自極於高明廣大之至 而卽以移風易俗 成廷

81) 군자는……않는다 : 『논어』 「위령공(衛靈公)」 제21장에 나온다.
82) 남과……있겠는가 : 『맹자』 「진심 상(盡心上)」 제13장에 나온다.

野相讓之化者 非待此而始有事於消欲明理也 故顔子以之爲願 卽孔子大道爲公之志 事有所待 而非與克己之功 亟請從事之比 聖賢之道 以此而善其成 故曰君子有終 以此而利行於天下 故曰謙 亨 明理消欲之始 焉用此哉 旣亦聖賢居德善世之妙用 故夫子亦稱許之反 然之反之能此 則亦徒具下此腔殼 可以居大德 載大功 而所居所載之實 未之逮者多矣 微獨之反 卽彼所宗之老子 其大端已非 而此盛德 容貌若愚之量夫子亦不能沒其善 至於所居所載 虛無亡實 乃至陰取陽與 而與良賈深藏同一機械 則終未免於私欲潛行 天理不明之病 唯其欲恃此以消欲而明理 則消者非其所消 明者非其所明 克伐不行 不足以爲仁者 此也 或問中有先知得是合當做底事之語 自是去伐之功 靠硬向聖賢學問中下手事 朱子不然其說 而云只是心地平 所以消磨容得去 乃就之反論之反知其知雄守雌 無鬥無毒之心如此耳 朱子看來識得之反破 故始終說他別是一家門風 而曰孟之反他事不可知 只此一事可爲法 則卽愚所謂除下人欲一分細過之說 亦不教人全身從此下手也 若上蔡之學 其流入於老氏與否 吾不敢知 特以彼變化自家一偏氣質之事 以槩天下之爲學者則有所不可 無欲上人四字 亦是一病 夫子說君子矜而不爭 特不與人對壘相角而已 到壁立萬仞處 豈容下人 孟子曰 不耻不若人 何若人有 斯學者立志之始事 爲消欲明理之門也)

제17장

공자 : "인간의 타고난 본성은 '곧음[直]'이니, '곧음[直]'이 없는데도 살아가는 것은 요행히 죽음을 면하고 있는 것이다."

子曰 人之生也直 罔之生也幸而免

23

'사람이 살아간다[人之生也]'[83]라고 할 때의, '생(生)'자와, '없이도 살아간다[罔之生也]'라고 할 때의 '생(生)'자는 뜻이 완전히 동일하다. 소주(小註) 중에서 이 두 글자가 같지 않다는 설[84]은 아마도 이 구절을 잘 이해하지 못한 듯하다. 경문의 두 구절은 유사한 형태가 서로 연결되어 있을 뿐 아니라, 이 말씀을 한 공자의 뜻은 원래 사람이 곧은 도(道)를 행동으로 옮겨야 됨을 경계(警戒)한 것이다. 그러므로 윗 구절에 진실로 인격의 완성을 촉구하는 뜻이 있으니, 단지 부정직(不正直)해서는 안 되는 이유를 따져보아 그 의미를 전적으로 아랫구절에 귀속시킨 것은 아니다.

두 구절 가운데는 원래 정직(正直)하지 않으면 살아가기에 부족하다는 뜻이 있다. 경문을 세밀하게 완상(玩賞)해보면, 이 경문의 의미

83) 사람이 살아간다 : 이하의 내용은, 『논어』「옹야」 제17장의 "子曰 人之生也直 罔之生也 幸而免"에 대한 왕부지의 해석이다.

84) 소주(小註)……설 : 주자의 말로 『논어집주대전』「옹야」 제17장의 두 번째 소주에 나온다.

는 윗 구절의 가운데 들어 있다. 그래서 '사람이 살아가는 이치는 정직한 것'이라고 말하였으니, 정직하지 않으면 살아갈 수 없다는 뜻이 여기에 들어 있는 것이다. 또한 '정직이 없는 데도 살아가는 것은, 요행히 면한 것이다'라고 말하였으니, 천하의 정직함이 없는 인간도 역시 살 수는 있다는 것이다. 이는 이치로써 판단하여 천하의 의혹을 풀어준 것일 뿐이다. 만약 윗 구절에서만 처음 태어났을 때의 정직을 말했다면, 아랫 구절에서는 다시 태어난 뒤로 마땅히 정직해야 됨을 말하지 않고 갑자기 정직함이 없이 살아가는 것은 요행이다라고 불쑥 언급한 것이 된다. 이는 문리(文理) 상에서도 조리(條理)가 없을 뿐더러, 사람을 경계시켜 주는 긴요한 대목에서 말을 삼켜놓고 토해내지 않는 격이다. 이 장은 공자가 힘들게 입을 열어 세상을 경계시켜준 말씀이니, 이와 같지는 않을 것이다.

또한 사람이 태어나는 처음에 그 태어나게 하는 것은 천덕(天德)이며, 이미 태어난 뒤에 그 삶 속에서 해야 할 일을 다하게 하고 이 삶의 기운을 지탱시켜 주는 것은 인도(人道)이다. 저 정직(正直)이란 것은 바로 인도(人道)이지 천덕(天德)이 아닌 것이 명확하다. 그러므로 이 경문의 첫 구절이 만약 태어나는 처음을 말했다면, '사람이 살아가는 이치는 인(仁)이다'라고 했을 것이니, 어찌 '직(直)'이라고 했겠는가?

대개 도(道)는 '비어 있는 자취[虛迹]'이고, 덕(德)은 '실제로 얻은 것[實得]'이다. 그러므로 인(仁), 의(義), 예(禮), 지(智)를 사덕(四德)이라고 하며, 지(知), 인(仁), 용(勇)을 삼덕(三德)이라고 한다. 성(誠)이니 직(直)이니 하는 것은, 이러한 여러 덕목(德目)에 행위를 통해 도달하는 것이다. 그러므로 『중용(中庸)』에서 "성(誠)이란 하늘의 도이고, 성(誠)하려고 하는 것은 인간의 도이다.[誠者天道 誠之者人道]"[85]라고 하였으니, '정직(正直)'을 말할 때에는, 반드시 '직도(直

道)'라고 해야지 '직덕(直德)'이라고 해서는 안된다. '직(直)'은 '허(虛)'이고 '덕(德)'는 '실(實)'이니, '허(虛)'가 '실(實)'이 될 수는 없다. 그러므로 허(虛)의 자취인 도(道)를 잡고서 실제로 얻고 있는 덕(德)으로 삼고자 한다면, 정직하게 해야 될 대상이 어떤 일인지 다시 묻지 않을 것이다. 이는 하나의 '정직(正直)'만을 홀로 세우고 그 근거를 덕으로 삼고자 하는 태도이니, 이렇게 되면 아버지가 양(羊)을 훔침에 증거를 서지 않는 자가 드물 것이다.[86]

사람이 태어나는 처음에 그 생(生)을 얻게 하는 것은, 실제로 있어서 근거할 수 있는 것이다. '건도(乾道)가 변화함에 각기 그 성명(性命)을 바르게 하는 것[乾道變化 各正性命]'[87]이니, 한 번은 닫혔다가 한 번은 열리고 충만(充滿)하게 유행(流行)하여, 눈에 있어서는 눈 밝음이 되고 귀에 있어서는 귀 밝음이 되며 정수리에 있어서는 둥근 형상이 되고 발꿈치에 있어서는 각진 모양이 되니, 자연스럽게 우뢰와 비가 충만하고 얽히고 음양(陰陽)이 교차하면서 변화하는 오묘함이 있다. 그런데 어찌 유(有)가 곧 유(有)가 되며 무(無)가 곧 무(無)가 되고, 닫힌 것은 열리지 않고 열린 것은 닫히지 않는 것이 사람을 나게 할 수 있겠는가?

덕(德)이란 도(道)를 행하게 하는 이치요, 도(道)란 덕을 실어내는 것이다. 그리고 인(仁)이란 그 직(直)을 행하게 하는 원리요, 직(直)이란 인을 실어내는 것이다. 인(仁)으로 덕을 삼으면, 하늘은 이로

85) 성(誠)이란……도이다 : 『중용』 제20장에 나오는 말이다.

86) 아버지가……것이다 : 『논어』 「자로(子路)」 제18장에 섭공(葉公)과 공자가 이에 대하여 나눈 대화가 나오는 데, 그 전문은 다음과 같다. "葉公語孔子曰 吾黨 有直躬者 其父攘羊 而子證之 孔子曰 吾黨之直者 異於是 父爲子隱 子爲父隱 直在其中矣"

87) 건도(乾道)가……하는 것 : 『주역』 건괘(乾卦) 단전(彖傳)에 나온다.

써 덕(德)을 삼고 명(命)도 이로써 덕을 삼으며, 성(性)도 이로써 덕을 삼고 정(情)도 또한 이로써 덕을 삼는다. 직(直)으로 도를 삼으면, 하늘에 있어서는 천도(天道)가 바르게 될 것이니 도를 곧게 해서 사람에게 보이는 것은 하늘의 일이다. 그리고 사람에게 있으면 인도(人道)가 바르게 되니 바른 도를 따라서 스스로 살아가는 것이 인간의 일이다.

공자가 '사람이 살아가는 이치는 정직이다'라고 한 것은 진실로 사람에 관하여 말한 것이다. 이는 사람이 직도(直道)로써 하늘이 나를 낳게 해준 바의 덕을 실어내어 그 일을 따름에 어김이 없다는 말이다. 그리고 천덕(天德)이 유행(流行)하고 변화(變化)하여 각기 그 성명(性命)을 바르게 하는 것은 직도(直道)가 아니면 실어낼 수 없다는 말이기도 하다. 이는 마치 강과 바다의 물을 새는 그릇에 담을 수 없으며, 봄바람도 마른 나뭇가지에 불어갈 수 없고, 자애로운 부모도 패악(悖惡)한 자식을 양육할 수 없으며, 기름진 음식도 병든 사람을 배부르게 할 수 없는 것과 같다. 그러므로 사람은 반드시 직도(直道)로써 명(命)을 받은 뒤에야 하늘이 생산하는 양덕(陽德)과 땅이 산출하는 음덕(陰德)을 받아들여 거슬리게 하지 않을 수 있다. 그리고 이렇게 한 뒤에야 천하의 지극히 험한 곳을 쉽게 알 수 있으며, 천하의 매우 어려운 길도 간단히 가고, 강하다고 약한 것을 능멸하지 않으며, 지혜롭다고 어리석은 이를 해치지 않고, 인(仁)하여 장수(長壽)하며, 의(義)로써 귀하게 되며, 흉함도 더해지지 않게 되고, 길함도 함부로 얻지 않게 된다.

그러므로 남헌 장씨(南軒張氏)는 '직(直)이란 삶의 도(道)이다[直者生之道]'[88]라고 했으니, 아마도 태어난 이후로 그 삶의 일을 잘하게 하고 그 삶의 이치를 보존하게 한다는 측면에서 말한 것이리라. 그가 말한 '삶의 도'는 노자(老子)가 말한 '생명의 무리[生之徒]', '죽음의 무리[死之徒]'[89]라는 말과 같다. 하지만 성인이 이렇게 말씀하신 것은 본래 길흉(吉凶)과 득실(得失)의 항상적인 이치와, 도를 따름과 도에 반대하는 것을 따르는 것의 일정한 수(數)를, 모두 직(直)과 직(直)하지 않음의 나뉘어짐 안으로 포괄시킨 것이다. 그러므로 이는 최상의 지혜를 가진 이나 가장 우둔한 사람을 막론하고 경계(警戒)로 삼게 한 것이니, 오로지 본성(本性)을 다하고 하늘을 아는 군자 만을 위해 한 말씀은 아니다. 그렇다면 이 구절을 생(生)의 처음에 하늘에서 받은 바와 천지(天地)의 낳고 낳는 덕성(德性)으로 미루어 생각할 필요는 없다. 천지의 낳고 낳는 덕성(德性)은 참으로 '직(直)'으로 말할 수는 없다. 그리고 천지의 낳고 낳는 이치와 일체가 되지 못한 사람은, 또한 마땅히 죽어야 됨에도 요행히 죽음을 면하고 살아갈 수 있는 경우는 없다.

귀산 양씨(龜山楊氏)가 "군자는 어디를 간들 직(直)을 쓰지 않음이 없다."[90] 고 하였는데, 이 말은 병폐가 있다. 군자가 어디에서건 항상 쓰는 것은, 인(仁), 의(義), 충(忠), 정(正)이다. 어찌 불끈하는 마음으로 하나의 '직(直)'만을 끼고서 천하에 홀로 살아갈 수 있겠는가? 무릇 인(仁)을 말하면 다만 포악(暴惡)하지 않음만을 이르는 것이 아니고, 지(知)를 말하면 다만 어리석지 않음만을 말하는 것도 아니며, 용(勇)을 말하면 단지 겁(怯)이 없음만을 말하는 것이 아니다. 덕(德)을 말하면 반드시 얻음이 있는 것이니, 흉덕(凶德)을 제거하였으면 반드

88) 직(直)이란……도(道)이다 : 이 구절은 『논어집주대전』「옹야」 제17장의 여덟 번째 소주에 나온다.

89) 삶의 무리……죽음의 무리 : 『노자』 제50장에 나온다.

90) 군자는……없다 : 이 구절은 『논어집주대전』「옹야」 제17장의 첫 번째 소주에 나온다.

시 아름다운 덕을 얻음이 있다. 그러나 직(直)은 곧 정직하지 않음이 없는 것을 일컬음이니, 도(道)란 도가 아닌 곳에서 떨어져 나가는 그 지점이 바로 도(道)인 것이다. 그러므로 천지의 낳고 낳는 덕은 반드시 그것을 낳게 하는 것이 있으니, 그 낳음을 해치지 않는 것에 그치는 것이 아니다. 이에 비해 '직(直)'은 다만 해치지 않는 것이며, 더해주는 것은 없다. 사람이 하늘에 장수를 기원한다거나 복을 많이 내려주기를 구하는 것은, 반드시 얻기를 기약할 수는 없고 다만 잃지 않는 것을 지킬 뿐이다. 그러므로 인(仁)과 지(智)로써는 덕에 나아갈 수 있지만, 직(直)은 덕을 준수(遵守)할 뿐이다. 덕에 나아가는 것은 의(義)를 정밀하게 하여 신묘한 경지에 들어가는 것이고, 도를 준수하는 것은 쓰임을 이롭게 하여 몸을 편안히 하는 것이다. 성현의 말씀은 같은 것은 통괄하고 다른 것은 구별하니, 그 조리(條理)가 어찌 문란(紊亂)할 수 있겠는가? 이를 살피지 않으면, 직(直)을 성(性)으로 삼으며 기(氣)에만 맡기고 리(理)를 잃는 상태로 삶을 영위하게 될 것이다. 이에 그 말류(末流)에 이르러서는, 돌처럼 완고하고 양처럼 사나우며 기러기처럼 신의(信義)롭고 사마귀처럼 조급할 것이니, 서로 혼란스럽지 않은 자 그 얼마이겠는가!(人之生也一生字 與罔之生也生字 義無不同 小註中有不同之說 蓋不審也 不但本文兩句 連類相形 且夫子之意 原以警人直道而行 則上句固自有責成意 非但推原所以不可罔之故 而意全歸下句也 二句之中 原有不直則不足以生之意 細玩本文此意寓於上句之中 而云人之生也直 而不直則不生 義固繫之矣 其又云罔之生也幸而免 則以天下之罔者亦且得生 而斷之以理 用解天下之疑耳 使上句但明有生之初 則下文不更言旣生以後之當直 而遽云罔之幸生 於文字爲無條理 而喫緊警人處 反含而不吐矣 此章是夫子苦口戒世語 不當如是 且人生之初 所以生者 天德也 旣生之後 所以盡其生之

事而持其生之氣者 人道也 若夫直也者 則道也 而非德也 其亦明矣 以生初而言 則人之生也 仁也 而豈直耶 蓋道 虛迹也 德 實得也 故仁義禮智曰四德 知仁勇曰三德 而若誠 若直 則虛行乎諸德者 故中庸言誠者天道 誠之者人道 而言直也 必曰直道 而不可曰直德 直爲虛 德爲實虛不可以爲實 必執虛迹以爲實得 則不復問所直者爲何事 而孤立一直據之以爲德 是其不證父攘羊者鮮矣 若人生之初 所以得生者 則實有之而可據者矣 乾道變化 各正性命 一闔一闢 充盈流動 與目爲明 與耳爲聰 與頂爲圓 與踵爲方正 自有雷雨滿盈 絪緼蕃變之妙 而豈有卽爲有無卽爲無 翕卽不闢 闢卽不翕之足以生人乎 德也者 所以行夫道也 道也者 所以載夫德也 仁也者 所以行其直也 直也者 所以載夫仁也 仁爲德 則天以爲德 命以爲德 性以爲德 而情亦以爲德 直爲道 則在天而天道直也 直道以示人 天之事也 在人而人道直也 遵直道以自生 人之事也 子曰人之生也直 固言人也 言人以直道載天所生我之德 而順事之無違也 言天德之流行變化以使各正其性命者 非直道而不能載 如江海之不能實漏卮 春風之不能發枯幹也 如慈父之不能育悖子 膏粱之不能飽病夫也 故人必直道以受命 而後天產之陽德 地產之陰德 受之而不逆也而後天下之至險可以易知 天下之至阻可以簡行 彊不淩弱 智不賊愚 仁可壽 義可貴 凶莫之嬰 而吉非妄獲也 故南軒云直者生之道 蓋亦自有生以後 所以善其生之事而保其生理者言 其曰生之道 猶老子所言生之徒 死之徒也 聖人之言此 原以吉凶得失之常理 惠迪從逆之恆數 括之於直罔之分 徹上知下愚而爲之戒 非專爲盡性知天之君子言 則亦不待推之有生之初所受於天 與天地生生之德也 天地生生之德 固不可以直言之 而人之不能一體夫天地生生之理者 亦未卽至於宜得死而爲幸免之生 龜山云君子無所往而不用直 語自有病 君子之無往不用者 仁義忠正也 豈悻然挾一直以孤行天下乎 凡言仁 不但不暴之謂 言知 非但不

愚之謂 言勇 非但不怯之謂 言德必有得 旣去凶德 而抑必得夫令德 若言直 則卽不罔之謂 道者 離乎非道而卽道也 故天地生生 必有以生之 而非止不害其生 直特不害 而無所益 人之祈天永命 自求多福者 則不可期以必得 而但可守以不失 故仁智以進德 而直以遵道 進德者以精義入神 遵道者以利用安身 聖賢之言 統同別異 其條理豈可紊哉 於此不察 則將任直爲性 而任氣失理以自用 逮其末流 石之頑 羊之很 鴈之信 蝗之躁 不與相亂者幾何哉)

제18장

공자 : "아는 자는 좋아하는 자만 못하고, 좋아하는 자는 즐기는 자만 못하다."

子曰 知之者 不如好之者 好之者 不如樂之者

24

'아는 자[知之者]'의 아는 것과 '좋아하는 자[好之者]'의 좋아하는 것과 '즐거워하는 자[樂之者]'의 즐거워하는 것[91]에 대해서는 한 마디의 말도 덧붙일 필요가 없다. 소주(小註)에서 "마땅히 아는 것과 좋아하는 것, 그리고 즐거워하는 것이 어떤 일인지를 구해보아야 된다."[92] 라고 하였는데, 이 말은 오류가 있다. 만약 이 경문에 대하여 마음대로 공상(空想)을 하면 바로 석씨(釋氏)의 '본래면목(本來面目)'이라는 일종의 매우 그릇된 해석에 빠지고 말 것이다. 그래도 반드시 의거할 해석을 찾아본다면, 쌍봉 요씨(雙峰饒氏)의 격물(格物)과 치지(致知)는 아는 것[知]이 되고 성의(誠意)는 좋아하는 것[好]이 되며 의성(意誠)과 심정(心正)과 신수(身修)는 즐거운 것[樂]이 된다는 정도

91) 아는 자……하는 것 : 이하의 내용은 『논어』 「옹야」 제18장 "子曰 知之者 不如好之者 好之者 不如樂之者"에 대한 왕부지의 해석이다.

92) 마땅히……된다 : 이 구절은 『논어집주대전』 「옹야」 제18장의 주자주 아래 다섯 번째 소주에 나온다.

이다.[93] 그런데 이 해석도 자세하게 생각해보면, 종래는 "이웃 사람을 이장(里長)으로 삼는다 하더라도 무슨 상관이 있다는 것인가?"라고 하는 것과 같아서, 실로 크게 왜곡된 견해이다.

근래에 한 중이 '학이시습지(學而時習之)'의 '지(之)'자를 어떤 사람에게 물으면서 말하기를 "'지(之)'란 글자는 가리키는 바가 있는 글자인데, 이 경문에서 '지(之)'자는 무엇을 가리킵니까?"라고 하자, 함께 있었던 사람들 중에 대답하는 이가 없었다고 한다. 이 중의 물음은 모두 교활한 계책이며 짐승을 잡는 계책과 같으니, 성현(聖賢)의 학문과 무슨 상관이 있겠는가? 그 중은 먼저 가슴 안에 밝고 밝으며 전광석화(電光石火)와 같은 활달한 계책이 있었기 때문에, 이 '지(之)'자를 가져다가 날조하여 증거로 삼고자 하였다. 만약 우리 유자(儒者)들이 천덕(天德)과 왕도(王道), 리일분수(理一分殊)로써, 크게는 만물을 발육(發育)시키고 하늘에 닿을 만큼 높은 공능(功能)과 작게는 예의(禮儀) 삼백(三百)과 위의(威儀) 삼천(三千)으로 누런 도끼와 흰 깃발을 일으켜 하늘을 받들고 죄를 토벌하는 권병(權柄)을 지니지 않았다면, 곧바로 그들의 올가미에 벗어날 수 없었을 것이다. 또한 쌍봉 요씨의 견해대로 구구하게 『대학』의 경문 가운데로 나누어 배속시킨다 하더라도, '학이시습지(學而時習之)'의 '지(之)'자는 지(知)와 행(行)을 말하는 것이 되니, 여러 중들에게 비웃음거리를 제공할 뿐이다. 그러므로 "경(經)이 바르면 백성이 흥기(興起)하고, 백성이 흥기하면 이에 사특함이 없어진다."라고 말하는 것이다. 성인의 말씀은 겹문을 활짝 열어놓은 것과 같아서 애초에 목구멍 아래 침조차 없는

93) 쌍봉 요씨……좋아하는 것 : 이 구절은 『논어집주대전』 「옹야」 제18장의 주자주 아래 일곱 번째 소주에 나온다.

격이다. 성인의 말씀이 어찌 저들의 수수께끼 같은 말과 같겠는가!

윤씨(尹氏)가 말한 '이 도[此道]'[94]는 이미 허황되다고 할 만하고, 이 '차(此)'자가 포괄적이지도 않고 구체적이지도 않은 점에 기대었다. 이 경문을 '차(此)'자로 통괄했으니, 세 개의 '지(之)'자는 모두 하나의 일을 가리키는 것이 되어, '신(身)', '심(心)', '의(意)', '지(知)'의 구분이 없게 된다. 성인의 이 세 마디 말씀은 명백하고 절실하니, 하나의 물상(物象)을 암중에 투영시켜 놓은 것은 아니다. 넓고 크며 두루 포괄하여, 네모진 것을 만나면 각진 옥(玉)이 되고 둥근 것을 만나면 둥근 옥(玉)이 되니, 애초에 오로지 하나의 일을 가리키는 것은 아니다. 무릇 『논어』 가운데 범범(泛泛)하게 놓여 있는 '지(之)'자는 모두 이와 같다고 볼 수 있다. 결과적으로 이 경문은 배우는 자의 공부하는 경계를 말씀한 것이지, 도(道)를 드러낸 것은 아니다. 성인(聖人)은 사람에게 망상을 불러일으키는 말은 한마디도 하지 않는다. 만약에 도를 드러내고자 했다면, 곧바로 분명하게 사람들에게 말했을 것이다. 지금 이제 달리 말씀하지 않고, 단지 '안다[知]', '좋아한다[好]', '즐거워한다[樂]'라고 하였으니, 배우는 자들 또한 단지 어떻게 알 것이며, 어떻게 좋아할 것이고, 어떻게 즐거워할 것인지를 탐구하면 될 뿐이다. 어찌 '지(之)'자에서 그 유래를 찾느라 노력할 필요가 있겠는가?

『대학』을 근거로 삼아, 만약 이 경문이 『대학』의 내용 전체를 포괄하는 것으로 설명한다면, 의미상 오류가 없을 것이다. 그런데 쌍봉 요

94) 윤씨(尹氏)……이 도 : 윤씨(尹氏)의 견해는 『논어집주』 「옹야」 제18장의 주자주에 쓰여있는 데, 그 전문은 다음과 같다. "尹氏曰 知之者 知有此道也 好之者 好而未得也 樂之者 有所得而樂之也"

씨(雙峰饒氏)의 경우는 『대학』의 내용을 분할하였기에 병폐가 생긴 것이다. 『대학』에서 "그 뜻을 성실히 하려는 자는 먼저 그 앎을 극진히 한다.[欲誠其意者 先致其知]"[95]라고 하였지만, 어찌 그 앎을 극진히 하는 날에 뜻이 성실하지 않겠으며, 또한 뜻이 성실해지는 날에 마음이 바르지 않으며 몸이 닦여지지 않겠는가? 그리고 수신(修身)을 하면서 성의(誠意)에 힘쓰지 않는 자가 있겠으며, 그 뜻을 성실히 하는데 몸을 닦지 않는 자가 있겠는가? 그렇다면 "좋아하는 자는 즐거워하는 자만 같지 못하다."라고 말씀하신 것은, 무슨 까닭이었겠는가?

공자(孔子)는 이 세 '지(之)'자가 고금(古今)의 학자(學者)들의 전사(全事)를 통합한 것이라고 여겨서, 모든 성학(聖學)의 극치를 이러한 세 단계로 설정한 것이다. 그러므로 이 내용을 합해 보면 『대학』에 모두 구비되어 있고, 나누어보면 각 조목을 따라 또한 각기 그 내용이 있다. 예컨대 치지(致知)에는 치지를 아는 자가 있고, 치지를 좋아하는 자가 있으며, 앎이 이미 지극해져서 즐거워하는 자가 있다. 이것은 수신(修身)에 이르기까지 모두 그렇지 않음이 없다. 이로부터 생각해보면, 이 세 '지(之)'자는 일체(一切)를 완전하게 거론한 것일 수도 있고, 한편으로는 한 가지 일만을 가리킬 수도 있는 것이다. 이 때문에 주자는, '이 두 가지를 즐긴다', '이치를 따르는 것을 즐긴다'는 말이 이 구절에 해당된다고 하면서도, '안자의 즐거움은 이 경문에서 말하는 즐거움보다 조금 더 심오하다'[96]고 한 것이다. 그렇다면 효제(孝弟)를 할 경우에는 효제(孝弟)를 가리키며 순리(循理)할 때에는 순리

95) 그 뜻을……극진히 한다 : 이 구절은 『대학장구(大學章句)』 경1장에 나온다.

96) 안자의……심오하다 : 이 구절은 『논어집주대전』 「옹야」 제18장의 주자주 아래 네 번째 소주에 나온다.

(循理)를 가리키니, 근거 없이 하나의 대상만을 가져다가 이 '지(之)'자에 대응시키면서 "마땅히 '지(之)'자가 어떤 것인지를 살펴보아야 된다"는 망언은 아니다. 또한 어버이를 섬긴다거나 형을 따르는 도리에는 참으로 신(身), 심(心), 의(意), 지(知)가 동등하게 작용하며, 따르는 바의 이치에도 또한 반드시 격물치지(格物致知), 성의정심(誠意正心), 수신제가(修身齊家), 치국평천하(治國平天下)의 결과가 함께 이를 것이다. 그러므로 이렇게 나누는 것을 좋아해서는 안된다.

"마땅히 아는 것과 좋아하는 것과 즐거워하는 대상이 어떤 것인지를 알아야 된다."는 설을 따른다면, 이는 허공에다 하나의 이치(理致)를 설정해 놓고 온갖 오묘한 것의 귀의처로 삼는 것이다. 이러한 견해는 반드시 석씨(釋氏)의 사설(邪說)로 빠져들게 될 것이다. 한편 쌍봉 요씨의 나누어 갈라놓은 설을 따른다면, 이로 인해 『대학』의 내용을 올해 격물(格物)을 하고 나서 내년에 치지(致知)하며, 마음에 바르지 않음이 없은 뒤에야 비로소 수신(修身)을 하게 될 것으로 오인(誤認)하게 될 것이다. 이렇게 한다면 죽을 때까지 하더라도 끝내 천하에 명덕을 밝힐 날은 하루도 없게 될 것이다. 또한 성의(誠意)가 신수(身修)보다 못하게 되니, 이는 내외(內外)와 주빈(主賓)의 관계가 전도되고 차서(次序)를 무시하는 것이 된다. 오경(五經)과 사서(四書)의 대부분의 조목(條目)은 배우는 자들의 배워야 될 일을 드러내어 놓은 것이다. 그런데 그 일체를 구하지 않고 이 하나의 '지(之)'자의 의미만을 치우치게 찾는다면, 이는 사통팔달(四通八達)의 큰 길을 버려두고 가시밭길을 가는 격이니, 이 얼마나 어리석은가!(知之者之所知 好之者之所好 樂之者之所樂 更不須下一語 小註有云當求所知所好所樂爲何物 語自差謬 若只漫空想去 則落釋氏本來面目一種狂解 若必求依據 則雙峰之以格物致知爲知 誠意爲好 意誠心正身修爲樂 仔細

思之 終是捉着鄰人當里長 沒奈何也有些交涉 實乃大誣 近見一僧擧學而時習之一之字問人云 之者 有所指之詞 此之字何所指 一時人也無以答之 他者總是鬼計 禽魚計 與聖學何與 緣他胸中先有那昭昭靈靈 石火電光的活計 故將此一之字 捏合作證 若吾儒不以天德王道 理一分殊 大而發育峻極 小而三千三百者作黃鉞白旄 奉天討罪之魁柄 則直是出他圈套不得 假若以雙峰之見 區區於大學文字中分支配搭 則於學而時習之 亦必曰之者謂知行而言 適足供羣髡一笑而已 故曰經正則庶民興 庶民興斯無邪慝 聖人之言 重門洞開 初無喉下之涎 那用如彼猜度尹氏說個此道 早已近誕 賴他一此字不泛不着 且其統下一此字 則三之字共爲一事 非有身心意知之分 聖人於此三語 明白顯切 旣非隱射一物 而其廣大該括 則又遇方成圭遇圓成璧 初不專指一事 凡論語中泛泛下一之字者 類皆如此 總之是說爲學者之功用境界 而非以顯道 聖人從不作半句話 引人妄想 若欲顯道 則直須分明向人說出 今旣不質言 而但曰知之好之樂之 則學者亦但求如何爲知 如何爲好 如何爲樂而已 何事向之字求巴鼻耶 以大學爲依據 若以括其全者爲說 意亦無害 而雙峰之病 則在割裂 大學云欲誠其意者 先致其知 豈當致知之日而意不誠哉則亦豈當意誠之日 而心不正 身不修哉 有修身而未從事於誠意者矣 有誠其意而身不修者乎 則何以云好之者不如樂之者也 夫子以此三之字統古今學者之全事 凡聖學之極至 皆以此三級處之 然合之而大學皆備者 分之而隨一條目亦各有之 如致知 則有知致知者 好致知者 知已致而樂者 乃至修身 亦無不然 從此思之 則知此三之字 旣可全擧一切 亦可偏指一事 所以朱子以樂斯二者 樂循理當之 而云顏子之樂較深 則在孝弟而指孝弟 在循理而指循理 旣非可憑空參去 將一物當此之字 如所云當求之爲何物之妄語 抑事親從兄之道 固身心意知之所同有事 所循之理 亦必格致誠正修齊治平之兼至 而不可屑屑焉爲之分也 從乎當求

所知所好所樂爲何物之說 而於虛空卜度一理 以爲衆妙之歸 則必入釋氏之邪說 從乎雙峰之所分析 則具因此誤認大學以今年格物 明年致知逮乎心無不正 而始講修身 以敝敝窮年 卒無明明德於天下之一日 且誠意者不如身修 是其內外主輔之間 亦顚倒而無序矣 五經四書 多少綱領條目 顯爲學者所學之事 一切不求 偏尋此一之字覓下落 舍康莊而入荆棘 何其愚也)

25

예컨대 저 중처럼 "'학이시습지(學而時習之)'의 '지(之)'자는 무엇을 가리키는가?"라고 묻는다면, 나는 "익히는 것을 가리킨다."라고 대답할 것이다. 그러면 중은 다시 "익히는 것은 또 무엇인가?"라고 물을 것인데, 그렇다면 "너희는 너희들의 것을 익히고, 나는 나의 것을 익힌다."라고 답변할 것이다. 아! 세상에 이러한 답변으로써 저 여러 중들을 꺾어놓을 자들이 드물도다.

어떤 사람이 묻기를 "저 중이 익힌 것에도 또한 기뻐할 만한 것이 있습니까?"라고 하였는데, 대답하기를 "어찌 기뻐할 만한 것이 없겠으며, 또한 저 중만이 그러하겠는가? 노래를 배우는 이나 바둑을 두는 사람들도 완숙한 경지에 이르면 또한 기뻐할 만한 것이 있는 것이다."라고 하였다. 그러자 그 사람이 묻기를 "그렇다면 그 기쁨은 같은 종류입니까?"라고 함에, 다음과 같이 대답하였다. "'천리(天理)와 인욕(人欲)은 길은 같지만 실정(實情)은 다르다'라는 말을 듣지 못했는가? 천리와 인욕은 길이 같기에 군자(君子)의 기쁨은 저 중과 같다.

그러나 인욕과 천리는 그 실정이 다르기에 저 중의 기쁨은 군자와 다른 법이다. 같은 점의 측면에서 보면 모두 기뻐함이 있겠지만, 다르다는 측면에서 보면 또한 같지 않음이 있다. 예를 들어 어떤 사람은 잠자기를 좋아하고 또 다른 한 사람은 밤에 술 마시기를 좋아한다고 하자. 두 사람이 하고 싶은 것을 얻으면 모두 기뻐할 것이다. 그러나 잠자는 것의 기쁨과 술 마시는 것의 기쁨은 반드시 동일한 기쁨이라고 할 수는 없다."

이로부터 생각해보면, 비록 공장(工匠)의 기술(技術)이라 하더라도 또한 앎과 좋아함과 즐거워함이 있을 것이니, 알고 좋아하고 즐거워하는 것은 바로 그 일이다. 다만 성인(聖人)의 말씀하신 것은 군자의 학문일 뿐이다. 그래서 안자(顔子)는 곧 '극기복례(克己復禮)'를 알고 좋아하고 즐거워했으며, 중궁(仲弓)도 또한 '거경행간(居敬行簡)'[97]을 알고 좋아하고 즐거워했던 것이다. 이처럼 그 학문에 뜻을 둔 바를 따르되, 공부(工夫)에는 이러한 세 단계의 얕고 깊은 등급이 있는 것이다. 맹자(孟子)가 "치우친 말에서 그가 가리어진 바를 안다.[詖辭 知其所蔽]"[98]라고 했으니, 치우쳐 가리키는 것이 있으면 반드시 가리어짐이 있을 것이니, 그 말이 어찌 가리어지지 않을 수 있겠는가!(如彼僧所問學而時習之之字何指 自可答之曰指所習者 僧必且問所習者又甚麽 則將答之曰你習你底 我習我底 噫 世之能以此折髡者鮮矣 或問 彼僧習其所習 亦還悅否 曰 如何不悅 豈但彼僧 卽學唱曲子 下圍碁人 到熟時 也自欣豫 曰 其悅還同否 曰 不見道 天理人欲同

97) 거경행간(居敬行簡) : 『논어』 「옹야」 제1장에 나오는 말로, 그 전문은 다음과 같다. "子曰 雍也 可使南面 仲弓 問子桑伯子 子曰 可也簡 仲弓曰 居敬而行簡 以臨其民 不亦可乎 居簡而行簡 無乃大簡乎"

98) 치우친……안다 : 이 말은 『맹자』 「공손추」 상에 나온다.

行異情 天理與人欲同行 故君子之悅 同乎彼僧 人欲與天理異情 故彼僧之悅 異乎君子 旣已同 則俱爲悅 旣已異 則有不同 如一人嗜睡 一人嗜夜飮 兩得所欲 則皆悅 而得睡之悅 與得飮之悅 必竟不是一般歡暢 以此思之 則雖工匠技術 亦有知有好有樂 而所知所好所樂者卽其事 但聖人所言 則爲君子之學耳 顔子便以克己復禮爲知好樂 仲弓便以居敬行簡爲知好樂 隨所志學 工夫皆有此三者淺深之候也 孟子曰 詖詞知其所蔽 有所偏指 則必有所蔽矣 詞安得不詖哉)

제19장

공자 : "중(中) 이상 되는 사람은 최상의 진리에 대한 말을 알아들으나, 중 이하 되는 사람은 최상의 진리에 대한 말을 이해하지를 못하는구나."

子曰 中人以上 可以語上也 中人以下 不可以語上也

26

단지 자질(資質)로서가 아니라 반드시 공부로서 한 말씀이니,[99] 그러므로 공자께서 '일관(一貫)'의 설을 증자에게 말해 주시고 증석(曾皙)에게 말해 주지 않은 것이다. 다만 사람이 중인(中人) 이상인 경우에는 열 중 아홉이 이해에 도달할 수 있으니 자질은 물은 것이 없다. 만약 중인 이하에 있는 사람은 공부를 해서 중인 이상에 이를 수 있더라도, 그 적합한 사람이 아니면 힘쓰려 하지 않을 것이다. "열 가구의 작은 마을에도 반드시 충신(忠信)한 사람이 있다."[100]고 하였는데, 배우기를 좋아하는 사람이 없는 것은 무슨 까닭인가? 만일 사람이 술을 잘 마시지 못하면, 또한 마시길 좋아하지 않을 것이다. 주자가 "이와 같이 단정해서는 안 된다."라고 말하면서 공부라고 설명하기도 하

99) 단지……말씀이니: 이하는 『논어』 「옹야」 제19장에 관한 왕부지의 논의로, 그 경문은 다음과 같다. "子曰 中人以上 可以語上也 中人以下 不可以語上也"

100) 열가구의……사람이 있다 : 이 경문은 『논어』 「공야장」 제27장에 나오며, 그 전문은 다음과 같다. "子曰 十室之邑 必有忠信 如丘者焉 不如丘之好學也"

고 자질이라고 설명하기도 한 것은[101] 하나의 담을 부순 것이니, 이것은 원래 한쪽만을 말할 수 없는 것이다.

남헌 장씨(南軒張氏)가 '질(質)'자를 쓴 것은 '질(質)'에서 이루어 나간다는 뜻이다.[102] 만일 좋은 밭의 벼로 밥을 하면 향기롭고 맛이 있다면, 벼가 질(質)이지만 역시 심고 거름 주고 풀 베고 물을 대는 일이 마땅해서이지 단지 종자가 좋기 때문만은 아니다. 주자가 "성인은 단지 중인 이상, 중인 이하라고만 말씀하셨다."라고 말한 것도 우선 현재를 근거해서 말한 것이어서 질(質)과 학(學)으로 나눌 필요가 없으니 한갓 무익한 논쟁이다.(不但以資質 而必以工夫 故孔子一貫之說 以語曾子 而不以語曾晳 但人而至於中人者 則十九可至 不問其質若在中人以下 用工夫而能至於中人以上 則非其人亦自不肯用力也 十室之邑 必有忠信 而無好學者 何故 如人不善飮酒 則亦不喜飮也 朱子謂不裝定恁地說工夫 說資質 自是見徹一垣 此原不可以一偏言也 南軒下一質字 是成質意 如良田之稻 飯以香美 稻則質也 亦是栽培芟灌得宜 非但種之美而已 朱子云聖人只說中人以上 中人以下 且據現在而言 不須分質分學 徒爲無益之訟)

101) 주자가……설명하기도 한 것은 : 『논어집주대전』「옹야」 제19장 첫 번째 소주에 나온다.

102) 남헌 장씨(南軒張氏)가……뜻이다 : 『논어집주』「옹야」 제19장 주자주로, 그 전문은 다음과 같다. "張敬夫曰 聖人之道 精粗雖無二致 但其施敎 則必因其材而篤焉 蓋中人以下之質 驟而語之太高 非惟不能以入 且將妄意躐等 而有不切於身之弊 亦終於下而已矣 故就其所及而語之 是乃所以使之切問近思 而漸進於高遠也"

27

상(上)과 상(上)이 아닌 것은 일의 조목 상에서 분류할 수 없다. 물 뿌리고 쓸고 응대하는 것은 본래 소학(小學)의 일로 말 가운데 있지 않다. 어찌 중인 이하의 사람에게 어떻게 물 뿌리고 쓰는지 어떻게 응대하는지를 간곡하게 말해 줄 수 있겠는가? 당연히 상(上)을 말해줄 순 없더라도 또한 하(下)를 말해 주는 이치도 없다. 어버이를 모시고[事親] 어른을 섬기는 것[事長] 같은 것은 참으로 상(上)에 해당되는 것이다. 자유(子遊)가 "상(喪)은 슬픔을 다하면 그뿐이다."[103]라고 말하였으니, 곧 이것은 등급을 뛰어넘어 위로 한 단계를 높여 말한 것이다. 서산 진씨(西山眞氏)가 "도덕과 성명(性命)은 이치의 정밀한 것이고 어버이를 모시고 어른을 섬기는 것은 이치의 거친 것이다."[104]라고 나눈 것은 엉성하게 나눈 것이다. 어버이를 모시고 어른을 섬기는 것이 어찌 도덕(道德)과 성명(性命) 외의 일이겠는가? 상하(上下)와 양단(兩端)의 말은 실은 모두 한 가지이다. 그 사친(事親), 사장(事長)의 도리를 다하는 것은 순임금, 문왕이고서야 비로소 잘할 수 있는데 어찌하여 상(上)이 아닌가? 성인의 은미한 말씀을 후인들이 나누어 깎아내서 그 진실을 이처럼 상실하였으니 개탄스럽다!(上與非上不可在事目上分 洒掃應對 自小學事 不在所語之中 豈中人以下者 便只將如何洒掃 如何應對 諄諄然語之乎 雖不可語上 亦無語下之理 若事親事長 則儘有上在 子游說喪致乎哀而止 便是躐等說上一層 眞西山

103) 상(喪)은 슬픔을 다하면 그뿐이다 : 이 구절은 『논어』「자장」 제14장에 나온다.

104) 도덕과 성명(性命)은……거친 것이다 : 『논어집주』「옹야」 제19장 주자주 아래 네 번째 소주에 나온다.

以道德性命爲理之精 事親事長爲事之粗 分得鹵莽 事親事長 豈在道德性命之外 上下是兩端語 實共一物 盡其事親事長之道 須是大舜文王始得 如何不是上 聖人微言 後人分剝而喪其眞如此者 可慨也)

제20장

번지(樊遲)가 지혜로움에 대하여 여쭈었다.

공자 : "사람이 행해야 할 도의(道義)에 힘쓰고 귀신(鬼神)을 공경(恭敬)하되 멀리한다면, 지혜롭다고 말할 수 있다."

번지가 다시 인(仁)에 대하여 여쭈었다.

공자 : "어진 자가 어려운 일을 먼저 하고 얻는 것을 뒤로 돌린다면, 인(仁)하다고 말할 수 있다."

樊遲問知 子曰 務民之義 敬鬼神而遠之 可謂知矣 問仁 曰 仁者先難而後獲 可謂仁矣

28

번지(樊遲)는 공부에 힘을 쏟는 사람인데, 다시 도리가 어떤 것인지 헛되이 묻지 않고 곧장 지혜를 이루고 인을 구하는 방법을 물었다.[105] 그러므로 공자께서 그가 물은 대로 일에 종사하고 마음을 두는 방법을 알려주셨으니, 그의 뜻이 독실하고 물음이 간절한 것으로 인하여 그와 함께 말씀을 하실 수 있었던 것이다.

'인자(仁者)' 두 글자는 구인자(求仁者)라는 말과 같으니 다만 인을 하고자 하면 곧 인이 이르기 때문에 그러므로 곧장 인자(仁者)의 명칭을 준 것이다. 한편 지혜는 처음에 힘을 썼다가 뒤에 이미 알게 되면 현재 이루어진 것에 다시 힘을 쓰지 않는다. 그렇지만 인은 비록 이미 익숙해진 뒤에도 존심(存心)은 간단(間斷)이 없어야 하니, 처음 덕에 들어간 후와 또한 대단히 멀지 않다. 지혜는 다함이 있고

105) 번지(樊遲)는……방법을 물었다 : 이하는 『논어』「옹야」 제20장에 관한 왕부지의 논의로, 그 경문은 다음과 같다. "樊遲問知 子曰 務民之義 敬鬼神而遠之 可謂知矣 問仁 曰仁者 先難而後獲 可謂仁矣"

인은 다함이 없으며, 일에는 수(數)가 있고 마음에는 양(量)이 없다.

'인자(仁者)'라고 말하고 또 '인이라 할 만하다[可謂仁矣]'라고 말한 것은 아마 시종(始終)을 포괄해서 말한 것이다. 지자(知者)는 모르는 것이 없으며, 오직 사람이 마땅히 해야 될 일을 다하고 귀신(鬼神)을 통한다. 그런데 인자(仁者)는 심덕의 전체이니 날마다 어려운 일에 나아가며 날마다 얻음이 있다. 그러므로 '민의에 힘쓰고 귀신을 경원(敬遠)하는 것[務民之義, 敬鬼神而遠之]'은 요체의 공부이고, '어려움을 앞에 하고 얻음을 뒤에 하는 것[先難而後獲]'은 철저한 공부이다. 공자께서 다른 사람과 이야기하실 때에 이와 같이 친절하고 요긴하게 깨우쳐 주신 적이 없다. 주자가 "번지의 잘못을 인하여 고해주셨다."[106]라고 한 말은 내가 아는 바가 아니다.(樊遲是下力做工夫的人 更不虛問道理是如何 直以致知求仁之方爲問 故夫子如其所問 以從事居心之法告之 則因其志之篤 問之切 而可與語也 就中仁者二字 猶言求仁者 特以欲仁則仁至 故卽以仁者之名與之 又智是初時用功 到後來已知 則現成不更用力 仁則雖當已熟之餘 存心不可間斷 與初入德時亦不甚相遠 知有盡而仁無盡 事有數而心無量也 其云仁者 又云可謂仁矣 蓋括始終以爲言也 知者無不知 唯民義之盡 而鬼神之通 仁者心德之全 則日進於難 而日有獲也 故務民義 敬遠鬼神 是居要之務 先難後獲 是徹底之功 夫子與他人言 未嘗如此開示喫緊 朱子云因樊遲之失而告之 非愚所知)

106) 번지의……고해주셨다 : 『논어집주』「옹야」 제20장의 주자주에 나온다.

제21장

공자 : "지혜로운 자 물을 좋아하고 어진 이 산(山)을 좋아하며, 지혜로운 이 동적(動的)이고 어진 자 정적(靜的)이며, 지혜로운 자 낙천적(樂天的)이고 어진 이 장수(長壽)한다."

子曰 知者樂水 仁者樂山 知者動 仁者靜 知者樂 仁者壽

29

경원 보씨(慶源輔氏)는 '이(理)'자에 '기(氣)'자를 붙여 설명하였는데,[107] 그 체득(體得)한 것이 깊고 절실하여 참으로 정자와 주자가 미치지 못한 것을 보충하기에 충분하다. 맹자의 기운을 기르는[養氣] 학설은 바로 여기에서 나온 것이니 정(情)을 말하고 체(體)를 말한 것과 비교하면 정밀하고 친절하여 허황되지 않는다.

정(情)은 성(性)이 용납되지 않는 데에서 일어날 뿐이고, 체(體)는 본래부터 형성되고 성취된 규모이니 양(量)은 있으나 실(實)은 없다. 요수(樂水), 요산(樂山), 동(動)·정(靜), 락(樂)·수(壽)는 모두 기(氣)의 용(用)이다. 이(理)로 기(氣)를 기르면 기(氣)가 이(理)에게 명령을 받는다. 이에 기를 제어하고 익숙하게 익히면 기가 동(動)하거나 정(靜)함에 즐겁고 장수하며, 물을 대하여 좋아하고 산을 대하

107) 경원 보씨(慶源輔氏)는……설명하였는데 : 이 구절은 『논어집주대전』 제21장의 "子曰 知者樂水 仁者樂山 知者動 仁者靜 知者樂 仁者壽"라는 경문의 주자주 "不能如此形容之" 아래 8번째 소주에 나온다.

여 좋아하는 것이 이루어진다.

선유(先儒)가 지(知)는 동(動)하여 물과 같고, 인(仁)은 정(靜)하여 산과 같다고 하였는데, 그 설은 본래 『춘추번로(春秋繁露)』에서 나온 것이다. 그러나 대요(大要)는 단지 산과 물의 형질을 설명한 것일 뿐이어서, 생각해 보면 매우 분명하지 않다. 물을 좋아하는 자는 물가를 노닐기 좋아하는 것이고, 산을 좋아하는 자는 산중에 거처하는 걸 좋아할 뿐이다. 덩그런 돌덩이와 구덩이에 흘러들어가거나 우물에서 길어 올린 물이 어찌 좋아할 만한 것이겠는가? 산중은 고요하니 산의 기운이 정(靜)하고, 물가는 움직임이 있으니 물의 기운이 동(動)한다. 그렇지 않다면 흙덩이를 쌓아 놓은 것이 꿈쩍 않고 움직이지 않으며, 큰 파도 거센 물결이 배를 뒤엎고 절벽을 삼키는 것이 더욱 거대한 움직임이 된다. 그렇다고 하여 좋아하는 것이 어찌 저러한 것이겠는가?

물가는 텅 비어 기운이 펴지고 물고기며 새가 노닐고 바람에 구름이 떠가서 맑은 바람에 멀리까지 보이니, 절로 지자(知者)의 기운과 잘 맞는다. 산중은 깊숙하여 기운이 모이고 날은 길고 사람은 고요하여 사방은 조용하고 그윽하니, 절로 인자(仁者)의 기운과 잘 어울린다. 기(氣)가 족히 만물과 서로 응함에 막힘이 없는 것을 '동(動)'이라 하고, 기(氣)가 중(中)을 지켜 법칙을 지나치지 않는 것을 '정(靜)'이라 한다. 기(氣)가 사물에 막힘이 없이 펴지면 즐겁고, 기(氣)가 중(中)을 지켜 잃지 않으면 수(壽)를 누린다.

그러므로 이 장의 뜻을 알아서 인자(仁者)와 지자(知者)에 대해서 언급해보면, 그 이치를 갖춘 뒤에 형성된 기(氣)를 기르고, 태어난 후에는 성(性)을 다하여 천명(天命)에 이르는 자이다. 여기에서 오직 기(氣)에 공이 있다는 것을 또한 알 수 있다. 경원 보씨가 천 년 뒤에 깊고 미묘한 말의 뜻을 알았으니, 독자(讀者)는 소홀히 해서는 안 된다.(慶源於理上帶一氣字說 其體認之深切 眞足以補程朱之不逮 孟子養氣之學 直從此出 較之言情言體者 爲精切不浮 情發於性之所不容已 體爲固然之成形與成就之規模 有其量而非其實 樂水樂山 動靜樂壽 俱氣之用 以理養氣 則氣受命於理 而調御習熟 則氣之爲動爲靜 以樂以壽 於水而樂 於山而樂者成矣 先儒以知動似水 仁靜似山爲言 其說本於春秋繁露 然大要只說山水形質 想來大不分曉 樂水者樂遊水濱 樂山者樂居山中耳 塊然之土石 與流於坎 汲於井之水 豈其所樂哉 山中自靜 山氣靜也 水濱自動 水氣動也 不然 則糞壤之積 亦頽然不動 洪汲巨浪 覆舟蝕岸 尤爲動極 而所樂豈在彼耶 水濱以曠而氣舒 魚鳥風雲 淸吹遠目 自與知者之氣相應 山中以奧而氣斂 日長人靜 響寂陰幽 自與仁者之氣相應 氣足以與萬物相應而無所阻 曰動 氣守乎中而不過乎則 曰靜 氣以無阻於物而得舒 則樂 氣以守中而不喪 則壽 故知此章之旨 以言仁者知者 備其理以養其氣之後 而有生以降 所可盡性以至於命者 唯於氣而見功 亦可見矣 慶源遇微言于千載 讀者勿忽也)

제25장

공자 : "군자가 글을 널리 배운 뒤에 예(禮)에 맞게 실천한다면, 또한 도(道)에 어긋나지는 않을 것이다."

子曰 君子博學於文 約之以禮 亦可以弗畔矣夫

30

박문(博文)과 약례(約禮)는 『논어집주』의 해석이면 흠이 없다.[108] 그런데 소주(小註)에서 인용한 주자의 말은 모호한 것이 많다. 『논어집주』에서 "약(約)은 요(要)【평성(平聲)】이다."라고 하였는데, 소주에서 거성(去聲)으로 읽는 것은 잘못되었다. 면재 황씨(勉齋黃氏) 또한 '요(要)【거성(去聲)】아이례(我以禮)'는 문장이 되지 않는다고 의심하였으면서도, 오히려 '약(約)'자를 '박(博)'자의 대(對)로 보는 것을 면하지 못하였다. 이 '약(約)'자를 모르고 '박학(博學)' 두 글자와 대로 본다면, '요(要)'자는 원래 평성으로 읽으니 '속(束)'자와 뜻이 같게 된다.

『논어집주』에서 '동(動)'자를 첨가하여 그 학문을 문(文)에서 넓히고 그 행동을 예(禮)로 묶었으니, 윗 구는 지(知)를 말하였고 아래 구는 행(行)을 말하여서 두 개의 항목으로 분명히 나누었다. 주자는 덕

108) 박문(博文)과……흠이 없다 : 『논어집주』「안연」 제25장의 "子曰 君子博學於文 約之以禮 亦可以不畔矣夫"라는 경문에 대한 주자의 해석은 다음과 같다. "約 要也 畔 背也 君子 學欲其博故 於文無不考 守欲其要故 其動必以禮 如此則可以不背於道矣 程子曰 博學於文而不約之以禮 必至於汗漫 博學矣 又能守禮而由於規矩 則亦可以不畔道矣"

성(德性)을 높이고 학문을 구하는 것을 말미암으며, 일에 증험하고 몸소 체득하여 하(夏)나라의 시법(時法)을 행하고 예가 아니면 움직이지 않는다는 등의 설에 대해 모두 뒤섞지 않고 하나의 논리로 관통시켰다. '약지(約之)'의 '지(之)'자는 군자의 몸을 가리켜 한 말이니 '약아이례(約我以禮)'의 '아(我)'자와 바로 합치한다. '앞서서의 박(博)한 것을 지금 약(約)하니 박(博)으로 약(約)의 대(對)로 보아 관통하는 뜻이 있다'는 말은 모두 지나친 해석이다.

문(文)과 예(禮)는 원래 구별이 없다. 배운 문(文)이 어찌 예(禮) 밖의 문이 되는 것이 있겠는가? 주자가 확고하게 말하기를 "예는 단지 '리(理)'자로 볼 수 없다. 견지하고 고수하여 절문(節文)이 있는 것이다."[109]라고 말했으니 그렇다면 예가 어떻게 적을 수 있고 문이 어떻게 많을 수 있겠는가? 학문에 있어서는 문(文)이라 하고 스스로 실천하면 예(禮)라고 하니 그 실재는 하나일 뿐이다. 다만 학(學)은 꼭 오늘 행하는 바를 배우는 것은 아니니, 예를 들어 비록 역법(曆法)을 다스리는 일은 없더라도 또한 하(夏)나라의 시법(時法)을 연구해야 한다. 자신의 몸에 실천하여 말과 행동에 보여지는 것이 눈앞의 간략한 행실에 말미암기 때문에 문은 박(博)하다고 하고 예는 박(博)하다고 할 수 없는 것이다. 그러나 배움은 그 많음을 이루려 하고 지킴은 그 적음을 이루려 한다고 말할 수는 없다. 예를 들어 안자(顔子)는 벼슬하지 않았으니 자연 정삭(正朔)을 고치지 못했다. 그렇다면 하시(夏時)의 예법을 행한 것은 단지 당시 처지가 마땅하지 않아서이지, 역법(曆法)을 다스리고 시(時)를 밝히는 것이 요원하다고 여겨 내버

109) 예는……것이다 : 『논어집주대전』「옹야」 제25장의 주자주 "如此 則可以不背於道矣"아래 두 번째 소주에 나온다.

려 두고서 보고 듣고 말하고 움직이는 것을 요체로 삼아서 지킨 것은 아니다.

약(約)은 몸과 마음을 수렴(收斂)하여 방종(放縱)하지 않는 것을 이른다. 방종하여 비례(非禮)로 가지 않게 하는 것이지, 어찌 방종하여 박(博)으로 흐르지 않게 하는 것이겠는가? 학문이 더욱 넓어지면 이치를 택하는 것이 더욱 정밀해지고 스스로 지키는 것이 더욱 엄격해지니 바로 서로 이루어 주는 것이요 서로 어긋나는 것이 아니다. 박문(博文)과 약례(約禮)는 동시적인 일이니 원래 시간의 순서로 구분할 수 없다. 예를 들어 독서할 때에 옷깃을 바로 하고 꼿꼿하게 앉아 산란하게 움직이지 않는 것은 이것이 곧 박문이고 이것이 곧 약례이다. 그리고 "어버이께 효도하고 형제와 우애가 있으며 삼가고 신의가 있고, 두루 여러 사람을 사랑하되 인자(仁者)를 가까이하며, 그것을 행하고 남은 힘이 있거든 문(文)을 배운다."[110]라고 하였으니 행하는 완급(緩急)의 순서를 더욱 속일 수 없다. 그러니 원래 앞서 박(博)한 후에 지금 비로소 약(約)하는 것은 아니다.

만일 널리 배우고 요체를 알려 하는 것[知要]이라 말한다면 이 또한 학(學) 가운데의 공부이니 약례(約禮)와는 무관하다. 그리고 고인(古人)이 말한 지요(知要)는 처한 상황에 따라 천리를 체득하는 것이니 지금의 게으른 사람들이 요점을 파악해서 공부의 노력을 줄이는 것을 말하는 것과는 다르다. 공자께서 사람이 이처럼 어리석고 방자한 것을 미워하셨기 때문에 특별히 박문약례(博文約禮)를 세워 허무한 것을 진리로 알고 고명함을 빌리는 잘못을 고치려 하신 것이다.

110) 어버이께……문(文)을 배운다 : 『논어』「학이」 제6장의 말고, 그 경문은 다음과 같다. "子曰 弟子立則孝 出則弟 謹而信 汎愛衆 而親仁 行有餘力 則以學文"

그렇기 때문에 전에 배운 문(文)을 하나로 관통하려고 노력하는 것을 급선무로 하면 광패(狂悖)한 데 이르지 않는 자가 없다. 쌍봉 요씨(雙峰饒氏)의 "서로 개합(開闔)이 된다."[111]라는 말은 바로 벽을 사이에 두고 다른 사람의 수수께끼를 듣는 것과 같으니 논하지 않는 것이 좋다.(博文約禮 只集註解無破綻 小註所引朱子語 自多鶻突 集註約 要平聲也 小註作去聲讀者誤 勉齋亦疑要去聲我以禮爲不成文 而猶未免將約字與博字對看 不知此約字 與博學二字相對 則要原讀作平聲 與束同義 集註添一動字 博其學於文 而束其動以禮 則上句言知 下句言行 分明是兩項說 朱子尊德性 道問學 驗諸事 體諸身 及行夏之時 非禮勿動等說 皆不混作一串 約之一之字 指君子之身而言也 與約我以禮我字正合 其云前之博而今之約 以博對約 有一貫意 皆狂解也 文與禮原亦無別 所學之文 其有爲禮外之文者乎 朱子固曰禮不可只作理字看 是持守有節文 則禮安得少而文安得多乎 在學謂之文 自踐履之則謂之禮 其實一而已 但學則不必今日所行而後學之 如雖無治曆之事 亦須考究夏時其服身而見之言動者 則因乎目前之素履 故文言博 而禮不可言博 然不可謂學欲致其多 守欲致其少 如顏子未仕 自不去改易正朔 則行夏時之禮 特時地之所未然 而非治曆明時爲廣遠而置之 視聽言動爲居要而持之也 約者 收斂身心不放縱之謂 不使放而之非禮 豈不使放而流乎博哉學文愈博 則擇理益精而自守益嚴 正相成 非相矯也 博文約禮是一齊事原不可分今昔 如當讀書時 正襟危坐 不散不亂 卽此博文 卽此便是約禮 而孝弟謹信 汎愛親仁 行有餘力 則以學文 緩急之序 尤自不誣 原不待前已博而今始約也 若云博學欲知要 則亦是學中工夫 與約禮無與

111) 서로 개합(開闔)이 된다 : 『논어집주대전』「옹야」 제25장의 주자주 "亦可以不畔道矣" 아래 7번째 소주에 나온다.

且古人之所謂知要者 唯在隨處體認天理 與今人揀扼要 省工夫的惰漢不同 夫子正惡人如此鹵莽放恣 故特地立箇博文約禮 以訂此眞虛枵 假高明之失 而急向所學之文求一貫 未有不至於狂悖者 雙峰相爲開闔之語乃似隔壁聽人猜謎 勿論可也)

제28장

자공(子貢) : “만일 백성에게 은혜를 널리 베풀어 많은 사람을 구제한다면 어떻습니까? 인(仁)하다고 할 만합니까?”

공자 : “어찌 인(仁)에만 그치겠느냐. 반드시 성인(聖人)일 것이다. 요(堯)임금과 순(舜)임금도 이는 오히려 부족하게 여기셨다. 인자(仁者)는 자신이 서고자 하면 남도 서게 해주며, 자신이 이르고자 하면 남도 이르게 해준다. 때문에 가까운 자신의 몸에서 미루어나가 타인의 사정까지 이해할 수 있다면, 이는 ‘인(仁)을 하는 방법’이라고 말할 만하다.”

子貢曰 如有博施於民而能濟衆 何如 可謂仁乎 子曰 何事於仁 必也聖乎 堯舜其猶病諸 夫仁者 己欲立而立人 己欲達而達人 能近取譬 可謂仁之方也已

31

『주자어류』에서는 지위로써 성인(聖人)을 말하였는데도리어 『논어집주』에서는 이 설을 사용하지 않았다.[112] 지위가 있는 것을 성(聖)이라 말하게 되면, 이것은 유래를 구하는 말로서 천근한 가르침, 범속한 말, 알기 쉬운 지식으로 옮겨간 것이다. 그런데 성인이란 이렇지 않을 뿐더러, 이렇게 말하면 이치에도 막히기 때문에 버려버린 것이다. 차라리 학자로 하여금 그 단초를 얻지 못하는 것을 급히 여길지언정, 차마 은미(隱微)한 말을 끊어버리지 않는 법이다.

공자께서 말씀하시기를 "성(聖)과 인(仁)은 내 어찌 감당하겠는가."[113]라고 하셨고, 또 "성(聖)은 내가 할 수 없다."[114]라고 하셨으니

112) 『주자어류』에서는……말하였는데 : 이하는 『논어』「옹야」 제28장에 관한 왕부지의 논의로, 그 경문은 다음과 같다. "子貢曰 如有博施於民而能濟衆 何如 可謂仁乎 子曰 何事於仁 必也聖乎 堯舜 其猶病諸 夫仁者 己欲立而立人 己欲達而達人 能近取譬 可謂仁之方也已"

113) 성(聖)과 인(仁)은 내 어찌 감당하겠는가 : 『논어』「술이」 제33장의 말이다.

114) 성(聖)은 내가 할 수 없다 : 『맹자』「공손추」 상에 나오는 말이다.

어찌 지위로 한 말씀이겠는가? 하단에서 말한 요순은 본래 지위를 가진 성인(聖人)이시다. 그러나 공자의 의중에 우 임금, 탕 임금, 백이·숙제, 이윤 이하의 사람에게 성(聖)을 허여(許與)하지 않으시려는 듯하니, 또한 고금을 낱낱이 들어 이 두 성인을 얻었는데 우연히 그들의 지위가 천자였을 뿐이다. 정자가 성(聖)과 인(仁)의 합일을 말한 곳은[115] 절로 광대(廣大)하고 정미(精微)한 논의여서 '천덕은 보편적이어서 두루 유행한다'에 이르러서는, 성(聖)이 다하지 못하는 것에 인이 또한 이르지 않음이 없는 것이다. 그리고 인(仁)의 양이 크고 성(聖)의 공이 작다고 할 수는 있지만, 성(聖)이 크고 인(仁)이 작다고 할 수 있겠는가?

인(仁)은 성(聖)의 체(體)이나 성의 체에 인이 부족한 것이 아니고, 성은 인의 용(用)이나 인의 용(用)이 도리어 성을 다할 수 있는 것이 아니다. 자공의 '널리 베풀어 많은 사람을 구한다'는 말은 매우 쉽게 나온 말이니, 공자께서 이 네 글자가 실제로 가리키는 것이 없다는 것을 간파하였다. 이른바 '박(博)'과 '중(衆)'이라는 것이 한량이 있는가, 한량이 없는가? 자공이 대강 한계가 있는 것으로 '박(博)'과 '중(衆)'을 말했다면, 이 또한 정자가 말한 오십이 아니어도 비단 옷을 입고 칠십이 아니어도 고기를 먹으며 구주(九州)와 사해(四海) 밖도 모두 구제하고 싶어한다는 것과 같지 않다. 다만 이미 '박(博)'이라 하고 '중(衆)'이라 했으니 이것은 본래 한량이 없는 것이다. 가령 만 명의 사람을 구제할 수 있다면 많다고 이를 만하다. 그러나 만 명 외의 사람은 어찌 이 만 명의 사람이 구제받은 것과 같지 않을 수 있단 말

115) 정자가……곳은 : 이에 대해서는 『논어』 「옹야」 제28장 "能近取譬 可謂仁之方也已" 아래 주자주에 나오는 정자의 논의에 자세하다.

인가? 그렇다면 자공이 말한 박(博)은 박(博)이 아니고 중(衆)은 중(衆)이 아니어서 다만 그 말만 번지르르 하고 실재가 없는 것이다. 그러므로 공자께서 말과 실재를 바로 잡으셔서 자공의 빈 곳을 채워주시고, 그 양(量)을 극대화하셔서 말씀하시기를 "반드시 성(聖)일 것이다. 요순도 그것을 걱정하셨다."라고 하셨으니, 이른바 '박시제중(博施濟衆)'이라는 것은 반드시 성인만이 혹 능(能)하시고 요순(堯舜)께서 오히려 근심하진 것 같은 뒤에야 여기에 해당될 수 있을 것이다. 만일 요순께서 걱정하는 것이 아니라면, 또한 '박시제중(博施濟衆)'이 될 수 없다.

'박시제중(博施濟衆)'은 실질적인 일 위에서 하나하나 고핵(考覈)해서 나와야만 하니, 반드시 자신이 서고 싶어 하고 달(達)하고 싶어 하는 것을 다른 이에게 베푼 뒤라야만이 '시(施)'라고 할 수 있다. 또한 자신이 서고 싶어 하고 달(達)하고 싶어 하는 것으로 남을 세우고 달하게 한 뒤라야 능히 '제(濟)'했다고 말할 수 있다. 그러므로 오직 인자(仁者)의 공용이 이미 그 극에 이르러야 만이 성(聖)이 되니, 그러한 후에 내세우는 은혜, 잠시잠깐의 공이 아닐 것이다. 만일 그렇지 않다면 베풀 바가 아닌데 베풀고, 구제할 수 없는데 구제하여 스스로 인이라고 하나, 천리의 법칙에는 맞지 않는 것이 많게 된다.

인(仁)이 말미암아 들어가는 것이 내세우는 은혜, 잠시잠깐의 공과는 이미 하늘과 땅만큼의 차이가 있다. 그는 한 사람을 세우고 달(達)하게 하기를 또 자기가 서고 달하고 싶어 하는 것과 같이 하고, 천만인을 세우고 달하게 하기를 또 자기가 서고 달하고 싶어 하는 것과 같이 하였다. 본체(本體)가 진실하면 작용(作用)이 망령되지 않는다. 이에 의거해서 성(聖)한다면 베풂이 절로 협소하지 않고 구제함이 절로 허무하지 않을 것이다. 공용(功用)이 드러나기 전에는 무엇이 박(博)

이고 무엇이 약(約)이며, 무엇이 중(衆)이고 무엇이 과(寡)인지 경계가 없다. 또한 베풀고 구제하는 것이 천리와 인정이 자연 합치되는 이치에 맞으면 한 가지도 구차히 따르지 않고 한 가지도 잘못되지 않는다. 그렇지 않다면 어찌 박(博)하고 중(衆)함을 기대하리오. 두 개의 복숭아로도 세 장수의 죽음을 불러올 수 있었으니[116] 한 사내의 만족할 줄 모르는 욕심을 천지도 역시 채워줄 수 없는 것이다.

자공이 말한 '박시제중(博施濟衆)'은 애초에 '자신이 서고 싶으면 남을 세우고, 자신이 달하고 싶으면 남을 달하게 하라'는 실재가 없으니, 참으로 인(仁)이라고 말할 수 없다. 그리고 단지 '박시제중(博施濟衆)'이라고만 한다면 공자 역시 인이 아닌 일을 하는 것을 바로 잡을 수 없게 된다. 그래서 '자신이 서고 싶으면 남을 세우고, 자신이 달하고 싶으면 남을 달하게 하는'것이 인(仁)임을 말씀하셨다. 그렇게 함으로써 널리 베풀고 이와 같이 해서 여러 사람을 구제해야만이 비로소 인을 체득하는 대용(大用)을 극대화해서 성인과 일체가 됨을 생각할 수 있었다. 그러나 끝내 능하지 못하게 되면 또한 이로써 내세우는 은혜, 잠시잠깐의 공이 그르다는 것을 보아, 세상에는 자신이 널리 베풀고 여러 사람을 구제하는 사람이라 자신할 만한 이가 없게 될 것이다. '어찌 인의 일만 되겠는가[何事於仁]' 이하 세 구 중에 이미 자공이 실체를 보지 못하고 실용을 알지 못하는 잘못을 납득시켰다. 그러므로 아래에서 곧바로 '부인자(夫仁者)' 세 글자로 인의 실재를 드러내셨다. 자공으로 하여금 이 말에 따라 생각하게 했더라면, 이와 같이 베푸는 것으로 박(博)을 쉽게 말하지 않았을 것이고 이와 같이 구제하는 것으로 쉽게 중(衆)을 말하지 않았을 것이며 또한 공자의 말씀

116) 두 개의 ……있었으니 : 『안자춘추』 내편(內篇) 「간(諫)」제24에 이 내용이 보인다.

을 기다리지 않고 스스로 자신의 실언을 부끄러워하였을 것이다. 정자가 자공이 인을 알지 못한다고 하였는데 그러고 보면 자공은 베풀고 구제하는 것도 모르는 것이다. 만일 그가 가까운 데서 취하여 남에게 적용할 수 있는 마음을 가졌다면, 감히 박(博)과 중(衆)을 가벼이 말했겠는가?

정자는 인(仁)을 적게 여기고 성(聖)을 크게 여기지 않았으니, 이것은 눈앞의 분명한 말인데 '인이 상하에 통한다.'고 말한 것은 말이 오히려 순정(醇正)하지 않다. 인은 자기에게 가까이 부착되어 있는 덕이니 가운데로 나아가면 상하(上下)가 없다. 다만 미묘하게 익숙한가 익숙지 않은가의 구분이 있으니 본체가 익숙하면 작용은 편리하다. 그러므로 상하로 인을 말하면 병에 들은 물도 물이고 큰 바닷물도 물이라는 말이 있게 된다. 그리고 어린아이가 우물에 들어가려는 것을 갑자기 보고서 생기는 마음은 다만 인의 단초일 뿐인데 불현듯 그것을 인이라고 지적한다면, 공자께서 말한 인자(仁者)의 심체(心體)와 전혀 같지 않다. 다만 안자가 도시락 밥, 표주박 음료로 누추한 거리에 있던 중에는 이미 인의 체가 있으면 성의 작용이 있다고 할 수 있지만, 반드시 3개월 동안 인을 떠나지 않는 시기에 있어야만이 체(體)가 서고 용(用)이 갖추어진다. 만일 한 생각이 간간이 이르다면 단지 병 속의 물이니 어찌 바닷물이라고 할 수 있겠는가?

대개 인의 용(用)에는 대소(大小)가 있고 인의 체(體)에는 대소가 없다. 체(體)가 익숙하면 용(用)이 커지고, 체가 미숙하면 용이 작아지지만 체는 결국 작지 않다. 체가 작다면 인이라 이를 수 없다. 사물에 체(體)를 세우면 체(體)에 대소(大小)가 있다. 자기에게 체를 세우면 체는 작아질 수 없는데 또한 어찌 나누어 혹은 작다고 혹은 크다고 할 수 있겠는가? 바닷물이 크고 병 속의 물이 작은 것 같은 것은 용

(用)의 작음이 체(體)의 작음에 기인한다고 하지만, 어찌 인을 이것에 비유하겠는가? 베푸는 데 인색하고 구제하는 일이 드문 사람을 인이라고 이를 수 있는가? 이 또한 성인의 뜻을 잃은 것이다. 자공이 말한 것은 체가 서지 않아 체에 의탁한 것이 반드시 적다. 공자께서 말씀하신 것은 용은 굳이 클 필요가 없고 체가 이미 천지만물에 가득하니 다시 박(博)과 중(衆)을 말할 것이 있겠는가? 이것을 안다면 지위가 있다, 없다는 설이 어찌 해당되겠는가?(朱子語錄以有位言聖 卻於集註不用 緣說有位爲聖 是求巴鼻語 移近敎庸俗易知 而聖人語意旣不然於理亦礙 故割愛删之 寧使學者急不得其端 而不忍微言之絶也 子曰若聖與仁 則吾豈敢 又曰聖則吾不能 豈以位言乎 下言堯舜 自是有位之聖 然夫子意中似不以聖許禹湯夷尹以下 則亦歷選古今 得此二聖 而偶其位之爲天子爾 程子言聖仁合一處 自是廣大精微之論 看到天德普徧周流處 聖之所不盡者 仁亦無所不至 且可云仁量大而聖功小 其可得云聖大而仁小乎 仁者聖之體 聖之體非仁者所歉也 聖者仁之用 仁之用卻又非聖所可盡 子貢說博施濟衆 忒煞輕易 夫子看透他此四字實不稱名不知所謂博者衆者 有量耶 無量耶 子貢大端以有量言博衆 亦非果如程子所謂不五十而帛 不七十而肉 九州四海之外皆兼濟之 但旣云博云衆則自是無有涯量 浸令能濟萬人 可謂衆矣 而萬人之外 豈便見得不如此萬人者之當濟 則子貢所謂博者非博 衆者非衆 徒侈其名而無實矣 故夫子正其名實 以實子貢之所虛 而極其量曰 必也聖乎 堯舜其猶病諸 則所謂博施濟衆者 必聖人之或能 與堯舜之猶病 而後足以當此 倘非堯舜之所猶病 則亦不足以爲博施濟衆矣 蓋博施濟衆 須於實事上一件件考覈出來 而抑必須以己所欲立欲達者施之於人 而後可云施 以己之欲立欲達者立人達人 而後可云能濟 故唯仁者之功用已至其極而爲聖 肰然後非沾沾之惠 一切之功 若其不然 則施非所施 濟不能濟 自見爲仁 而

不中於天理之則者多矣 夫仁者其所從入 與沾沾之惠 一切之功 則已有天淵之隔 他立達一人 也是如己之欲立欲達 立達千萬人 也是如己之欲立欲達 體眞則用不妄 繇此而聖 則施自不狹 濟自不虛 而卽當功用未見之時 已無有何者爲博 何者爲約 何者爲衆 何者爲寡以爲之界限 且其所施所濟者 一中於天理人情自然合轍之妙 而一無所徇 一無所矯 不然 則豈待博且衆 卽二桃可以致三士之死 而一夫無厭之欲 天地亦不能給之也 乃子貢所云博施濟衆者 初非有己欲立而立人 己欲達而達人之實 則固不可以言仁 而但云博施濟衆 則夫子亦無以正其爲非仁之事 而以己欲立而立人 己欲達而達人之仁言 如是以博施 如是以濟衆 乃以極體仁之大用 從聖人一爲想之 然而終有不能 則亦以見非沾沾之惠 一切之功 世無有自信爲能博施而能濟衆之人 卽何事於仁三句中 而已折倒子貢不見實體 不知實用之失 故下直以夫仁者三字顯仁之實 則使子貢繇是以思焉 而如是以施 其不易言博 如是以濟 其不易言衆 亦不待夫子之言而自媿其失辭矣 程子謂子貢不識仁 看來子貢且不識施濟 使其有能近取譬之心 而敢輕言博衆哉 程子不小仁而大聖 是眼底分明語 而云仁通上下 則語猶未醇 仁是近己着裏之德 就中更無上下 但微有熟不熟之分 體之熟則用之便 故以上下言仁 則具有瓶中亦水 大海亦水之說 而乍見孺子之心 特仁之端 而亦遽指爲仁 則與夫子所言仁者之心體全有不肖 只顔子簞瓢陋巷中 卽已有仁之體 則卽有聖之用 而特必在三月不違時 方得體立用具 若一念間至 直自瓶水 而豈得謂之海水哉 蓋仁之用有大小 仁之體無大小 體熟則用大 體未熟則用小 而體終不小 體小 直不謂之仁矣 於物立體 則體有小大 於己立體 則體無可小 而亦安得分之爲或小而或大 若海水之大 瓶水之小 則用之小因乎體之小 而豈仁之比哉 將吝於施而鮮所濟者 亦可謂之仁與 亦失聖人之旨矣 子貢所云者 體不立而托體必小 夫子所言者 用不必大 而體已極乎天地萬物

更何博與衆之云乎 知此 則有位無位之說 曾何當耶)

32

'입인(立人)'과 '달인(達人)'의 두 '인(人)'자는 대소(大小)를 구분할 수 없다. 한 사람도 사람이고 천만인도 사람이어서 세우고 달하게 하는 실체는 다름이 없다. 그러므로 용(用)은 혹 작을 수 있으나 체는 결코 작아지지 않는다. 부득이 잠시 비유하자면 큰 바닷물을 한 잔을 떠서 채울 수 있고 억만 잔을 떠서 역시 채울 수 있다. 그러나 인의 체(體)는 결국 바다로 비유할 수 없다. 단지 자신의 심체(心體)만을 알 뿐이니, 어찌 일찍이 천지만물의 밖에까지 자신의 양(量)을 확대하려 했겠는가?(立人達人二人字 不可分大小說 一人亦人 千萬人亦人 卻於立達之實體無異 故用或小而體終不小 不得已而姑爲之喩曰 如大海水一卮挹之亦滿 億萬卮挹之亦滿 然仁之體 終不可以海喩 他只認得自家心體 何嘗欲擴其量於天地萬物之表哉)

33

정자가 수족(手足)의 불인(不仁)을 비유로 한 것은[117] 크게 은미한 말이 그 안에 있으니, 또한 학자가 스스로 강구할 필요가 있다. 예를 들어 보통 사람의 기맥(氣脈)이 소통되는 때에는 사지가 모두 인(仁)

해서 오직 마음의 부림을 받는다. 그러나 마음은 결코 손으로 숯을 쥐고 발로 끓는 물을 밟게 할 수 없으며, 역시 손가락을 다리보다 굵게 하고 발을 배보다 크게 하며 손으로 색을 보고 발로 소리를 듣게 할 수는 없다. '자신이 서고 싶으면 남을 세우고, 자신이 달하고 싶으면 남을 달하게 하라'는 말은, 베풀고 구제하는 가운데 각각 성명(性命)의 실리(實理)를 바르게 하라는 것이다. 요순(堯舜) 자신이 추방되거나 유배 가고자 하지 않았으나 공공(共工)과 환도(驩兜)에게는 베풀었고, 맹자가 제왕(齊王)이 병을 핑계된 것을 미워하였으나 자신도 병을 핑계 삼아 거절하였으니, 마음과 수족(手足)이 각각 알아서 서로간의 마땅함을 주는 것이 바로 인이다.(程子手足不仁一喩 大有微言在 亦待學者之自求 如平人氣脈通貫時 四肢皆仁 唯心所使 然心終不使手撮炭而足蹈湯 亦不使指肥於股 足大於腹 手視色而足聽音 己欲立而立人 己欲達而達人 卽此是施濟中各正性命之實理 堯舜不欲竄殛而以施之共 驩 孟子惡齊王之託疾 而己以疾辭 正心與手足各相知而授以宜之爲仁也)

117) 정자가……한 것은 : 『논어』「옹야」 제28장 "能近取譬 可謂仁之方也已" 아래의 주자주에서 정자는, "醫書 以手足痿痺 爲不仁"이라고 하였다.

술이편

述而篇

제2장

공자 : "말없이 마음에 기록해 두며, 배우기를 싫어하지 않으며, 남 가르치기를 게을리하지 않는 것, 이 세 가지 중에 어느 것이 나에게 있겠는가."

子曰 默而識之 學而不厭 誨人不倦 何有於我哉

1

'〈묵묵히 기억한다는 것은〉 말하지 않아도 마음에 간직한다는 것이다'[1]는 것은 고요할 때 보존하고 움직일 때 살피는[靜存動察] 공부이니, 말한다고 하여 드러나지도 않고 말하지 않는다고 해서 숨어 있는 것도 아니다. 이는 "미리 듣지 않아도 모두 법도에 맞고 간쟁하지 않아도 선(善)으로 들어간다.[不聞亦式 不諫亦入][2]"는 것과 같은 뜻이다. 이는 기억하고 못하는 차원에서 생소하냐 성숙하냐는 것을 논한 것일 뿐, 침묵하느냐 못하냐의 차원에서 깊이를 쟁론한 것은 아니다. 그러나 사람이 침묵하지 않을 때에 경계한다면 기억하기 쉬우며, 침묵할 때도 기억하게 되니, 바로 이것으로 마음속에 간직한 것이 간단한 바가 없음을 징험할 수 있다. 남헌 장씨(南軒張氏)가 말한 "보

1) 말하지……것이다 : 이 구절은 『논어집주(論語集註大全)』「술이(述而)」 제2장 "子曰 默而識之 學而不厭 誨人不倦 何有於我哉"에 대한 주자주 '默識 謂不言而存諸心也'를 가리킨다.

2) 미리……들어간다 : 『시경(詩經)』「사제(思齊)」에 보이는데, 그 전문은 다음과 같다. "肆戎疾不殄 烈假不瑕 不聞亦式 不諫亦入"

지 않고 듣지 않은 가운데서 두려워한다."[3]는 것이 바로 이러한 뜻이니, 어떻게 지식의 식(識)으로 풀이할 수 있겠는가! 지식으로 풀이하게 되면 석씨(釋氏)가 말한 '현상(現象)을 직각(直覺)으로 비추어 아는 것[現量照成]'[4]이다. 식(識)자로 여기고【원 글자대로 풀이한다.】 지(識)로 풀지 않는 것은【지(識)는 음이 지(志)이다.】 지식이 얕은 사람의 추측이 아니면 석씨의 '이러한 일이 있음을 알면 그만둔다'는 것이다.

그러나 성학(聖學)에서 '기억한다'【음이 '지'이다.】고 하는 것을, 석씨도 기억한다고 풀이하는데, '보임(保任[5])'이라고 하는 것이 이것이다. 달마(達磨)[6]가 9년 동안 면벽(面壁) 수행한 것도 지(識)를 안 뒤에 지(識)를 보존하는 일이었다. 그러므로 '묵이지지(黙而識之)'는 성인도 그러하였고, 석씨도 그러하였으며 주자(朱子)도 그러하였고 육상산(陸象山)[7]도 그러하였으니, 분별이 모두 여기에 있지는 않고 다만

---

3) 보지……두려워한다 : 이 구절은『논어집주대전(論語集註大全)』「술이(述而)」 제2장에 대한 주자 주 아래 다섯 번째 소주에 보이는데, 그 원문은 다음과 같다. "南軒張氏曰 黙識非言意所可及 盖森然於不睹不聞之中者也 在己則學不厭 施諸人則敎不倦 成己成物之不息也 此亦是作知識說"

4) 직각(直覺)으로……것 : 현량(現量)은 인도의 전통 논리학인 인명학(因明學)에서 쓰이는 용어로, 현전(現前)하는 제상(諸相)을 보고 그 자상(自相)을 직각(直覺)하는 것을 말한다.

5) 보임(保任) : 흔히 '보림'이라고 하는데, 보호임지(保護任持)의 준말이다. 보임은 자기의 힘을 다해서 책임을 지고 진성(眞性)을 함양하여 운용하는 것을 말한다.

6) 달마(達磨 ?-528) : 중국 선종(禪宗)의 창시자. 남인도(일설에는 페르시아) 향지국(香至國)의 셋째 왕자로, 대승불교의 승려가 되어 선(禪)에 통달하였다고 한다. 520년 경에 중국에 들어와 북위(北魏)의 낙양(洛陽)에 이르러 동쪽의 숭산 소림사(少林寺)에서 9년간 면벽좌선(面壁坐禪)하였다. 이후 혜가(慧可)에게 자신의 법을 전수하였으며, 중국 선종의 초조(初祖)가 되었다.

7) 육상산(陸象山 1139-1192) : 중국 남송(南宋)의 유학자로 이름 구연(九淵)이고 시호는 문안(文安)이며, 상산(象山)은 그의 호이다. 당시 석학이었던 주자(朱子)와 대립하여 중국 전체를 양분(兩分)하는 학문적 세력을 형성하였으며, 사상적 계보로는 정명도(程明道)의 학문을 계승하였다. 주자가 정이천의 학통에 의한 도문학(道問學)을 보다 존중한 데 반하여, 상산은 정명도의 존덕성(尊德性)을 존중하였다.

그 기억한 것이 같지 않았을 뿐이다. 반드시 이것으로 분별한다면 성인의 "남을 가르치는 것을 게을리 하지 않는다."는 것이 어찌 반드시 구담(瞿曇)[8]의 49년 설법과 다르다고 하겠는가?

이단(異端)의 '확연무성(廓然無聖)'[9]은 침묵 속에서 힘을 얻는 반면, 성인은 이 각각 성명(性命)을 바르게 하고 태화(太和)에 보합(保合)함[10]을 간직하고서 침묵할 때에도 잊지 않는다. 석씨(釋氏)가 '모든 것을 내려놓으라[一切放下]'[11] 하고 간직하라[存]는 말을 하지 않은 것 같지만, 뭔가를 놓으려면 도리어 다른 것이 올까 두렵게 되니, 늘 이렇게 놓게 한다면 또한 놓을 대상이 있게 될 것이다. 그러므로 "애면글면 마음을 쓰지 않을 때가 바로 애면글면 마음을 쓰는 때이다.[恰恰無心用 恰恰用心時]"[12]라고 한 말은 무심(無心)으로 마음을 쓴 것이니, 어찌 기억함이 아니겠는가?

---

8) 구담(瞿曇) : 석가모니(釋迦牟尼 BC563-483)의 성이다. 본래의 성은 고타마(Gotama : 瞿曇), 이름은 싯다르타(Siddhrtha : 悉達多)인데, 후에 깨달음을 얻어 붓다(Buddha : 佛陀)라 불리게 되었다. 석가모니(釋迦牟尼)·석가문(釋迦文) 등으로도 음사하며, 능인적묵(能仁寂默)으로 번역된다. 또한 사찰이나 신도들 사이에서는 진리의 체현자(體現者)라는 의미의 여래(如來 : Tathgata), 존칭으로서의 세존(世尊 : Bhagavat)·석존(釋尊) 등으로도 불린다.

9) 확연무성(廓然無聖) : 텅 비어 성스러울 것이 없다는 뜻이다. 『경덕전등록(景德傳燈錄)』 제삼 '보리달마조(菩提達磨條)'에 보면, 양 무제(梁武帝)가 "어떤 것이 성체의 제일의(第一義)입니까?"하고 묻자, 달마가 대답한 말이다.

10) 성명(性命)을……보합(保合)함 : 『주역(周易)』「건괘(乾卦)」에 보이는데, 그 전문은 다음과 같다. "彖曰 大哉乾元 萬物資始 乃統天 雲行雨施 品物流形 乾道變化 各正性命 保合大和 乃利貞"

11) 모든……놓으라 : 『선문염송(禪門拈頌)』 435화(話)를 보면 "趙州因嚴陽尊者問 一物不將來時如何 師云放下着 嚴云 一物不將來 放下箇甚麼 師云 伊麼則擔取去 尊者大悟"이라고 하였는데, 온갖 물질은 물론 생각까지 없애버리라는 뜻이다.

12) 애면글면……때이다 : 당(唐) 현각(玄覺) 『선종영가집(禪宗詠歌集)』에 나오는 구절로 우두 법융(牛頭法融 594-657)이 읊은 송(頌)의 일부이다. 원래는 '恰恰用心時 恰恰無心用'으로 쓰여 있다.

공자께서 하신 이 세 마디는 광범위한 말로서 어떤 상황에서도 적용이 가능하여 장기나 바둑놀이, 그림그리기, 시 읊기, 글자쓰기 같은 하찮은 일에도 적용할 수 있다. 성인은 별도로 실상을 가지고 있으니, 예컨대 '들어오면 효도하고 나가서는 우애한다'[13]는 것과 '군자는 중후하지 않으면 위엄이 서지 않는다'[14] 같은 장은 사실이지만 이러한 것도 바로 공부이다. 공부는 이단과 같은 점이 있지만, 사실의 측면에서 보면 천지(天地)처럼 현격한 차이가 난다. 순(舜) 임금이나 도척(盜蹠)이 닭이 우는 새벽에 일어나 부지런히 하는 행동[15]은 동일하지만, 그들은 이(利)를 추구하느냐 선(善)을 추구하느냐에 따라 구분된다. 그러나 부지런하지 않는 사람은 아무리 선해도 순임금의 무리가 될 수 없고, 아무리 이로운 짓을 해도 도척의 무리가 될 수 없다.

식(識)【원 글자대로 풀이한다.】과 지(識)【음이 지(志)이다.】의 분변(分辨)은 또한 천근한가 심오한가 하는 차원에서 구분한 것이지 주자와 육상산의 사상이 크게 벌어지는 부분은 아니다. 육자정(陸子靜)의 병통은 '묵(默)'자에 집착한 것이다. 그러므로 주자는 또 "이 세 가지는 성인의 지극한 일이 아니다."[16]라고 하였다. 초학자(初學者)의 지(識)는 묵묵히 있을 때에 경계하고 반성하지 않기가 쉬우니, 묵묵히 있을 때

13) 들어오면……우애한다 : 이 구절은 『논어(論語)』「학이(學而)」에 보이는데, 그 전문은 다음과 같다. "子曰 弟子入則孝 出則弟 謹而信 汎愛衆 而親仁 行有餘力 則以學文"

14) 군자는……않는다 : 이 구절은 『논어(論語)』「학이(學而)」에 보이는데, 그 원문은 다음과 같다. "子曰 君子不重則不威 學則不固"

15) 순(舜) 임금이나……행동 : 이 구절은 『맹자(孟子)』「진심」 상에 보이는데, 그 전문은 다음과 같다. "孟子曰 雞鳴而起 孳孳爲善者 舜之徒也 雞鳴而起 孳孳爲利者 蹠之徒也 欲知舜與蹠之分 無他 利與善之閒也"

16) 이……아니다 : 이 구절은 『논어집주대전(論語集註大全)』「술이(述而)」 제2장에 대한 주자주인데, 그 전문은 다음과 같다. "何有於我 言何者能有於我也 三者已非聖人之極至 而猶不敢當 則謙而又謙之辭也"

에도 묵묵히 있지 않을 때와 다름이 없어야 한다. 이렇게 향상한 뒤에는 고요할 때는 분명해지지만 움직일 때는 효과를 발휘하기 어렵게 되니, 묵묵히 있지 않을 때에도 묵묵히 있을 때와 다름이 없어야 한다. 그러므로 "이것을 마음에 보존한 사람을 성(聖)이라 하고 천지에 행하는 사람을 신(神)이라 한다."고 한 것이다. 그러므로 배우는 사람은 시급히 먼저 지(識)를 이해한 뒤에 묵(默)을 이해하여야만 성인의 공부에 위배되지 않게 된다. 기억하지 못하면 묵(默)이 무슨 소용이 있겠는가? 침묵한 뒤에도 기억하지 못하는 것은 모든 돌발적인 광인(狂人)보다는 나을지 모르겠으나, 전혀 똑똑치 못한 바보일 뿐이다. 지(識)자는 학(學)과 회(誨)의 대가 되고, 묵(默)자는 불염(不厭)과 불권(不倦)의 대가 된다. 학(學)은 격물(格物)과 치지(致知)의 일이고, 지(識)는 정심(正心)과 성의(誠意)의 일이다. 이에 반해 불염(不厭)은 학(學)의 시작과 끝에 불과하고, 묵지(默識)는 안 것을 순일하고 익숙하게[純熟] 하는 것일 뿐이다.

주자는 "부모의 연세는 기억하지 않아서는 안 된다."[17]고 한 주에서 지(知)를 기억(記憶)한다고 풀이하였으니, 바로 여기에서 참고하기에 좋다. 부모의 연세를 기억한다면 굳이 말을 듣고서 하지는 않을 것이니, 남들이 경계하는 말을 듣게 되더라도 효사(孝思)에 손실이 있는 것은 아니다. 그러나 보고 듣는 것을 제거하고 은밀히 간직해야 된다. '형체가 드러나기 전에 보는데' 어찌 형체가 있는데도 보지 못하겠는가? '소리가 있기 전에 들으니' 어찌 소리가 나는데 듣지 못하겠는가? 그렇지 못하다면 이는 또 대낮에 반딧불을 구해서 밤을 기다려

17) 부모의……된다 : 이 구절은 『논어(論語)』「이인(里仁)」 제11장에 보이는데, 그 원문은 다음과 같다. "子曰 父母之年 不可不知也 一則以喜 一則以懼"

글을 읽는 망령된 사람일 것이다. 이로써 육상산의 학문은 '묵(默)'자에 너무 힘을 들인 데서 어긋나 구 년간 면벽(面壁) 수행으로 도를 깨치려는 도리에 어긋난 짓과 다름없게 되었다는 것을 알 수 있다. 성인의 학문은 홀로 정좌한 때이건 대정(大庭)에서 대중과 함께 했건 간에 한결같이 마음을 보존하여 지키니, 묵상하지 않을 때에 좋지 않게 보아서는 안 된다. 그러나 주자학파(朱子學派)의 유자(儒者)들은 '지(識)'자를 격물(格物)과 치지(致知) 위에 올려놓아서 '학(學)'자가 지닌 지위를 침범함으로써 육상산에 대항하였으나, 이 역시 스승의 학설을 제대로 계승하지 못한 것이다.(不言而存諸心 乃靜存動察工夫 不因語顯 不以默藏 與不聞亦式 不諫亦入一義 只在識不識上爭生熟 不在默不默上爭淺深 特以人於不默時有警 則易識 而方默亦識 乃以徵存諸心者之無所間也 南軒云森然於不睹不聞之中 正是此意 那得作知識之識解 作知識解者 則釋氏所謂現量照成也 識如字而不識音志 非淺人之推測 則釋氏之知有是事便休而已 然聖學說識志 釋氏亦說識志 其所云保任者是也 達磨九年面壁 亦是知識後存識事 故默而識之 聖人亦然 釋氏亦然 朱子亦然 象山亦然 分別不盡在此 特其所識者不同耳 倘必以此爲別 則聖人之誨人不倦 抑豈必異於瞿曇之四十九年邪 異端存箇廓然無聖 須於默中得力 聖人則存此各正性命 保合太和 在默不忘 釋氏說一切放下 似不言存 然要放下 卻又恐上來 常令如此放下 則亦存其所放者矣 故云恰恰無心用 恰恰用心時 用心以無心 豈非識哉 夫子此三句 是虛籠語 隨處移得去 下至博弈圖畫吟詩作字亦然 聖人別有塡實欵項 如入孝出弟 不重不威等章是事實 此等乃是工夫 工夫可與異端同之 事實則天地懸隔矣 如舜 蹠同一鷄鳴而起 孳孳以爲 其分在利與善 而其不孳孳者 善不得爲舜之徒 利不得爲蹠之徒也 識如字識志之辨亦在淺深上分 非朱陸大異處 子靜之病 只泥看一默字耳 故朱子又云三

者非聖人之極致 則以初學之識 易於默時不警省 須默無異於不默 向上後 則靜裏分明 動難效用 須不默亦無異於默 故曰存諸中者之謂聖 行於天壤者之謂神 故學者急須先理會識 後理會默 乃於聖功不逆 不識則何有於默哉 待默而後不識 猶賢於一切鶻突之狂夫 全不惺忪之愚人也 識字對學誨 默字對不厭不倦 學是格物致知事 識是正心誠意事 不厭只是終始於學 默識止是純熟其識耳 朱子於父母之年不可不知註 說個記憶 正可於此處參觀 如記憶父母之年 固不待有語而後生警 而非謂口言之 耳聞之而卽有損於孝思 須刪除見聞而密持之也 視於無形 豈有形而不視 聽於無聲 豈有聲而不聽 不然 則又白晝求螢以待夜讀之妄人矣 足知象山之學 差於一默字着力 而與面壁九年同其幻悖 聖人之學 正於獨居靜坐 大庭廣衆 一色操存 不可將不默時看作不好耳 朱門諸儒將此一識字安在格物致知上 以侵下學字分位 用拒象山 則亦不善承師說矣)

제6장

공자 : "도에 뜻을 두며, 덕에 의거하며, 인에 의지하며, 예에 노닐어야 한다."

子曰 志於道 據於德 依於仁 游於藝

2

도를 행하여 마음에 터득함이 있는 것을 덕(德)이라 한다.[18] 득(得)이 마음으로 얻는 것이라면 수(修) 역시 마음으로 닦는 것이다. 그러므로 주자는 성의(誠意)와 정심(正心)을 가지고 이것을 말한 것이다. 또 "남을 해치려고 하지 않는 것을 마음에 터득했으나, 남을 해치려는 마음이 혹 싹튼다면 이는 제대로 닦지 않은 것이다."[19]라고 하였으니, 이는 모두 계구(戒懼)와 신독(愼獨) 차원의 공부이다. 의로 옮겨가고 [徙義] 잘못을 고치는[改過] 것은 몸을 닦고 남과 응대하는 일로서, 제가(齊家) 치국(治國) 평천하(平天下)가 모두 이 속에 있다.

남을 해치지 않으려는 마음이 어느 때나 끊이지 않는다면 덕에 아

18) 도를……한다 : 이 구절은 『논어집주(論語集註)』「술이(述而)」 제6장 '據於德' 아래 주자주 '德則行道而有得於心者也'를 가리킨다.

19) 남을……것이다 : 이 구절은 『논어집주대전(論語集註大全)』「술이(述而)」 제3장 "子曰 德之不脩 學之不講 聞義不能徙 不善不能改 是吾憂也"에 대한 주자주 아래의 두 번째 소주에 보인다. 그 전문은 다음과 같다. "(朱子曰) 須實見得是如何　德是甚麽物事　如何喚做修　如何喚做不修　人而無欲害人之心　這是德　得之於吾心也　然害人之心　或有時而萌者是不能修者也　德者　道理得於吾心之謂　修者　言好修治之之謂　更須自體之　須把這許多說話做自家身上說　不是爲別人說"

무런 하자가 없게 된다. 의를 헤아려 그리로 옮겨가는 것을 즐길 수 없다면 남을 해치지 않는 것이라 믿었던 것이 혹은 남에게 해를 입히기도 하고, 혹 공용(功用)이 성숙하지 않으면 마음에 잘못된 생각을 품지 않았는데도 행동한 것이 엉성하고 새어나가서 이로 인해 남을 해치는 일에 관여했으면서도 자신은 모르게 되는 것이다. 그러므로 의로 옮겨가 그 공용을 잘 하고 잘못을 고쳐 그 엉성함을 막아야 한다. 성인의 학문은 곧바로 사람에게 몸을 닦고 남에게 응대하는 차원에서 실행해 나가도록 하지 않는다. 그러므로 의(義)로 옮겨가고 잘못을 고치는 공용은 덕이 닦아진 뒤에 한층 더 진보하는 것이다. 세속 유자들의 근본이 없는 학문으로 말하자면 곧 의를 들었을 때와 불선(不善)할 때에 들어갈 도피처를 마련하였으니【자로(子路)도 그렇게 하였기 때문에 입실(入室)의 경지에 이르지 못하였다.】, 익숙해진 곳에 이른 뒤에야 심덕(心德)을 이해하게 되면 본말(本末)이 전도된다.

그러므로 세속의 유자들은 의로 옮겨가는 것[徙義]과 잘못을 고치는 것[改過]이 덕을 닦는 일[修德]보다 조잡하다고 생각하였는데, 성인은 이 두 가지를 전체가 확립되고 나서 대용(大用)이 추행(推行)하는 묘리(妙理)로 보았다. 이 의로 옮겨가는 것과 잘못을 고치는 것은 바로 광대정미(廣大精微)의 극치이니, 그 가운데에서 내외(內外)와 신심(身心)과 체용(體用)의 분별이 매우 분명하다. 그런데 소주에서 혹 "선(善)으로 옮겨가는 것과 잘못을 고치는 것은 덕을 닦는 일 중에 요긴한 일이다."라고 하였고, 신안 진씨(新安陳氏)가 "수덕(修德)의 조목이다."라고 한 것[20]은 모두 생각할 가치도 없다.(行道而有得於心

20) 선(善)으로……것 : 이 구절은 『논어집주대전(論語集註大全)』「술이(述而)」 제3장에 대한 주자주 아래의 맨 마지막 소주에 보인다. 그 원문은 다음과 같다. "新安陳氏曰 修德而

之謂德 得爲心得 則修亦修之於心 故朱子以誠意正心言此 又云無欲害人 得之於心矣 害人之心或有時而萌 是不能修 此全在戒懼愼獨上用功 若徙義改過 則修身應物之事 並齊治平在裏許矣 如不欲害人之心 心心不斷 德已無玷 若不能審義樂遷 則信爲不害人者 或且有害於人 或功用未熟 則心未有失而行處疎漏 因涉於害人而不自知 是須以徙義善其用 改過防其疎 乃聖人之學 不徑遺人從修身應物上做去 故徙義改過之功 待修德之餘而尤加進 若世儒無本之學 則卽於聞義時 不善時作入路 子路亦然 故未入室 到熟處方理會心德 則本末倒置矣 故世儒見徙義 改過粗於修德 聖人則以此二者爲全體已立 大用推行之妙 是徙義改過 正廣大精微之極至矣 就中內外身心體用 分別甚明 小註或云遷善改過是修德中要緊事 新安云修德之條目 俱不足存)

3

『논어집주(論語集註)』에서 "선후(先後)의 순서와 경중(輕重)의 비중을 잃지 않는다."고 한 말을 경원 보씨(慶源輔氏) 이후로 모두 이해하지 못하였다.[21] 주자는 예전에 "나의 주(註)는 한 자도 허투루 쓴 말

繼以講學 如尊德性而道問學是也 脩德爲大本 講學爲實功 徙義改不善 修德之條目"

21) 선후(先後)의……못하였다 : 이 구절은『논어집주대전(論語集註大全)』「술이(述而)」 제6장 "子曰 志於道 據於德 依於仁 游於藝"에 대한 주자주 '學者於此 有以不失其先後之序 輕重之倫焉 則本末兼該 內外交養'에 대해, 경원 보씨(慶源輔氏)가 "'慶源輔氏曰 先後之序 謂道德仁藝之序 輕重之倫 謂志據依游之倫 先者重 後者輕也 本與內 謂道德仁 末與外 謂藝 在彼之序 雖有先後 在我之倫 雖有輕重 而未嘗偏廢 所謂兼該而交養也"라고 한 말을 가리킨다.

이 없다."고 하였으니, 독자들은 어떤 글자를 쓴 것은 반드시 어떤 뜻이 담겨 있다는 것을 알아서 한 자도 더하거나 보태지 않아야 하니, 이렇게 하면 어긋나지 않을 것이다.

『논어집주(論語集註)』에서 "덕을 굳게 지키면 도가 마음에 얻어져서 떠나지 않을 것이요, 인에 의지하면 덕성이 늘 쓰여져서 물욕이 행해지지 않을 것이다."[22]라고 하였다. 덕이 도에 뜻을 둠으로써 얻어졌는데, 덕을 굳게 지키는 공부만으로 나아간다면 이는 가슴에 새긴 것을 잃지 않게 된다. 인은 덕을 굳게 지킴으로써 성이 쓰이기에 충분해졌는데, 인에 의지하는 공부만으로 나아가면 쓰임이 항상(恒常)되고 욕심은 행해지지 않을 것이다. 이것이 이른바 '선후(先後)의 순서'이다.

또 "예에 노닐면 작은 일도 빠뜨리지 않아 움직이거나 쉬거나 간에 함양(涵養)이 있을 것이다."[23]라고 하였는데, '빠뜨리지 않는다'는 것은 도가 본래 적용 대상이 넓다는 것[24]을 체득했다는 말이다. '움직일 때 함양(涵養)함이 있다'는 것은 덕의 도움이고, '쉴 때 함양함이 있다'는 것은 인의 도움이다. 그런데 '빠뜨리지 않는다'고 한 것은 도는 빠뜨릴 수 없음을 밝힌 것이니, 만일 도에 뜻을 둔다면 빠뜨릴 수 없는 것이다. '함양함이 있다'는 것은 함양하기를 덕을 굳게 지킴으로써 하고, 함양하기를 인에 의지함으로써 하여, '거덕(據德)'과 '의인(依

22) 덕을……것이다 : 이 구절은 『논어집주(論語集註)』 「술이(述而)」 제6장 '游於藝' 다음의 주자주를 가리키는데, 그 원문은 다음과 같다. "據德 則道得於心而不失 依仁 則德性常用而物欲不行"

23) 예에……것이다 : 이 구절은 『논어집주(論語集註)』 「술이(述而)」 제6장 '游於藝' 다음의 주자주를 가리키는데, 그 원문은 다음과 같다. "游藝 則小物不遺而動息有養"

24) 도가……것 : 『중용장구(中庸章句)』 제12장에 '君子之道 費而隱'이라는 구절이 보인다.

仁)'의 도움으로 함양되는 것이다. 이러한 '유예(游藝)'의 공은 '의인(依仁)'한 뒤에 나타나는 것이 아니니 '지도(志道)' '거덕(據德)' '의인(依仁)'이 서로 시작과 끝이 되는데, 내치(內治)를 위주로 하고 보조로 외익(外益)에 힘쓰는 것이 이른바 '경중의 비중'이다.

'도에 뜻을 두고' '덕을 굳게 지키고' '인에 의지하는' 것은 시간적인 선후는 있지만 경중의 비중은 없으나, '도에 뜻을 두고' '덕을 굳게 지키고' '인에 의지하는' 것과 '예(藝)에 노니는' 것의 관계는 경중(輕重)의 비중은 있지만 시간적인 선후는 없다. 그러므로 앞에서는 네 갈래로 나누고서 서로 이어서 뜻을 세웠는데, 뒤에 가서는 선후와 경중에 따라 두 가지로 나누었으니, 『논어집주(論語集註)』의 이러한 정밀함은 몸소 행하고 스스로 증명하고서 상황에 맞게 촘촘하게도 엉성하게도 한 것이니, 문자에서 의미를 파악한 것만은 아니다.

『논어집주(論語集註)』에서 덕에 대해서는 "도를 행하여 마음에 얻는 것이다." 하였고, 인에 대해서는 '심덕(心德)이 온전한 것'[25]이라 하였다【덕은 도를 행함으로 인하여 얻어지고, 인은 동정(動靜)을 포함하고 있기 때문에 '전(全)'이라 한 것이다.】. 도에 뜻을 둠이 독실하면 덕이 마음에 이루어지고, 덕을 굳게 지킴이 원숙해지면 인이 성(性)에 드러나게 된다. 덕은 도의 실재(實在)이고 인은 덕의 온전함이며 '거(據)'와 '의(依)'는 도에 뜻을 두어 터득한 것을 보존하고 덕을 지켜서 편안한 바를 항구히 하는 것이다. '예(藝)'는 도와 서로 표리(表裏)가 되는 것으로, 인에 의거한 뒤에야 비로소 예를 지니게 되는 것은 아니니, '인에 의지하는' 것

25) 덕에……것 : 이 구절은 『논어집주(論語集註)』「술이(述而)」 제6장 '據於德' 다음에 주자주 '德則行道而有得於心者也'와 '依於仁' 다음의 주자주 '仁則私欲盡去而心德之全也'를 가리킨다.

이 먼저이고 '예에 노니는' 것이 나중이 아님이 매우 분명히 드러난다.

잠실 진씨(潛室陳氏)는 이 차이를 살피지 않고 그만, "육예(六藝)로 가르치는 것은 소학(小學)에서 처음에 하는 일이고, 예에 노니는 것은 또 덕을 완성한 다음의 일이다. 소학에서 처음에 그 문장을 익히는 것과 덕을 완성한 자의 노님은 뜻에 적합하게 하는 것이다."[26]라고 하였으니, 이 또한 큰 길을 놔두고 좁은 가시나무 길을 가로질러 가는 격이다. 육예에서 배우는 것은 소학에서 대강 글을 익힌다고는 하나 실은 대경 대법(大經大法)이니, 일상생활에서 늘 행하는 일과 함께 바로 도가 발현되는 곳이다. 그러므로 대학(大學)에서 처음 가르칠 적에 격물(格物)과 치지(致知)에 힘쓰면서 소학에서 완성한 것을 이어서 도로 귀의하도록 하는 것이다. 공자께서 사람들에게 '박문약례(博文約禮)'[27]를 어길 수 없는 법칙으로 삼게 한 것이니, 애초에 소학에서 우선 이를 익혀서 한 번 도에 뜻을 두고는 마침내 이를 그만두고 인에 의거한 다음에 다시 다스리게 한 것은 아니다. 그러므로 이것을 겨우 소학의 처음 일이라고만 해서는 안 된다.

'덕(德)을 완성한 뒤에 뜻에 적합하게 한다'는 것은 더더욱 '유(游)'자의 영향으로 인한 것이고, 애초에 실질적인 뜻은 없다. 덕이 완성된 뒤에 이치가 가슴속에서 성숙된다고 한다면 무슨 상황에서든 모두 이치에 맞게 되니, 예(藝)와 '도에 뜻을 둔 것'과 척척 맞아 들어가는 즐거움을 얻을 수 있겠는가? 이 예(藝)에 노니는 것은 바로 인에 의거한

26) 육예(六藝)로……것이다 : 이 구절은 『논어집주대전(論語集註大全)』「술이(述而)」 제6장의 주자주 아래의 여덟 번째 소주에 보이는데, 그 원문은 다음과 같다. "潛室陳氏曰 此却有首尾本末 與前章別 教之六藝 小學之初事 游於藝 又成德之餘功 小學之初習其文 成德之游適於意 生熟滋味逈別"

27) 박문약례(博文約禮) : 이 구절은 『논어(論語)』「자한(子罕)」 제10장에 보이는데, 그 원문은 다음과 같다. "夫子循循然善誘人 博我以文 約我以禮"

뒤의 '귀로 들으면 그대로 이해되고[耳順]'과 '마음에 하고자 하는 바대로 해도 법도(法度)를 넘지 않는[從心]' 효과이다. 이것을 네 가지 절목 속에 나란히 열거하여 학자들에게 이렇게 해야 한다고 보여서는 안 된다. 이제 앞의 세 가지 것을 학문하는 조목으로 삼아서 이것으로 본말이 모두 행해지고 내외가 서로 길러지는 공부를 이룬다면 실로 덕을 굳게 지키고 인에 의지하는 것 외에 여기에 일삼음이 있게 된다. 이것은 자연에 맡겨 외물(外物)을 만나면 모두 적합하게 하는 것은 아니다. 자기 마음대로 하며 자득(自得)하여 놀고 방황하는 것이 뜻에 적합한 것이라고 하겠는가? 바로 공자께서 말년에 『시경(詩經)』과 『서경(書經)』을 산정(刪定)한 것은 덕이 완성된 이후에 발휘된 찬란한 업적이지만, 이것으로 백왕(百王)의 대법(大法)을 정하고 만세(萬世)의 인심(人心)을 바로잡고자 하여 장차 '나를 알아주는 것'과 '나를 탓하는 것'[28] 사이에서 바짝 긴장하신 것이니, 감히 자기 마음대로 행한 것은 아니었다. 더구나 이제 막 그 덕을 완성한 자가 곧바로 자기 마음대로 하면서 도원량(陶元亮)이 '때때로 돌아와 책을 본다네'[29]라고 한 것처럼 하여 이런 식으로 날을 보내면서 마음과 눈을 즐겁게 하려고 하니 되겠는가?

잠실 진씨(潛室陳氏)는 '선후지서(先後之序)' 네 자를 조정하려고 마침내 왜곡시켜 견강부회하면서 폐단이 없기를 바랐다.[30] 그러나 결국은 주자가 말한 '선후(先後)'라는 것이 참으로 '유예(游藝)'에 대해

---

28) 나를……것 : 『맹자(孟子)』「등문공」하에 "孔子曰 知我者其惟春秋乎 罪我者其惟春秋乎"라고 하였다.

29)도원량(陶元亮)이……본다네 : 도원량(陶元亮 365-427)의 이름은 잠(潛)이고 자(字) 연명(淵明) 또는 원량(元亮)이, 시호는 정절선생(靖節先生)이다. 이 싯구는 『도연명집(陶淵明集)』「독산해경(讀山海經)」13(首) 중 그 첫 번째 수에 들어 있다.

그렇게 말한 것이 아니라는 것은 몰랐던 것이다. 그렇다면 잠실 진씨가 잘못을 교정해 주는 처방을 해 주기를 기다릴 것이 없게 된다. 그리고 앞의 세 가지는 선후가 있다는 것은 다만 덕이 도에 뜻을 둔 다음에 얻어지고 인이 덕에 의거하여 성숙해진 뒤에 드러남으로 인하여 이로써 이러한 낮은 곳에서 심오한 곳으로 들어가고 한쪽에서 온전한 곳으로 향해가는 순서를 세운 것이다. 이는 참으로 인에 의지하지 않으면 덕을 굳게 지킬 일이 없게 되고 덕을 굳게 지키면 도에 뜻을 둘 일이 없게 되니, 도에 뜻을 두어서는 덕을 굳게 지키지 말아야 하고, 덕을 굳게 지키면서는 인에 의지하지 말아야 한다. 이런 식으로 한 가지 일이 끝나면 그 일이 완성되어 옛것을 놔두고 새것으로 나아가서 다시 그 다음 단계를 꾀하여 인에 의지하는 공부를 마침으로써 함께 순서가 이루어지게 된다. 그러나 어찌 하루 동안 인을 하는 것에 이미 의지하고서는 의지하지 못할까를 걱정하지 않을 수 있겠는가? 어찌 하루 동안 인에 의지했다고 해서 다시 의지하지 않고서는 마침내 인에 의지했다고 하면서 다시 '예에 노닐 것'을 도모할 수 있겠는가?

그러므로 『논어집주(論語集註)』에서 비록 '선후'를 설파하긴 했지만 이는 더욱 '일상 생활하는 사이에 조금도 간격이나 쉼이 없다'[31]고 하여, 이로써 이 네 가지는 시종 분리할 수 없는 실학(實學)임을 보인 것이다. 그리고 입지(立志)에서만 선(先)을 말하고, 거덕(據德)과 의인(依仁)에서는 선(先)을 언급하지도 차서(次序)를 언급하지도 않았으

---

30) 잠실……바랐다 : 이 구절은 『논어집주대전(論語集註大全)』「술이(述而)」 제6장의 주자주 "'學者於此有以不失其先後之序輕重之倫焉…" 아래 아홉 번째 소주에 보이는데, 그 전문은 다음과 같다. "潛室陳氏曰 此却有首尾本末 與前章別教之 六藝 小學之初事 游於藝 又成德之餘功 小學之初習其文 成德之游適於意 生熟滋味迥別"

31) 일상……없다 : 이 구절은 『논어집주(論語集註大全)』「술이(述而)」 제5장 '游於藝' 아래 주자주 '日用之間 無少間隙 而涵泳從容 忽不自知其入於聖賢之域矣'를 가리킨다.

니, 어느 곳이 긴요한 곳인지가 정확하여 한 글자도 함부로 쓰지 않았다. 어찌하여 아래의 세 가지를 절목마다 순서를 매겨서 천착하면서까지 자기주장을 펴려고 하는 것인가? 이 설을 계승한 사람이 없으니, 참으로 선현(先賢)의 고심(苦心)을 저버린 짓이다.(集註先後之序 輕重之倫 自慶源以下 皆不了此語 朱子嘗自云註文無一字虛設 讀者當知其有字之必有義 無字之不可增益 斯不謬耳 集註云 據德則道得於心而不失 依仁則德性常用而物欲不行 德緣志道而得 而特進以據之功 斯所服膺者不失也 仁緣據德而性足用 而進以依之功 則用可常而欲不行也 此所謂先後之序也 又云 游藝則小物不遺而動息有養 不遺者 言體道之本費也 動有養者 德之助也 息有養者 仁之助也 而云不遺 則明道無可遺苟志於道而卽不可遺也 云有養 則養之以據德 養之以依仁 爲據德依仁之所資養也 此游藝之功 不待依仁之後 而與志道據德依仁相爲終始 特以內治爲主 外益爲輔 則所謂輕重之倫也 志道據德依仁 有先後而無輕重 志道據德依仁之與游藝 有輕重而無先後 故前分四支 相承立義 而後以先後輕重分兩法 此集註之精 得諸躬行自證而密疏之 非但從文字覓針線也 集註於德云行道而有得於心 於仁云心德之全 德因行道而有 仁則涵動靜 故曰全 蓋志道篤則德成於心 據德熟則仁顯於性 德爲道之實 而仁爲德之全 據與依 則所以保其志道之所得 而恆其據德之所安 若藝 則與道相爲表裏 而非因依仁而始有 其不先依仁而後游藝 甚著明矣 潛室不察於此 乃云 敎之六藝 小學之初事 游於藝 又成德之餘功 小學之初習其文 成德之游適於意 此亦舍康莊而取逕於荆棘之蹊矣 蓋六藝之學 小學雖稍習其文 而其實爲大經大法 與夫日用常行之所有事者 卽道之所發見 故大學之始敎 卽在格物致知 以續小學之所成 而歸之於道 夫子敎人以博文約禮爲弗畔之則 初非小學則姑習之 一志於道而遂廢輟 以待依仁之後而復理焉 旣不可云僅爲小學之初事 若其所云成德之後適於意

者 則尤依託游字之影響 而初無實義也 以爲德已成矣 理熟於胸 則遇物皆順 而藝之與志 得逢原之樂乎 是藝之游也 乃依仁之後耳順從心之效 不當平列四者節目之中 以示學者之當如是矣 今與前三者同爲爲學之目 而以成本末具擧 內外交養之功 則實於據德 依仁之外 有事於斯 而非聽其自然 遇物皆適之謂矣 如以恣志自得 游戲徜徉之爲適意邪 則卽以夫子末年刪定爲德成以後所發之光輝 而要以定百王之大法 正萬世之人心 且凜凜於知我罪我之間 不敢以自恣自適 況在方成其德者 乃遽求自適其意 如陶元亮之時還讀我書者 以遣日夕而悅心目 其可乎 潛室但欲斡旋先後之序四字 遂曲爲附會 以幸無弊 乃不知朱子之云先後者 固不於游藝云然 則又無待潛室施無病之藥也 且前三者之有先後 特因德得於志道之餘 而仁現於據德之熟 以立此繇淺入深 繇偏向全之存 固非依仁則無事於據德 據德則無事於志通 當其志道且勿據德 當其據德且勿依仁 一事竟卽報一事之成 而舍故就新以更圖其次 況乎依仁之功 與生終始 何有一日爲仁之已依而無憂不依 何有一日爲依之已漬而不用再依 乃告成功於依仁 而他圖游藝也哉 所以集註雖有先後之說 而尤云日用之間 無少間歇 以見四者始終不離之實學 且獨於立志言先 而據德依仁不言先 亦不言次 肯綮精確 一字不妄 何居乎於下三者逐節施以先後 而穿鑿以求伸其說 嗣者無人 良負前賢之苦心矣)

제15장

공자 : "거친 밥을 먹고 물을 마시며 팔을 굽혀 베더라도 즐거움이 또한 그 가운데 있으니, 의롭지 못한 부(富)와 귀(貴)는 나에게는 마치 뜬구름과 같으니라."

子曰 飯疏食飮水 曲肱而枕之 樂亦在其中矣 不義而富且貴 於我如浮雲

4

성인이 즐기신 곳[32]을 말할 적에는 반드시 정자(程子)와 주자(朱子)가 돈독히 믿은 것에 대해 깊이 연구해야 하니, 이외에는 볼 것이 없다. 정자는 "즐기신 것이 무슨 일인지를 알아야 한다."[33]고 하였으니, 참으로 어떤 일을 정해 놓고 성인이 즐기신 일이라고 한 것은 아니지만, 또한 어찌 일에서 그 즐거움을 본 것이 아니겠는가? 주자는 "'마음에 하고 싶은 대로 하되, 법도를 벗어나지 않으셨다'는 것은 왼쪽으로 가고 오른쪽으로 감에 모두 천리(天理)대로 하였다."[34]라고

32) 성인이……곳 : 이 구절은 『논어집주(論語集註)』「술이(述而)」 제15장 "子曰 飯疏食飮水 曲肱而枕之 樂亦在其中矣 不義而富且貴 於我如浮雲"에 대한 주자와 정자의 주를 가리키는데, 그 원문은 다음과 같다. "(朱子曰) 聖人之心 渾然天理 雖處困極 而樂亦無不在焉 其視不義之富貴 如浮雲之無有 漠然無所動於其中也" "程子曰 非樂疏食飮水也 雖疏食飮水 不能改其樂也 不義之富貴 視之輕如浮雲然"

33) 즐기신……한다 : 이 구절은 『논어집주(論語集註)』「술이(述而)」 제15장의 주자주의 '(程子)曰 須知所樂者何事'를 가리킨다.

34) 마음에……하였다 : 이 구절은 『논어집주대전(論語集註大全)』「술이(述而)」 제15장의 주자주 '漠然無所動於其中也' 아래 첫 번째 소주에 보이는데, 그 전문은 다음과 같다. "朱子曰 聖人表裏精粗 無不昭徹 其形骸雖是人 其實只是一團天理 所謂從心所欲不踰矩 左来右去 盡是天理 如何不快活"

하였는데, 성현은 사물에서 벗어나 소홀히 한 것이 아니라, 세속을 초탈하여 집착하지 않은 것임을 알 수 있다.

여기에서 한 번 어그러지면 크게 망령되게 된다. 장자(莊子)는 입만 열면 '소요유(逍遙遊)'를 말하였지만[35], 총각 시절에 더펄머리 날리다가 성년(成年)이 되어 치포관(緇布冠) 쓰고 관리가 되어서는 초헌(軺軒)에 관을 쓴 것도 그의 본분(本分)의 일이었다. 어느 곳에도 형명(刑名)에 가까이 하지 않아서 이로써 망연자실한 채 짝을 잃은 것 같음[36]에 이르러서는 극에 달하였다. 잠실 진씨(潛室陳氏)가 말한 '온갖 이치가 밝게 꿰뚫어져 사욕(私欲)이 모두 없어지고 가슴속이 말끔히 씻겨져서 조금의 막힘도 없다'[37]는 것이 바로 이것이다. 온갖 이치가 밝게 꿰뚫어지면 즐겁고, 한 조각의 구름이라도 끼었다면 답답하게 느껴진다. 그러므로 그는 한 점 구름이 서로 막아서 마침내 장애가 될까 염려하여 천하를 두려운 길로 본 것이니, 이른바 '종일토록 예(羿)의 사정거리 안에서 노닌다'[38]는 것이니, 서로 관계되면 또한 반드시 올 것이라는 필연적인 두려움에서 기인한 것이다.

성인이 '나에게 뜬구름과 같다'고 하신 것은 분명히 하늘로 자처하신 것이다. 나 자신이 모두 진실되고 처한 곳에 모두 편안한 것은 성

---

35) 장자(莊子)는……말하였지만 : 장(莊), 이름은 주(周)로 송(宋)나라의 몽(蒙;河南省商邱縣) 출신이다. 전국시대인 B.C.300년 무렵 활동한 것으로 여겨지며, 칠원(漆園)의 말단관리가 된 적이 있을 뿐 대개는 자유로운 생활을 했다. 속계의 속박에서 해방된 자유스러운 경지를 노래한 「소요유(逍遙遊)」(『莊子』의 第一篇임)를 지었다.

36) 망연자실한 …… 같음 : 『장자(莊子)』「제물론(齊物論)」에 보이는데, 그 전문은 다음과 같다. "南郭子綦隱机而坐 仰天而噓 , 答焉似喪其耦"

37) 온갖……없다 : 이 구절은 『논어집주대전(論語集註大全)』「술이(述而)」 제15장 주자주 아래 여섯 번째 소주에 보이는데, 그 전문은 다음과 같다. "陳氏曰 欲知樂之實味 須到萬理明徹 私欲凈盡後 胷中灑然 無纖毫窒礙 而無入不自得處 庶幾有以得之矣"

38) 종일토록……노닌다 : 『장자(莊子)』「덕충부(德充符)」에 보이는데, 그 전문은 다음과 같다. "遊於羿之彀中 中央者 中地也 然而不中者 命也"

인의 천체(天體)이다. 반드시 온갖 이치가 밝게 꿰뚫어져야만 얻는다면 장차 풍운(風雲)을 싫어하고 뇌우(雷雨)를 증오하여 자신을 더럽힐 것처럼 여기게 될 것이다. 둔괘(屯卦)의 '경륜(經綸)'과 수괘(需卦)의 '연락(宴樂)'[39]도 모두 누만 될 뿐일 것이다. 만일 그렇다면 거친 밥에 물을 마시고 팔을 굽혀 베고 나서야 즐거울 것이니, 거친 밥에 물을 마시고 팔을 굽혀 베지 않으면 즐겁지 않을 것이다. 의롭지 못하고서 부(富)하고 귀(貴)한 것에는 처하지 않고, 의로우면서 비단옷 입고 쌀밥을 먹는 것이라면 또한 떠나지 않을 것이니, 어찌 무턱대고 운명에 맡긴 채 무심해서야 되겠는가?

부귀한 상황에서는 부귀의 법도를 넘지 않고, 빈천한 상황에서는 빈천의 법도를 넘지 않아야 될 것이다. '왼쪽으로 가든 오른쪽으로 가든 모두 천리에 맞았다'는 것은 거친 밥에 물을 마시고 팔을 굽혀 베는 것 외에 따로 그 즐거움이 있는 것이니, 그 즐거움이 바로 거친 밥에 물을 마시고 팔을 굽혀 베는 사이에서도 행해지는 것이다. 성인이 거친 밥에 물을 마시고 팔을 굽혀 베는 것을 편안히 여기는 이유는, 이 즐거움을 그 핵심으로 삼는 것이니, 이것이 아무런 장애가 없는 것이 아님을 알 수 있다. 가령 단지 욕심이 없는 것일 뿐이라면 얻는 것이 없게 되고, 얻는 것이 없으면 잃는 것도 없게 된다. 만일 이것으로 즐거움을 삼는다면 빈천할 때에 이렇게 하기는 쉽지만, 부귀할 때에 이렇게 하기는 어렵게 된다. 이렇다면 반드시 장자(莊子)가 말한 왕예(王倪)나 지보(支父)[40]같은 사람들이 비록 의로운 부(富)와 의로운 귀(貴)일지라도 일찍부터 사양하지나 않을까 걱정하게 될 것이다. 이

39) 둔(屯)……연락(宴樂) : 『주역(周易)』에 「둔괘(屯卦)」에 "象曰 雲雷 屯 君子以經綸"이라 하였고, 「수괘(需卦)」에 "象曰 雲上於天 需 君子以飮食宴樂"이라고 하였다.

것은 성학(聖學)의 극치점이면서 또한 성학과 이단이 뚜렷이 구분되는 곳이기도 하다. 이것을 이해하지 못한다면 원안(袁安)과 장한(張翰)·위응물(韋應物)·백거이(白居易)도 모두 충분히 성인의 경지에 들어섰을 터인데 더구나 장주(莊周)이겠는가!(說聖人樂處 須於程朱註中篤信而深求之 外此不足觀也 程子云須知所樂者何事 固非刻定一事爲聖人之所樂 然亦何嘗不於事而見其樂哉 朱子云從心所欲不踰矩左來右去 盡是天理 其非脫略事物 酒然不着 可知也 於此一差 則成大妄 莊子開口便說逍遙遊 弁髦軒冕 亦是他本分事 到來只是不近刑名以至於嗒然喪耦而極矣 陳氏所謂萬理明澈 私欲淨盡 胸中酒然 無纖毫窒礙者此也 萬理明澈則樂 有片雲點染便覺悶頓 所以他怕一點相干 遂成窒礙 而視天下爲畏塗 則所謂終日游羿彀之中者 亦相因必至之憂 聖人說於我如浮雲 明是以天自處 於我皆眞 於土皆安 聖人之天體也 若必萬理明澈而乃以得樂 則且厭風雲 憎雷雨 若將浼焉 而屯之經綸 需之宴樂 皆適以爲累矣 使然 則疏水曲肱而後樂 非疏水曲肱則不樂也不義而富貴則不處 以義而錦衣玉食則亦不去 豈漫然任運而無心哉 遇富貴則不踰富貴之矩 遇貧賤則不踰貧賤之矩 乃是得 左右來去 盡是天理 方於疏水曲肱之外 自有其樂 而其樂乃以行於疏水曲肱之中 聖人所以安於疏水曲肱者 以樂爲之骨子 此非蕩然一無罣礙可知已 使但無欲則無得 無得則無喪 如是以爲樂 則貧賤之得此也易 富貴之得此也難必將如莊子所稱王倪支父之流 雖義富義貴 亦辭之唯恐不夙矣 此是聖學極至處 亦是聖學異端皁白溝分處 若不了此 則袁安張翰韋應物白居

40) 왕예(王倪)나 지보(支父) : 왕예(王倪)와 지보(支父)는 모두 『장자』에 등장하는 인물로, 왕예는 천하를 사양한 허유(許由)의 사조(師祖)이며, 지보 또한 허유에 이어 천하를 사양한 인물이다

易 皆優入聖域矣 而況於蒙莊)

5

주자가 '당시에 처한 상황에 나아가서 보아야 한다'[41]는 말은 논리에 맞으면서 분석이 정밀하다. 이 책을 읽는 사람은 반드시 먼저 여기서부터 착안해 간다면 더는 착오를 일으키지 않을 것이다. 쌍봉 요씨(雙峯饒氏)가 "즐거움은 부귀한 가운데에서는 분명히 알 수 없고, 빈천한 상황에 처한 뒤에야 구별된다."[42]라고 한 말이 또한 그럴 듯하다. 그러나 요컨대 공자께서 이러한 빈천한 경지를 가설해서 즐거움을 시험하려고 하였다면 성인의 어느 곳에서든 편안히 하신 도와는 일치하지 않게 된다.

이 장은 본래 공자께서 젊었을 때 하신 말씀으로 훗날 대부(大夫)가 되어 더는 걸어 다니지 않게 되셨을 때에는 집과 음식도 반드시 대부의 신분에 맞게 차리셨다. 일단 이것이 하나의 가난을 가설하여 즐거움을 시험하신 것이 아니고, 또 옛날의 가난함을 추억하면서 그때에 즐겼던 것을 기억하고 부귀하게 되어서 외적인 것을 소망하던 빈천할 때에 그리워 상상하던 것도 아니다. 즐거움은 외물에 따르는 것

41) 당시……한다 : 이 구절은 『논어집주대전(論語集註大全)』「술이(述而)」 제15장의 '정자왈(程子曰)' 아래 첫 번째 소주에 보이는데, 그 원문은 다음과 같다. "朱子曰 聖人之心無時不樂 …夫子言此 蓋即當時所處 以明其樂之未嘗不在乎此 而無所慕於彼耳"

42) 즐거움은……구별된다 : 이 구절은 『논어집주대전(論語集註大全)』「술이(述而)」 제15장의 '정자왈(程子曰)' 아래 여섯 번째 소주에 보이는데, 그 원문은 다음과 같다. "雙峯饒氏曰 樂是聖人之所固有…樂在富貴中見得不分曉 在貧賤中方別出 故多於貧賤處說"

도 아니고, 일로 기인하는 것도 아니지만, 반드시 사물과 서로 맞물려 있다. 사물이 접촉하지 않으면 이른바 '희로애락(喜怒哀樂)이 드러나기 전'이니 어찌 달 밝으니 바람이 맑고, 해가 기니 산이 고요하고, 몸이 편하니 마음도 편하다고 하여 그 때문에 즐겁고 화락하겠는가? 일단 왼쪽으로도 마땅하고 오른쪽으로도 마땅하며 하는 일마다 척척 법규(法規)를 벗어나지 않는 것을 즐거움으로 삼는다면 활용범위는 넓어지고 내포(內包)한 것은 더욱 여유로워질 것이다. 이 즐거움은 참으로 군자가 의로운 부와 의로운 귀에 처했을 때의 떳떳함이다. 그러므로 "즐거움이 또한 그 속에 있다."고 한 것이다. '또한[亦]'이라는 말도 부귀할 때에 즐거워하는 것이니, 또한 자세히 살펴야 한다.

만일 공자께서 하계(夏啓)나 주성(周成)[43]처럼 나면서부터 부귀했다면 바로 하나의 가난을 가설하여 즐거움을 말할 필요가 없었을 것이다. 그런데 또 어찌 상황에 따라 생각이 변하여 아무것도 모르는 체 날마다 쓰면서도 알지 못하여 마침내 자신의 즐거움을 분별하여 깨닫지 못하였겠는가? 만일 공자께서 섭상(攝相)하던 시절에 당시에 위치도 높고 도(道)도 펴졌으니 어찌 그 즐거워하신 것이 마침내 거친 밥에 물을 마시고 팔베개를 할 때에 비해 모호하니 불분명하기에 그것을 깨닫지 못한단 말인가? 성인께서는 어느 곳에 처하든 모두 편안하신 것은 나에게 모두 참이어서 부귀와 비천도 모두 '발생하여 유행하는 대용(大用)에는 장애가 되지 않았기 때문에【즐거움은 발산을 주장하니 밖에 있다.[44] 그러므로 반드시 작용하는 것에서 드러난다.】'즐거움이 또한 그

43) 하계(夏啓)나 주성(周成) : 하계(夏啓)는 하나라 우임금의 자손인 계를 가리키며, 주성(周成)은 주나라 무왕의 아들인 성왕을 가리키니, 이들은 모두 태어나기 이전에 그 부귀를 보장받은 이들이다.

속에 있다'고 한 것이니, 빈천할 때도 부귀할 때와 다르지 않았다.

쌍봉 요씨(雙峯饒氏)의 설이 옳은 것 같으면서도 사실은 잘못된 이유가 여기에 있다. 그가 부귀한 입장이라면 군자가 부귀할 때 행하는 것은 즐겁다고 할 수 없고 빈천한 경우만이 그렇게 말할 수 있고 하는 것과 같다. 성정(性情)의 조화와 천리(天理)의 순리(順理)가 어디에 가든 존재하지 않음이 없음을 볼 수 있다. 그러나 성현의 즐거움은 두루 행해지고 충만하여 어떤 경계를 당하든 저절로 발현(發現)됨을 볼 수 있다. 이렇게 말해야만 제대로 이해한 것이다.(朱子卽當時所處一語 諦當精切 讀者須先從此着眼 則更不差謬 雙峰云樂在富貴中見得不分曉 在貧賤方別出 語亦近似 然要似夫子設爲此貧境以驗樂 則於聖人於土皆安之道不合矣 夫子此章 自是蚤年語 到後來爲大夫而不復徒行 則居食亦必相稱 旣非虛設一貧以驗樂 亦無事追昔日之貧而憶其曾樂於彼 作在富貴而思貧賤願外之想也 樂不逐物 不因事然必與事物相麗 事物未接 則所謂喜怒哀樂之未發 豈但以月好風淸日長山靜 身心泰順 而爲之欣暢也乎 旣以左宜右有 逢源而不踰矩爲樂 則所用者廣 而所藏者益舒 是樂者 固君子處義富義貴之恆也 故曰樂亦在其中 言亦 則當富貴而樂 亦審矣 使夫子而如夏啓周成 生卽富貴 直不須虛設一貧以言樂 而又豈隨物意移 貿貿然日用而不知 遂使其樂不分曉乎 卽在夫子攝相之時 位且尊矣 道且泰矣 豈其所爲樂者遂較疏水曲肱時爲鶻突不分明 而不能自喩邪 聖人之於土皆安者 於我皆眞 富貴貧賤 兩無礙其發生流行之大用 樂主發散在外 故必於用上現 故曰樂亦在中 貧賤無殊於富貴也 此雙峰之語所以似是而非 如云 使在富

44) 즐거움은……있다 : 『논어집주』「학이」 제1장의 주자주에서 정자는 "樂主發散在外"라고 하였다.

貴 則君子之行乎富貴者 可以不言樂 而唯貧賤亦然 乃以見性情之和 天理之順 無往不在 而聖賢之樂 周徧給足 當境自現 亦可見矣 如此 斯爲得之)

6

공자께서 당시에 처한 상황을 안다면 공자께서 젊었을 적에 하신 말씀이라는 것을 알 수 있다. 공자께서 젊었을 적에 하신 말씀이라는 것을 알았다면 또한 앞에서의 공자와 안자(顔子)의 즐거움을 억지로 나누지 않을 것이다. 이제 만일 '안자가 얻은 것이 성인과 같다'고 한다면 이는 내가 실로 알 수 없는 일이지만, 공자도 '뜻을 세웠다는 서른 살[三十而立]' 시절에는 안자와 그다지 차이가 없을 것이라 생각된다. 속유(俗儒)들은 즐거움이 있음을 알지 못하고 문득 신화(神化)의 경지라고 느끼는데 실은 그렇지 않다. 이들은 성인(聖人)과 현인(賢人)의 차이를 우선 등한시한 것이다. 그러므로 주자(周子)와 정자(程子) 두 선생은 학자들에게 이것으로부터 찾아들어가도록 하셨으니, 이는 또한 분명코 하나하나 올라갈 수 있는 계단이 있는 경지이지, '따르고 싶지만 어디로부터 시작해야 할지 모르는'[45] 경지는 아니다.

주자가 '〈마음에 하고 싶은 대로 하되〉 법도를 벗어나지 않은' 것으로 즐거움을 말한 것은, 바로 끝까지 하기를 바라서 하신 말이니, 내

45) 따르고……모르는 : 『논어(論語)』「자한(子罕)」 제10장에 보이는데, 그 전문은 다음과 같다. "顔淵喟然歎曰 仰之彌高 鑽之彌堅 瞻之在前 忽焉在後"

가 말한 '궁극에 이른 뒤에도 단지 즐거움 뿐'이라는 것이다. '뜻을 세웠다는 서른 살' 시절에는 법도를 벗어나지 않는 법규가 이미 더는 어그러짐이 없었던 것이 분명하다. 만일 바라는 것이 행동이 법규와 어긋난다면 또한 뜻을 세울 수 없었을 것이다. 만일 '생각하는 것마다 모두 이치에 맞고' '나에게는 모두 진실한' 경지에 이르지 않았는데, 법규가 이미 앞에 드러나서 머물 수도 없고 떠날 수도 없는 근심이 없다면 '이용함이 깊고 근원을 만나'[46] 이미 자신에게 있는 즐거움을 감당하지 못했을 것이다. 이는 아이가 젖을 먹고 배가 부는 것이 장부(丈夫)가 배부른 것과 차이가 없는 것과 같다. 잠실 진씨(潛室陳氏)와 쌍봉 요씨(雙峯饒氏), 동양 허씨(東陽許氏)[47] 세 사람은 이를 억지로 나누었으니, 참으로 주자(朱子)의 '공자(孔子)와 안자(顔子)의 즐거움은 굳이 나눌 필요가 없다'[48]는 말을 가지고 시비를 가려야 한다.(唯知夫子爲當時所處之現境 則知爲夫子蚤年語 知爲夫子蚤年語 則亦不用向孔顔之樂 强分異同 今卽云顔子所得 同於聖人 固不敢知 然孔子三十而立之時 想亦與顔子無大分別 俗儒不知有樂 便覺是神化之境 實則不然 在聖賢分中 且恁等閒 故周程二先生教學者從此尋去 亦明是有階可升之地 非欲從末繇之境也 朱子以不踰矩言樂 乃要其終而言之

46) 이용함이……만나 : 『맹자』「이루」 하에 보면 "거함에 편안하면 이용함이 깊고 이용함이 깊으면 좌우에서 취하여 씀에 그 근원을 만나게 된다[孟子曰 君子深造之以道 欲其自得之也 自得之 則居之安 居之安 則資之深 資之深 則取之左右逢其原 故君子欲其自得之也]"고 하였다.

47) 잠실…허씨(東陽許氏) : 이 구절은 『논어집주대전(論語集註大全)』「술이(述而)」 제15장의 주자주 '정자왈(程子曰)' 아래 보이는 '陳氏曰 欲知樂之實味…' '雙峯饒氏曰 樂是聖人之所固…'와 『독사서총설(讀四書叢說)』에 '此章似專以飯 飮水言所處地位 曲肱而枕是就此地位中…'을 가리킨다.

48) 공자와……없다 : 이 구절은 『논어집주대전(論語集註大全)』「술이(述而)」 제15장의 '정자왈(程子曰)' 아래 네 번째 소주에 보이는데, 그 전문은 다음과 같다. "孔顔之樂亦不必分 不改 是從這頭說入來 在其中 是從那頭說出來"

愚所謂到後亦只是樂者也 而三十而立時 不踰之矩已分明更無差忒 若所欲者動與矩違 則亦不能立矣 卽未到發念皆順於我皆眞地位 而矩已現前 無有不可居 不可行之患 則資深逢原 已不勝其在己之樂矣 如小兒食乳得飽 亦無異於壯夫之飽陳饒許諸子 强爲分判 固須以朱子孔顔之樂不必分一語折之)

제16장

공자 : "하늘이 나에게 몇 년의 수명을 연장해 주어 50세까지 『주역(周易)』을 연구하게 한다면, 큰 허물이 없을 것이다."

子曰 加我數年 五十以學易 可以無大過矣

7

천지의 조화는 군자의 덕과 원래 다른 이치가 없다.[49] 천지에는 냇물의 흐름과 같은 작은 덕이 있고, 화(化)를 두터이 하는 큰 덕이 있다.[50] 덕은 하나인데 크고 작은 차이가 있고, 내외가 구별되는 것은 군자도 그렇지 않음이 없다. 천지의 조화(造化)와 천지의 덕은 본래 무한하나 사람만이 그것을 드러내어 표현할 수 있다. 사람은 추위를 알기 때문에 마침내 천지에는 춥게 하는 조화[寒化]가 있다고 생각하며, 사람은 더위를 알기 때문에 마침내 천지에는 덥게 하는 조화[暑化]가 있다고 생각한다. 사람을 생(生)을 귀하게 여기기 때문에 이에 '천지의 큰 덕을 생(生)이라 한다'[51]고 말한다. 사람은 인의(仁義)

49) 천지의……없다 : 이하는 『논어(論語)』「술이(述而)」 제16장 "子曰 加我數年 五十以學易 可以無大過矣"에 대한 왕부지의 해석이다.

50) 천지에는……있다 : 『중용장구(中庸章句)』 30장에서 "萬物並育而不相害 道並行而不相悖 小德川流 大德敦化 此天地之所以爲大也"라는 하였다.

51) 천지의……한다 : 『주역(周易)』「계사전」 하에 "天地之大德曰生 聖人之大寶曰位 何以守位 曰仁 何以聚人 曰財 理財 禁民爲非 曰義"라는 말이 보인다.

를 본성으로 여기기 때문에 마침내 "하늘의 도를 세우는 것은 음(陰)과 양(陽)이고, 땅의 도를 세우는 것은 유(柔)와 강(剛)이다."[52]라고 말한다. 『주역(周易)』은 천지의 온전한 조화(造化)이고 천지(天地)의 온전한 덕(德)인데, 어찌 외물에서 하늘을 볼 뿐 하늘에서 하늘을 보지 못하며, 감통(感通)하는 것을 통해서만 인사(人事)를 볼 뿐 퇴장(退藏)하는 것에서는 인도(人道)를 보지 못하겠는가? 『논어집주(論語集註)』에서 전적으로 진퇴 존망(進退存亡)의 도만 가지고 『주역(周易)』을 말한 것[53]은 조화의 자취[化蹟]만 가지고 말한 것일 뿐, 천류(川流)와 돈화(敦化)의 덕에 대해서는 그 상하가 일치하는 이치를 망각한 것이다.

'하늘의 운행은 씩씩하다'[54]고 한 것의 경우, 어찌 진퇴 존망(進退存亡)의 차원에서 조화의 자취를 논한 것이겠는가? 공자께서 『주역(周易)』을 찬술하실 적에 제 일구에서 "군자는 이것을 본받아 스스로 힘쓰고 쉬지 않는다."고 한 것은 허물이 없는 근본일 뿐, 「수괘(需卦)」의 '음식을 먹고 즐기는 것[飮食宴樂]'과 「곤괘(困卦)」의 '명(命)을 지극히 하여 뜻을 이루는 것[致命遂志]'[55]만은 아니다. 서산 진씨(西山眞氏)가 '벼슬할 만하면 벼슬하고 그만둘 만하면 그만두고 오래할 만하면 오래하고 빨리 할 만하면 빨리 하는[仕止久速]' 것만을 들어

---

52) 하늘의……강(剛)이다 : 『주역(周易)』「설괘전(說卦傳)」에 "昔者聖人之作易也 將以順性命之理 是以立天之道曰陰與陽 立地之道曰柔與剛 立人之道曰仁與義"라는 말이 보인다.

53) 『논어집주(論語集註)』에서……것 : 이 구절은 『논어(論語)』「술이(述而)」 제16장의 주자주에 '學易則明乎吉凶消長之理 進退存亡之道 故可以無大過'라고 하였다.

54) 하늘의 운행은 씩씩하다 : 『주역(周易)』「건괘(乾卦)」에 "象曰 天行 健 君子以自彊不息"이라는 말이 보인다.

55) 수(需)……이루는 것 : 『주역(周易)』「수괘(需卦)」에 '象曰 雲上於天需 君子以飮食宴樂'이라고 하였고, 곤괘(困卦)에 "象曰 澤无水困 君子以致命遂志"라고 하였다.

서 공자는 전체가 모두 『주역(周易)』이었음을 설명하였으나[56], 이는 이용 안신(利用安身)의 『주역』만 있을 뿐 정의 입신(精義入神)의 『주역』은 없다. 경원 보씨(慶源輔氏)가 "공자는 우환(憂患)의 길을 밟았으니, 『주역』을 배우지 않을 수 없었다."[57] 고 한 말은 더욱이 『주역』을 당시에 뜻을 얻지 못한 사람들의 지엽적인 학문으로 보는 견해일 뿐이다. 『주역』을 이렇게 말하는 것은 『주역』을 전혀 보지 못하고서 『화주림(火珠林)』[58]을 경(經)으로 삼아 읽는 것과 같다.

성인이 『주역』의 본문에 보충 설명을 하실[繫易] 적에 정미(精微)한 뜻을 온축(蘊蓄)해 놓은 것이 많았는데, 두 장에서만 우환을 말했고, 또 아홉 괘는 우환에 처했을 때의 활용으로 삼았으니, 그렇다면 나머지 쉰다섯 괘는 모두 우환에 처했을 때의 상황이 아님을 알 수 있다. 「문언(文言)」에서 네 번에 걸쳐 「효사(爻辭)」를 서술하였는데, '미더움[信]'을 말하고 '행동을 삼갈 것[謹行]'을 말하였으니, '사(邪)를 막고 성(誠)을 보존하며[閑邪存誠]' '덕(德)을 진전시키고 업(業)을 닦고[進德修業]' '학문하며 너그럽고 어짊[學問寬仁]'은 모두 자신을 닦아서 과오가 없게 하는 도이다. "잠긴 용이니 쓰지 말라는 것은 아래에 처해서이다."는 단락은 사람을 다스림에 과오가 없게 한 도이다. 마지막 단락에서 진퇴와 존망을 말한 것은 '끝까지 올라간 용[亢龍]'

56) 벼슬할……설명하였으나 : 이 구절은 『논어집주대전(論語集註大全)』「술이(述而)」 제16장에 대한 주자주 아래 일곱 번째 소주에 보이는데, 그 원문은 다음과 같다. "西山眞氏曰…孔子可以進則進 可以退則退 可以久則久 可以速則速 用之則行 舍之則藏 此孔子之身全體皆易也"

57) 공자는……없었다 : 이 구절은 『논어집주대전(論語集註大全)』「술이(述而)」 제16장에 대한 주자주 아래 여섯 번째 소주에 보이는데, 원문은 다음과 같다. "慶源輔氏曰 易道無窮 皆自然而然…未易學也 人之處世履於憂患之塗又不可以不學易…"

58) 화주림(火珠林) : 『송사(宋史)』「예문지(藝文志)」에 의하면 점서(占書)라고 한다.

때문에 말한 것이다. 지극히 중(中)하고 지극히 바른 도를 놔두고서 변화(變化)와 추이(推移)만을 가지고 천인(天人)의 사이를 논하다니 매우 어리석은 짓이다!(天地之化 與君子之德 原無異理 天地有川流之德 有敦化之德 德一而大小殊 內外具別 則君子亦無不然 天地之化 天地之德 本無垠鄂 唯人顯之 人知寒 乃以謂天地有寒化 人知暑 乃以謂天地有暑化 人貴生 乃以謂天地之大德曰生 人性仁義 乃以曰立天之道陰與陽 立地之道 柔與剛 易是天地之全化 天地之全德 豈但於物見天而不於天見天 於感通見人事 而不於退藏見人道乎 集註專以進退存亡之道言易 則是獨以化蹟言 而於川流敦化之德 忘其上下一致之理矣 如說個天行健 何嘗在進退存亡上論化蹟 孔子贊易 第一句說君子以自彊不息 只是無過之本 非但需之飮食宴樂 困之致命遂志也 眞西山單擧仕止久速 說孔子全體皆易 則但有利用安身之易 而無精義入神之易矣 慶源云履憂患之塗 不可以不學易 尤將易看作不得志於時人下梢學問 如此說書 只似不曾見易來 恰將火珠林作經讀 聖人於繫易 多少底蘊精微只有兩章說憂患 而又但以九卦爲處憂患之用 則餘五十五卦 皆非有憂患之情可知矣 文言四序爻辭 言信 言謹行 閑邪存誠 進德修業 學問寬仁 皆修己無過之道也 潛龍勿用 下也一段 治人無過之道也 只末後一段 說進退存亡 爲亢龍言爾 舍大中至正之道 而但以變化推移言天人之際 甚矣其誣也)

제18장

섭공(葉公)이 자로에게 공자에 관하여 물었는데, 자로가 대답을 못하였다. 이 말을 듣고 공자께서 자로에게 말씀하시기를 : "너는 어찌하여 '그의 사람됨이 분발하면 먹는 것도 잊고 즐거움에 겨우면 근심조차 잊고서, 늙음이 장차 닥쳐오는 줄도 알지 못하는 사람'이라고 말하지 않았느냐."

葉公問孔子於子路 子路不對 子曰 女奚不曰 其爲人也 發憤忘食 樂以忘憂 不知老之將至云爾

8

"분발하면 먹는 것도 잊고 이치를 깨달으면 즐거워 근심을 잊는다."[59]는 것에 대해서는 『논어집주(論語集註)』와 『주자어류(朱子語類)』에서 성인의 심오한 생각을 열어 보인 것이 지극하다. 그 속에 '하늘과 서로 일치한다'는 단락은 더욱이나 망령되지 않는다. 발동이 걸리고 즐거울 때에 천리의 유행이 쉬지 않는 것을 보고, 먹는 것을 잊고 근심을 잊는 데에서 인욕이 모두 사라져 남김이 없는 것을 볼 수 있다. 하늘의 공평 무사(公平無私)함은 쉼이 없을 뿐이니, 이른바 "분발하면 먹는 것을 잊을 수 있고 이치를 깨달으면 즐거워 근심을 잊을 수 있다."는 것이다.

하늘은 궁극적인 자리가 없다. 오늘의 조화가 결함도 지체함도 없는 것은 '이미 얻은 것'이 되고, 다음날의 조화가 오고 있지만 아직 조

59) 분발하면……잊는다 : 이 구절은 『논어집주(論語集註)』「술이(述而)」 제18장 "葉公問孔子於子路 子路不對 子曰 女奚不曰 其爲人也 發憤忘食 樂以忘憂 不知老之將至云爾"에 대한 주자주를 가리킨다. 그 원문은 다음과 같다. "發憤忘食是發憤 便能忘食 樂以忘憂是樂 便能忘憂 更無些小係累 無所不用其極 …"

짐이 없는 것은 '아직 얻지 못한 것'이 된다. 하늘에도 필시 아직 얻지 못한 것이 있다는 것을 살펴보면 성인에게도 반드시 터득하지 못한 것이 있다는 것은 의심할 여지가 없다. 대강을 말하자면 공자께서 "열다섯 살에 학문에 뜻을 두었다."는 장을 통해서 자신의 점진적인 공부를 드러내신 것이다. 세밀하게 찾아본다면 공자께서는 아직 터득하지 못한 것을 더욱 얻기 위해서 날마다 일신(日新)하면서 그만두지 않았던 분이다. 이런 분이 어찌 하나의 정해진 틀이 있어서 종신토록 놓지 않았겠는가?

주자가 '곧바로 거기에 도달하고자 한다'[60]라고 한 말의 '저(底)' 자에도 궁극적인 자리라는 의미가 없다. 궁극적인 자리가 있게 되면 하나를 고집하게 되고, 하나를 고집하게 되면 도를 해치게 된다. 석씨(釋氏)가 말한 '말후구(末後句)'[61]라는 것이 이것이다. 이것을 하늘에서 살펴보면 한 번 정해진 일월(日月)의 위치와 한서(寒暑)의 변화가 정해졌거늘 영영 그 옛 물건만을 쓴다는 것인가?

소주(小註)에서 "성인은 꼭 얻지 못함이 있지도 않으나 우선 이렇게 말한 것이다"[62]는 말은 필시 주자가 전혀 이해하지 못하는 어떤 일을 '터득하지 못했다'고 생각하는 졸렬한 사람이 있자 그로 인하여 이런 임시방편적인 말로 하여 대답한 것이다. 그런데 후세 사람들은 이

---

60) 끝까지……뿐 : 이 구절은 『논어집주대전(論語集註大全)』「술이(述而)」 제18장의 주자주 아래 첫 번째 소주에 보이는데, 그 전문은 다음과 같다. "聖人之爲人 自有不可及處 直要做到底 不做箇半間不界底 人非是有所因 真箇或有所感發憤而至於忘食所樂之至而忘憂 蓋有不知其然而不自知其老之將至也"

61) 말후구(末後句) : 철저(徹底)하게 대오(大悟)하여 극처(極處)에 도달한 뒤에 하는 지극한 말.

62) 성인은……것이다 : 이 구절은 『논어집주(論語集註)』「술이(述而)」 제18장의 주자주 '但自言其好學之篤爾' 아래 첫 번째 소주에 보이는데, 그 전문은 다음과 같다. "朱子曰 聖人未必有未得之事 且如此說 若聖人有這般事 他便發憤做將去"

를 살피지 못하고서 함부로 기록함으로써 매우 망령되고 말았다.(發憤忘食 樂以忘憂 集註語錄開示聖奧 至矣 就中與天合契一段 尤爲不妄 於憤樂見得天理流行之不息 於忘食忘憂見得人欲淨盡之無餘 而天之無私者 唯其不息 則所謂發憤便能忘食 樂便能忘憂也 天無究竟地位 今日之化 無缺無滯者 爲已得 明日之化 方來未兆者 爲其未得 觀天之必有未得 則聖人之必有未得 不足爲疑矣 大綱說來 夫子十五志學一章 以自顯其漸進之功 若密而求之 則夫子之益得其未得者 日日新而不已 豈一有成型 而終身不舍乎 朱子云直做到底 底字亦無究竟處 有所究竟 則執一 執一則賊道 釋氏所謂末後句者是也 觀之於天 其有一成之日月寒暑 建立已定 終古而用其故物哉 小註中有聖人未必有未得 且如此說之言 必朱子因拙人認定有一件事全不解了之爲未得 故爲此權詞以應之 後人不審 漫然錄之 遂成大妄)

第19장

공자 : "나는 나면서부터 진리를 아는 자가 아니다. 옛것을 좋아하여 민첩하게 그것을 구한 자이다."

子曰 我非生而知之者 好古敏以求之者也

9

『논어집주(論語集註)』에 "기질(氣質)이 청명(淸明)하고 의리(義理)가 밝게 드러난다."[63]는 말은 둘로 나뉜다. '기질이 청명하다'는 것은 사람을 가지고 말한 것이고, '의리가 밝게 드러난다'는 것은 이치를 가지고 말한 것이다. 기질이 청명한 사람이 아니면 비록 의리가 밝게 드러난다 할지라도 제대로 알 수 없다. 그러나 의리가 밝게 드러나지 않으면 비록 기질이 청명한 사람일지라도 꼭 의리를 안다고 할 수 없다. 주자의 말에 따라서 이 하나의 '자(者)'를 생동감 있게 살펴본다면 대개는 다른 사람을 가리켜서 한 말이 아니니, 다음 구의 '자(者)'자와 쓰인 예가 같다. 어찌 '옛 것을 좋아하여 급급히 구한'것이 공자 자신을 두고 한 말이지 또한 다른 사람을 두고 한 말이겠는가?

'의리소저(義理昭著)' 네 자는 윤화정(尹和靖)의 말에 비해 더욱 긴

63) 기질(氣質)이……드러난다 : 이 구절은 『논어집주(論語集註大全)』「술이(述而)」 제19장 "子曰 我非生而知之者 好古敏以求之者也" 아래의 주자주에 보이는데, 그 전문은 다음과 같다. '生而知之者 氣質淸明 義理昭著 不待學而知也'

밀하다. 경원 보씨(慶源輔氏)와 쌍봉 요씨(雙峯饒氏)는 윤화정의 말만을 이해했을 뿐, 주자의 말은 전혀 이해하지 못하였다.[64] 그러나 의리를 말한 것은 사물을 대하여 말한 것이다. 일단 '의리가 밝게 드러났다고 한다면, 밝게 드러난 이외에 대해서는 비록 사물의 다양한 변모 양상에는 미치지 못하니 또한 나면서 능히 알 수 있는 부분이 아닌 것이 있기 마련이다. 그러므로 주자는 "성인은 폭넓게 보신다."[65]고 한 것이다.

총결하자면 이는 아는 곳[知]을 말한 부분이 같지 않은 데서 빚어진 결과이다. 의리를 정밀하게 하여 신묘한 경지에 들어가는 것은 성인만이 '할 줄 안다'고 자신할 수 있다. 예컨대 나면서부터 효를 아는 것은 원래 효를 모르는 것과 같지 않다. 그러나 마음속에 사랑하고 공경하는 맘이 있다면 스스로 깨우칠 수 있어서 부모를 모실 때에 예의 형식이 성대할 뿐만이 아닐 것이다. 곧 마음에 흡족히 터득하고 이치에 호응하여 '천지를 섬기는 도리를 밝게 알고 자세히 살펴서 예를 다해 섬기는 근본으로 삼은 사람은 원래 옛것에서 급급히 구함에 되지 못한 것이 없는데, 더구나 인의(仁義)와 중정(中正)을 마음에 간직하고 있는 사람이겠는가?'

성인은 여기에서 이미 생이지지(生而知之)로 자신을 명명하셨다. 그런데 저 생이지지(生而知之)한 사람이 보건대, 나면서 안 것은 실로 자신이 미쳐서 알아야 하는 것에는 부족하다. "나는 나면서부터 안 사람

64) 의리소저(義理昭著)……못하였다 : 이 내용은 『논어집주대전(論語集註大全)』「술이(述而)」 제19장의 맨 마지막에 있는 소주에 보이는데, 그 원문은 다음과 같다. "慶源輔氏曰 孔子以生知之聖 每云好學者 諸家多以爲勉人之辭 故尹氏辨之 以爲生而可知者 自然昭著之義理爾…" "雙峯饒氏曰 生知 是合下知得此理 好古敏求 是又於事物上參究此理"

65) 성인은……보신다 : 이 구절은 『논어집주대전(論語集註大全)』「술이(述而)」 제19장에 대한 주자주 아래 첫 번째 소주에 보이는데, 그 원문은 다음과 같다. "朱子曰 聖人此等語 皆是移向下以教人 亦是聖人看得地步濶 自是猶有未滿足處 所以其言如此 非全無事實而但爲設辭也"

일 뿐만 아니라 구하여 진보함이 있는 자이다."라고 한 말은 말투가 조용하여서 식견이 낮은 사람이 추측할 수 있는 바가 아니다. 순제(徇齊)와 돈민(敦敏)[66]에 대한 설은 패관잡기(稗官雜記)에서 보이는데, 석씨(釋氏)가 '태어나자 땅에 일곱 걸음을 옮기었다'[67]는 식의 사특한 소리와 같이 괴탄스럽다. 그러면서 마침내 고금(古今)에 나면서부터 곧바로 성인인 사람이 있을 것이라고 생각하다니, 또한 고루하도다!(集註氣質淸明 義理昭著 是兩分語 氣質淸明以人言 義理昭著以理言 非氣質淸明者 則雖義理之昭著而不能知 然非義理之昭著者 則雖氣質淸明 而亦未必其知之也 緣朱子看得此一者字活 大槩不指人而言 與下句者字一例 豈好古敏以求之 爲夫子之自言 而亦以人言之乎 義理昭著四字 較和靖說更密 慶源雙峰只會得和靖說 不曾會得朱子說 但言義理 則對事物而言之 旣云義理之昭著 則自昭著以外 雖未及於事物之蕃變 而亦有非生所能知者矣 故朱子云聖人看得地步闊 總在說知處不同 精義入神 聖人方自信曰知 如生而知孝 自與不知孝者不同 乃中心愛敬 卽可自喩 而事親之際 不但禮文之繁 卽其恰得乎心而應乎理 以爲天明地察之本者 自非敏求於古而不得 矧在仁義中正之縕藏乎 聖人於此 業以生知自命 而見夫生知者 生之所知 固不足以企及乎己之所知 若曰我非但生知 而所求有進焉者 特其語氣從容 非淺人之所測耳 徇齊敦敏之說 見於稗官 與釋氏墮地七步之邪詞 同其誕妄 乃疑古今有生而卽聖之人 亦陋矣夫)

---

66) 순제(徇齊)와 돈민(敦敏) : 순제(徇齊)는 성인(聖人)의 덕이 어려서부터 매우 빠르게 완성되었음을 뜻하는 말이며, 돈민(敦敏)은 성인(聖人)이 장성함에 그 덕이 더욱 독실하고 민첩해짐을 의미하는 말이다. 『大戴禮記』「五帝德」에 황제(黃帝)의 덕을 칭송하면서, "黃帝少典之子也 曰軒轅 生而神靈 弱而能言 幼而慧齊 長而敦敏 成而聰明"이라고 하였다.

67) 태어나자…옮기었다 : 석가는 어머니 뱃속에서 나오자마자 일곱 발짝을 걸어가 "천상천하 유아독존"이라고 게(偈)를 외쳤다고 한다. 『전등록(傳燈錄)』에 "釋迦牟尼佛初生 一手指天 一手指地 周行七步 目顧四方曰 天上天下唯我獨尊"이라고 하였으며, 『대장엄경(大莊嚴經)』 전법윤품(轉法輪品)에는 '天上天下 唯我最勝'이라고 되어 있다.

제21장

공자 : "세 사람이 함께 길을 가면 반드시 나의 스승될 만한 사람이 있으니, 그 중 선(善)한 자를 택해서는 따르고, 선(善)하지 못한 자를 택해서는 그의 잘못을 통해 나의 잘못을 고쳐야 한다."

子曰 三人行 必有我師焉 擇其善者而從之 其不善者而改之

10

성인은 전혀 한 마디도 농담을 하지 않았다는 점에서 비춰볼 때, '선하지 않은 자도 나의 스승이다'라고 하면 농담이 되고 만다. 이것으로 구해 보자면 『논어집주(論語集註)』도 하자가 있음을 면하지 못하게 된다.[68] 노자가 "선한 사람은 선하지 않은 사람의 스승이고, 선하지 않은 사람은 선한 사람의 거울이다."[69]라고 하였는데, 이는 매우 해독을 끼치는 말이다. 주(紂)는 무왕(武王)의 거울이고, 양자(楊子)와 묵자(墨子)는 맹자(孟子)의 거울이라면 남의 불선(不善)을 이롭게 여겨서 자신의 공이 이를 거울로 삼고 자신의 도가 이를 거울로 삼는다는 것인가! 만일 이렇다면 일단 군자의 맘가짐도 아니고, 노자(老子)마저도 겨우 '거울로 삼는다'고 했는데, 공자께서 도리어 자신의

68) 성인은……된다 : 이 구절은 『논어집주(論語集註)』「술이(述而)」 제21장 "子曰 三人行 必有我師焉 擇其善者而從之 其不善者而改之"에 대한 주자주 "三人同行 其一我也 彼二人者 一善一惡 則我從其善而改其惡焉 是二人者皆我師也"를 가리킨다.

69) 선한……거울이다 : 이 구절은 『노자(老子)』 27장에 나오는 데, 그 원문은 다음과 같다. "善人 不善人之師 不善人 善人之資"

도를 배반하여 이를 사용하는 사람을 스승이라고 하였겠는가?

'선하지 못한 자를 가려서 자신의 잘못을 고쳐야 한다'는 것은 '택(擇)'자에 함유된 뜻을 보충해낸 것이다. 스승에 대해서는 '따른다'고만 할 수 있기에 '세 사람'이라 하고 '두 사람'이라고 하지 않은 것이다. 저 두 사람이 모두 선하다면 반드시 한 사람은 더욱 선할 것이고, 모두 불선하다면 반드시 약간 선한 사람이 있을 것이니 바로 이런 사람이 나의 스승인 것이다. 그리고 그 사람들이 이미 나와 나란히 가고 있으니, 또한 전혀 서로 다른 사람은 아닐 것이다. 그러므로 선한 사람을 제대로 스승으로 삼으면 스승을 얻을 것이고, 선하지 못한 것을 보고 고쳤다면 함부로 스승 삼지 않을 것이다. 사람이 참으로 가릴 줄 안다면 어찌 스승이 없는 것을 근심하겠는가?(聖人從不作一戲語 如云不善亦師 爲譃而已 以此求之 集註未免有疵在 老子曰善人 不善人之師 不善人 善人之資 是很毒語 將謂紂爲武王之資 楊墨爲孟子之資 利人之不善 而己之功資以成 道資以伸 若此 旣非君子之存心 乃老子且僅曰資 而夫子顧以反其道而用之者爲師邪 其不善者而改 是補出擇字餘意 師則但云從之者 所以云三人而不云二人 彼兩人者均善 必有一尤善者 均不善 必有差善者 卽我師也 且其人業與我而並行 亦旣非絕不相倫之人矣 故以善爲師 則得師矣 不善而改 則不妄師矣 人苟知擇 豈患無師哉)

제25장

공자 : "내가 성인을 볼 수 없다면, 군자만이라도 만나 보면 좋을 것이다."
공자 : "내가 선인(善人)을 얻어 볼 수 없다면, 항심(恒心)을 가진 사람이라도 만나보면 좋을 것이다. 없으면서 있는 척, 비었으면서 가득 찬 척, 곤궁하면서도 여유로운 척한다면, 항심이 있기는 어려울 것이다."

子曰 聖人吾不得而見之矣 得見君子者 斯可矣 子曰 善人吾不得而見之矣 得見有恒者 斯可矣 亡而爲有 虛而爲盈 約而爲泰 難乎有恒矣

11

공자께서는 선인(善人)과 항심(恒心)이 있는 사람을 동일한 유로 말씀하셨다.[70] 남헌 장씨(南軒張氏)가 "선인(善人)과 항심(恒心)이 있는 사람은 자질을 가지고 말한 것이다."[71]라고 한 대목은 합당하다고 보기가 매우 어렵다. 만약 증씨(曾氏)처럼 "선인이 선에 밝은 자이고, 항심이 있는 사람은 비록 선에는 밝지 못하나 그 역시 반드시 종신토록 변치 않는 하나의 절개는 간직한 자이다."[72]라고 한다면, 경문(經文)의 뜻과 매우 동떨어지게 된다.

70) 공자께서는……말씀하셨다 : 이하는 『논어(論語)』「술이(述而)」 제25장 "子曰 聖人吾不得而見之矣 得見君子者斯可矣 子曰 善人 吾不得而見之矣 得見有恒者斯可矣 亡而爲有 虛而爲盈 約而爲泰 難乎有恒矣"에 대한 왕부지의 해석이다.

71) 선인(善人)과……것이다 : 이 구절은 『논어(論語)』「술이(述而)」 제25장의 셋째 단락 아래 주자주에 보이는데, 그 원문은 다음과 같다. "張敬夫曰 聖人君子以學言 善人有恒者以質言"

72) 증씨(曾氏)처럼……자이다 : 이 구절은 『논어집주대전(論語集註大全)』「술이(述而)」 제25장의 셋째 단락의 주자주 '可謂深切而著明矣' 아래 세 번째 소주에 중간쯤에 보이는데, 그 원문은 다음과 같다. "(曾氏曰) 凡此類當得意而忘言 善人明乎善者也 有恒雖未明乎善 亦必有一節終身不易者"

이 두 종류의 사람은 온전하고 결함이 있는 것과 크고 작은 점에서 차이는 있지만 모두 각자가 본래의 밝은 본성을 따르고 있으니, 밝혔느냐 밝히지 못했느냐로 나눌 수 있는 것은 아니다. 항심을 지닌 사람은 처한 곳이 없으면 없다가 처한 곳이 있으면 항상 있으며, 비었거나 간략하면 비고 간략할 뿐이고, 가득 차면 항상 가득 차고, 많으면 항상 많을 뿐이다. 자신이 없고 비고 간략한 것에 있어서는 실로 갑자기 취하여 함부로 처하지 않는다. 그렇다고 또한 이를 확충하여 이익을 구하지도 않는다. 다만 함부로 처하지 않기 때문에 이익을 구하는데 단초가 있게 된 것이다. 선한 사람이 항심을 지닌 사람과 구별되는 것은 대개 이치에 맞으면서 이른바 없고 비고 간략한 것을 구함이 이미 적기 때문이다. 그리고 있고 가득하고 많은 것에 대해서는 그 의리를 정밀하게 하고 그 쓰임을 이롭게 할 수 없다면 또한 자연스럽게 놔두어 조리에 맡게 통달하여 이처럼 해나간다. 그러나 그 극처(極處)에 나아가 회통할 수 없는 사람은 또한 항심(恒心)은 있으나 확충(擴充)하여 이익을 구할 수 없는 자와 함께 모두 배우지 못한 사람이 되고 말 것이다.

자질이 아름다운 사람이 확충되기를 구하지 않으면 반드시 항심이 있을 것이다. 만약 확충하기를 구한다면 도리어 장애가 생겼을 때 변통하려고 하다가 간혹 항심을 지니지 못하게 된다. 이것이 항심을 지닌 사람이 진전하는 기미이다. 또 그보다 나은 사람은 자연스럽게 놔둔다면 하는 것마다 모두 합당하게 되어 이로 말미암아 의리가 정밀해지고 그 쓰임이 이롭게 되기를 구하고자 한다면 처음의 기미가 도리어 막히고 자취도 원숙하지 못하여 필시 모두 다 선하지는 않게 될 것이다. 이것은 선인(善人)이 진전하는 기미이다.

선인은 크기만 하고 절실하지는 못한 반면 항심이 있는 사람은 크지도 못하면서 꼭 절실한 것도 아니다. 대개 모두 기가 전일하면 뜻을 움직이지만[73] 이렇게 해나갈 뿐이라면 더는 생각하고 변호하는 것이 없을 것이니, 온전하게 되고 결함이 있게 되는 것은 하늘이 정하는 것이다. 크지는 못하지만 이미 절실하다면 군자이니, 지(志)가 주가 되고 기(氣)가 보완이 된다. 이 점을 변별해야만 군자(君子)와 선인(善人), 항심(恒心)이 있는 자의 차이를 알 것이다.(夫子將善人有恆作一類說 南軒云善人有恆 以質言 此處極難看得合 若如曾氏所云善人明乎善者 有恆雖未明乎善 亦必有一節終身不易 則相去遠矣 此二種人全欠大小之異致 而一皆率任其所本明 非有能明不能明之別也 有恆者 無處則是無 有處則恆有 虛約則只是虛約 盈則恆盈 泰則恆泰 於其所無所虛所約 固不襲取而冒居之 然亦不能擴充以求益也 特以其不冒居之故 則求益也有端矣 若善人之別於有恆者 大槩與理相得 求所謂無虛約者已鮮 而所有所盈所泰 未能精其義而利其用 便亦任其自然 條條達達如此做去 其不能造其極而會其通者 亦與有恆之不能擴充以求益 同之爲未學也 質之美者 不求擴充 則必能恆 若求擴充 則反有杌桯窒礙 思爲變通 而或不能恆矣 此有恆之進機也 又其上者 任其自然 則所爲皆可 欲繇是而求精其義而利其用 則初幾反滯 轍跡不熟 而未必卽能盡善矣 此善人之進機也 善人大而不切 有恆旣不能大 而亦未必其能切 大抵皆氣壹動志 只如此做去 更無商量回護 其爲全爲欠 則天定之矣 若不能大而已切 則君子也 志爲主而氣爲輔者也 於此辨之 乃知君子善人有恆之同異)

73) 기가……움직이지만 : 『맹자(孟子)』「공손추」 상에 보이는데, 그 전문은 다음과 같다. "志壹則動氣 氣壹則動志也 今夫蹶者趨者 是氣也 而反動其心"

12

선인(善人) 역시 항심(恒心)이 있다. 그의 행동은 모두 선한데 어떻게 항심이 있지 않겠는가? 항상하지 않는 것이 있다면 선하지 않은 바가 있을 것이다. 그러나 항심이 '있다'고 한 것은 원래 하나의 '절개[節]'를 가지고 말한 것이다. 만일 지니고 있는 것이 모두 항상되다면 '항심이 있다'고 이름 붙일 수 없다. 총괄하자면 항심이 있는 사람은 선인(善人)의 한 부분을 얻은 것이고, 군자는 성인의 전체를 갖추고 있으나 아직 미미한 자이다. 이런 류는 반드시 구분해서 보아야 한다. 일례를 구해 보자면 '항심이 있는 사람은 독실한데, 선인은 허에 가깝다'고 한다면 선인이라고 할 수 없다. 또 '성인은 온전하고 군자는 편벽되다'고 한다면 군자라고 할 수 없다.(善人亦是有恆 他所爲皆善 如何不恆 有所不恆 則有所不善矣 但恆而曰有 自是在一節上說 若凡有皆恆 卽不可名之爲有恆 總之 有恆得善人之一體 君子具聖人之體而微者也 如此類 須分別看 倘以一例求之 而云有恆篤實 而善人近於虛 則不足以爲善人 聖人全而君子偏 則不足以爲君子矣)

제26장

공자께서는 낚시는 하되 그물질은 안 하며, 새를 쏘되 잠든 새는 쏘지 않으셨다.

子釣而不綱 弋不射宿

13

남헌 장씨(南軒張氏)는 "양 무제(梁武帝)와 상(商)나라 주왕(紂王)은 모두 똑같이 천리를 어겼다."[74]고 하였으니, 정대(正大)하면서 엄정한 논리라고 하겠다. 남헌 장씨의 이러한 대목에서 원류(源流)가 맑고 깨끗함을 볼 수 있다. 그가 『서경(書經)』「주고(周誥)」 편을 논한 문장은 주자(朱子)가 극도로 탄복한 것이다. 고금의 유자들 중에는 이처럼 매우 명확하게 결단하여 말할 수 있는 자도 또한 드물 것이다.

그러나 맨 먼저 "성인의 마음은 천지가 만물을 생생하는 마음이다."라고 하여 여기에 안배한 것은 적당하지 않다. 성인은 여기에서 도리어 가늠하여 이뤄주고 보조하여 도와 천리의 당연함을 따르는데 언제 천지가 만물을 생생(生生)하는 마음을 가지고서 마음을 삼으셨던가? 낚시하고 주살질할 적에 만물을 살리는 마음을 자기 마음으로 삼았다

74) 양무(梁武)……어겼다 : 이 구절은 『논어집주대전(論語集註大全)』「술이(述而)」 제26장 "子釣而不綱 弋不射宿"에 대한 주자주 아래의 첫 번째 소주에 보이는데, 그 원문은 다음과 같다. "南軒張氏曰 聖人之心 天地生物之心也 梁武之不以血食祀宗廟與商紂之暴殄天物 事雖不同 然其咈天理以致亂亡則一而已"

면 필시 낚시질과 주살질을 그만두었을 것이다.

성인은 성인일 뿐이고, 천지는 천지일 뿐이다. 『중용』에서 말한 '하늘의 짝이 된다[配天]'는 것은 부인이 남편에게 짝이 될 뿐 실로 순전히 남편의 방식만을 쓰지는 않는 것과 같다. '드넓은 하늘[浩浩其天]'이라고 한 것도 조화(造化)에 내재된 의미를 가지고 말한 것일 뿐이다. 이유 없이 성인의 체(體)와 용(用)을 나란히 천지와 부합시키는 것은 석씨(釋氏)와 노자(老子)가 아무렇게나 지껄이며 함부로 속이는 말이다. 성인은 천고(千古)의 인극(人極)을 세워서 천지를 돕지, 실로 이런 거짓된 짓을 하면서 도리어 그 근본을 상실하지는 않는다.

『서경』「태서(泰誓)」에 "천지가 만물의 부모가 되거늘, 원후(元后)가 백성의 부모가 되시도다."[75] 하였으니, 이치는 하나인데 작용은 만 갈래라는 대의가 분명히 드러난다. 옛사람들은 말을 수식할 때 정성을 기준으로 세웠으니, 이렇지 않은 사람이 드물었다. '낚시질은 하되 큰 그물질은 하지 않으셨다'든가 '자는 새를 쏘아 맞추지 않으셨다'는 것은 바로 천지가 만물을 내는 마음이다. 큰 것으로 말하자면 천지는 실로 이렇게 구구한 것이 되지는 않을 것이고, 정밀한 것으로 말하자면 천지도 실로 이처럼 마땅하지는 않을 것이다.

천지는 물(物)에 의해 길러지는 것을 필요로 하지 않지만 사람은 그럴 수 없다. 천지가 혹 사람을 죽일 적에도 무심하여 가림이 없다. 가을에 벼가 마를 때는 실로 더는 어린 것을 가려서 더 길러주지 않는다. 역병을 만나 요절할 때에도 사람에게 피할 수 있는 곳을 주지 않는다. 성주(成周)의 태평한 시기에는 수백 년간 병란(兵亂)이 없었고,

75) 천지가……되시도다 : 『서경』「태서(泰誓)」에 보이는데, 그 원문은 다음과 같다. "惟天地萬物父母 惟人萬物之靈 亶聰明作元后 元后 作民父母"

오호 칠국(五胡七國)의 난리 때여서 더는 온전한 땅이 있지 않았다. 반드시 하나하나 모두 천지와 닮아지려고 한다면 어리석지 않으면 이룰 수 없으니, 필시 이단(異端)의 허위(虛僞)에 빠지게 될 것이다.

천지(天地)의 원형이정(元亨利貞)은 크면서 자취가 없고, 성인의 인의 지극함과 의의 극진함은 중정(中正)하여 치우치지 않는다. 성인이 천지와 같은 것은 근본이 하나인 것이고, 성인이 천지와 다른 것은 나뉘어서 달라진 것이다. 그렇지 않다면 저 양 무제(梁武帝) 같은 무리가 실로 구경(究竟)이 허공(虛空) 같고 광대(廣大)하기가 법계(法界)와 같다는 것으로 행원(行願)[76]을 삼아 천지(天地)와 동일해지려 할 것이니, 어떻게 그 죄가 상주(商紂)와 같다 할 수 있겠는가? 그보다 더하다 할 것이다.(南軒說梁武商紂同咈天理 可謂正大精嚴之論 南軒於此等處 看得源流淸白 其論酒誥篇文字 極爲朱子推服 古今儒者能如此深切斬截者 蓋亦鮮矣 然劈頭說個聖人之心 天地生物之心 安在此處 卻不恰好 聖人於此 卻是裁成輔相 順天理之當然 何曾兜攬天地生物之心以爲心 若方釣弋時 以生物之心爲心 則必並釣弋而廢之矣 聖人只是聖人 天地只是天地 中庸說配天 如婦配夫 固不純用夫道 其云浩浩其天 則亦就知化之所涵喩者言爾 無端將聖人體用 一並與天地合符 此佛老放蕩僭誣之詞 不知而妄作 聖人立千古之人極 以贊天地 固不爲此虛誕 而反喪其本也 泰誓曰 唯天地萬物父母 元后作民父母 理一分殊 大義昭著 古人之修辭立誠 鮮不如此 若云不綱不射宿便是天地生物之心 以大言之 天地固不爲是區區者 以精言之 天地亦不能如是之允當也 天地不需養於物 人則不能 而天地之或殺 則無心而無擇 方

76) 행원(行願) : 심신(心身)을 수양(修養)하는 경계(境界)로, 신(身)의 행(行)과 심(心)의 원(願)을 말한다. 이 두 가지가 서로 바탕이 되어 대사(大事)가 이루어진다.

秋禾槁 固不復揀穉者而更長養之 夭札所及 不與人以得避之地 成周之治 可以數百年而無兵 七國五胡之際 不復更有完土 必欲規規然一與天地相背 非愚而無成 必且流於異端之虛僞矣 天地之元亨利貞 大而無迹 聖人仁至義盡 中而不偏 聖人之同乎天地者一本 聖人之異乎天地者分殊 不然 彼梁武之流 固且以究竟如虛空 廣大如法界 爲行願一天地也 而何以罪均於商紂哉)

태백편

泰伯篇

제1장

공자 : "태백(泰伯)은 지극히 높은 덕을 지닌 이라고 할 만하다. 세 번 천하를 사양하였지만, 그 자취 남아 있지 않아 백성들이 칭송하는 이가 없구나."

子曰 泰伯 其可謂至德也已矣 三以天下讓 民無得而稱焉

1

『논어집주(論語集註)』에 "태백(泰伯) 덕분에 상(商)나라와 주(周)나라가 교체되는 시기에 실로 제후(諸侯)들의 조회를 받고 천하를 소유할 수 있었다. 그런데도 그는 이것을 버리고서 취하지 않았다." 하였고, 또 "그 마음은 백이(伯夷) 숙제(叔齊)가 무왕(武王)의 말고삐를 잡고 상(商)나라 정벌(征伐)을 간(諫)하던 심정이었다."[1] 하였으니, 뜻이 매우 분명하다. 김인산(金仁山)은 필설(筆舌)만 낭비하면서 태왕(太王)이 상나라를 치려는 마음이 없었던 것만 부각시키려 하여 태백이 천하를 양보한 것은 왕계(王季)에게 양보하기 위한 것이었다고 말하였다. 그러나 이는 태왕이 상나라를 치지 않았다면 태백이 또 어떻게 천하를 왕계에게 양보할 수 있었는지를 모르고 한 말이다.

소유(小儒)들은 낮은 식견으로 고인(古人)을 상상하여 판단해서

1) 태백(泰伯)……심정이었다 : 이 구절은 『논어집주(論語集註)』「태백(泰伯)」 제1장 "子曰 泰伯 其可謂至德也已矣 三以天下讓 民無得而稱焉"에 대한 주자주를 가리키는데, 그 원문은 다음과 같다. "子曰 泰伯 其可謂至德也已矣 三以天下讓 民無得而稱焉 …夫以泰伯之德 當商周之際 固足以朝諸侯有天下矣 乃棄不取…蓋其心即夷齊扣馬之心"

이설(異說)을 끌어다 자신의 설을 증명하기를 좋아하는데, 인용한 것들이 자신들의 설을 공격하는 것일 뿐이라는 것을 모른 것이다. 『오월춘추(吳越春秋)』[2]는 한(漢)나라 때 사람이 지은 것으로 괴탄스럽고 무망하여 믿을 것이 못되니, 『좌전(左傳)』과 참고하면서 그 차이를 살펴보아서도 안 된다. 그리고 이 책에서 태왕의 말을 기록하기를, "왕업을 일으킬 사람은 아마도 창(昌)일 것이다!"[3]라고 하였는데, 이로써 태왕이 상(商)나라를 칠 생각을 잊지 않았음을 또한 알 수 있다. 공자는 태백을 '지덕(至德)'이라고 하면서도 태왕에 대해서는 한번도 칭찬하는 말씀이 없었다. 그런데 김인산은 수고스럽게도 태왕을 왜곡되게 미화하면서 도리어 그것이 태백을 매우 심하게 폄하한 것이 될 줄은 몰랐으니, 어쩌면 그리도 성인의 말씀과 모순되면서도 돌이켜 보지 않는단 말인가!

태백이 왕계(王季)와 문왕(文王)이 천하를 소유할 것을 미리 생각하여서 태왕의 뜻에 그대로 순종하여 계력(季歷)에게 양보하기를 "아버지의 뜻을 완성하여 그 원대함을 이루었다."거나 "주(周)나라가 천하를 소유할 수 있었던 것은 태백이 오나라로 도망갔기 때문이었다."[4]고 하는 말대로 하였다면, 이는 태백(泰伯)이 이 한 번의 양보로써 겉

---

2) 오월춘추(吳越春秋) : 후한(後漢) 시대 조엽(趙曄)이 지었다. 원래는 총 12권이었으나, 지금은 2권이 망실되고 10권만 전해진다. 그 내용은 전설상 건국시조 태백(太伯)에서 부차(夫差)까지 오나라 역사와 함께 시조 무여(無余)에서 구천(勾踐)에 이르기까지 월나라 이야기를 수록하고 있는데 그 주축을 이루는 것은 와신상담에 얽힌 피비린내 나는 두 나라 간 전쟁과 멸망이다.

3) 왕업을……것이다 : 『오월춘추(吳越春秋)』「오태백전(吳太伯傳)」 제1에 보이는데, 그 전문은 다음과 같다. "古公三子 長曰太伯 次曰仲雍 雍一名吳仲 少曰季歷 季歷娶妻太任氏 生子昌 昌有聖瑞 古公知昌聖 欲傳國以及昌 曰 興王業者 其在昌乎 因更名曰季歷"

4) 아버지의……때문이었다 : 이 구절은 『논어집주대전(論語集註大全)』「태백(泰伯)」 제1장에 대한 주자 주 '事見春秋傳' 아래의 두 번째 소주 '遂父志而成其遠者'와 마지막 소주 '新安陳氏曰…是周有天下 由於泰伯之逃'을 가리킨다.

으로는 사양하면서 속으로는명예를 취하여서 형제간에 서로 협심하여 상나라를 빼앗는 일을 성사시킨 것이 된다. 그렇다면 이는 조조(曺操)가 "나는 주나라의 문왕이 될 것이다."[5]고 한 말과 똑같이 분수를 넘어 남을 속이는 짓이 될 뿐이다. 이렇다면 공자가 태백을 '지덕(至德)'이라고 칭찬한 것은, 너무 참람(僭濫)되지 않은가!

옛날 봉건시대의 천하는 후(侯)를 바꾸어 왕으로 만드는 것은 또한 매우 흔히 있는 일이었다. 이들은 후세의 난신적자(亂臣賊子)들이 한미(寒微)한 신분에서 일어나 임금의 녹위(祿位)와 총애를 바탕으로 어린 군주를 속여서 권력을 빼앗은 것과는 달랐다. 당시 상나라의 역사는 이미 6백 년을 넘어서서 도를 잃은 군주들이 서로 연달아 계승하던 상태였다. 태왕은 후직(后稷)의 후예로서 대대로 군(君)과 공(公)이었으니, 그가 상(商)나라의 대를 이어 통치하는데 뚜렷한 포부를 지니고 있었을 것이다. 이것이 뭐가 나쁘단 말인가? 만일 태백이 천하를 반드시 얻으려는 마음을 지니고서 아우와 조카 중에 현능(賢能)한 사람을 가려서 이들에게 천하를 굳게 간직한 채 잃지 않게 하였다면 이는 지나친 속임수가 되는 것이다. 그렇다면 태왕이 상나라를 칠 뜻이 없었다는 것을 증명하는 것으로는 태왕의 누명을 벗기기에 부족하며, 오히려 태백을 폄하하고 성인의 말을 배반하는 것이 되고 말 뿐이다.

인산 김씨(仁山金氏)는 "태왕은 이전에 적(狄) 땅 사람들이 빈(邠) 땅을 침범했을 때에도 나라를 포기할 수 있었는데, 하필 상나라가 아직 혼란하지 않은 지금의 시점에 천하를 소유하려 했다니, 태왕의 마

5) 나는……것이다 : 『삼국지(三國志)』「무제기(武帝紀)」에 보이는데, 그 원문은 다음과 같다. "王曰 施于有政 是亦爲政 若天命在吾 吾爲周文王矣"

음은 결코 이처럼 이치에 어긋나지는 않았을 것이다."[6] 하였는데, 태왕이 적 땅 사람들을 피한 것이 어찌 적 땅 사람들에게 자기 땅을 사양한 것이겠는가? 두려움에 떨며 적 땅 사람들에게 뇌물을 주면서까지 빈 땅을 온전하게 지키기를 바랐으나, 거의 면할 수 없었기 때문이었다. 그러다가 나중에 백성을 온전히 지키기 위해 그 땅에서 피하는 계책을 마련했던 것이다. 이것이 바로 맹자가 굳이 '부득이해서였다'[7]라고 한 것이다. 적 땅 사람들과 싸울 수 없었기에 떠났던 것이고, 상나라를 이을 만하기에 대를 이을 생각을 했던 것이다. 태왕의 창업 수통(創業垂統)은 이와 같았을 뿐이었다. 떡갈나무와 두릅나무가 쑥쑥 뻗어 올라가 큰 길이 생기자 곤이가 달아난 사건[8]을 보더라도 태왕이 어찌 결국은 적 땅 사람들에게 자신의 땅을 양보한 사람이라고 보겠는가? 주자는 확고하게 이에 대한 견해가 있어, 『시경(詩經)』 노송(魯頌)과 『오월춘추(吳越春秋)』를 인용하여 유자들이 서로 자기 학설을 변호하는 행위를 물리쳤다. 그러면서 주자는 태왕의 입장에서는 상나라를 쳐도 안 될 것이 없었는데, 태백이 오히려 아버지의 명을 따르지 않고서 확고하게 인(仁)을 구하는 것이 지덕(至德)이라고 여겼으니, 매우 정확하면서도 분명하다. 김인산의 말이 무슨 필요가 있겠는가?

본문에서 '세 번 천하를 사양했다'는 말은 천하가 본디 그의 소유였

6) 태왕은……것이다 : 원(元)나라 김이상(金履祥)이 찬(撰)한 『論語集註攷證』 권4에 보이는데, 그 원문은 다음과 같다. "况大王前日猶能棄國於狄人侵豳之時 而今日乃欲取天下於商家未亂之日 大王之心 決不若此其悖也"

7) 부득이해서였다 : 『맹자(孟子)』 「양혜왕」 하에 보이는데, 그 원문은 다음과 같다. "滕文公問曰 齊人將築薛 吾甚恐 如之何則可 孟子對曰 昔者大王居豳 狄人侵之 去之岐山之下居焉 非擇而取之 不得已也"

8) 떡갈나무와……사건 : 『시경(詩經)』 대아(大雅) 「면(緜)」에 보이는데, 그 원문은 다음과 같다. "肆不殄厥 亦不隕厥問 柞棫拔矣 行道兌矣 混夷駾矣 維其喙矣"

다는 뜻이다. 만일 훗날 천하를 소유할 생각으로 인해 이를 큰 명분으로 삼았다면, 문왕과 무왕이 끝내 천하를 소유하지 못했을 것이고 태백도 결국 양보할 곳이 없었을 것이다. 태백이 천하를 소유할 수 있었는데도 소유하지 않은 것이라면, 문왕과 무왕이 천하를 소유하지 못했더라도 태백은 천하를 양보했을 것이 당연하다. '사양했다'고 말한 것은 겸손하여 자처하지 않았다는 말일 뿐, 반드시 남에게 사양한 뒤에 사양했다고 이르는 말은 아니다. 『서경(書經)』에 "순(舜)임금은 자신이 덕이 후사(後嗣)를 이을 만하지 않다는 이유로 사양하셨다."[9]고 하였는데, 그렇다면 자신의 덕이 후사를 잇기에 부족하기에 감히 받지 않는 것이지, 사악(四岳)과 군목(群牧)에게 사양하신 것이 아니다. 공자가 "그 말이 겸손하지 않다."[10] 하셨는데, 자신이 소유할 만하여 곧 자임한 것일 뿐, 염구(冉求)나 공서적(公西赤)·증점(曾點)에게 양보하지 않은 것[11]을 말한 것은 아니다. 이것을 안다면 속유(俗儒)들의 주나라를 양보했다 상나라를 양보했다는 설은 둘 다 서로 공격할 가치도 없게 된다. 상나라는 원래 천하를 소유하고 있어서 태백이 양보할 필요도 없었으니, 이로써 태백이 아버지의 명을 따르지 않았다는 설을 굴복시킬 수 있다고 여겨서는 안 된다.

이는 덕으로 보나 때로써 보나 천하는 본래 태백의 소유였는데 이

---

9) 순(舜)임금은……사양하셨다 : 『서경(書經)』「순전(舜典)」에 보이는데, 그 원문은 다음과 같다. "帝曰格 汝舜 詢事考言 乃言 底可績 三載 汝陟帝位 舜讓于德 弗嗣"

10) 그……않다 : 『논어(論語)』「선진(先進)」에 보이는데, 그 원문은 다음과 같다. "曰 爲國以禮 其言不讓 是故哂之"

11) 염구(冉求)나……것 : 『논어(論語)』「선진(先秦)」 제25장에 '子路 曾晳 冉有 公西華 侍坐'로 시작하는 원문이 보인다. 염구(冉求)는 자(字)가 자유(子有)로 계씨(季氏)의 가신[宰]이었고, 공서적(公西赤)은 자(字)가 자화(子華)이고 증점(曾點)은 자(字)가 자석(子晳)으로 증삼(曾參)의 아버지이다.

제 군신(君臣)의 대의(大義)로써 아버지의 명을 따르지 않고서 천자의 자리에 처하지 않았다. 그러므로 훗날 혹 계력(季歷)의 자손의 소유가 되거나 혹은 상나라의 자손들이 여전히 실추함이 없거나 간에 이 모든 것을 하늘에 맡기고 자신은 관여치 않았을 것이다. 도를 자신에게 극진히 하였고 인을 하는 것은 남으로 말미암지 않았으니, 이는 그가 마음에 터득한 것이 이미 지극하여 다른 사람이 알 수 있는 바가 아니었다. 만일 태백이 태왕을 좇아 상나라를 대신하였다면 사람들이 그가 몸소 천하를 맡았음을 알았을 것이다. 이제 그러한 일이 없었으니, 이 때문에 사람들이 몰라서 칭할 수 없었던 것이다. 만일 왕계와 문왕에게 양보했다고 한다면 천하 후세에 분명할 것인데 어찌 칭할 것이 없었겠는가? 뭔가에 얽매인 유자(儒者)들은 꺼리는 것이 많아서 성인의 뜻을 통하기에 부족하니, 응당 『논어집주(論語集註)』로 정도(正道)를 삼아야 할 것이다.(集註言夫以泰伯之德 當商周之際 固足以朝諸侯而有天下矣 乃棄不取 又云其心卽夷齊扣馬之心 於義明甚 金仁山徒費筆舌 止欲斡旋太王無翦商之志 乃謂泰伯之讓天下 讓於王季 不知太王而非有翦商之事 則泰伯又何處得天下讓之王季耶 小儒以淺識遙斷古人 樂引異說以自證 乃不知所引者之適以自攻 吳越春秋一書 漢人所撰 誕誣不足信 不可與左傳參觀異同 且彼書記太王之言曰 興王業者 其在昌乎 則太王之不忘翦商 亦可見矣 夫子稱泰伯爲至德 而於太王未施一贊詞 仁山乃苦欲曲美太王 而不知其以抑泰伯也殊甚 何其矛盾聖言而不之恤也 使泰伯而逆計王季文王之有天下 因順太王之志而讓之季歷 如所云遂父志而成其遠大 若云周有天下 繇泰伯之逃 則是泰伯以此一讓 陽辭陰取 而兄弟協合以成奪商之事 是與曹操所云吾其爲周文王者 同爲僭詐 而夫子稱之曰至德 不已僭與 古者封建之天下 易侯而王 亦甚尋常事 旣非若後世亂賊 起自寒微 資君之祿位靈

寵 欺孤寡而攘奪之 商之歷祀已六百 而失道之主相仍 太王以后稷之裔奕世君公 則於以代商而王 顯然有其志事 而抑何損 若夫泰伯懷必得之心 擇弟與從子之賢 使可固有而不失 則其爲諼也甚矣 此辨太王無翦商之志者 不足以伸太王 而唯以抑泰伯 叛聖言也 仁山云 太王前日猶能棄國於狄人侵邠之時 而今日乃欲取天下於商家未亂之日 太王之心 決不若此其悖也 夫太王之避狄 豈讓狄哉 鰓鰓賂狄 冀以全邠 殆不得免焉 而後爲此全民避地之計 孟子固曰不得已也 狄不可爭則去之 商有可代則思代之 太王之創業垂統 如此而已 至於柞棫拔而昆夷駾 太王豈終讓狄人者哉 朱子確然有見於此 而援引魯頌及春秋傳以辟諸儒回護之說 用以見太王之無不可翦之商 而泰伯猶且不從父命 確爾求仁之爲至德 其深切著明至矣 仁山之言 烏足爲有無邪 本文云三以天下讓 是天下其所固有也 若因後日之有天下而大爲之名 則使文武終不有天下 而泰伯遂無所讓邪 唯泰伯可以有天下而不有 則卽使文武不有天下 而泰伯之讓天下也固然 特所云讓者 謙遜不居之辭 非必讓之人而後謂之讓也 書曰舜讓於德弗嗣 謂己德之不足嗣 則不敢受 非以讓之四嶽羣牧也子曰其言不讓 謂己可有之而卽自任之 非謂不讓之求 赤與點也 知此則俗儒讓周讓商之說 兩無容相攻擊 而不得謂商固有天下 無待於泰伯之讓 以破泰伯不從之說矣 蓋以德以時 天下本泰伯之所有 今以君臣之大義 不從父命而不居 至他日之或爲季歷子孫所有 或商之子孫仍無失墜 總以聽之天 而已不與焉 盡道於已 而爲仁不繇乎人 此其得於心者已極 而非人之所能喩也 使泰伯從太王而代商 則人知其躬任天下矣 今無其事 是以民不知而佛得稱也 籍云以讓之王季文王 則昭然於天下後世 而何無得而稱哉 拘儒多忌 不足達聖人之旨 自當以集註爲正)

제4장

증자가 병이 위중해지자, 맹경자가 문병을 왔다.
이에 증자가 말씀하시기를 : "새가 죽으려 할 때 그 울음 슬프고, 사람이 죽으려 하면 그 말이 선한 법입니다. 위정자가 귀중하게 여겨야 할 도리가 세 가지 있습니다. 몸을 움직일 때 포악함과 태만함을 멀리할 것이며, 얼굴빛을 바르게 지녀서 신뢰를 얻을 것이고, 말을 할 때 야비하고 이치에 어긋나는 말은 멀리해야 될 것입니다. 이 외 제사에 관한 일은 담당하는 이가 있을 것입니다."

曾子有疾 孟敬子問之 曾子言曰 鳥之將死 其鳴也哀 人之將死 其言也善 君子所貴乎道者三 動容貌 斯遠暴慢矣 正顔色 斯近信矣 出辭氣 斯遠鄙倍矣 籩豆之事 則有司存

2

후인들은 글을 해석할 때 자구(字句)에 대해 기발(奇拔)하고 특이(特異)하면서도 참신한 해석을 하는 반면, 옛 사람들의 견해는 무시하고 자세히 살피지 않는다. 그렇지만 선유(先儒)들은 실로 예전에 그런 해석을 했었지만 그르다는 것을 알고 폐기(廢棄)한 것이라는 것은 생각지 못한 것이다. 증자(曾子)가 본문 중에서 말한 세 번의 '사(斯)'자를 의미 없이 사용한 것이었는데, 이것을 '잡아 보존하고 성찰하는[操存省察]' 증험으로 본 경우가 있으니, 주자도 이런 해석을 한 적이 있다.[12] 그러나 『논어집주(論語集註)』에서 이렇게 보지 않은 것은, 이것을 의미 없는 말로 보게 되면 '동작과 용모와 주선(周旋)이 예에 맞고 자연히 발현하는 광휘'가 바로 '나면서부터 알고[生而知之]' '편안히 이것(達道)을 행하고[安而行之]' '억지로 할 수 없는 화

12) 증자(曾子)가……있다 : 이 구절은 『논어집주대전(論語集註大全)』 「태백(泰伯)」 제4장 "曾子有疾 孟敬子問之 曾子言曰 鳥之將死 其鳴也哀 人之將死 其言也善 君子所貴乎道者三 動容貌 斯遠暴慢矣 正顏色 斯近信矣 出辭氣 斯遠鄙倍矣 籩豆之事則有司存"에 대한 주자 주 '學者所當操存省察 而不可有造次顚沛之違者也'를 가리킨다.

[化不可爲][13]의 일이 되어버린다. 그렇게 되면 이미 증자(曾子)가 말한 '귀중히 여기는 도'라든가 '멀리한다'와 '가까이한다'는 뜻이 아니게 된다. 만약 세 가지를 변화된 흔적으로 보아 귀중히 여기는 도가 별개로 존재하여 주관하는 곳이 있다고 여긴다면 이른바 '존재하여 주관하는[存主]' 것이 어찌 낚싯바늘에서 세 치 떨어진 곳에 별도로 금빛 물고기가 있겠는가? 이는 바로 성학(聖學)과 이단(異端)이 구별되는 일대 경계이다. 성현의 학문은 비록 성인(聖人)은 알 수 없는 것이라고 가르치지만 이 또한 하나의 실재하는 것일 뿐이다. 우리의 이목구체(耳目口體)와 동정어묵(動靜語默)을 놔두고서 별도로 근본을 구한다면 이런 현실세계에 발을 디딘 채 별도로 하나의 지극히 귀한 것을 세우는 격이니, 이는 석씨(釋氏)만이 그렇게 할 수 있다.

선유(先儒)들은 증자(曾子)가 성학(聖學)의 종지(宗旨)를 얻어서 이를 자사(子思)와 맹자(孟子)에게 전수하였다[14]고 한다. 무슨 일을 전수했겠는가? 다만 그 확실하게 근거할 만한 것을 전수해 줬을 뿐이다. 그러므로 그가 임종 시에 특별히 부탁한 것이 없었고, 자신의 몸으로 체(體)와 용(用)을 삼아 보여준 것[15]이 곧 도에서 귀하게 여기는 점이었다. 이 몸을 닦아서 체를 세우고 용을 행하는 것은 바로 '군

13) 나면서부터……화 : 『중용(中庸)』 20장에는 "或生而知之 或學而知之 或困而知之 及其知之一也 或安而行之 或利而行之 或勉强而行之 及其成功一也"라는 말이 보이고, 『맹자(孟子)』「진심」 하에는 '大而化之之謂聖' 아래의 주자 주에 '張子曰 大可爲也 化不可爲也 在熟之而已矣'라는 말이 보인다.

14) 선유(先儒)들은……전수하였다 : 『맹자(孟子)』 서설(序說)에 보면 한유(韓愈)는 "惟孟軻師子思 而子思之學出於曾子 自孔子沒 獨孟軻氏之傳得其宗 故求觀聖人之道者 必自孟子始"라고 하였다.

15) 임종 시에…것 : 『논어(論語)』「태백(泰伯)」에 보이는데, 그 원문은 다음과 같다. "曾子有疾 召門弟子曰 啓予足 啓予手 詩云 戰戰兢兢 如臨深淵 如履薄冰 而今而後 吾知免夫 小子"

자가 귀중히 여기는 도'인 것이다. 그 뒤에 자사(子思)가 '중(中)과 화(和)'를 말하면서 '희로애락(喜怒哀樂)'[16]이라 하였으니, 몸의 작용에서 벗어나지 않는 것이다. 용모(容貌)와 안색(顏色)·말투는 희로애락이 발현되는 곳이다. 속된 말과 고상한 말, 배반과 순종, 정(正)과 사(邪), 참과 거짓, 폭력과 화합, 태만(怠慢)과 장중(莊重)은 중절(中節)과 중절(中節)이 아닌 것의 구분점이다. 맹자는 천성(天性)을 말하면서 '형색(形色)'이라고 하였는데, 용모와 안색과 말투는 형색이다. 포악하고 거만하고 비루하고 배반함을 멀리하는 것은 신의(信義)에 가까우니 타고난 형색대로 실천하는 것이다.[17]

고요할 때 마음에 간직하여 기르는 것은 그 몸의 고요함으로 응결하는 것이다. 움직일 때 생각으로 살피고 관찰하는 것은 그 몸의 움직임으로 삼가는 것이다. 보존하는 것은 바로 이러한 포악하거나 거만하지 않고 비루하거나 배반하지 않고 신의(信義)를 가까이하는 실제이다. 그러므로 '용모는 엄숙히 하여 생각함이 있는 것 같이 한다'[18]고 한 것이다. 살피는 대상은 바로 이 포악하고 거만하며 비루하고 배반하며 신의롭지 못한 기미이다. 그러므로 '공경하지 아니치 말라'고 한 것이다. 그렇지 않다면 이치가 어디에 존재하겠으며, 사욕(私欲)이 어디에서 변별되겠는가? 포악하고 거만하며 비루하고 배반함을 멀리하면서 신의에 가까운 사람이 아니라면 또한 누가 천리(天理)의 '인

---

16) 자사(子思)가……희로애락(喜怒哀樂) : 『중용(中庸)』에 보이는데, 그 전문은 다음과 같다. "喜怒哀樂之未發 謂之中 發而皆中節 謂之和 中也者 天下之大本也 和也者 天下之達道也"

17) 맹자는……것이다 : 『맹자(孟子)』「진심」 상에 보이는데, 그 전문은 다음과 같다. "孟子曰 形色 天性也 惟聖人 然後可以踐形"

18) 용모는……한다 : 『예기(禮記)』「곡례(曲禮)」에 보이는데, 그 전문은 다음과 같다. "曲禮曰 毋不敬 儼若思 安定辭 安民哉"

(仁)에 드러나며 용(用)에 감춰져 있는' 참[19]을 하겠는가? 강함이 포악함이 되고 유약함이 게으름이 되며 비루함에 빠지고 배반함에 치우치며 감정을 수식하여 신의롭지 못한 사람이 아니라면, 어떻게 욕망이 사(私)가 됨을 볼 수 있겠는가? 증자(曾子)는 남을 위함이 간곡하고 정성스러워 자신의 몸에 힘을 썼을 뿐이니, 은미한 것에서 하늘의 마음을 보고 드러난 곳에서 왕도(王道)를 징험한 것이 모두 여기에 있지 않음이 없었다. 만일 이는 효험일 뿐 힘을 쓰는 것은 여기에 달려 있지 않다고 생각한다면 선학(禪學)으로 흐르지 않을 자 드물 것이다.(後人釋書 於字句上作奇特纖新之解 薄古人爲未審 不知先儒固嘗作此解 已知其非而舍之 曾子本文三斯字 作現成說 而以爲存省之驗者 朱子蓋嘗作此解矣 然而集註不爾者 以謂作現成說 則是動容周旋中禮 自然發見之光輝 乃生知安行 化不可爲之事 旣非曾子言所貴乎道言遠言近之義 若謂三者爲化迹 而道之所貴 別有存主之地 則所謂存主者豈離鈎三寸 別有金鱗耶 此正聖學 異端一大界限 聖賢學問 縱敎聖不可知 亦只是一實 舍吾耳目口體 動靜語默 而別求根本 抑踐此形形色色 而別立一至貴者 此唯釋氏爲然爾 先儒說曾子得聖學之宗 而以授之子思孟子 所授者爲何事 但與他一個可依可據者而已 故其臨終之言 亦別無付囑 止此身之爲體爲用者 卽爲道之所貴 修此身以立體而行用 卽是君子所貴乎道 其後子思之言中和 則曰喜怒哀樂 不離乎身之用也 容貌顔色辭氣者 喜怒哀樂之所現也 鄙之與雅 倍之與順 正之與邪 信之與僞 暴之與和 慢之與莊 中節不中節之分也 孟子言天性 曰形色容貌顔色辭氣者 形色也 暴慢鄙倍之遠 信之近 踐形者也 靜而存養於心 凝

19) 천리(天理)의……있는' 참 : 『주역(周易)』「계사전」 상에 보이는데, 그 전문은 다음과 같다. "顯諸仁 藏諸用 鼓萬物而不與聖人同憂 盛德大業 至矣哉"

以其身之靜也 動而省察於意 愼以其身之動也 所存者 卽此不暴慢不鄙倍近信之實 故曰儼若思 所察者 卽此暴慢鄙倍 不信之幾 故曰無不敬不然 則理於何存 欲於何辨 非此遠暴慢 鄙倍而近信者 亦孰爲天理顯仁藏用之眞 非其剛爲暴 柔爲慢 淫於鄙 辟於倍 飾情爲不信者 何以見所欲之爲私也 曾子喫緊爲人 只在此身著力 而以微見天心 顯徵王道者率莫不在此 若但以爲效驗而用力不繫乎此 其不流於禪學者鮮矣)

제5장

증자 : "능력이 있으면서 능력 없는 이에게 물으며, 많이 가졌으면서 적은 이에게 묻고, 있으면서도 없는 듯, 차도 빈 듯하며, 남이 덤벼도 헤치려는 마음을 갖지 않는다. 예전에 내 친구가 바로 이러하였다."

曾子曰 以能問於不能 以多問於寡 有若無 實若虛 犯而不校 昔者吾友嘗從事於斯矣

3

안자(顔子)가 도달한 경지가 성인과 얼마나 차이 나는지 실로 알기 쉽지 않다. 그러나 '자신에게 잘못을 범하여도 따지지 않는다'[20]는 것으로 상상해 볼 때 또한 그 단초를 어림 짐작할 수 있다.

상채 사씨(上蔡謝氏)가 '무아(無我)의 경지에 가깝다'[21]고 했을 때의 이른바 무아(無我)한 사람은 성인(聖人)이다. 주자(朱子)가 "안자는 아직도 타인과 자아가 대립하고 있으나. 성인은 타인과 자아가 모두 없다."[22]고 하였는데 이 말을 자세히 분별하지 않으면 석씨(釋氏)의 '아상(我相)도 없고 인상(人相)도 없다'는 말과 서로 혼동된다. 그

---

20) 자신에게……않는다 : 이 구절은 『논어(論語)』「태백(泰伯)」 제5장을 가리키는데 보이는데, 그 전문은 다음과 같다. "曾子曰 以能問於不能 以多問於寡 有若無 實若虛 犯而不校 昔者吾友嘗從事於斯矣"

21) 무아(無我)의……가깝다 : 이 구절은 『논어집주(論語集註)』「태백(泰伯)」 제5장의 집주에 보이는데, 그 전문은 다음과 같다. "謝氏曰 不知有餘在已 不足在人 不必得爲在已 失爲在人 非幾於無我者"

22) 안자는……없다 : 이 구절은 『논어집주대전(論語集註大全)』「태백(泰伯)」 제5장에 대한 주자 주 '非幾於無我者不能也' 아래의 첫 번째 소주에 보인다. 그 전문은 다음과 같다. "朱子曰聖人全是無我 顔子是不以我去壓人 却尙有箇人與我相對 在聖人 便和人我都無了"

러므로 여기에서 존재하는 실제를 구하여야 한다.

성인이 이른바 '무아(無我)'라는 것이 어찌 남과 나의 경계를 없게 한다는 것이겠는가! 남과 나의 경계를 없게 한다는 것은 본래는 남과 나가 있는데 공(空)으로 녹여낸 것이니, 이른바 '모든 유(有)를 공(空)으로 한다.'는 것이다. 남과 나는 본래 없으므로 내가 유(有)로 실체화해서는 안 되니, 이는 이른바 '삼가 모든 무(無)를 실체화하지 말라'는 것이다. 성인의 남과 나의 경계가 없다는 것이 어찌 이런 논리겠는가!

이치는 하나일 뿐이다. 남과 나는 차이가 있지만 이치는 한 가지이다. 같으면 차이가 없기 때문에 '없다[無]'고 하는 것이다. 남을 해치지 않고자 하는 것은 이치가 같기 때문이다. 나에게 남을 해치려는 마음이 없고 남에게 나를 해치려는 마음이 없는 것은 그 이치가 한가지이다. '너'라고 하는 경시하는 말들을 받아들이려고 하지 않는 것[23]은 이치상 그렇다. 나에게 받아들이려는 마음이 없고 남에게도 받아들이려는 마음이 없는 것은 그 이치가 같기 때문이다. 이치가 같다면 이치가 하나일 뿐인데 어찌 남과 내가 혹여라도 다름이 있겠는가?

그리고 이치는 등급이 있으니, 균일하게 한다면 오히려 이치가 아니다. 그가 존귀하므로 존중하고 낮은 신분이므로 낮게 대우하는 것이니, 내가 존귀한 자리에 있거나 남이 존귀한 자리에 있거나, 또 내가 낮은 자리에 있거나 남이 낮은 자리에 있거나 간에 모두 같다. 이와 같을 뿐이니, 반드시 내가 높고 남이 낮은데, 나를 억눌러서 낮은 데로 나아가게 하는 것이 아니다. 친한 관계이므로 친하게 대하고 소원한 사이이므로 소원하게 대우하는 것이다. 내가 친하게 여기든 남

23) '너'니……것 : 『맹자(孟子)』「진심」 하에 보이는데, 그 원문은 다음과 같다. "人能充無受爾汝之實 無所往而不爲義也"

이 나를 친하게 여기든 또 내가 소원하게 여기든 남이 나를 소원하게 여기든 마찬가지이다. 이와 같을 뿐이니, 굳이 친척과 소원한 사이를 망각하고서 소원한 자를 끌어다 친척으로 삼을 것은 아니다. 굽은 것은 굽은 것으로 인하여 굽게 되고, 곧은 것은 곧은 것으로 인하여 곧게 된다. 내가 반드시 펴야 되는 곧음은 오히려 남이 굽힐 수 없는 것이고 내가 반드시 굽혀야 될 굽음은 오히려 남이 펼 수 없으니 이 점은 같다. 이와 같을 뿐이니, 굳이 자신을 굽히고 남을 펴서 항상 굽은 것은 자신에게 돌리고 곧은 것을 남에게 줄 것은 아니다.

그러므로 '자신에게 잘못을 범하여도 따지지 않는다'는 것은 남이 있음을 망각한 것이지, 꼭 동일한 이치를 크게 따를 것은 아니다. 극기(克己) 공부는 충분한데 복례(復禮) 공부가 아직 이에 부합하지 못했기 때문에 자신에게는 무겁게 하고 남에게는 책임을 가볍게 지운 것이다. 그러므로 사람들이 예가 아닌 행위로 침범하는 것은 천리(天理)의 대동(大同)에 한결같이 따르지 않았기 때문이다. 이는 일을 시작할 때의 처음 일로서, 아직 화(化)의 단계에는 들어가지 못한 것이다.

성인은 다만 천리(天理)가 원만히 이루어서 무엇을 만나든 여유롭게 대처하여, 순조로운 상황이든 곤란한 상황이든 간에 단번에 둘로 나누어 모두 이치에 맞아서 어그러지지 않으니, 더는 이른바 이겨내야 하는 기사(己私)랄 것이 없다. 안자(顔子)는 일 푼의 사(私)를 제거하고 일 푼의 공(公)을 드러내어 남과 나의 자취를 제거하고서 그 화평(和平)함을 현시하였다. 선유들은 맹자는 규각(圭角)이 있다[24]고

24) 맹자는……있다 : 『맹자(孟子)』 서설(序說)에 보면 정자(程子)는 "孟子有些英氣 纔有英氣 便有圭角 英氣甚害事 如顔子便渾厚不同 顔子去聖人只豪髮間 孟子大賢 亞聖之次也 或曰 英氣見於甚處 曰 但以孔子之言比之 便可見 且如冰與水精非不光 比之玉 自是有溫潤含蓄氣象 無許多光耀也"라고 하였다.

했는데, 내 생각에 안자(顔子)도 그러하다. 왜냐하면 노력하여 기사(己私)를 제거하는 것 자체가 바로 영기(英氣)이기 때문이다. 영기가 있으면 곧 규각이 있는 것이다.

요컨대 생(生)을 받은 뒤에 천리(天理)가 가리어진다고 보는 사람은 자신이 남을 이기려는 마음이 가장 강렬하기 때문이다. 그러므로 안자는 비록 화(化)의 경지로 들어가지는 못했으나, 성인이 되는 공부를 그보다 힘쓴 사람은 없다. 이는 기사(己私)가 이미 정결(淨潔)해졌을 때 공(空)으로 떨어지게 하지 않는다면 천리의 발현이 자연 그치지 않을 것이다. 이는 오래된 거울을 닦을 때 일 푼의 먼지를 제거하면 일 푼의 광명이 드러나서 자연 막거나 누를 수 없는 것과 같다. 때가 다 닦여져 빛이 날 때에 거울 속에 그림자가 생겨서 천리가 일치하는 속으로 원만히 합쳐질 뿐만이 아니라 계단을 밟고 올라가지 않아도 바로 도의(道義)의 문이 나타날 것이다. 이는 안자가 말한 '공자를 따라가고 싶지만 말미암을 곳이 없다'는 것이다. 성인과 현자의 무아(無我)의 깊이를 살필 때 이점에서 생각해 보아야 하니, 그렇게 되면 석씨(釋氏)의 '가리왕(歌利王)[25]이 부처의 사지(四肢)를 절단하는' 미망(迷妄) 속으로 빠져들지는 않을 것이다.(顔子所至 與聖人相去遠近 固非易知 然以犯而不校想之 則亦可彷彿其端 上蔡云 幾於無我 所謂無我者 聖人也 朱子謂 卻尙有箇人與我相對 在聖人 便和人我都無了 此話不加審別 則已與釋氏無我相 無人相之說相亂 所以於此 須求一實際在 聖人所謂無我者 豈其於人我而無之 於人我而無之 則是本有

25) 가리왕(歌利王) : 부처님이 과거세(過去世)에 인욕선인(忍辱仙人)이 되어 수도할 때에 부처님이 마음에 조금도 탐착(貪着)이 없다고 하자, 이를 시험하기 위해 귀와 코와 손을 벤 끊은 극악무도(極惡無道)한 왕이다.

人我 而銷之於空 是所謂空諸所有也 抑謂人我本無 而我不實之以有是所謂愼勿實諸所無也 夫聖人之無人我 豈其然哉 一理而已矣 人我有異 而理則同 同則無異 故曰無也 無欲害人者 理也 在我無欲害人 在人無欲害我 其理同也 無欲受爾汝者 理也 我無欲受 人無欲受 其理同也 同乎理 則一理而已矣 而安有人與我之或異 乃理則有等殺矣 均而同之 而尙非理也 因其尊而尊之 因其卑而卑之 我之居尊與人之居尊 我之處卑與人之處卑 同也 同此而已矣 非必我尊人卑 而抑我以就卑也 因其親而親之 因其疏而疏之 我之所親與人之親我 我之所疏與人之疏我 同也 同此而已矣 非必忘親忘疏 而引疏者以爲親也 因其曲而曲之 因其直而直之 直在我之必伸 猶在人之不可屈 曲在我之必屈 猶在人之不可伸 同也 同此而已矣 非必屈己伸物 而恆以曲自予 以直予人也 故犯而不校 能忘乎人 而非必能大順乎理之同 蓋於克己有餘 而於復禮未能合符 是以重於己而輕於物 故人之以非禮相干者 未一準之天理之大同 斯以爲始事之始功 而未入於化也 聖人只是天理渾成 逢原取給 遇順逆之兩境 一破兩分 皆以合符不爽 更無所謂己私者而克之 顔子則去一分私顯一分公 除彼己之轍迹 而顯其和平 先儒謂孟子爲有圭角 竊意顔子亦然 用力克去己私 卽此便是英氣 有英氣 便有圭角矣 要以有生之後 爲天理之蔽者 唯此以己勝人之心爲最烈 故顔子雖未入化 而作聖之功 莫有過焉 蓋己私已淨 但不墮敎空去 則天理之發見 自不容已 如磨古鏡去一分垢 則顯一分光 自有不能遏抑者矣 迨其垢盡光生 而不但作鏡中之影 渾然於天理一致之中 則無階可升 而爲道義之門 此顔子所謂欲從末繇者也 觀聖賢無我之深淺 當於此思之 庶不婪入釋氏歌利截體之妄)

제11장

공자 : "만약 주공(周公) 같은 훌륭한 재주가 있더라도 교만하고 인색하다면, 그 나머지는 보잘것이 없다."

子曰 如有周公之才之美 使驕且吝 其餘不足觀也已

4

경원 보씨(慶源輔氏)는 주공(周公)의 재주를 지닌 자라도 교만함과 인색함을 경계해야 한다고 여겼기 때문에 재주[才]가 선할 수도 있고 악할 수도 있는 도구가 된다고 의심한 나머지, "덕은 이(理)에서 나오고 재주는 기(氣)에서 나온다."[26]고 한 것이다. 이로써 경원 보씨가 책을 읽을 때 여러 가지 억측을 낼 뿐 활연 관통(豁然貫通)하여 제대로 이치를 본 자가 아님을 알겠다.

덕에는 본성(本性)의 덕이 있고, 도를 행하여 터득한 덕이 있는데, 이는 모두 마음에서 함양한 것들이다. 이 마음은 실로 성(性)을 통괄하지만 마음을 곧 성이라고 할 수는 없다. 마음을 성으로 본다면 '마음'이니 '성'이니 하는 명칭이 존재할 필요가 없게 된다. 그러므로 마음은 성에서 나온 것이 아니고, 덕은 이(理)에서 나온 것이 아니다. 도

26) 경원 보씨(慶源輔氏)는……나온다 : 이 구절은 『논어집주대전(論語集註大全)』「태백(泰伯)」 제11장 "子曰 如有周公之才之美 使驕且吝 其餘不足觀也已"에 대한 주자 주 '亦不足觀矣'아래 첫 번째 소주에 보이는데, 그 원문은 다음과 같다. "慶源輔氏曰 德出於理 才出於氣"

를 행하여 터득하는 것은 배운 뒤에 터득한 것이다. 배운 뒤에 터득하는 것은 본성의 이치만은 아니다. 이제 주공의 자질은 생이지지(生而知之)나 안이행지(安而行之)가 아니라고 할 수 없고, 또한 주공의 덕은 배워서 얻어진 것이 아니라고도 할 수 없다. 그렇다면 굳이 본성에서 나온 것을 덕이라고 할 수 없는데, 어찌 기(氣)를 말하면서 이치가 덕이 나오는 곳이라고 할 수 있겠는가?

이치를 말하는 방법에는 두 가지가 있다. 하나는 천지 만물의 이미 그러한 조리(條理)라는 것이고, 하나는 건순(健順)과 오상(五常)[27]은 하늘이 사람에게 명함에 사람이 받아서 본성으로 삼는 지극한 이치라는 것이니, 이 두 가지는 모두 하늘을 온전히 하는 일이다. 그런데 '덕이 이치에서 나온다'는 말이 모든 덕을 지닌 것들을 한결같이 천리(天理)의 자연함만 따르고 사람은 이에 관여하지 않는다는 것인가? 그렇지 않다면 경원 보씨의 생각은 혹 논리가 천박하여, "이치에서 나온 것이 덕이고, 이치에서 나오지 않고 기에서만 나온 것이 재주이다."라고 하는 말과 같게 된다. 그렇다면 간언을 막고 자신의 잘못을 꾸미는 것은 그림이나 글씨를 잘하고, 보배로 된 안장을 꿰차는 재주일 뿐이니, 어찌 '주공 같은 재주'라고 말할 수 있겠는가? 그러므로 '덕이 이치에서 나온다'는 말도 성립이 안 되는데, 더구나 '재주가 기에서 나온다'고 할 수 있겠는가?

한 번은 동(動)했다가 한 번은 정(靜)한 것은 모두 기(氣)의 작용이다. 기(氣) 중에 오묘한 부분이 바로 이치가 된다. 기로써 형체를 이루는데, 이가 바로 거기에 존재하는 것이다. 둘 사이에서 기를 벗어난

27) 건순(健順)과 오상(五常) : 건(健)의 양(陽)의 덕이고 순(順)은 음의 덕이며, 오상(五常)은 인의예지신(仁義禮智信)의 오성(五性)을 가리킨다.

이치가 존재하지 않는데 어떻게 별개의 어떤 한 근원을 상정하여 이치와 기가 각각 나온다고 할 수 있겠는가? 기가 응결하여 형체를 이루는데, 이치는 형체를 이루는 원인이 되면서도 그 자체는 형체가 없는 것이 바로 이치이다. 재주란 형체가 있는 것이 아니다. 기로 이 재주를 충분히 감당할 수 있고, 마찬가지로 이치로 이 재주를 충분히 선도할 수 있다. 감당할 수 없다면 재주가 없는 것이고, 선도할 수 없다면 재주라고 하기에 부족하다. 이로써 이치와 기가 균등하다는 것이 분명해진다. 고요히 움직이지 않을 때 성(性)은 드러나고 재주는 숨어 있다가, 감이수통(感而遂通)하면 성이 재주가 되어서 드러난다. 그러므로 재주의 자리는 성의 뒤에 있지만, 실은 성과 한 몸체가 된다. 성은 이런 기를 간직하면서 이 이치를 응결한 것이다. '재주가 기에서 나온다'고 하면서 이치에서 나오는 것은 아니라고 할 수 있겠는가?

맹자가 "혹은 선악의 거리가 서로 배가 되거나 다섯 배가 되어 계산할 수 없는 것은 그 재질을 다하지 못했기 때문이다."[28] 하였는데, 재주를 다 쓰면 사람들은 모두 요(堯)임금과 순(舜)임금처럼 될 수 있다. 비록 기는 원래 허물이 없으나, 기가 그 이치를 잃으면 허물이 있게 된다. 재주는 원래 허물이 없으나, 재주가 그 쓰임을 잃게 되면 허물이 있게 된다. 그런데 기가 그 이치를 잃는다 해도 여전히 기이지만, 재주가 그 쓰임을 잃게 되면 재주라고 할 수 없다. 일단 '재질이 아름답다'고 했으면 그 재주를 다 씀에 선하지 않음이 없을 것이다. 그렇다면 재질은 허물이 없고 공이 있게 되니, 어찌 마침내 교만함과 인색함을 불러들일 매개가 되겠는가?

---

28) 혹은……때문이다 : 『맹자』「고자」 상에 보이는데, 그 전문은 다음과 같다. "或相倍蓰而無算者 不能盡其才者也"

정자(程子)가 "주공과 같은 덕을 지녔으면 자연 교만함과 인색함이 없다."[29] 고 한 말은 이미 지니고 있는 것을 근거로 말한 것이지, 주공과 같은 재주를 지닌 사람은 교만함과 인색함을 불러들일 소지가 있다는 뜻이 아니다. 교만한 사람은 기운이 가득 차 있고, 인색한 사람은 기운이 부족하다.[30] 그렇다면 교만함과 인색함은 모두 기의 허물이 된다. 교만하지도 않고 인색하지도 않은 사람은 그 기를 잘 선도할 수 있는 사람이다. 기운이 너무 차 있거나 부족하게 되면 교만하거나 인색하게 된다. 그러므로 천하의 교만하고 인색한 자들이 반드시 모두 재주가 있는 것도 아니고, 또한 자신의 재주를 다 쓰지도 못한다. 그러므로 성인은 여기에서 재주에 대해 말하면서, 또 교만함과 인색함을 언급한 것은 바로 사람들을 '인도(人道)로 천도(天道)를 보좌하고[以人輔天]' '도로 본성을 함양하여[以道養性]' 그 기운을 선도(善導)하여 본성을 해치지 않도록 하는 의도였다. 가령 하늘이 이러한 이치와 이러한 기운을 사람에게 수여하여 재주로 삼게 한 것이, 그 작용을 다하여 그 능력을 완성하게 했다면, 그 성공은 학문에 달린 것이어서 본성의 이치만 믿을 것은 아니다. 어찌하여 경원 보씨는 외롭게 하나의 이치에만 매달려서 재주를 탄압하는 한편 공부를 작파하고서 강마(講磨)하지 않은 것인가!

귀가 밝고 눈이 밝으며 말은 이치에 맞고 행동은 선하며 마음이 명철(明哲)한 것이 이른바 '재주'이다. 이것들은 모두 이치인데 겨우 기

29) 정자(程子)가……없다 : 이 구절은 『논어집주(論語集註大全)』 「태백(泰伯)」 제11장의 주자주에 나오는 '정자왈(程子曰)'을 말한다. 그 원문은 다음과 같다. "蓋有周公之德則自無驕吝"

30) 교만……부족하다 : 이 구절은 『논어집주(論語集註大全)』 「태백(泰伯)」 제11장의 주자주에 나오는 '정자왈(程子曰)'을 말는데, 그 전문은 다음과 같다. "又曰 驕氣盈吝氣歉"

일 뿐이겠는가? 기는 살아가는 동력이며, 기는 부귀에 굽히지 않는 것이며, 기는 이겨낼 수 있는 것일 뿐이다. 이 이상으로 기에 공이 있는 것은 모두 이치이다. 덕은 실로 이치이지만, 덕이 살아가고 굴하지 않고 이겨낼 수 있는 것은 모두 기 덕분이다. 재주는 기에 바탕을 두지 않는 것은 아니나, 재주의 아름다운 것은 바로 이치 때문이다. 이치와 기는 체(體)가 나뉘지 없고, 덕(德)과 재주는 용(用)으로 합함이 있다. 교만하지 않고 인색하지 않은 것이 나의 재주를 선하게 하는 방법이면서 나의 덕을 완성하는 것인데, 어찌 이 갈래 저 갈래로 나눌 수 있겠는가!(慶源因有周公之才者 尙當以驕吝爲戒 遂疑才爲可善可惡之具 而曰德出於理 才出於氣 竊以知慶源說書 多出億度 而非能豁然見理者 德有性之德 有行道有得之德 皆涵於心者也 心固統性 而不可卽以心爲性 以心爲性 則心性之名 不必互立 心不出於性 德不出於理矣 如行道而有得 則得自學後 得自學後 非恃所性之理也 今不可云周公質非生安 而亦不可謂周公之德不繇學得 則亦不必出於性者之爲德 而何得對氣而言之 理爲德之所自出也 凡言理者有二 一則天地萬物已然之條理 一則健順五常 天以命人而人受爲性之至理 二者皆全乎天之事 而德出於理 將凡有德者 一因乎天理之自然而人不與哉 抑慶源之意 或淺之乎其爲言 若曰 出於理者爲德 未出於理而僅出於氣者爲才 則是拒諫飾非 工書畫 穿寶鞍之才耳 而豈周公之才哉 是云德出於理 業已不可而況云才出於氣乎 一動一靜 皆氣任之 氣之妙者 斯卽爲理 氣以成形而理卽在焉 兩間無離氣之理 則安得別爲一宗 而各有所出 氣凝爲形其所以成形而非有形者爲理 夫才 非有形者也 氣之足以勝之 亦理之足以善之也 不勝則無才 不善抑不足以爲才 是亦理氣均焉 審矣 寂然不動 性著而才藏 感而遂通 則性成才以效用 故才雖居性後 而實與性爲體 性者 有是氣以凝是理者也 其可云才出於氣而非理乎 孟子曰 或相

倍蓰而無算者 不能盡其才者也 才盡 則人皆可以爲堯 舜矣 雖云氣原無過 氣失其理則有過 才原無過 才失其用則有過 然而氣失其理 猶然氣也 才失其用 則不可謂才 且此旣云才之美矣 則盡之而無不善矣 則才無過而有功矣 豈遂爲召驕致吝之媒乎 程子云 有周公之德 自無驕吝此據已然而言爾 非謂有周公之才者 能致驕吝也 驕者氣盈 吝者氣歉驕吝者 則氣之過也 不驕不吝者 能善其氣者也 氣有盈歉 則爲驕 爲吝故夫天下之驕吝者 不必皆有才 而且以不盡其才 故聖人於此言才 又言驕吝 正是敎人以人輔天 以道養性 善其氣以不害其性之意 使天以此理此氣授之人而爲才者 得盡其用而成其能 其爲功在學 而不恃所性之理何居乎慶源之孤恃一理 以彈壓夫才 廢人工而不講也 耳聰目明言從動善心睿 所謂才也 則皆理也 而僅氣乎哉 氣只是能生 氣只是不詘 氣只是能勝 過此以往 氣之有功者皆理也 德固理也 而德之能生不詘而能勝者 亦氣也 才非不資乎氣也 而其美者卽理也 理氣無分體 而德才有合用 不驕不吝 所以善吾才 卽所以成吾德 曾何歧出溝分之有)

5

경원 보씨(慶源輔氏)가 "세상에는 참으로 덕은 넉넉하지만 재주가 부족한 사람이 있다."[31] 고 하였는데, 이는 바로 덕을 완성하지 못한

31) 경원 보씨(慶源輔氏)가……있다 : 이 구절은 『논어집주대전(論語集註大全)』「태백(泰伯)」 제11장의 주자주 '亦不足觀矣' 아래 첫 번째 소주에 보이는데, 그 원문은 다음과 같다. "慶源輔氏曰 德出於理 才出於氣"

사람이 자신을 꾸며대는 논리가 엉성한 말이다. 성현은 전혀 이렇게 말하지 않았다. 덕이 충만한 경지에 이르렀을 때에는 하늘부터 땅 끝까지 무슨 일을 합당하게 되는데 더 무슨 부족함이 있을 수 있겠는가!

가령 어떤 사람이 부모를 섬길 수 있는 효덕(孝德)은 지녔으나, 부모를 모실 재간이 없다면, 필시 이를 순리대로 행하고자 하여도 도리어 어그러지게 될 것이다. 신생(申生)[32]도 공손하기만 했던 것과 허세자(許世子)가 대악(大惡)을 면치 못한 것을 두고 효덕이 넘친다고 할 수 있겠는가? 반드시 대순(大舜)과 문왕(文王)처럼 할 수 있어야만 '효덕이 넘친다'고 할 수 있다. 그러나 초야(草野)에서 거만한 체 숨을 내몰아쉬며 떠들어대는 자들은 하나가 모자라면 전부가 모자라고 마는 것이다.

'넉넉하다[優]'는 것은 여유작작(餘裕綽綽)하다는 말이다. 재주가 부족한 것은 바로 덕이 넉넉지 못한 부분이다. 참으로 덕이 넉넉할 것 같으면 모든 도의(道義)가 발생하고 사물이 다스려지기를 기다릴 것이니, 어찌 하나라도 자연의 조리(條理)가 없는 것이 있겠는가? 그 재주가 주공(周公) 같은 재주로써 실로 곧 주공의 덕을 행하는 것이 실은 넉넉하고 끊임없는 드러내야 하는 주공의 덕이 발현된 광휘인 것이다. 덕을 지닌 자는 그 이치를 얻고 재주 있는 자는 그 쓰임을 잘한다. 반드시 이치를 터득한 뒤에 그 쓰임을 잘할 수 있는 것이다. 마찬가지로 반드시 그 쓰임을 잘한 뒤에 이치가 터득되지 않음이 없는 것이다. 그러므로 재주가 부족한 사람을 '덕이 없다'고 할 수 없으니, 이

32) 신생(申生 ?-B.C.656) : 춘추시대 진(晋) 헌공(獻公)의 태자로서 이름은 현명(賢名)이다. 후에 헌공이 총희(寵姬)인 여희(驪姬)의 참소를 믿고 신생을 미워하게 되었는데, 이에 신생은 아버지의 마음에 순종코자 자살하였다.

는 요컨대 덕이 넉넉지 않은 것이다. 반드시 주공(周公)처럼 화란(禍亂)을 평정하고 예악(禮樂)을 제정하여 그의 순수한 충심과 누구에게나 통달한 효덕(孝德)을 완성한 이후에야 덕이 넉넉해지고 재주가 아름다워지는 것이다. 마균(馬鈞)과 하조(何稠)·양수(楊修)·유안(劉晏)의 무리들을 또한 '재주 있다' 할 수 있겠으며 더군다나 성인에게 찬미될 수 있겠는가!

교만함과 인색함을 두어서는 안 되니, 이것이 실로 재주를 잘 쓰는 용(用)이면서 또한 덕에 처하는 방법인 것이다. 그렇다면 증자(曾子)와 민자건(閔子騫)의 효성과 용방(龍逄)과 비간(比干)의 충성을 지니고서도 교만하면서 인색하다면 또한 덕에 금기가 될 것이니, 비단 재주만의 문제는 아니다. 그러나 교만함과 인색함이 재주를 쓰는 과정에서 드러나는데, 재주는 덕의 쓰임이 되기 때문에 재주만 말하여도 덕까지 통괄되는 것이다. 포초(鮑焦)와 신도적(申屠狄)·이응(李膺)·범방(范滂)처럼 교만하고 인색하지만 덕에 처한 자들도 자연 적지 않았다. 그렇다면 덕을 지니고서 재주가 부족한 사람은 또한 교만함과 인색함이 그렇게 만든 것은 아니나, 재주가 모자라는 것이 덕에 해가 안 된다고 여겨서 함부로 굴어서도 안 된다. 만일 덕을 지닌 사람은 교만하고 인색할까 걱정하지 않고 재주 있는 사람은 교만하고 인색할까 걱정된다고 한다면, 재주에 해가 될 뿐만 아니라 또한 덕을 해치게 되니, 이는 참으로 유자(儒者)들의 큰 우환이다.(慶源云 世固有優於德而短於才者 此乃未成德者文飾迂疎之語 聖賢從不如此說 德到優時 橫天際地 左宜右有 更何短之有哉 假令一人有孝德以事親 而無事親之才 則必將欲順而反得忤 申生之所以僅爲恭 而許世子且不免於大惡 其可謂孝德之優乎 必能如大舜 文王 方可云 優於孝德 而草野倨侮 呴呴咻咻者 一短則蔑不短也 優者 綽有餘裕之謂 短於才 正是德

之不優處 誠優於德矣 則凡爲道義之所出 事物之待治 何一不有自然之條理 凡周公之才 固卽以行周公之德 而實周公之德優裕不窮所必發之光輝 德者得其理 才者善其用 必理之得 而後用以善 亦必善其用 而後理無不得也 故短於才者 不可謂無德 而德要不優 必如周公平禍亂 制禮樂 以成其純忠達孝之德 而後爲德之優 爲才之美 若馬鈞何稠楊修劉晏之流 亦奚足以云才 而況得見美於聖人 驕吝之不可有 固善才之用而亦居德之方 然則有曾閔之孝 龍比之忠 而驕且吝焉 則亦爲居德之忌而不但爲才言也 特以驕吝於用處發見 而才者德之用 故專言才以統德而鮑焦申屠狄李膺范滂之以驕吝居德者 亦自不乏 然則有德而短於才者 無亦驕吝之使然 正不得以才短爲無損於德而自恣也 如云德不憂驕吝 而有才者則然 則非但病才 而且以賊德 固儒者之大患也)

제13장

공자 : "진리를 독실하게 믿고 학문을 좋아하며, 죽기를 각오하고 지켜서 진리를 빛내어야 한다. 위태로운 나라에는 들어가지 말고 어지러운 나라에는 살지 말아야 할 것이다. 천하에 진리가 행해지면 벼슬할 것이요, 진리가 없다면 은거해야 될 것이다. 나라에 진리가 행해지는데도 가난하고 천하다면 이는 부끄러운 것이다. 그리고 나라에 진리가 행해지지 않는데 부유하고 귀하다면 이 또한 부끄러운 일이다."

子曰 篤信好學 守死善道 危邦不入 亂邦不居 天下有道則見 無道則隱 邦有道 貧且賤焉 恥也 邦無道 富且貴焉 恥也

6

성인은 "독실하게 믿고 학문을 좋아하며, 죽기를 각오하고 지켜서 도를 선하게 한다."[33]는 경지의 다음에 반드시 "위태로운 나라에는 들어가지 않는다"는 이하의 일단의 문자를 말하였으니, 간곡하면서 엄밀하고 간절한 것이 말 속에 절로 드러난다. 만일 효험으로 말한다면 '덕을 완성한' 이후에 안으로 자신을 이루고 밖으로는 남을 이루어 줌을 이루 다 헤아릴 수 없는데, 어찌 출처(出處)의 차원에서 공적(功績)을 차례매기는 데 한 마디 말이 없을 수 있겠는가? 이는 조씨(晁氏)의 몇 마디 말이 간결하고 요점이 있으면서 정밀하고 의미를 관통하였다.[34] 비록 거취(去就)와 출처(出處)가 학문과 지조에 비해 체(體)와 용(用)이 되어 본(本)과 말(末)로 나뉘긴 하지만, 이것을 총괄

33) 독실하게……한다 : 이 구절은 『논어(論語)』「태백(泰伯)」 제13장 "子曰 篤信好學 守死善道 危邦不入 亂邦不居 天下有道則見 無道則隱 邦有道 貧且賤焉 恥也 邦無道 富且貴焉 恥也"을 가리킨다.

34) 조씨(晁氏)의……관통하였다 : 이 구절은 『논어집주(論語集註)』「태백(泰伯)」 제13장의 집주 맨 마지막에 보이는데, 그 전문은 다음과 같다. "晁氏曰 有學有守而去就之義潔出處之分明 然後爲君子之全德也"

하여 "이러한 뒤에라야 군자의 온전한 덕(德)이 되는 것이다."라고 한다면 "거취(去就)의 의리가 깨끗하고, 출처(出處)의 분별이 명백하다."는 것 역시 '앉아서 이룩한' 효험이 아님을 알 수 있다.

성현의 학문은 내외의 표본(標本)으로 어느 하나도 전력(全力)을 기울이지 않는 것이 없다. 만약 학문과 지조의 공이 깊은데 거취와 출처가 모두 그 스스로 선함을 따른다면 여기에 힘을 들여서 저기에서 공을 거두는 것이 농부가 밭갈고 김매면서 수확하지 않는 것과 같을 것이니, 어찌 그것이 농사이겠는가? 그러므로 고요할 때 마음을 보존하고 본성을 기르는 사람은 반드시 움직일 때에도 살피는 것이다. 군자가 하늘을 본받는 것은 '스스로 쉬지 않고 힘쓰고' '종일토록 부지런히 하여 저녁에도 두려운 듯이 한다'는 것이니, 어찌 10~20년간 학문과 지조의 공부를 왕안석(王安石)의 행동처럼 좌충우돌할 수 있겠는가?

왕안석이 널리 듣고 깊이 생각하고 청백(淸白)하고 자득(自得)한 부분은 또한 주장함이 있다고 할 수 있다. 그런데 이후로는 아무것도 거리낌이 없는 일개 소인(小人)으로 전락하고 말았다. 그가 '문을 닫아걸고 수레를 만들어도 나가서 사용해보면 수레바퀴의 규격과 맞는다'[35]는 설을 주장하여 학인(學人)들을 그르침이 적지 않았다. 그러므로 『주역(周易)』「건괘(乾卦)」 문언전(文言傳)에 "충(忠)과 신(信)으로 덕(德)을 진전(進展)하고 말을 할 때 성실함을 세워서 업(業)을 보유(保有)한다."[36]고 하였으니, 학문과 지조의 극진한 표현이다. 또

35) 문을……맞는다 : 주희(朱熹)의 『사서혹문(四書或問)』 권5에 보면 "古語所謂閉門造車 出門合轍 蓋言其法之同"이라 하였는데, 이는 객관적인 실제와 무관하게 주관적인 상상으로 일을 처리하는 것을 뜻한다.

"그칠 데를 알아서 그치니 기미를 알 수 있고, 마칠 것을 알아서 마치니 뜻을 보존할 수 있다. 그러므로 윗자리에 처하여서도 교만하지 않으며 아랫자리에 처하여서도 걱정하지 않는다."고 한 것이다. 이렇듯 교만하지 않고 걱정하지 않으니, 또한 반드시 기미를 알고 뜻을 보존하는 공이 있을 것이다.

그러므로 공자께서는 칠조개(漆雕開)가 아직 벼슬할 자신이 없다[37]는 말에 기뻐하셨던 것이니, 칠조개가 벼슬할 만했던 것은 그가 학문과 지조에 터득함이 있었기 때문이고, 자신하지 않은 부분은 현재에 응용하는 물리(物理)의 측면을 말한다. 사물의 이치는 본래 본성 밖의 이치가 아니다. 본성 밖의 물리는 앞산의 외로운 소나무요 앞내의 위태위태한 암석과 같아서 참으로 도외(度外)의 것으로 치부해버리겠지만, 직접 우리 마음과 눈을 거쳐 들어와 나에게 절실한 것들은 본래 우리가 본성대로 하는 일 아닌 것이 없다. 그런데 어찌 공을 완성하고 난[成功] 어떤 날에 위험한 나라에는 반드시 들어가지 않고, 어지러운 나라에는 반드시 처하지 않으며, 도가 있으면 반드시 때에 늦지 않고, 도가 없으면 반드시 자취를 지체함이 없기를 바랄 수 있겠는가?

오직 불씨(佛氏)만이 단번에 망상을 끊고서 단번에 깨닫는[頓悟] 것을 주장했기 때문에 '큰일이 있음을 안다면 곧 쉴 수 있다'고 하였다. 그렇다면 술집이나 기생집도 모두 깨닫는 자리가 되어서 일단 손가락을 누르면 해인(海印) 삼매(三昧)가 빛을 발할 것이다. 불씨(佛

36) 충(忠)과……보유(保有)한다 : 『주역(周易)』「건괘(乾卦)」 문언전(文言傳)에 보이는데, 그 전문은 다음과 같다. "九三曰 君子終日乾乾 夕惕若 厲无咎 何謂也 子曰 君子 進德修業 忠信所以進德也 修辭立其誠所以居業也"

37) 칠조개(漆雕開)가……없다 : 『논어(論語)』「공야장」 제5장에 보이는데, 그 전문은 다음과 같다. "子使漆雕開仕 對曰 吾斯之未能信 子說"

氏)는 일체를 무너뜨리고 싶었으나 무너뜨릴 만한 실재가 없었기 때문에 자기 마음을 무너뜨리고 말았으니 무너지지 않은 것이 없는지라, 외롭게 자성(自性)만을 지키면서 외연(外延)은 모두 버리게 된 것이다.

성인은 끝에 가서 정신을 한층 배가하여 일체를 이루고자 하였다. 그러나 이 물(物)이 이루어진다고 해서 저 물을 속성(速成)할 수 없기 때문에 이치가 자연 서로 통해지고 공이 어느 하나도 폐해진 것이 없게 된 것이다. 그러므로 끝에 가서 "나라에 도가 있을 때에 가난하고 천한 것이 부끄러운 일이며, 나라에 도가 없을 때에는 부하고 귀한 것이 부끄러운 일이다."라고 하였으니, 이로써 학문이 밝아지고 지킴이 지극하지만 기미를 보고서 사물에 대응할[臨機應變] 때에 한 번이라도 그 기미를 놓친다면 비록 부끄럼이 없고자 하나 위로 하늘을 쳐다보고 아래로 사람을 볼 때 스스로 부끄러움을 면치 못할 것임을 보인 것이다. 그러므로 천리가 유행함에 애초에 간단(間斷)이 없어서 정하고 추한 것과 안과 밖의 구별을 용납하지 않는데, 정(精)하다 하여 추(麤)한 것을 억누르고 안에 있다 하여 밖을 잊는다면 항룡(亢龍)의 후회[38]를 끼치게 되어 이 한 번의 죄가 전덕(全德)에 누가 됨을 알 수 있다. 이는 성공(聖功)의 극치(極致)이며 성덕(成德)의 종사(終事)이니 조심하고 어렵게 여겨서 전날보다 신중함을 더한다면 자신이 늙어가는 것도 잊게 될 것이다.

주자가 "이것은 독실히 믿고 학문을 좋아하여 죽음으로 지켜서 도를 선하게 하는 사람만이 할 수 있는 일이다."[39]라고 하였으니, 그 말

---

38) 항룡(亢龍)의 후회 : 『주역(周易)』「건괘(乾卦)」"上九 亢龍 有悔"라고 하였는데, 이에 대하여 주자는 『주역본의(周易本義)』에서 '陽極於上 動必有悔'라고 하였다.

에 담긴 뜻이 깊다. 이는 반드시 저것을 잘한 뒤에 이것을 잘하여 본말(本末)이 서로 상생(相生)하고 일치하는 이치를 드러낸다는 말이지, 저것을 잘하면 이것을 잘하여서 근본만 믿고 지엽은 남겨둠으로써 하나만을 힘쓰고 나머지는 폐기한다는 뜻은 아니다. 경원 보씨(慶源輔氏)가 무턱대고 효과를 말한 것은 성인의 말을 이해하지 못한 것일 뿐만 아니라 그 스승의 학설을 해친 것이 된다.(聖人於篤信好學 守死善道之後 必須說危邦不入以下一段文字 丁寧嚴切 語下自見 若以效言 則成德以後 內以成身 外以成物 不可勝數 而何但於出處上序績不一詞而足哉 此唯晁氏數語 說得簡要精通 雖去就出處之較學守 以體用而分本末 然總繫之曰然後爲君子之全德 則去就義潔 出處分明 亦非坐致之效可知 聖賢學問 內外標本 無不用全力 若學守功深 而去就出處一聽其自善 則用力於此 而收功於彼 如農耕之耘之而不穫稼 亦豈其稼哉 所以靜而存養者 必動而省察 君子之法天 唯是自强不息 終日乾乾夕惕若 何嘗靠着一二十年學守工夫 便東衝西撞去 如王安石之所爲者 安石之博聞深思 廉潔自好 亦可謂有主矣 向後卻成一無忌憚之小人 此閉門造車 出門合轍之說 以誤學人不小 所以文言說忠信以進德 修辭立誠以居業 學守之盡詞也 而又云知至至之 可與幾也 知終終之 可與存義也 是故居上位而不驕 在下位而不憂 則不驕不憂 亦必有知幾存義之功焉 故夫子悅漆雕開之未信 則以開之可仕者 學守有得 而不能自信者現前應用之物理也 物之理本非性外之理 性外之物理 則隔嶺孤松 前溪危石 固已付之度外 而經心卽目 切諸己者 自無非吾率性之事 則豈有成功之一日 望危邦而必不入 亂邦而必不居 有道則必不後時 無道則必

39) 이것은……일이다 : 이 구절은 『논어집주(論語集註)』「태백(泰伯)」 제13장의 주자주에 나온다.

無滯迹也哉 唯佛氏有直截頓悟之一說 故云知有大事便休 而酒肆淫坊無非覺位 但一按指 海印發光 緣他欲壞一切 而無可壞之實 則但壞自心 卽無不壞 故孤守自性 總棄外緣 聖人於下梢處 一倍精神 欲成一切 而此物之成 不能速成彼物 故理自相通 而功無偏廢 是以終之曰邦有道 貧且賤焉 恥也 邦無道 富且貴焉 恥也 則以見學之已明 守之已至 到臨幾應物上 一失其幾 則雖期許無慙 而俯仰天人 已不能自免於恥 所以見天理流行 初無閒斷 不容有精粗內外之別 而以精蒙粗 以內忘外 貽亢龍之悔 以一眚累全德也 斯聖功之極至 成德之終事 其愼其難 日愼一日 亦不知老之將至矣 朱子云此唯篤信好學 守死善道者能之 語自蘊藉 言必能乎彼 而後能乎此 以著本末相生一致之理 非謂能乎彼 則卽能乎此 恃本而遺末 擧一而廢百也 慶源遽以效言 不但昧於聖言 亦以病其師說矣)

7

정씨(鄭氏)가 "허행(許行)과 진상(陳相)은 독실히 믿었으나 학문을 좋아한 것은 아니다."하였으니, 매우 맹랑한 말이다. '독실히 믿는다'는 것은 믿는 것이 무엇인지를 따지지 않게 되면, 불씨(佛氏)를 믿고 노자(老子)를 믿거나 심지어는 무당의 사설(邪說)을 믿고 스승으로 섬기게 되는 자들이 있게 된다. 그들은 죽음에 이르도록 혼미하여 깨닫지 못하게 될 것이니, 이것을 '독실히 믿는다'고 인정할 수 있겠는가? 그리고 진상(陳相)이 허행(許行)의 학문을 배웠고 허행(許行)이 신농(神農)의 학설을 배운 것이 어찌 배우지 않은 것이겠으며, 또 어찌 좋아하지 않은 것이겠는가?

바로 정씨의 잘못은 총결하자면 '신(信)'자를 허위(虛位)로 여긴 오류에 기인한다. 주자가 "독실히 믿는다는 것은 믿은 것이 심후(深厚)하고 견고하다는 것이다."[40]라고 하였으니, 이 말 자체도 어폐가 있다. '믿은 것이 깊고 견고하다'고만 한다면, 그 믿은 것이 과연 무슨 일인가? 주자의 의중(意中)이나 언외(言外)에는 '도(道)'자가 내재되어 있는데, 정씨는 이를 살피지 못한 것이다. 그런데 공자(孔子)께서는 어찌 가슴속에 이 '도(道)' 자를 숨겨두고서 일부러 헐후어(歇後語)[41]를 썼단 말인가?

본문의 '독신호학 수사선도(篤信好學 守死善道)' 8자를 잘 풀어보면 아래의 4자는 모두 실재의 일이고, 위 4자는 모두 공부를 뜻한다. 만일 '도를 믿는다[信道]'고 한다면 '신(信)'자도 공부에 속하니 두 '공부(工夫)' 자가 연결되면 적용될 곳이 없게 된다. 이렇게 되면 어리석은 사람이 어디로 가야 될지 헤매게 만들지 않겠는가? 하나의 설을 만나고서 곧 이렇게 의심하지 않는다면 이 믿음이 어떻게 독실할 수 있겠는가? 그리고 진상(陳相)이 진량(陳良)을 섬긴 것이 벌써 수십 년인데, 한번 허행(許行)을 만나보고서 마침내 자신이 배운 것을 모두 버리다니, 이는 믿음이 독실하지 않아서 생긴 병통이지 학문을 좋아함이 성실하지 못해서 그런 것은 아니라는 것을 의심할 여지가 없다. 진량을 섬기면서 진량을 믿었다가 허행을 만나고서는 허행을 믿

40) 독실히……것이다 : 이 구절은 『논어집주대전(論語集註大全)』「태백(泰伯)」 제13장의 주자주 '篤 厚而力也' 아래의 첫 번째 소주에 보인다. "朱子曰 篤信是信得深厚牢固 守死只是以死守之善道"

41) 헐후어(歇後語) : 수사법의 일종으로 앞부분은 수수께끼 문제처럼 비유하고 뒷부분은 수수께끼 답안처럼 그 비유를 설명하는 것이다.

는 것은 마치 버들개지가 바람을 따라 흩날리다가 거미줄을 만나 걸리는 것과 같으니, 말할 가치도 없다!

믿는다고 하면서 믿을 곳을 얻지 못한다면 그 폐단이 반드시 이러한 지경에 이를 것이다. 실재에서 찾아본다면 여기서 언급한 '신(信)'은 실제로 적용할 대상[實位]이 있다는 것이니, 공부를 적용할 대상이 비어 있다는 말이 아니다. 공자께서 "10호(戶)쯤 되는 조그만 읍(邑)에도 반드시 나처럼 충신(忠信)한 자는 있다."[42]고 하신 것은, 바로 이것을 말한 것이다. 그러므로 모두 '학문을 좋아한다'는 것과 상호 바탕이 되어 그 공(功)을 드러내는 것이다. 그러나 저기서 말한 '신(信)'은 천성(天性)의 덕을 가지고 말한 것이고, 여기서 말한 '신(信)'은 자신에게 근거한 덕을 가지고 말한 것이니, 둘 사이에는 약간의 차이가 있다.

'독신(篤信)'은 『중용(中庸)』의 '돈후(敦厚)'라는 말과 같고, '호학(好學)은 『중용』의 '숭례(崇禮)'라는 말과 같다. 군자는 고금의 성교(聖敎)와 천하의 현도(顯道)에 대해 참으로 깊이 믿어서 의심과 믿음이 서로 반대가 되면서도 서로 이루어준다. 이로 인해 믿음은 그 뜻을 더욱 견고하게 하고 의심도 그 은미한 부분을 연찬(硏鑽)하게 한다. 그러므로 '옛것을 믿고 좋아한다'[43]고 하였고, 또 '의심나는 것은 질문을 생각한다'[44]고 한 것이다. 이는 성큼성큼 걸어가서 한만하게 가림

42) 10호(戶)쯤……있다 : 『논어(論語)』「공야장(公冶長)」 제27장에 보이는데, 그 전문은 다음과 같다. "子曰 十室之邑 必有忠信如丘者焉 不如丘之好學也"

43) 옛것을……좋아한다 : 『논어(論語)』「술이」 제1장에 보이는데, 그 전문은 다음과 같다. "子曰 述而不作 信而好古 竊比於我老彭"

44) 의심나는……생각한다 : 『논어(論語)』「계씨(季氏)」 제10장에 보이는데, 그 전문은 다음과 같다. "孔子曰 君子有九思 視思明 聽思聰 色思溫 貌思恭 言思忠 事思敬 疑思問 忿思難 見得思義"

이 없음을 허용하지 않고 오직 세심하고 견고함을 일삼아야 되는 것이니, 자세히 살펴봐야 될 것이다.

오직 내 마음에 원래부터 지녔던 성실로서 나를 깨우쳐 망령되지 않은 것은, 바로 도(道)의 진체(眞體)가 사람의 마음에 스며들어 의뢰함이 깊고 처함이 편안한 것이다. 여기에 북돋아 심어주고 보호하는 공부를 더한다면 양능(良能)이 상실되지 않아서 길러지고 더욱 넓어질 것이니, 이른바 "잘하게 된 것을 돈독(敦篤)히 한다."는 것이 바로 이를 두고 한 말이다.

이 마음이 분명하여 어둡지 않으면 위로 하늘에 부끄럽지 않고 아래로 사람에게 부끄럽지 않아서, 말은 말할 수 있고 행동은 행할 수 있는 것[45]이 바로 '신(信)'이다. 도량이 충분하지 않고 체(體)가 극진하지 않을 경우, 더욱 더 유념하여 잘하게 된 것은 잊지 않고 잘할 가능성이 있는 것은 굽히지 않게 하는 것이 바로 '독(篤)'이다. 이렇게 한다면 인(仁)은 참된 인(仁)이 되고 의(義)는 참된 의(義)가 되어서 체(體)가 거짓될 경우 오히려 용(用)이 궁색(窮塞)하게 될지도 모르니, 이때는 호학(好學)의 공부를 나란히 진행시켜 빠뜨려서는 안 된다.

저 진상(陳相)의 무리들은 마음에 진리(眞理)가 없어서 무지 몽매(無知蒙昧)하고 앞이 어두워서 잠깐의 믿음을 틈타 거기에 빠져서 돌아올 줄을 모른다. 그러니, 비록 자신들이 좋아하는 것을 좋아하고 자신이 배운 것을 배우지만 무슨 보탬이 되겠는가? 가령 진상(陳相)이란 사람은 자신의 본성과 사물의 이치에는 능하였으니, 그가 관심을 가지고 마음에 담고 있는 병폐에 대해 성심으로 깨우쳐 주었다면, 비록 그

45) 말은……것 : 『논어(論語)』「자로(子路)」 제3장에 보이는데, 그 전문은 다음과 같다. "故君子名之必可言也 言之必可行也 君子於其言 無所苟而已矣"

학문이 지극하진 않더라도 어찌 이런 지경까지 어긋날 수 있었겠는가?

성인은 학문하는 기본(基本)을 말할 적에 이 '신(信)'자를 인의예지(仁義禮智) 네 덕(德)의 종통(宗統)으로 삼았기 때문에 "충신(忠信)을 주장한다."[46]고 하고, "충신(忠信)으로 얻는다."[47]고 하였다. 그런데, 선유(先儒)들은 이를 "성실(誠實)히 하는 것"[48]이라고 하고 "남을 따라 어김이 없는 것"[49]이라고 해석하였다. '채워나가는 것'이라는 것은 실재로 이러한 인의예지(仁義禮智)의 천덕(天德)을 마음에 간직하여 쓸 수 있다는 뜻이다.【이(以)는 '쓰다[用]'는 뜻이다.】 '남을 따라 어김이 없다'는 것은 사물의 법칙이 밝게 내 마음에 통찰되어 마치 여름의 더위와 겨울의 추위를 믿는 것과 같다. 이는 역관(曆官)의 추측(推測)을 따를 뿐만이 아니라, 우리가 통하는 것이 저것이 감하는 것과 자연스럽게 어긋나지 않는다.

도가 천하에 자재(自在)함으로 우리 마음을 깨우치게 되는 것이, 고요한 것은 체(體)의 실제가 되고 움직이는 것은 용(用)의 실제가 된다. 그런데 이 도가 발함이 망령되지 않아서 마음에서 헤아려지면서 여러 성인과 부합하면 이 도로 말미암아 생각이 어긋나지도 않아서 돈독(敦篤)하여 굳게 지킬 수 있다. 비록 학문이 지극하진 않으나 근본은 이미 상실되지 않았으니, 이단(異端)이 갖은 기교를 부리면서

46) 충신(忠信)을 주장한다 : 『논어(論語)』「학이(學而)」 제8장에 보이는데, 그 전문은 다음과 같다. "子曰 君子不重則不威 學則不固 主忠信 無友不如己者 過則勿憚改"

47) 충신(忠信)으로 얻는다 : 『대학장구(大學章句)』 10장에 보이는데, 그 전문은 다음과 같다. "是故君子有大道 必忠信以得之 驕泰以失之"

48) 성실(誠實)히……것 : 이 구절은 『논어집주(論語集註)』「학이(學而)」 제4장 "曾子曰 吾日三省吾身" 아래의 주자 주에 보이는데, 그 전문은 다음과 같다. "盡己之謂忠 以實之謂信"

49) 남을……것 : 『대학장구(大學章句)』 10장의 주자주에 보이는데, 그 전문은 다음과 같다. '發己自盡爲忠 循物無違謂信'

우리의 믿음을 유혹하지만 끝내는 어지럽혀지지 않는다. 어찌 자신이 배운 것에만 의지하여 문정(門庭)에 서서 거절할 뿐이겠는가?

이리하여 부자(父子)와 군신(君臣) 간의 관계에 이르러서는 만일 본성에 근본한 은혜와 의리로서의 신(信)이 마음에 있지 않고 견문(見聞)에만 의지한다면, 백금(伯禽)이 동쪽을 정벌한 것이 효(孝)라고 믿어서 이현(李賢)과 양사창(楊嗣昌)이 부모를 망각하도록 만들었다. 그리고 초주(譙周)가 항복을 권한 것이 충(忠)이라고 믿어서 오견(吳堅)과 가여경(賈餘慶)이 나라를 팔아먹도록 만들어 주었다. 그러므로 믿음이 견고하면 할수록 악도 더욱 커지게 될 것이다. 성인(聖人)께서 어떻게 절실(切實)하게 '돈독하게 믿는 것[篤信]'을 '학문을 좋아하고[好學]' '죽음으로써 지키고[守死]' '도를 선하게 하는[善道]' 것의 상위(上位)에 두어서, 성덕(成德)의 처음과 기본으로 삼았겠는가? 저 정씨(鄭氏)란 사람이 어떻게 이를 이해할 수 있겠는가?(鄭氏以許行陳相爲篤信而不好學 大屬孟浪 篤信者 若不問其何所信 則信佛老以至於信師巫邪說者 至死迷而不悟 亦可許之篤信耶 且陳相學許行之學 許行學神農之言 豈其不學 而抑豈其不好 乃鄭氏之失 總緣誤將信字作虛位說 朱子云篤信是信得深厚牢固 亦自有病 但云信得深固 其所信者果爲何事 朱子意中言外 有一道字在 而鄭氏且未之察 乃夫子豈隱一道字於臆中 而姑爲歇後語耶 熟繹本文八字 下四字俱事實 上四字俱工夫 若云信道 則信字亦屬工夫 連下兩工夫字而無落處 豈不令癡人迷其所往 逢着一說 便爾不疑 此信如何得篤 且如陳相之事陳良 已數十年 一見許行 遂盡棄其學 正唯不能疑者之信不篤也 而病不在於好學之不誠 事陳良而信陳良 見許行而信許行 如柳絮因風 逢蛛網而卽罣 亦何足道哉 但言信而不得所信 則其弊必至於此 以實求之則此所謂信者 有實位 而非用工之虛詞也 子曰十室之邑 必有忠信 正

此謂矣 故皆與好學相資 而著其功 特彼之言信 以德之性諸天者言 此之言信 以德之據於己者言 爲小異耳 篤信 猶中庸言敦厚也 好學 猶中庸言崇禮也 蓋君子於古今之聖敎 天下之顯道 固所深信 而疑之與信以相反而相成 信者以堅其志 疑者亦欲以硏其微 故曰信而好古 亦曰疑思問 此不容步步趨趨 漫然無擇 惟事深厚牢固之區區也 審矣 唯夫吾心固有之誠 喩諸己而無妄者 卽此是道之眞體效於人心而資深居安者 於此而加之培植壅護之功 則良能不喪 而長養益弘 所謂敦篤其所已能者 正此謂已 此心分明不昧 仰不媿天 俯不怍人 言則可言 行則可行者 是曰信 而量之未充 體之未極 益加念焉 使已能者不忘 可能者不詘是曰篤 如此則仁爲誠仁 義爲誠義 而體之或僞 猶恐用之或窮 則好學之功 所繇並進而不可缺也 彼陳相一流 心無眞理 蒙蒙瞀瞀 乘俄頃之信而陷溺不反 雖好其所好而學其所學 曾何益哉 使陳相者 能於己之性物之理 如痛癢之關心 固有而誠喩之 則雖其學未至 亦何悖謬之若此耶 聖人言爲學之本基 只一信字爲四德之統宗 故曰主忠信 曰忠信以得之 而先儒釋之曰以實 曰循物無違 以實者 實有此仁義禮智之天德於心 而可以也 以 用也 循物無違者 事物之則 曉了洞悉於吾心 如信夏之熱 信冬之寒 非但聽曆官之推測 吾之所通 與彼之所感 自然而不忒也 道自在天下 而以喩諸吾心者 爲靜可爲體 動可爲用之實 卽其發之不妄 以揆諸心而與千聖合符 則繇一念之不忒 以敦篤而固執之 雖學之未至 而本已不失 雖有異端窮工極巧以誘吾之信而終不亂 豈徒悖所學以立門庭而折之耶 乃至父子君臣之際 苟非恩義之根於性者有信在心 而徒聞見是資 則將有信伯禽東征之爲孝 而成李賢楊嗣昌之忘親 信譙周勸降之爲忠 而成吳堅賈餘慶之賣國 信之益以牢固 而爲惡益大 聖人何以切切然以篤信冠於學守善道之上 爲成德之始基也 彼鄭氏者 惡足以知之)

제15장

공자 : "노나라의 악사 지가 처음 관저편의 마지막 장을 연주할 때, 그 소리 내 귀에 넘실넘실 흘러 넘쳤지!"

子曰 師摯之始 關雎之亂 洋洋乎盈耳哉

8

고악(古樂)은 상고할 수 없으나, 『의례(儀禮)』에 드러난 것을 주자(朱子)가 이미 믿고서 징험하여 생시(笙詩)[50]의 순서를 정하였다. 현재 고악(古樂)의 대략을 알 수 있는 것은 이것이 남아 있기 때문이다. 『시경(詩經)』「관저(關雎)」는 합악(合樂)의 시작으로 「갈담(葛覃)」·「권이(卷耳)」·「작소(鵲巢)」·「채번(采蘩)」·「채빈(采蘋)」의 앞에 있다. 이 뒤로 5편이 있기 때문에 "'꾸우꾸우 우는 증경이[關關雎鳩]'에서부터 '종과 북으로 즐기도다[鐘鼓樂之]'까지가 모두 난(亂)이다."[51] 라고 해서는 안 된다. 신안 진씨(新安陳氏)가 "「관저」의 끝장을 난

50) 생시(笙詩) : 『시경(詩經)』「소아(小雅)」에 남해(南陔) 백화(白華) 화서(華黍) 유경(由庚) 숭구(崇丘) 유의(由儀) 등 6편의 시는 편명만 있고 문사(文辭)는 전하지 않는다. 주희(朱熹)가 이것을 '생시'라고 명명하였는데, 빈객(賓客)들을 연향(燕饗)할 상하(上下)에 통용되던 음악이다.

51) 꾸우꾸우……난(亂)이다 : 이 구절은 『논어집주대전(論語集註大全)』「태백(泰伯)」 제15장 "子曰 師摯之始 關雎之亂 洋洋乎 盈耳哉"에 대한 주자주 아래 두 번째 소주에 보인다. 그 전문은 다음과 같다. "或問關雎之亂 何謂樂之卒章 朱子曰 自關關雎鳩至鐘鼓樂之 皆是亂 想其初 必是已作樂 只無此詞 到此處便是亂"

(亂)으로 보아야 한다."[52]고 한 주장은 『의례』와 부합된다.

합악(合樂) 여섯 시는 매 편마다 한 번 끝맺음이 있어야 한다. 합악(合樂)이라는 것은 노래가 여러 음악[衆樂]과 함께 연주되는 것인데, 노래를 할 때에는 반드시 중악(衆樂)을 섞어 연주하여 사람의 목소리가 가리지 않도록 해야 한다. 한 편이 끝난 뒤에는 비로소 여러 음(音)을 두루 연주하여 그 나머지는 쏟아놓기 때문에 "넘실넘실 귀에 가득하다."고 한 것이다. 「관저」에 대한 설명으로 보아, 「갈담」 이하의 다섯 시도 이와 같을 것이다.(古樂旣無可考 其見之儀禮者 朱子業信而徵之 以定笙詩之次第 蓋繇今以知古樂之略者 唯恃此耳 關雎爲合樂之首 居葛覃卷耳鵲巢采蘩采蘋之先 旣後有五篇 則不可云自關關雎鳩至鐘鼓樂之皆是亂 陳新安云當以關雎之末章爲亂 其說與儀禮合 合樂六詩 每篇當爲一終 合樂者 歌與衆樂合作 而當其歌 則必不雜奏衆樂使揜人聲 一篇已闋 始備奏羣音以寫其餘 故曰洋洋乎盈耳 言關雎 則葛覃以下五詩放此矣)

52) 관저의……한다 : 이 구절은 『논어집주대전(論語集註大全)』 「태백(泰伯)」 제15장에 대한 주자주 아래 맨 마지막 소주에 보이는데, 그 전문은 다음과 같다. "新安陳氏曰 據國語則當以關雎之末章爲亂"

제16장

공자 : "뜻은 큰데 정직하지 않으며, 무지하면서 성실하지 않고, 능력이 없으면서 진실하지 않다면, 나는 그런 사람은 모르겠노라."

子曰 狂而不直 侗而不愿 悾悾而不信 吾不知之矣

9

금장(琴張)과 증석(曾晳)·목피(牧皮)[53] 같은 사람들이 어찌 다시 정직하지 않을까라는 걱정이 있겠는가? 저들은 이미 자신들의 광(狂)을 이루었으니, 자품(資稟)이 일단 그렇기 때문에 의지로 성취한 것이나 학문으로 이룬 것이 모두 그렇지 않음이 없는 것이다. 여기서 '광(狂)이면서도 곧지 못하다'[54]고 한 것은 전적으로 자품(資稟)을 가지고 말한 것이다. 잠실 진씨(潛室陳氏)의 논리는 주자의 '성현이 되고자 한다'는 설과 비교할 때 옳다.[55](若琴張曾晳牧皮之流 豈復

53) 금장(琴張)과……목피(牧皮) : 『맹자(孟子)』「진심」 하에 보이는데, 그 전문은 다음과 같다. "孟子曰 孔子不得中道而與之 必也狂獧乎 狂者進取 獧者有所不爲也 孔子豈不欲中道哉 不可必得 故思其次也 如琴張 曾晳 牧皮者 孔子之所謂狂矣"

54) 광(狂)이면서도……못하다 : 이 장은 『논어(論語)』「태백(泰伯)」 제16장에 대한 것으로 그 전문은 다음과 같다 "子曰 狂而不直 侗而不愿 悾悾而不信 吾不知之矣"

55) 잠실 진씨(潛室陳氏)의 논리 : 이 구절은 『논어집주대전(論語集註大全)』「태백(泰伯)」 제16장에 대한 집주 아래 맨 마지막 소주에 보이는데, 그 원문은 다음과 같다. "潛室陳氏曰 狂者只是說大話立大論底人 …這是狂人 凡心下有事 都說出在外 亦無遮蔽 但直行將去也好 今有狂人者 都恁地說大話立大論 至於利害 處但知有己 反以義責人 却不直侗者…" 주자의 설은 집주 '亦不屑之敎誨也' 아래 첫 번째 소주에 보이는데, 그 전문은 다음과 같다. "朱子曰 狂是好高大 便要做聖賢 宜直 侗是愚模樣 不解一事底人 宜謹愿 悾

有不直之憂 蓋彼已成乎其爲狂 則資稟旣然 而志之所就 學之所至 蔑不然也 此云狂而不直 則專以資稟言 潛室之論 較朱子要做聖賢之說爲是)

悾是拙模樣 無能爲底人 宜信 今皆不然 夫子所以絶之"

제17장

공자 : "학문을 할 때는 마치 따라잡지 못할 듯하고, 행여 때를 놓칠까 두려워하여야 한다."

子曰 學如不及 猶恐失之

10

'행여 때를 놓칠까 두려워하여야 한다'는 것에 대해 신안 진씨(新安陳氏)의 마지막 일설만이 잘 분별(分別)했다고 할 만하다.[56] 주자는 윗구절을 합하여 한번에 읽어 내렸는데 의미가 새롭고 기발하다.[57] 그러나 두 구절의 뜻은 마음 씀이 모두 한때에 있고, 힘을 들이는 것은 각각의 방법이 있으니, 연결하여 풀어서는 안 된다. '실(失)'이란 반드시 전에는 얻었다가 다시 잃은 것을 말한다. 만일 마음에 얻기를 기약하였으나 얻지 못했다면, 얻지 못했다고 해야 되지 잃었다고 할 수 없다. 마찬가지로 기대하는 것이 있었는데 얻지 못한 경우는 '미치

56) 행여……있다 : 이 구절은 『논어집주대전(論語集註大全)』「태백(泰伯)」 제17장 "子曰 學如不及 猶恐失之"에 대한 주자주 아래 두 번째 소주에 보이는데, 그 원문은 다음과 같다. "新安陳氏曰 爲學之道 當如湯之檢身若不及 成王之夙夜不逮 常如有所不及…猶恐失之者恐其反日退也"

57) 주자는……기발하다 : 이 구절은 『논어집주대전(論語集註大全)』「태백(泰伯)」 제17장에 대한 집주 아래 첫 번째 소주에 보이는데, 그 원문은 다음과 같다. "朱子曰 學如不及 猶恐失之 如今學者卻恁地慢了 譬如捉賊相似 須是著起氣力精神 千方百計去趕捉他 如此猶恐不獲 今卻只在此安坐熟視他 不管他 如何柰得他何 只恔時起來行得三兩步 懶時又坐恁地如何做得事成 此君子所以孳孳焉愛日不倦而競尺寸之陰也"

지 못할 듯이 하다'고 할 뿐이다. 만일 따라가지 못할 듯하면서 오히려 얻지 못할까 걱정한다고 한다면 문구가 중복되어 의미가 없게 된다. 그리고 윗구절은 가볍게 말한 것인데 갑작스레 아래로 의미가 쏠리면 이치에 더욱 막히게 된다. '미치지 못할 듯이 여기는' 심력(心力)을 학문으로 삼되 오히려 얻지 못할까를 걱정한다면, 그 형세가 반드시 조장하여 얻기를 우선시하게 될 것이다.

이 두 구절은 현격히 두 개의 단락으로 나뉜다. '여불급(如不及)'은 아직 얻지 못한 바에서 나아가게 하는 것이고, '유공실(猶恐失)'은 이미 얻은 것을 지키는 것이다. 얻지 못한 것이 앞에 있으면서 나와 친근해지지 않는 것은, 마치 앞 사람을 좇아가지만 그에게 미치지 못하는 것과 같다. 이미 얻은 것을 지키기를 굳게 하지 않으면 잃어버리게 되어 마치 자기가 소유한 것을 잃는 것과 같게 된다. 책을 볼 때 항목을 자세히 분석하여 글자마다 귀결되는 곳이 있게 해야 한다. 만일 기발한 것을 구하는데 탐하여 모양이나 소리가 비슷한 것을 재빨리 취하다보면 대의(大義)에 해가 될 것이다.(猶恐失之 唯陳新安末一說爲有分別 朱子將合上句一氣讀下 意味新巧 然二句之義 用心共在一時 而致力則各有方 不可作夾帶解 失者 必其曾得而復失之謂 若心有所期得而不能獲 則但可謂之不得 而不可謂之失 且有所期而不能獲 卽不及之謂爾 若云如不及矣 而猶恐不能得 則文句複而無義 且輕說上句 勢急趨下 於理尤礙 旣以如不及之心力爲學 而猶以不得爲恐 則勢必出於助長而先獲 此二句 顯分兩段 如不及者 以進其所未得 猶恐失者 以保其所已得也 未得者在前而不我親 如追前人而不之及也 已得者執之不固則遺忘之 如已所有而失之也 看書須詳分眉目 令字字有著 若貪於求巧 而捷取於形聲之似 則於大義有害矣)

제19장

공자 : "위대하시다. 요(堯)의 임금노릇하심이여! 높고도 크도다! 오직 저 하늘만이 위대하거늘, 요임금만이 이를 본받으셨도다. 넓고도 크도다! 백성들이 무어라 이름 붙이지를 못하는구나. 높고도 크도다! 그 공적이여. 빛나는구나! 그 문장이여."

子曰 大哉堯之爲君也 巍巍乎 唯天爲大 唯堯則之 蕩蕩乎 民無能名焉 巍巍乎 其有成功也 煥乎 其有文章

11

먼저 '천(天)'자의 의미를 파악해야 한다. 어찌 현격히 떨어져 위에 있으면서 청허하고 드넓고 아득하여 인간 세상의 광대한 터전을 떠나서 별도로 하나의 하늘이 존재할 수 있겠는가? 그리고 이러한 것을 크다고 한다면 또한 인간과 관여함이 없게 되는데, 어떻게 "위대하시다. 요(堯)의 임금 노릇하심이여!"[58]라고 할 수 있겠는가? 요(堯)가 임금 노릇하신 것은 하늘이 하늘인 것과 같다. 하늘이 하늘인 것은 비고 광막한 체를 지녔음을 뜻하는 것일 뿐만이 아니다. '만물이 처음을 의뢰하고' '구름이 흘러 다니고 비가 내리자 만물이 유행(流行)하며' '각기 성명(性命)을 바르게 하고 태화(太和)를 보합(保合)하는'[59] 것이 바로 하늘이다.

58) 위대하시다. 요(堯)의 임금 노릇하심이여 : 이 구절은 『논어집주대전(論語集註大全)』 「태백(泰伯)」 제19장에 대한 것으로 그 전문은 다음과 같다. "子曰 大哉 堯之爲君也 巍巍乎 唯天爲大 唯堯則之 蕩蕩乎 民無能名焉 巍巍乎 其有成功也 煥乎 其有文章"

59) 만물이……보합(保合)하는 : 『주역(周易)』 「건괘(乾卦)」에 보이는데, 그 전문은 다음과 같다. "彖曰 大哉乾元 萬物資始 乃統天 雲行雨施 品物流形 乾道變化 各正性命 保合大和 乃利貞"

『논어집주(論語集註)』에서 덕(德)을 말할 때의 덕(德)은 군덕(君德)이다. 이는 준덕(俊德)을 밝히고 구족(九族)을 친히 하고 백성을 고르게 다스리고 만방을 화목하게 다스리는[60] 것이니, 광대한 덕이다. 하늘이 만물에 대해 자라게 하고 길러주고 거둬주고 보관하며 이용(利用)하고 후생(厚生)하고 정덕(正德)함[61]이 있다. 그렇다고 해서 이것을 이름하여 '만물을 자라게 하는 하늘', '만물을 길러주는 하늘', '만물을 거두고 보관하는 하늘', '만물의 쓰임을 이롭게 하고 만물의 생활을 두텁게 하고 만물의 덕을 바르게 하는 하늘'이라고 할 수는 없다. 아무리 천자(天子)가 부유하다 하지만 실로 금(金)과 곡식이 많고 천화(泉貨)를 많이 지녔다고 할 수 없는 것과 같다. 그렇기 때문에 요(堯)를 한 가지 덕으로 거론할 수 없는 것도 또한 이와 같기 때문이다.

그리고 하늘이 만물을 자라게 하고 길러주고 거둬주고 보관하며, 만물의 쓰임을 이롭게 하고 만물의 생활을 두텁게 하고 만물의 덕을 바르게 하는 것은 이 물에서 취하여 자라게 하고 길러주고 거둬주고 보관하며 이롭게 하고 두텁게 하고 바르게 하거나, 다시 저 물(物)에서 취하여 자라고 길러지고 거둬지고 보관되며 이로워지고 두터워지고 바르게 되는 것이 아니다. 그러므로 만물은 드러나지 않는 데서 공을 받으므로 주고받음을 서로 아는 경계에 나아가서 이름 붙일 수 없다. 그렇다면 요(堯) 임금이 여기서는 준덕(俊德)을 밝히고 저기서는 구족(九族)을 친히 하며, 백성을 고르게 다스린 다음에 다시 만방을 화목하게 만든 것이 아니다. 마찬가지로 백성들도 정교가 미치는 곳

60) 준덕(俊德)을……다스리는 : 『서경(書經)』「요전(堯典)」에 보이는데, 그 전문은 다음과 같다. "克明俊德 以親九族 九族旣睦 平章百姓 百姓昭明 協和萬邦 黎民於變時雍"

61) 하늘이……정덕(正德)함 : 『서경(書經)』「대우모(大禹謨)」에 보이는데, 그 전문은 다음과 같다. "水火金木土穀惟脩 正德利用厚生惟和 九功惟叙 九叙惟歌"

이든 못 미치는 곳이든 선후(先後)와 원근(遠近)의 사이에서 요점을 헤아려서 그 덕을 명명할 수 없다.

그러나 백성에게 미친 것이 어찌 일이 없는 것이겠는가? 그 일이 오래 전해질 만하기에 끊어졌건 이어졌건 간에 새로운 게 보이지 않는 것이고, 또 그 일이 위대한 것이기에 밀쳐내거나 함께하거나 간에 지극함을 볼 수 없다. 그러므로 그 '성공(成功)'과 '문장(文章)'의 위대하고 오래 전해질 만한 것은 '무어라 형용할 수 없는[無能名]' 실제인 것이다. '성공(成功)'이 '높고 높지[巍巍]' 않으면 이름할 수 있으니, 탕왕(湯王)의 '하(夏)나라를 끊어 바로잡는 것[割正]'과 무왕(武王)의 '〈회전(會戰)하는 날 날씨의〉 청명(淸明)함'[62]이 이것이니, 여기에는 밀쳐냄과 함께함이 있는 것이다. '문장(文章)'은 '찬란하지[煥乎]' 않으면 이름할 수 있으니, 『서경(書經)』「우공(禹貢)」의 '복을 펴서 줌[敷錫]'[63]과 『주관(周官)』의 법도[64]가 이것이다. 여기에는 끊어지고 이러짐이 있는 것이다. 그러나 이런 모든 것은 요임금이 지닌 것 속에 포함되지 않는 것이 없으나, 끝내 요임금이 지닌 것을 다 표현해 낼 수는 없다. 생각건대 황제(黃帝)와 전욱(顓頊) 이상의 천하에는 별도로 하나의 기풍(氣風)이 있었는데, 우(禹)·하(夏)·상(商)·주(周)나라 때에 임금이 된 사람들은 모두 이것을 본받아 썼다. 요임금

62) 탕왕(湯王)의……청명(淸明)함 : 『서경(書經)』「탕서(湯誓)」에 보이는데, 그 전문은 다음과 같다. "今爾有衆 汝曰我后 不恤我衆 舍我穡事 而割正夏" 청명(淸明)은 『시경(詩經)』「대명(大明)」에 보이는데, 그 전문은 다음과 같다. "牧野洋洋 檀車煌煌 駟騵彭彭 維師尙父 時維鷹揚 涼彼武王 肆伐大商 會朝淸明"

63) 서경(書經)……줌 : 『서경(書經)』「홍범(洪範)」에 보이는데, 그 전문은 다음과 같다. "五皇極 皇建其有極 斂時五福 用敷錫厥庶民 惟時厥庶民 于汝極錫汝保極"

64) 주관(周官)의 법도 : 주관(周官)은 『주례(周禮)』라고 칭해지는 것으로, 주공(周公) 단(旦)이 문왕(文王)의 뜻을 기술한 것이다. 모두 6편(篇) 360관(官)으로 구성되어 있다.

의 '성공(成功)'과 '문장(文章)'은 옛날에 반드시 전해진 것이 있을 터인데 지금은 상고할 수 없다. 그런데 이것을 심덕(心德)으로 말한다면 공자의 '위대하시다. 요임금의 임금노릇하심이여'라는 말과 서로 위배가 되며, 하늘에 준거해 볼 때는 하늘에는 '높고 높은[巍巍]' 체단(體段)이 있다고 할 것이니, 이 또한 논리가 천박하다.

선유(先儒)들은 "하늘은 수정(水晶)과 비슷하여 투명하고 밝아서 하나의 뚜껑이 얽혀서 위에 있다."고 주장하였다. 그러나 실제로 생각해보면 참으로 아이들 장난 같은 말이다. 혹 그렇지 않다고 보아서 심덕(心德)으로 하늘의 주재(主宰)를 비유한다면, 이는 또한 노자(老子)의 '풀무[橐籥]'설[65]과 흡사하게 된다. 그렇다면 드넓은 하늘 양끝 어느 곳에 그 탁(橐)을 두겠으며 또 누가 그 약(籥)을 치겠는가? 공자께서는 단지 한 번에 말한 것일 뿐인데 후인들이 죽은 '무명(無名)'을 잡고서 주인을 삼아 허다한 병폐를 야기한 것이다. 이것이 결국은 도가(道家)의 지류(支流)가 되고 말았으니, 이른바 도가의 '청정 유현(清淨幽玄)'이 여기에 해당된다. 아, 이 또한 속이는 짓일 뿐이다!(先須識取一天字 豈覓絕在上 清虛曠杳 去人閒遼闊之宇而別有一天哉 且如此以爲大 則亦無與於人 而何以曰大哉堯之爲君也 堯之爲君 則天之爲天 天之爲天 非僅有空曠之體 萬物資始 雲行雨施 品物流行 各正性命 保合太和 此則天也 集註言德 德者君德也 明俊德 親九族 平章百姓 協和萬邦 德之蕩蕩者也 天之於物 有長 有養 有收 有藏 有利用 有厚生 有正德 而旣不可名之曰長物之天 養物之天 收藏夫物之天 利物用 厚物生 正物德之天 如天子之富 固不可以多金粟 多泉貨言之 則堯

65) 노자(老子)의 '풀무[橐籥]'설 : 『노자(老子)』 제5장에 보이는데, 그 원문은 다음과 같다. "天地不仁 以萬物爲芻狗 聖人不仁 以百姓爲芻狗 天地之間 其猶橐籥乎"

之不可以一德稱者 亦如此矣 且天之所以長養 收藏乎物 利物用 厚物生 正物德者 未嘗取此物而長養收藏 利厚而正之 旋復取彼物長養收藏 利厚而正之 故物受功於不可見 而不能就所施受相知之垠鄂以爲之名 則堯之非此明俊德 彼親九族 旣平百姓 旋和萬邦者 民亦不能於政教之已及未及 先後遠近閒 酌取要領而名其德也 乃其所及於民者 豈無事哉 其事可久 故不於斷續而見新 其事可大 故不以推與而見至 則其成功文章之可大可久者 卽無能名之實也 成功非巍巍則可名 湯之割正 武之淸明是也 有推與也 文章非煥乎則可名 禹貢之敷錫 周官之法度是也 有斷續也 乃凡此者 無不在堯所有之中 而終不足以盡堯之所有 意黃頊以上之天下 別有一風氣 而虞夏商周之所以爲君者 一皆祖用 堯之成功文章 古必有傳 而今不可考耳 若以心德言之 則旣與夫子大哉爲君之言相背 而以準之天 則將謂天有巍巍之體段 其亦陋矣 先儒說天如水晶相似透亮通明 結一蓋殼子在上 以實思之 良同兒戱語 其或不然 以心德比天之主宰 則亦老子橐籥之說 蕩蕩兩閒 何所置其橐 而又誰爲鼓其籥哉夫子只一直說下 後人死拈無名作主 惹下許多疵病 而竟以道家之餘瀋所謂淸淨幽玄者當之 噫 亦誣矣)

12

색깔을 달리하여 문체를 이루는 것을 '문(文)'이라 하고 색을 한가지로 하여 밝게 드러내는 것을 '장(章)'이라 한다. 문(文)은 색을 달리하기 때문에 조리(條理)의 구별을 드러내고, 장(章)은 색을 한 가지로 하기 때문에 멀리 가도 섞이지 않음을 드러낸다. 그리하여 문(文)

을 합하고 장(章)을 이루어서 합해진 문(文)이 각각 그 장(章)을 이루는 것을 '문장(文章)'이라고 한다. 문은 다른 것을 합하여 같은 것을 통일하고, 장(章)은 같은 것을 통일하여 다른 것을 합하는 것이다. 문(文)은 완전하고 장(章)은 치우친다는 입장에서 보자면, 문(文)은 장(章)을 포괄하게 되고, 장(章)은 시종(始終)을 포괄하고 문(文)은 조리(條理)가 된다는 측면에서 말하자면 장(章)은 문(文)을 포괄한다. 모든 예악(禮樂)과 법도(法度)가 분석(分析)하고 등급을 매기고 차별을 두고 후하게 할 곳과 박하게 할 곳을 가리는 것은 문(文)이고, 처음과 끝이 모두 시행되고 선후가 모두 적절한 것은 장(章)이다. 문(文)으로써 구분되는데 그 구분은 합해지는 것에서 드러나고, 장(章)으로써 합해지는데 그 합해짐은 나눠지는 것에 의해 완성된다. 그래서 나뉨은 합해짐을 꺼리지 않고 합해짐은 나뉨을 어둡게 하지 않아서, 다른 것으로 같은 것을 통하게 하고 같은 것으로 다른 것을 밝혀준다. 이리하여 서로 맞아서 이루어지고 서로 함양하여 어지럽지 않으니, 이는 문장을 두고 한 말이다. 옛 주석은 이러한 부분이 자세하지 않다.(異色成采之謂文 一色昭著之謂章 文以異色 顯條理之別 章以一色 見遠而不雜 乃合文以成章 而所合之文各成其章 則曰文章 文合異而統同 章統同而合異 以文全章偏言之 則文該章 以章括始終 文爲條理言之 則章該文 凡禮樂法度之分析等殺差別厚薄者文 始末具擧先後咸宜者章 文以分 分於合顯 章以合 合令分成 而分不妨合 合不昧分 異以通於同 同以昭所異 相得而成 相涵而不亂 斯文章之謂也 舊註未悉)

자한편

子罕篇

제1장

공자께서는 이익, 천명, 인에 대해서는 좀처럼 말씀하지 않으셨다.

子罕言利與命與仁

1

하늘이 인물(人物)에게 명(命)할 때 리(理)로써 하기도 하고 기(氣)로써 하기도 한다.[1] 그러나 리는 하나의 물건이 아니라 기와 함께 두 가지로 이루어져 있으니, 하늘이 사람에게 명할 때 한편은 리(理)로써 건순오상(健順五常)의 덕을 삼고, 또 다른 한편은 기로써 막히고 통하고 장수하고 요절하는 운수로 삼는다. 리는 다만 기의 위에서만 발현(發現)되지만, 기가 한 번 음(陰)이 되고 한 번 양(陽)이 되며 많거나 적거나 나누어지거나 합해지는 것을 주관하거나 조절하는 것은 곧 리이다. 모든 기는 리를 가지고 있으므로 또한 모든 명(命)은 기이면서 리이다. 그러므로 주자는 "명이란 단지 명일 뿐이다.[命只是一個命]"[2]라고 말하였다. 다만 이것이 건순오상과 원형이정(元亨利貞)의 명이 되고, 또 궁색하거나 통하거나 얻거나 잃고 장

1) 하늘이……한다 : 이하는 『논어』「자한(子罕)」 제1장 "子罕言利與命與仁"에 대한 왕부지의 해석이다.

2) 명이란……뿐이다 : 이 구절은 『논어집주대전』「자한」 제1장의 주자주 아래 두 번째 소주에 나온다.

수하거나 요절하거나 길하거나 흉한 명이 된다. "도를 따르면 길하고 도를 거스르면 흉하다.[惠迪吉 從逆凶]"[3]고 한 것과 같은 것은, 이미 여기에 부합된다. 백우(伯牛)의 질병[4]과 공자가 위(衛)나라 경(卿)이 못된 것[5]과 계손씨(季孫氏)가 공백료(公伯寮)에게 미혹된 것[6]은 근원적으로 볼 때 "거스르면 흉하다."는 이치와 동일하다. 인사(人事)를 거스르는 것과 천수(天數)를 거스르는 것은 거스른다는 점에서는 동등하니, 모두 흉(凶)한 것이다.(天之命人物也 以理以氣 然理不是一物 與氣爲兩 而天之命人 一半用理以爲健順五常 一半用氣以爲窮通壽夭 理只在氣上見 其一陰一陽 多少分合 主持調劑者卽理也 凡氣皆有理在 則亦凡命皆氣而凡命皆理矣 故朱子曰命只是一個命 只此爲健順五常 元亨利貞之命 只此爲窮通得失 壽夭吉凶之命 若所云惠迪吉從逆凶者 旣無不合矣 而伯牛之疾 孔子之不得衛卿 季孫之惑於公伯寮 在原頭上看 亦與從逆凶之理一也 人事之逆 天數之逆 等之爲逆 則皆凶矣)

---

3) 도를……흉하다 : 이 구절은 『서경』 「대우모(大禹謨)」에 나온다.

4) 백우(伯牛)의 질병 : 이는 『논어』 「옹야」 제8장에 나오는데, 그 전문은 다음과 같다. "伯牛有疾 子問之 自牖 執其手曰 亡之 命矣夫 斯人也而有斯疾也 斯人也而有斯疾也"

5) 공자가……못된 것 : 공자는 위나라에서 여러 번 벼슬할 기회를 가졌지만, 끝내 되지 못하자 "苟有用我者 朞月而已 可也 三年 有成(『논어』 「자로」 제10장)"라는 탄식을 하였다.

6) 계손씨(季孫氏)가……미혹된 것 : 이 내용은 『논어』 「헌문」 제38장에 나오는데, 그 전문은 다음과 같다. "公伯寮愬 子路於季孫 子服景伯 以告曰 夫子固有惑志於公伯寮 吾力猶能肆諸市朝 子曰 道之將行也與 命也 道之將廢也與 命也 公伯寮 其如命何"

2

어떤 사람이 의심하기를, "천수(天數)를 거스르는 것은 부당하니, 인사(人事) 또한 어찌 거스를 수 있겠는가?"라고 하였다. 오직 하늘의 덕은 만물을 낳고 만물을 이롭게 하는 것이지, 죽이거나 해치는 것은 아니다. 사람의 본성도 어질고 의로운 것이지 죽이거나 해치는 것이 아니다. 그러나 멈출 수 없는 운수에 올라타게 되면, 터럭만 한 차이에 실수가 있을지라도 선악(善惡)과 길흉(吉凶)은 이미 중도에 옮겨 갈 수 없게 된다. 그러므로 건순오상의 리는 은미하고 길흉화복의 리 또한 매우 은미한 것이다.

건순오상(健順五常)은 리(理)이다. 그러나 건(健)은 굳센 양기(陽氣)요, 순(順)은 부드러운 음기(陰氣)이다. 오상(五常)이란 오행(五行)이 생성시킨 왕성한 기이니, 이 또한 기를 내포한 것이다. 장수하거나 요절하고 궁색하거나 통하는 것은 기이다. 그리고 길고 짧고 풍성하고 소략함에 각기 그 조리(條理)가 있어 혹 따르거나 혹 거스르는 운수로 삼는다면, 이 또한 리가 없는 기가 아니다. 그런데 신안 진씨(新安陳氏)는 주자(朱子)가 '은미하다'고 한 말을 이해하지 못하고 "『논어집주』에서는 명(命)의 리가 은미하다고 말하였다. 그렇다면 이 명(命)은 리(理)로써 말한 것이다."[7]라고 말하였는데, 꽉 막힌 견해이다.

어떤 사람이 "천명(天命)의 리(理)는 어리석은 자를 밝게 할 수 있고 유약한 자를 강하게 할 수 있는데, 변화시킬 수 있는 까닭은 오직

7) 『논어집주』에서는……말한 것이다 : 이 구절은 『논어집주대전』 「자한」 제1장의 주자주 아래 마지막 소주에 나온다.

그 천명이 동일하기 때문이다. 그리고 사람의 습관이 그 기질을 변화시킬 수 있는 것도 명(命)이 본래 동일하기 때문이다. 그러므로 그 습관이 한결 같지 않음을 변화시켜 하나로 귀착시킬 수 있다."라고 하였는데, 이 말은 그럴 듯하다. 그러나 기수(氣數)의 명과 같은 것은 궁색한 자를 통하게 할 수 없고, 요절할 수 있는 자를 장수하게 할 수는 없으니, 받은 명이 같지 않기 때문이다. 명이 같지 않으므로 이 리(理)는 일정하지 않는 것이다. 리(理)가 일정하지 않다면 기(氣)에 의해 이루어지는데, 이것이 어찌 건순오상의 명이 본성이 되는 것과 동일할 수 있겠는가? 그러므로 여기에는 이유가 있으니 유사한 예로써 서로 통하게 할 수는 있지만, 한 가지 예만 고집하여 살펴서는 안 된다.

하늘이 명한 이치는 어리석은 사람으로 하여금 밝게 만들 수 있으나, 밝은 자를 어리석게 만들 수는 없다. 또 유약한 자를 강하게 만들 수는 있어도 강한 자를 유약하게 만들 수는 없다. 그러므로 곤(鯤)은 아들인 우임금에게 그렇게 할 수 없었고, 주(紂)는 신하에게 그렇게 할 수 없었다. 이것은 공자(孔子)가 백우(伯牛)를 장수하게 할 수 없었고, 악정자(樂正子)가 맹자를 임금과 통하게 할 수 없었던 것과 같다.

기수(氣數)의 명(命)은 요절할 사람을 장수하게 할 수는 없으나, 장수할 자를 요절하게 할 수는 있다. 또 궁색한 자를 통하게 할 수 있으나, 통하는 자를 궁색하게 할 수는 없다. 그러므로 술과 여색을 탐하느라 타고난 수명을 해칠 수 있고, 인의(仁義)를 해침으로써 나라와 가문을 잃을 수 있다. 이는 어리석으나 학문을 좋아하면 지(知)에 가깝고, 유약하나 수치를 알면 용(勇)에 가까운 것[8]과 같다.

8) 어리석으나……가까운 것 : 이는 『중용』 제20장에 나오는 말로, 원문은 다음과 같다. "好學 近乎知 力行 近乎仁 知恥 近乎勇"

그러므로 "부귀(富貴)는 그 도로써 얻지 아니하면 처하지 아니하고, 빈천(貧賤)은 그 도로써 얻은 것이 아니더라도 떠나지 않는다."[9] 라고 하였다. 아! 이 둘이 모두 천명이 되는 데 있어서, 위로 도달하고 아래로 도달하는 차이가 있으나, 모두 하나로 합해지니, 이것이 그 리(理)가 은미하다는 까닭이다.(或疑天數之不當有逆 則人事又豈當有逆哉 唯天之德 以生物利物 而非以殺以害 唯人之性 以仁以義 而非以爲戕爲賊 乃乘於其不容已之數 則相失在毫釐之差 而善惡吉凶已不可中徙 則健順五常之理微 而吉凶禍福之理亦甚微也 健順五常 理也 而健者氣之剛 順者氣之柔 五常者五行生王之氣 則亦氣之理矣 壽夭窮通 氣也 而長短豊殺 各有其條理 以爲或順或逆之數 則亦非無理之氣矣 陳新安未達朱子之微言 而曰集註云命之理微 則此命以理言 其泥甚矣 或疑天命之理 愚者可明 柔者可彊 所以可變者 唯其命之一也 人之習變其氣質 而命自一 故變其習之不一者而可歸於一 是則然矣 若夫氣數之命 窮者不可使通 夭者不可使壽 則所命不齊 命不齊 則是理無定矣 理不一 則唯氣之所成 而豈得與健順五常之命爲性者同哉 乃於此正有說在 可以例相通 而不可執一例觀也 天命之理 愚者可使明 而明者則不可使愚 柔者可使彊 而彊者則不可使柔 故鯀不能得之於子 紂不能得之於臣 此猶夫仲尼之不能使伯牛壽 樂正之不能使孟子通也 氣數之命 夭者不可使壽 而壽者可使夭 窮者不可使通 而通者可使窮 故有耽酒嗜色以戕其天年 賊仁賊義以喪其邦家 此猶夫愚而好學則近知 柔而知恥則近勇也 故曰 富與貴 不以其道得之 不處也 貧與賤 不以其道得

9) 부귀(富貴)는……않는다 : 이 구절은 『논어』 「이인(里仁)」 제5장에 나오는 말로, 그 전문은 다음과 같다. "子曰 富與貴 是人之所欲也 不以其道 得之 不處也 貧與賤 是人之所惡也 不以其道 得之 不去也 君子 去仁 惡乎成名 君子 無終食之間 違仁 造次 必於是 顚沛 必於是"

之 不去也 君子無終食之閒違仁 造次必於是 顚沛必於是 嗚呼 二者之胥爲命 致上致下之不同 而胥協於一也 此其所以爲理之微與)

제4장

공자께서는 네 가지의 마음을 완전히 끊으셨다. 사심(私心)이 없으셨고, 반드시 되어야만 한다는 마음이 없으셨으며, 쓸데없는 고집스러움이 없으셨고, 사사로운 이기심이 없으셨다.

子絶四 毋意 毋必 毋固 毋我

3

정자(程子)는 "뜻이 발동하여 마땅한 것이 곧 리(理)이며, 발동하여 마땅치 않는 것이 바로 사의(私意)이다."[10]라고 말하였으며, 호씨는 "뜻은 홀로 행해져서는 안 되고, 반드시 리(理)에 뿌리박고 있어야 한다."[11]라고 하였는데, 모두 정밀히 살폈고 참으로 온당한 말이다. 이 같은 은미한 말을 풀어내는 것은, 독자(讀者)들이 잘 이해하는 데 달려 있다. 그렇지 않다면 어찌 '사사로움이 없다[無私]'고 말하지 않고, '사사로운 뜻이 없다[毋意]'라고 말했겠는가? 이는 확실한 말로, 여기에서 말하는 '뜻'은 곧 간직해서는 안 되는 것이다. 그러나 『대학』에서 말한 '그 뜻을 성실하게 한다[誠其意]'는 것은 또 한결같이 그 뜻을 독실하게 하는 것과 같아서, 선택할 필요가 없다. 그러므로 여기서 말한 '뜻'은 『대학』에서 말한 그것과 구별된다. 그런데 이를 묶어서 '뜻'

---

10) 뜻이……사의(私意)이다 : 이 구절은 『논어집주대전』 「자한」 제4장의 "子絶四 無意 無必 無固 無我"라는 경문 아래의 주자주인 "意 私意也" 바로 아래의 소주에 나온다.

11) 뜻은……있어야 한다 : 이 구절은 『논어집주대전』 「자한」 제4장의 주자주인 "意 私意也"아래의 두 번째 소주에 나온다.

이라고 말하면, 그 차별점을 볼 수 없다.

모두 뜻이라는 점에서는 동일하다. 그러나 『대학』에서 말한, '그 몸[其身]', '그 마음[其心]', '그 뜻[其意]', '그 앎[其知]'[12]이라고 할 때의, 네 '기(其)' 자는 '옛날에 명덕을 밝히고자 한 자'를 함께 가리켜 말한 것이지만, '그 뜻[其意]', '그 앎[其知]'에서 두 '기(其)' 자와는 또한 미세한 차이가 있다. 몸은 닦음과 닦이지 않음을 겸하고 있으므로 닦는다고 말하였는데, 닦는다는 것은 그 지나친 것을 절제하는 것이다. 마음도 바름과 바르지 않음을 겸하고 있으므로 바르게 한다고 말하였는데, 바르게 한다는 것은 그 사특함을 방지하는 것이다. 뜻에 이미 사사로움이 없기 때문에 성실하게 한다고 말하였고, 앎에도 이미 허물이 없기 때문에 이룬다고 말하였다. 성실하게 한다는 것은 이것에 나아가 진실되게 하는 것이요, 극진히 한다는 것은 이것에 나아가 확충하는 것이다. 곧 『대학』에서 '그 뜻을 성실하게 한다'고 말한 것은 마음을 바르게 하는 자를 위하여 말한 것이다. 그런데 그 마음을 바르게 하고자 하는 사람의 뜻은 이미 사사로움과 거리가 멀다. 그러므로 그 발현한 뜻이 리(理)에 맞지 않을까 다시 걱정하지 않고, 다만 그 발동할 때 개입되는 것이 독실하지 않는 것을 근심할 뿐이다. 따라서 일반적으로 '뜻'을 말할 때 갑자기 '성(誠)'을 말할 수는 없지만, 그러나 그 마음을 바르게 하고자 하는 사람의 '뜻'일 경우라면 '성(誠)'에 해당된다.

대개 근본 없이 일에 따라 흥기(興起)하여, 무엇인가를 하고자 하

12) 그 몸……그 앎 : 이 구절은 『대학』 경1장에 나오는 데, 그 전문은 다음과 같다. "古之欲明明德於天下者 先治其國 欲治其國者 先齊其家 欲齊其家者 先修其身 欲修其身者 先正其心 欲正其心者 先誠其意 欲誠其意者 先致其知 致知在格物"

는 것을 일러 '뜻(意)'이라고 한다. 마찬가지로 그 마음을 바르게 하는 자가 근본을 존양(存養)하다가, 어떤 일을 계기로 발현되어 무언가를 해보고자 하는 것도 또한 '뜻'이라고 말할 수 있다. 그러므로 하는 바가 있고자 한다는 점에서 보면 같으나, 그 근본이 있느냐 없느냐 하는 관점에서 보면 다르다. '뜻'이 마음에 바른 것으로 인하면 '지(志)'에 악함이 없다. 이것은 마치 태양과 불에 빛과 불꽃이 있는 것과 같아서 일반 사람들은 참여할 수 없고, 오직 명덕을 밝힌 사람만 할 수 있는 것이다. 그러므로 『대학(大學)』에서 '그 뜻을 성실하게 한다'고 분명하게 말했으니, 다만 '뜻을 성실하게 한다'고 말하면 옳지 않다.

가령 바른 마음에서 발현된 '뜻'이 아니더라도, 좋아하는 것이 있으면 호색(好色)을 좋아하듯 하고, 싫어하는 것이 있으면 악취(惡臭)를 싫어하는 경우가 있다. 이는 왕안석(王安石)이 여혜경(呂惠卿)을 좋아하고 우승유(牛僧孺)가 이덕유(李德裕)를 미워하는 것과 같아서, 그 미혹(迷惑)에서 회복되지 못하였으나, 이들 또한 이 호색(好色)을 좋아하고 악취를 싫어하지 않은 적이 없었다. 그러나 요컨대 또한 사사로운 뜻이 되고, 기필하게 되고, 고집이 되며, 자기를 앞세우게 될 뿐이었으니, 어찌 말할 것이 있겠는가?

뜻이 이미 바르게 된 마음에서 생겨났다면 일에 따라 이름지어 '뜻'이라 부를 수 있으나, 사실은 이것이 마음이요 지향(志向)이다. 마음의 작용이 발현되고 뜻의 공효가 드러난 것이니, '그 뜻[其意]'이라고 말해야지 그냥 '뜻[意]'이라고 해서는 안 된다. 지금 경문(經文)에서 '공자께서 네 가지를 끊었다'라고 말하면서, 또 '사사로운 뜻이 없다'라고 한 것은, 소주(小註)에서 신안 진씨(新安陳氏)가 말한 "보통 사람의 사욕을 세세하게 나누어 보면 이 네 가지가 있다."[13]는 것이, 이것이다.

보통 사람들이 이 네 가지를 가지고 있는데 공자께서 끊었다고 하는 것을 보면, 이 '뜻'은 보통 사람들을 위해서 한 말이며, 이는 '뜻'에 대한 통괄적인 말이다. 통상적으로 보통 사람은 무턱대고 일이 생기면 해보려고 하는 자임이 분명하다. 이미 무턱대고 일이 생기면 해보려고 한다면, 그것이 옳은지 그른지를 불문하고 모두 번갯불처럼 음허(陰虛)가 움직이는 것을 타고 망령되이 생겨날 것이다. 이때는 반드시 사사로움에서 나와도 안 되고 진실로 소유해서도 안 된다. 이것을 안다면 다만 '뜻'을 말할 때 사(私)를 언급함이 없어야 되니, 단지 홀로 행해지는 것과 근본이 있는 것에서 살펴보면 분명해질 것이다.(程子云 意發而當 卽是理也 發而不當 是私意也 胡氏云 意不可以孤行 必根於理 皆精審允當之語 而微言引伸 則在讀者之善通 不然 則胡不云無私而云毋意耶 此旣顯然 但此言意之卽不可有 而大學云誠其意 則又似一篤實其意 而不待於揀擇 然則此之言意 與大學之言意 固有別矣 而統言意 則又未見其別也 蓋均之意也 而大學云其身其心其意其知 四其字俱指古之欲明明德者而言 而其意其知二其字 又微有別 身兼修與未修 故言修 修者節其過也 心兼正與不正 故言正 正者防其邪也 意已無邪 故言誠 知已無過 故言致 誠者卽此而實之 致者卽此而充之也 則其云其意者 爲正心者言之 欲正其心者之意 已遠於私 則不復憂其發之不中於理 而特恐其介於動者之不篤耳 則凡言意 不可遽言誠 而特欲正其心者之意則當誠也 蓋漫然因事而起 欲有所爲者曰意 而正其心者 存養有本 因事而發 欲有所爲者 亦可云意 自其欲有所爲者則同 而其有本無本也則異 意因心之所正 無惡於志 如日與火之有光

---

13) 보통……있다 : 이 구절은 『논어집주대전』 「자한」 제4장의 주자주인 "循環不窮矣"아래 마지막 소주에 나온다.

餤 此非人所得與 而唯明明德者則然 故大學必云誠其意 而不可但云誠意 假令非正心所發之意 有好而卽如好好色 有惡而卽如惡惡臭 則王安石之好呂惠卿 牛僧孺之惡李德裕 其迷而不復 亦未嘗不如好好色 惡惡臭 而要亦爲意爲必爲固爲我而已矣 豈足道哉 意生於已正之心 則因事而名之曰意 而實則心也 志也 心之發用而志之見功也 可云其意而不可云意也 今此言子絶四而云毋意者 新安所云以常人之私欲細分之 有此四者是已 因常人之有 而見夫子之絶 則此意爲常人而言 而爲意之統詞 統常人而言 則其爲漫然因事欲有所爲者 亦明矣 旣爲漫然因事欲有所爲 則不問其爲是爲非 俱如雷龍之火 乘陰虛動而妄發 不可必出於私而固不可有矣 知此 則但言意可無言私 而但於孤行與有本察之 則曉然矣)

제7장

공자 : “나에게 고착화된 지식이 있는가? 이러한 지식은 없다. 좀 비루한 사람이 나에게 질문을 하면, 나의 마음은 텅 비어 있기에 그가 한 질문을 그대로 받아들여 십분 이해한 바탕 위에서 최선을 다해 가르쳐 준다.”

子曰 吾有知乎哉 無知也 有鄙夫問於我 空空如也 我叩其兩端而竭焉

4

주자는 석씨(釋氏)의 지식과 식견을 깨뜨려 없애는 설로 인해, 후학들이 살피지 못하고 성인의 말을 잘못 인용하여 불교의 가르침을 증명할까봐 걱정하였다. 때문에 '공자의 아는 것이 없다'[14]는 말을 겸손에서 나온 말이라고 여겼다.[15] 그러나 실은 성인의 말씀이 비록 온후하고 자랑하지 않으나 또한 고의로 자신의 아는 것을 덜어내거나 억제하여, 남은 당연히 아는데 자신만 모른다고 생각한 것은 아니다. 도(道)를 밝히면 이에 행하니, 아는 것이 어찌 없을 수 있겠는가? 그러나 이것은 세상 사람들이 공자에게 아는 것이 있다고 의심한 것으로부터 말한 것이니, 성인은 알지 못하는 것이 없는데 '아는 것이 있다'고 하면 되겠는가?

성인(聖人)은 알지 못하는 것이 없는데 '아는 것이 있다'고 말한다

14) 공자의……없다 : 이하는 『논어』「자한」 제7장의 "子曰 吾有知乎哉 無知也 有鄙夫問於我 空空如也 我叩其兩端而竭焉"라는 경문에 대한 왕부지의 해석이다.

15) 주자는……여겼다 : 주자는 『논어집주』「자한」 제7장의 주에서, "孔子謙言 己無知識"이라고 하였다.

면, 이것은 바로 불가(佛家)의 말과 육구연(陸九淵)의 돈오(頓悟)의 설에 떨어지게 된다. 대개 사람들이 성인은 아는 것이 있다고 의심한 것은, 알지 못하는 것이 없는 것은 지엽적인 것이고 반드시 앎에는 근본 되는 것이 있다고 여겨서이다. 그러나 이단(異端)은 행동에는 근본이 없지만 앎에는 근본이 있다고 여기는 까닭에 하나를 들어 백 가지를 폐하며, 성인은 행동에는 근본이 있지만 앎에는 근본이 없다고 여긴 까닭에 성실하여 곧 밝아진 것이다. 진실로 이 이치를 지니면, 이로 인하여 앎이 드러난다. 그리고 모든 물리(物理)가 눈앞에 드러나는 것은, 천하에 참으로 이러한 일이 있으면 진실로 이같은 이치가 있음으로 인하여 드러나지 않는 것이 없다. 이것이 이른바 '두 끝을 들어서 다 가르쳐 준다'는 것이다. 고금의 명물(名物)과 상수(象數)는 비록 성인이라 하더라도 또한 단지 축적하여 날마다 새로이 풍부하게 할 뿐이다. 이것은 천하의 재물로 인한 제왕(帝王)의 부와는 원래 동일한 예로 취급할 수는 없다.

석씨(釋氏)의 설은 마치 세속(世俗)에서 말하는 취보분(聚寶盆)[16]과 같아서 단지 하나의 비밀스러운 묘한 깨달음으로 심화(心花)가 갑자기 피어나는 것이다. 이는 산 같은 금이나 바다 같은 곡식을 내던져 두고 갑자기 떠나는 것이니, 이미 만 가지로 사리(事理)에 마땅함이 없다. 설사 우연히 잡아 얻기도 하나, 성인이 부지런히 밭을 경작하여 많은 곡식을 얻는 것에 비해, 저들은 간사한 부자가 편안히 앉아 힘쓰지 않는 것을 구하는 것과 같다. 그러니 이른바, '닷 되 십 년에 삼십 되의 빚'이니, 화(禍)와 우환(憂患)이 얼마 지나지 않아 닥칠 것이

16) 취보분(聚寶盆) : 전설상에 나오는 그릇으로, 금은보배가 무진장하게 들어 있다고 한다.

다. 세상 사람들은 공자처럼 두 끝을 들어 다 가르칠 수 없기 때문에 곧장 공자에게 취보분이 있다고 의심하였다. 그러므로 공자가 마음을 확 열어 가르쳤으니, 어찌 이것이 다만 스스로 겸손한 말일 뿐이겠는가!(朱子因釋氏有破除知見之說 恐後學不察 誤引聖言以證彼教 故以無知爲謙詞 實則聖人之言 雖溫厚不矜 而亦非故自損抑 謂人當有知而已無之也 道明斯行 則知豈可無 然此自對世人疑夫子有知者而言 則聖人無所不知而謂之有知 可乎 以聖人無所不知而謂之有知 此正墮釋氏家言 及陸子靜頓悟之說 蓋人疑聖爲有知者 謂無所不知者其枝葉 而必有知爲之本也 異端行無本而知有本 故擧一廢百 聖人行有本而知無本 誠則明矣 固有此理 則因是見知 而一切物理現前者 又因天下之誠有是事 則誠有此理 而無不可見 所謂叩兩端而竭也 若古今名物象數 雖聖人亦只是畜積得日新富有耳 此與帝王之富 但因天下之財 自無與敵一例 若釋氏 則如俗說聚寶盆相似 只一秘密妙悟 心花頓開 拋下者金山粟海 驀地尋去 旣萬萬於事理無當 卽使偶爾弋獲 而聖人如勤耕多粟 彼猶奸富者之安坐不勞 五斗十年三十擔 禍患之來無日矣 世人因不能如聖人之叩兩端而竭 便疑聖人有一聚寶盆在 故夫子洞開心胸以教之 而豈但爲自謙之詞)

제10장

안연이 깊이 탄식하며 말하기를 : "아! 선생님의 도는 우러러볼수록 더욱 높고 뚫어 볼수록 더욱 견고하다. 얼핏 보면 앞에 있는 듯하더니, 홀연히 뒤에 있구나. 그러나 선생님은 순서에 맞게 사람들을 이끌어 주시니, 문헌으로 나의 지식을 넓혀주고 예로써 나의 행위를 바로잡아 주셨다. 배움을 그만둘 수 없어서 내 재주를 다하였더니, 무언가 앞에 우뚝 서 있는 듯하다. 그렇지만 선생님의 경지에 이르기에는 아직 어찌해야 할 줄 모르겠도다."

顔淵 喟然歎曰 仰之彌高 鑽之彌堅 瞻之在前 忽焉在後 夫子 循循然 善誘人 博我以文 約我以禮 欲罷不能 既竭吾才 如有所立 卓爾 雖欲從之 末由也已

5

안연(顔淵)이 앞에 아무 일이 없이 이러한 감탄을 한 까닭[17]에 후학들의 무한한 의심을 불러일으켰다. 이는 실제로 생각해 보면, 진실로 허공에다 조각을 하고 불꽃을 가르는 것과 같다. "공자의 도는 우러러볼수록 더욱 높고, 뚫을수록 더욱 견고하며, 바라봄에 앞에 있더니 홀연히 뒤에 있도다."라고 하였으니, 이것은 도대체 어떤 물건이며 일인가? 자신에게서 떨어져 있는 하나의 도(道)가 번쩍번쩍 빛을 발하며 눈앞에 있는 것이 아닌데, 도리어 안자(顔子)가 이를 잡으려고 했으나 잡지 못하였단 말인가? 이는 석씨(釋氏)의 "부딪칠 수도 없고 등질 수도 없으며, 쇠로 된 손이기도 하고 가시나 밤, 쑥대이기도 하며, 갈고리에서 세 치 떨어졌고 열 되의 깨이다."라는 말이 있는데, 바로 이에 해당되는 말이다. 자세하게 생각해보면, 이 무슨 어린아이 같

17) 안연(顔淵)이……한 까닭 : 『논어집주』「자한」 제10장의 "顔淵 喟然歎曰 仰之彌高 鑽之彌堅 瞻之在前 忽焉在後 夫子 循循然善誘人 博我以文 約我以禮 欲罷不能 旣竭吾才 如有所立 卓爾 雖欲從之 末由也已"라는 경문의 주자주에서, 호씨(胡氏)는 "無上事而喟然歎"이라고 하였다.

은 놀음인가!

근래 한 중이 어떤 학자(學者)에게, "'지(之)'자는 무엇인가를 가리키는 말인데, '앙지미고(仰之彌高)'의 '지(之)'자는 무엇을 가리키는가?"라고 묻자, 학자가 대답하기를, "도(道)를 가리킨다."라고 하였다. 이에 중이, "그렇다면 '앙도미고(仰道彌高)'라고 할 수 있는가?"라고 하자, 이 학자는 답변을 하지 못하였다. 이 학자와 중의 대담은 말할 가치도 없지만, 평범한 이학선생(理學先生)들이 '앙도미고(仰道彌高)'라고 잘못 풀이하여, 이같은 중에게 공박을 당하는 이가 적지 않다.

이 문장에 대해 어지러이 여러 생각을 하여, 도(道)를 하나의 물건으로 만들어 넓고 넓어 '다함이 없다거나[無窮盡]', 생동감이 넘쳐 '일정한 방향과 형체가 없는 것[無方體]'[18]으로 여겨서는 절대로 안 된다. 복희씨(伏羲氏)가 역(易)을 만든 이래, 곧바로 안자(顔子), 맹자(孟子), 정자(程子), 주자(朱子)에 이르기까지 그 어느 누가 허공에 매달려 있는 하나의 도를 세우고, 사람들로 하여금 거울 안의 꽃을 잡고 물 속의 달을 잡으라고 했는가? 만약 도가 높다면 반드시 거리가 있을 것이고, 또한 도가 견고하다면 두께가 있을 것이며, 그리고 도가 앞에 있거나 뒤에 있는 것이라면 걸어감에 반드시 자취가 있고 옮겨감에 또한 지름길이 있을 것이다. 어찌 '다 함이 없고', '일정한 방향과 형체가 없는 것'이라고 말할 수 있겠는가? 안자는 여기에서 도리어 하나의 특정한 일을 가리켜 말한 것이다. 그렇지만 조잡한 마음과 들뜬 기운으로 석씨(釋氏)와 노씨(老氏)의 해독을 입은 자들은, 틀림없

18) 다함이……없는 것 : 『논어집주』「자한」 제10장의 주자주에서 주자가 이렇게 말하였다.

이 미칠 듯 구하기를 그치지 않을 것이다.

안자(顔子)가 이미 허공에 매달려 있는 하나의 도의 형영(形影)을 설정해서 말한 것이 아니라면, 이는 실로 가리키는 바가 있는 것이다. 생각이 여기에 미친 뒤에야 주자의 말이 진실로 장님에게 눈을 준 것과 같음을 알았다. 주자는 "별도의 사물이 있는 것이 아니다."라고 하였으니, 이는 허공에 매달려 있는 도의 형용을 모방했다는 망설(妄說)을 깨뜨리기에 충분하다. 또 "오고 가기만 한다면, 성인의 경지에 이르지 못한다."라고 하였으니,[19] 이는 눈앞에서 성인으로 법칙을 세운 것이 되어 가리키는 바가 없는 것이 아니다.

요컨대 이 한 장은 안자(顔子)가 성인(聖人)을 배우는 공부를 말한 것이지, 도를 논한 것이 아니다. 안자의 탄식은 그렇게 하는 것의 어려움을 알아서 그 자신이 느낀 바가 있어서이지, 무엇을 보고서 탄미(歎美)한 것이 아니다. 성인의 '행함에 보여주지 않음이 없다'[20]는 것은, 다만 말하거나 침묵하거나 움직이거나 고요히 있을 때 모의하고 의논하여 그 변화를 완성한 것[21]이니, 바로 천리(天理)가 유행(流行)하는 것이다. 만약 "이치와 본성을 궁구하여 명에 이른다."라고 말하였더라도, 이는 또한 신심(身心)의 차원에서 '의(義)를 정밀하게 하여 신묘한 경지에 들어가는 것[精義入神]'과 '쓰임을 이롭게 여겨 몸을

19) 별도의 사물이……하였으니 : 이 두 구절은 모두 『주자어류(朱子語類)』 권36, 논어 18, 「자한」상 '안자위연탄('顔淵喟然嘆)'장에 나오는 데, 그 원문은 다음과 같다. "顔子 仰之彌高 鑽之彌堅 瞻之在前 忽然在後 不是別有箇物事 只是做來做去 只管不到聖人處 若做得緊 又太過了 若放慢做 又不及 聖人則動容周旋 都是這道理"

20) 행함에……없다 : 이 구절은 『논어』 「술이」 제23장에 나오는 데, 그 원문은 다음과 같다. "子曰 二三者 以我爲隱乎 吾無隱乎爾 吾無行而不與二三子者 是丘也"

21) 말하거나……완성한 것 : 이 구절은 『주역』 「계사전」에 나오는 말로, 그 원문은 다음과 같다. "擬之而後言 議之而後動 擬議 以成其變化"

편안히 하는 것[利用安身]'의 일을 체득하여 안 것일 뿐이다. 그러므로 이같은 경지는 하나의 본성(本性)과 천명(天命)이 있다고 여겨 불가(佛家)에서처럼 그것을 보고자 하는 것은 아니다.

'본성을 본다[見性]'는 두 글자는 성인의 본분(本分)에서 매우 긴요한 것이 아니며, 또한 갑자기 직면하거나 몸을 관통하여 투명하게 드러나는 것을 '견(見)'이라고 하는 것은 아니다. 그리고 맹자가 말한 잠깐 어린아이가 우물에 들어가려고 하는 것을 볼 때의 마음이란 것도, 또한 인욕에 가리워서 처자를 보호하지도 못하는 사람들은 냉랭하게 보게 된다. 성인의 학문과 같은 경우는, 다만 하나의 '공경하지 않음이 없다[毋不敬]'와 '머무르는 곳을 편안히 여긴다[安所止]'는 것일 뿐이다. 바로 이 눈앞에 드러나는 인륜(人倫)과 물리(物理)에 나아가, 이 한 마음을 잡기도 풀어놓기도 하면서 천덕(天德)을 응결(凝結)시켜 나가는 것이다. 여기에 어디 빛과 같고 물과 같으며 지렁이 울음소리 같고 실낱 같은 본성이 있어서, 이를 엿보고자 하는 것이 있겠는가?

공자는 의리(義理)가 정밀(精密)하고 인(仁)이 완숙(完熟)되었기에 마음이 하고자 하는 바를 따라도 법도를 벗어남이 없었다.[22] 그러므로 한 번 멈추고 행동함과 한 번 말하고 움직임에 모두 자연스럽게 부합됨이 있었다. 그러나 이러한 경지에 미치지 못한 자들은 곧 이를 높다고 여겼고, 이 경지에 통달하지 못한 자들은 곧 이를 견고하다고 생각하였으며, 하나를 잡고서 구하지 못하는 자들은 곧 앞에 있다가 홀연히 뒤에 있다고 여겼다. 공자는 비루한 사람의 물음에도 그 양단(兩端)을 들어서 다 알려주고, 상복 입은 자와 성복(盛服)을 한 자와

22) 공자는……없었다 : 『논어』「위정」 제4장에서, "七十而從心所慾不踰矩"라고 하였다.

장님을 보면 반드시 일어나 종종걸음으로 지나갔으며[23], 감(感)하면 이에 응(應)하고 응(應)하면 이에 선(善)하고 선하면 반드시 이르고 선(善)에 이르면 반드시 쉬지 않고 쉬지 않으면 화(化)하였으니, 이것이 이른바 '바라보면 더욱 높고 뚫으면 더욱 견고하며, 홀연히 뒤에 있는 자'의 경지이다.

안자는 친히 공자의 '행함에 보여주지 않음이 없다'는 가르침을 입었으니, 천년 뒤에 태어나 일정한 스승이 없었던 공자에 비하면, 그 공부의 쉬움이 배는 되었다. 그러므로 오로지 성인을 배우는 것으로 자신의 일을 삼았으니, 다른 것을 추구할 겨를이 없었을 것이라는 생각이 든다. 주자(朱子)는 안자(顔子)의 학문을 깊이 알아서 오로지 성인을 배우는 것으로 말하였으니, 매우 절실하고 잘 밝혀내었다고 할 만하다. 저 막연하게 도를 말하면서 도가 이같이 높고 견고하며 정해진 방향이 없다고 억측하는 자들은, 참으로 꿀을 가지고 독을 만드는 격이라고 할 수 있다.(緣顔淵無上事而發此歎 遂啓後學無限狐疑 如實思之 眞是鏤空畫火 仰之彌高 鑽之彌堅 瞻之在前 忽焉在後 此是何物事 莫有一個道 離了自己 卻在眼前閃閃爍爍 刁刁蹬蹬 顔子卻要捉着他不能勾 在釋氏說不得觸 不得背 金剛圈 棘栗蓬 離鉤三寸 十石油麻 正是這話 仔細思之 作甚兒戲 近有一僧問一學究說 之者 有所指之詞 仰之彌高之字何指 學究答云 指道 僧云 然則可道仰道彌高否 其人無語 此學究與僧固不足道 尋常理學先生錯作仰道彌高解 爲此僧所敲駁者不少 此等區處 切忌胡思亂想 將道作一物 浩浩而無窮盡 皪皪而無方體 自伏羲畫易 直至顔孟程朱 誰曾懸空立一個道 敎人拈鏡花

23) 상복 입은……지나갔으며 : 『논어』 「자한」 제9장에 "子見齊衰者 冕衣裳者 與瞽者 見之 雖少必作 過之 必趨"라고 하였다.

捉水月去 若道而高也 則須有丈里 道而堅也 則須有質模 道而在前在後也 則行必有迹而遷必有徑 如何說得無窮盡 無方體 乃顏子於此 卻是指着一件說 在粗心浮氣中二氏之毒者 無惑其狂求不已也 顏子旣非懸空擬一道之形影而言之 又實爲有指 思及此 然後知朱子之言 眞授瞽者以目也 朱子云不是別有箇物事 則旣足以破懸空擬道形影者之妄 又云只是做來做去 只管不到聖人處則現前將聖人立一法則 而非無所指矣 要此一章 是顏子自言其學聖之功 而非以論道 喟然之歎 知其難而自惑也 非有所見而歎美之也 聖人之無行不與 只此語默動靜 擬議而成變化 便是天理流行 如云窮理盡性以至於命 亦止在身心上體認得精義入神 利用安身之事 非有一性焉命焉 如釋氏之欲見之也 見性二字 在聖人分上 當不得十分緊要 而又非驀地相逢 通身透露之謂見 孟子所言乍見孺子入井之心 亦是爲人欲蔽錮 不足以保妻子之人下一冷點 若聖賢學問 則只一箇無不敬 安所止 就此現前之人倫物理 此心之一操一縱以凝天德 而何有如光如水如蚓鳴如絲縷之性 而將窺見之 緣夫子義精仁熟 從心所欲而不踰矩 故卽一止一作 一言一動之間 皆自然合符 而其不可及者卽爲高 不能達者卽爲堅 不可執一以求者卽爲在前而在後卽如鄙夫之問 叩兩端而竭 見齊衰者 冕衣裳者 瞽者而必作必趨 感斯應 應斯善 善必至 至善必不息 不息而化 此所謂彌高彌堅 忽焉在後者矣 顏子親承夫子無行不與之敎 較夫子生千聖之後而無常師者 其用功之易自倍 故專壹以學聖爲己事 想來更不暇旁求 朱子深知顏子之學 而直以學聖言之 可謂深切著明矣 彼汎言道而億道之如此其高堅無定者眞釀蜜以爲毒也)

6

주자는 삼관(三關)의 설[24]을 『논어집주』에 쓰지 않았으니, 아마도 젊은 시절에는 이것이 옳다고 여겼다가 후년(後年)에 틀렸다고 생각해서 이렇게 했을 것이다. 잘 배우는 자들은 바로 여기에서 고인(古人)들의 마음 쓰는 곳을 살펴보아야 되니, 옛 사람들은 우연히 터득한 견해를 믿어 안주하지 않고 반드시 그 지극한 경지를 추구하였다. 그런데 어찌하여 신안 진씨(新安陳氏)와 인산 김씨(仁山金氏)는 오히려 주자가 버렸던 것을 진실로 받아들였단 말인가![25]

삼관(三關)의 설을 주장하는 자들은 다만 '공자께서 순서에 알맞게 이끄셨다'는 한 단락이 '홀연히 뒤에 있는 듯 하다'는 구절의 아래에 있다는 점에 근거하고 있다. 그런데 이는 스스로 터득함이 없는 자가 순서에 따라 학문으로 나아가는 것을 문자로 옮겨 놓았다고 생각한 것이다. 그러나 성현(聖賢)의 성명(性命)에 관한 문자가 어찌 이처럼 국면에 따라 명명하고 격식을 늘어놓은 것이겠는가? 안자가 '따르려 해도 말미암을 길이 없다'고 할 때, 이같은 탄식을 한 것은 바로 눈앞에 본 바가 있어서 그대로 말이 튀어나온 것이다. 만약 처음에서 끝에 이르기까지의 이력(履歷)을 두루 생각하고 나서 쓴 말이라고 한다면, 이 한 번 감탄한 깊은 마음도 이미 긴요하지 않고 절실한 말이 아니라

24) 삼관(三關)의 설 : 『논어』「자한」 제10장에 언급된 성인의 면모를 학문을 성취하는 데 있어서 지나가야 되는 세 개의 관문으로 나누어 이해하는 설. 이 설은 원래 주자가 주장한 것으로 『논어집주』에는 보이지 않고 『주자어류』에만 보이는 데, 그 원문을 소개하면 다음과 같다. "問 顔淵喟然歎章 曰 仰鑽瞻忽 四句是一箇關 如有所立卓爾 處又是一箇關 不是夫子循循善誘 博文 約禮 便雖見得高堅前後 亦無下手處 惟其如此 所以過得這一關"

25) 신안 진씨(新安陳氏)……말인가 : 『논어집주대전』「자한」 제10장의 주자주 아래 마지막 소주에 신안 진씨(新安陳氏)가 주자의 삼관설(三關說)을 받아들인 흔적이 보인다.

고 할 것이다.

'문에서 넓히고 예에서 요약한 것[博文約禮]'를 제외한다면, 우러르거나 뚫거나 볼 것이 어디에 있겠는가? '서 있는 바가 있음'에 '우뚝'하거나, '비록 따르고자 해도 말미암을 길이 없음'이 아니라면, 또 어찌 더욱 높고 더욱 견고하며 홀연히 뒤에 있을 수 있겠는가? 이미 우러르고 본 것이 있음에 이같이 심력(心力)을 다하여 성인을 배우는 것이다. 그러니 또한 문(文)이 넓어지고 예(禮)가 요약되기 이전에, 어찌 성인(聖人)이 처음 가르칠 때 다만 깊고도 아득한 본래면목(本來面目)을 찾으라고 가르치겠는가? 성인의 학문에는 이같은 귀신 놀음은 없다. 하물며 공자는 확실하게 "군자는 문(文)에서 배움을 넓히고 예(禮)에서 그것을 요약하면, 또한 어긋남이 없을 것이다."[26]라고 하였으니, 이것이야말로 군자의 처음 일이며 성인의 첫 가르침임을 드러내 보인 것이다. 공자(孔子)가 안자(顔子)의 명철(明哲)함으로 인해 하나의 단서도 주지 않고, 그가 맨땅에서 보고 뚫다가 어찌할 계책이 없기를 기다린 뒤에야 박문약례(博文約禮)의 가르침을 보여주었다면, 안자보다 못한 이들은 종신(終身)토록 헤매기만 하지 않겠는가?

진자금(陳子禽)은 박문약례(博文約禮)에 기반을 두고 성인의 가르침을 받지 못하였기에, 다만 잡스럽고 거칠 뿐이었다. 때문에 자공(子貢)이 공자보다 현명하다고 생각하였다.[27] 이처럼 한만(閑漫)하여 내면의 다잡음이 없는 자들은 진실로 성인을 보고서도 성인을 알아보

26) 군자는……것이다 : 『논어』「안연」 제15장에서 "子曰 博學於文 約之以禮 亦可以弗畔矣夫"라고 하였다.

27) 진자금(陳子禽)은……생각하였다 : 『논어』「자장」 제19장에서 "陳子禽 謂子貢曰 子爲恭也 仲尼 豈賢於子乎"라고 하였다.

지 못하며, 도를 듣고서도 도를 믿지 못한다. 그러나 안자는 이와 같지 않았으니, 박문약례(博文約禮)하기 이전에 또한 성인의 도가 높고도 견고함을 아는 것은 가능했다. 그렇지만 어떻게 더욱 높고 견고함이 눈앞에 보여서 그만둘 수 없음을 알았겠는가?

안자의 감탄은 아마도 이러했을 것이다. "공자의 도는 무궁무진하고 방향과 형체도 없으니, 이에 이를 수 있겠는가! 이는 공자께서 가르침에 인색해서도 아니고, 내가 배우기를 게을리 해서도 아니다. 가르치실 때는 잘 이끌어 주셨고, 배울 때는 나의 재주를 다하였도다. 그렇지만 내 앞에 우뚝 서 있는 듯한지라, 따르고자 하여도 어디로부터 시작해야 될지를 모름에 그 더욱 높고 더욱 견고하며 바라봄에 앞에 있는 듯하다가 홀연히 뒤에 있도다. 심하도다. 성인을 배우기 어려움이여!" 이런 까닭에 『논어집주(論語集註)』의 첫머리에서 "이 구절은 안자가 공자를 깊이 알아서 탄미(歎美)한 것이다."라고 하였으며, 말미에서 "이 구절은 안자가 자신의 학문이 도달한 바를 스스로 말한 것이다."라고 하였고, 『주자어류』에서 "처음 공부를 할 때는 곧 공부하는 그곳에서 십분 공부를 해나가야 된다."[28]라고 하였다. 이것이 주자(朱子)의 정론(定論)이니, 배우는 자들은 마땅히 돈독하게 믿어야 될 것이다.(朱子三關之說 集註不用 想早年所見如此 而後知其不然 善學者 正好於此觀古人用心處 不恃偶見以爲安 而必求至極 如何陳新安 金仁山尙取朱子之所棄以爲寶也 爲彼說者 止據夫子循循然一段 在忽焉在後之下 將作自己無所得 依步驟學作文字一例商量 聖賢性命之文 何嘗如此命局布格 顏子於欲從末繇之時 發此喟然之嘆 直以目前所

28) 처음……된다 : 이 구절은 『주자어류(朱子語類)』권36, 논어18, 「자한」상 '안자위연탄('顔淵喟然嘆)'장에 나온다.

見 衝口說出 若云歷憶初終履歷而敍之 其於喟然一歎之深心 早已迂緩而不親矣 除卻博文約禮 何以仰 何以鑽 何以瞻 非如有所立而卓爾 雖欲從之末繇 又何以爲彌高彌堅而忽在後 旣已仰之瞻之 如此其盡心力以學聖矣 而又在文未博 禮未約之前 則豈聖人之始敎 但敎以脈脈迢迢尋本來面目也 聖學中旣不弄此鬼技 而況子固曰君子博學於文 約之以禮 亦可以弗畔已夫 顯爲君子之始事 聖人之始敎哉 將聖人於顏子之明睿 尙然不與一端緖 待其白地瞻鑽 計無所出 然後示之以博文約禮 則顏子以下 不愈增其終身之迷耶 陳子禽只緣在博文約禮上不能承受聖敎 故直鹵莽 以子貢爲賢於仲尼 漫無把捉者 眞見聖而不知聖 聞道而不信道 顏子卽不其然 而未博文 未約禮之前 亦知聖道之高堅可耳 而何以知其彌高彌堅 旣見在前而猶未已哉 顏子之歎 蓋曰 夫子之道 其無窮盡 無方體者 乃至是耶 此非夫子之吝於敎 非我之不勤於學也 而敎則善誘 學則竭才 乃其如有所立而卓爾 其末繇也 則見其彌高也 彌堅也 瞻在前而忽在後也 則甚矣聖人之難學也 故集註於首節言此顏子深知夫子而歎之 末節言此顏子自言其學之所至 語錄有云合下做時 便下者十分工夫去做 此朱子之定論 學者所宜篤信者耳)

제16장

공자께서 시냇가 앉아 계시다가 하신 말씀 : "흘러가는 것은 이와 같다. 밤낮을 쉬지 않고 부지런히 흘러간다."

子在川上曰 逝者如斯夫 不舍晝夜

7

"도와 더불어 일체이다[與道爲體]"라고 했을 때[29], '더불어[與]'라는 글자는 '서로 더불어[相與]'라는 의미이다. 무릇 '체(體)'를 말하면 그 안에 이미 '용(用)'이란 글자가 포함된 것이다. '체(體)'를 볼 수 있는데 '용(用)'은 볼 수 없고, 시냇물의 흐름은 볼 수 있는데 도(道)를 볼 수 없다고 한다면, 시냇물의 흐름은 도의 '체(體)'가 되고 도는 시냇물의 흐름을 좋게 하는 '용(用)'이 된다. 이것이 그 첫 번째 의미이다. 반드시 '체(體)'가 있은 뒤에야 '용(用)'이 있으니, 반드시 도가 있은 뒤에야 시냇물의 흐름이 있지 시냇물의 흐름이 있은 뒤에야 도가 있는 것은 아니다. 이렇게 본다면 도는 시냇물의 흐름의 '체(體)'가 되고, 시냇물의 흐름은 도를 드러내는 '용(用)'이 된다. 이것 또한 하나의 뜻이 될 수 있다. 시냇물의 흐름으로 인하여 감탄을 하였다고 한다

29) 도와……했을 때 : 『논어집주』「자한」 제16장 "子在川上曰 逝者如斯夫 不舍晝夜"라는 경문 아래 주자주에 나오는데, 그 원문은 다음과 같다. "程子曰 此道體也 天運而不已 日往則月來 寒往則暑來 水流而不息 物生而不窮 皆與道爲體 運乎晝夜 未嘗已也 是以君子法之 自强不息 及其至也 純亦不已焉"

면, 이는 시냇물의 흐름에 나아가 도를 말한 것이다. 그러므로 시냇물의 흐름에 나아가 도체(道體)를 말하였다고 할 수 있으나, 도와 시냇물의 흐름이 일체라고 말해서는 안된다. 그러나 마침내 시냇물의 흐름이 도의 '체(體)'라고 말하지 않고 반드시 시냇물의 흐름과 도가 일체가 되었다고 말하였으니, 이 말이 두 의미를 모두 드러내고 한쪽으로 기울지 않은 것이다. 그러므로 주자는 "'도와 더불어 일체가 되었다'는 한 구절은 가장 오묘하다."[30]라고 말하였다.(與道爲體一與字 有相與之義 凡言體 皆函一用字在 體可見 用不可見 川流可見 道不可見 則川流爲道之體 而道以善川流之用 此一義也 必有體而後有用 唯有道而後有川流 非有川流而後有道 則道爲川流之體 而川流以顯道之用 此亦一義也 緣此 因川流而興嘆 則就川流言道 故可且就川流爲道體上說 不曰道與川流爲體 然終不可但曰川流爲道之體 而必曰川流與道爲體 則語仍雙帶而無偏遺 故朱子曰與道爲體一句 最妙)

8

정자(程子)가 '이는 도체(道體)이다'라고 말한 한 구절은 지나치게 의미를 확대했음을 면치 못한다. 주자가 "이 네 가지[31]가 있기 때문

30) 주자는……오묘하다 : 『논어집주대전』「자한」 제16장의 주자주 "未嘗也" 아래의 첫 번째 소주에 나온다.

31) 이 네 가지 : 『논어집주』「자한」 제16장의 주자주에서 정자(程子)가 말한 "日往則月來 寒往則署來 水流而不息 物生而不窮"을 가리킨다.

에, 이에 저 소리도 없고 냄새도 없는 것을 본다."[32]라고 한 두 구절은, 모름지기 활간(活看)을 해야 한다. 그렇다고 '밤낮을 가리지 않는다[不舍晝夜]'라는 구절을 가지고, 소리도 없고 냄새도 없는 실체를 다 드러낼 수는 없다. 『주역(周易)』「감괘(坎卦)」의 상전(象傳)에 "군자는 이를 써서 덕행을 항상하며 가르치는 일을 익힌다."[33]고 하였으며, 「태괘(兌卦)」의 상전에 "군자는 이를 써서 붕우(朋友)들과 강습(講習)한다."[34]라고 하였는데, 이 경문은 모름지기 이렇게 보아야만 할 것이다. 그러므로 『논어집주』에서 "이 장으로부터 이 편의 끝에 이르기까지는 모두 사람들에게 학문에 전진하여 그치지 말라고 면려(勉勵)하신 내용이다."[35]라고 하였으니, 이 구절에는 애초에 도리(道理)가 내재되어 있는 것이 아니다.

공자는 '가는 것이 이와 같다[逝者如斯]'라고 말씀하였는데, 여기에 '자(者)'라는 글자는 항목을 구분할 때 쓰는 말이다. 이는 마치 '인자(仁者)'라고 하면 '지(知)'가 포함되지 못하고, '지자(知者)'라고 하면 곧 '인(仁)'을 포괄하지 못하는 것과 같다. '가는 것[逝]'도 또한 천지조화의 이치의 한 단면이다. 그러므로 감이 있으면 그침이 있고, 움직임이 있으면 고요함이 있으며, 변함이 있으면 합함이 있고, 기미(幾微)가 있으면 성(誠)이 있는 것이다. 만약 천지의 조화를 말하면서 이

32) 주자가……본다 : 『논어집주대전』「자한」 제16장의 주자주 "未嘗也" 아래의 세 번째 소주에 나온다.

33) 군자는……익힌다 : 『주역』「감괘(坎卦)」 상전(象傳)에 나오는 말로, 그 원문은 다음과 같다. "象曰 水 洊至 習坎 君子以 常德行 習敎事"

34) 군자는……강습(講習)한다 : 『주역』「태괘(兌卦)」 상전(象傳)에 나오는 말로, 그 원문은 다음과 같다. "象曰 麗澤 兌 君子 以朋友講習"

35) 이 장으로부터……내용이다 : 이 구절은 『논어집주』「자한」 제16장의 주자주 끝에 나온다.

도의 본체가 이 물이 끊임없이 흘러가는 것과 같지 않음이 없다고 한다면, 이는 바로 장자(莊子)의 '장산(藏山)'[36]이나 석씨의 '찰나(刹那)'[37]의 설이라 할 것이다.

움직이는 기미에서 그 쉼 없음을 보는 자들은 고요한 성(誠)에서도 그 옮겨 가지 않는 것을 본다. 정자가 말한 '천덕(天德)과 왕도(王道)'는, 또한 움직이는 기미에서 미루어 나가 그 지극한 곳에 이른 것이다. 그러나 정자가 말한 '홀로 있을 때 삼가는 것[愼獨]'[38]은 또한 동찰(動察)의 기미를 궁구할 수 있으나, 정존(靜存)을 포괄하기에는 부족하니, 이 점을 잘 살펴야 할 것이다. 정자의 미루어 넓혀서 극대화시킨 이 해석을 주자는 모두 존숭하지는 않은 것 같다. 그래서 '나는 이렇게 생각한다[愚按]'라고 한 단락을 따로 언급하였다. 그러나 생각해 보면, 이렇게 장황하게 설명할 필요가 없다. 『예기』에 "편안한 것을 편안히 여겨 선으로 옮겨간다[安安而能遷]"[39]라고 했으며, 공자는 '충신(忠信)을 위주로 하라[主忠信]'[40], '의(義)로 옮겨 가라[徙義]'[41]라고 하였는데, 이 말들이 충분하게 도리를 밝혀내었다.(程子此道體也一句 未免太盡 朱子因有此四者 乃見那無聲無臭底兩句 亦須活看竟將此不舍晝夜者 盡無聲無臭之藏 則不可 易象於坎曰君子以常德行

36) 장산(藏山) : 부지불식간에 흘러가는 세상사를 가리키는 것으로 출전은 『장자(莊子)』「대종사(大宗師)」이며, 그 원문은 다음과 같다. "夫藏舟於壑 藏山於澤 謂之固矣 然而夜半有力者負之而走 昧者不知也"

37) 찰나(刹那) : 범어(梵語)로 'Kṣaṇa'이며, 매우 짧은 시간을 가리킨다. 『인왕호국반야경(仁王護國般若經)』에 따르면, 한 생각은 90찰나(刹那)이며, 일찰나(一刹那)에 900가지의 생각이 생멸(生滅)한다고 한다.

38) 홀로 있을 때 삼가는 것 : 『대학장구』 전6장에 나온다.

39) 편안한……옮겨간다 : 이 구절은 『예기』「곡례」편에 나온다.

40) 충신(忠信)을……하라 : 이 구절은 『논어』「학이」 제8장에 나온다.

41) 의(義)로 옮겨가라 : 이 구절은 『논어』「안연」 제10장에 나온다.

習教事 於兌曰君子以朋友講習 看來只是如此 集註云自此至終篇 皆勉人進學不已之辭 初不曾打併道理盡在內 夫子只說逝者如斯 一者字 是分下一欵項說底 如說仁者便未該知 說知者便未該仁 逝亦是天地化理之一端 有逝則有止 有動則有靜 有變則有合 有幾則有誠 若說天地之化 斯道之體 無不如此水之逝而不舍 則莊子藏山 釋氏刹那之說矣 於動幾見其不息者 於靜誠亦見其不遷 程子天德王道之言 亦就動幾一段上推勘到極處 而其云愼獨 則亦以研動察之幾 而不足以該靜存 審矣 程子推廣極大 朱子似不盡宗其說 故有愚接云云一段 想來 不消如此張皇 禮云安安而能遷 夫子云主忠信 徙義 方是十成具足底道理)

9

정자의 '군자가 이것을 본받는다[君子法之]'는 네 글자는, '도와 더불어 일체이다[與道爲體]'는 설과 서로 맞지 않다. 신안 진씨(新安陳氏)는 이 설을 조술(祖述)하여 말하기를 "배우는 자들에게 시냇물의 흐름에서 도체(道體)가 저절로 쉼이 없음을 살피게 하여 이것을 본받게 하고자 하였다."[42]라고 하였는데, 이는 더욱 어긋나는 말이 되었다. 경원 보씨(慶源輔氏)가 "사람들이 이에 나아가 개발함이 있다."[43]라고 말한 한 구절도 위의 해석과 동일하다. 이상의 해석들은 호리(毫

42) 배우는……하였다 : 『논어집주대전』「자한」 제16장의 주자주 "未嘗也" 아래의 세 번째 소주에 나온다.

43) 사람들이……있다 : 『논어집주대전』「자한」 제16장의 주자주 "未嘗也" 아래의 두 번째 소주에 나온다.

釐)의 잘못이 천리(千里)의 오류를 이룬 것이라 할 만하다.

시냇물의 흐름이 이미 도와 더불어 일체가 되었다면, 물이 흘러가는 것은 곧 도체(道體)의 본연(本然)의 모습이다. 시냇물의 흐름이 도와 일체가 되면 물의 흘러감에 그침 없는 것이 있게 된다. 도체(道體)가 인심(人心)에 있게 되면 이 또한 저절로 흘러감이 있게 되니, 도를 완성된 형태로 보고서 본받을 필요가 없게 된다. 이 흘러감은 양자(兩者) 사이에서 드넓게 흘러가는 것이니, 어찌 다만 물만이 그러하겠는가! 『주역』의 상전(象傳)의 육십사괘(六十四卦)에는 모두 '이(以)'자를 쓰는데, 여기서 '이(以)'자는 곧 '이것을 가지고 쓴다[以此用之]'는 의미이지, '본받는다[法]'는 뜻이 아니다. 만약 본받는다고 한다면 저것은 법칙이 되고 이것은 저것에 의해 파생된 것이 되니, 도가 천하에는 있으면서 나에게는 있지 않게 되는 것이다. 천덕(天德)은 강건하고 지덕(地德)은 유순하니, 군자는 진실로 천행(天行)의 굳건함과 지세(地勢)의 유순함을 가지고 있는데 이를 써서 스스로를 강하게 하며 이를 써서 만물을 실어낸다. 그래서 그 도끼자루를 다듬는데 기준을 찾으면서 도끼자루를 흘겨보는 번거로운 수고[44]가 없는 것이다.

'가는 것[逝者]'이라는 두 글자는 통괄적인 말이고, '이것[斯]'이라는 글자는 바로 물을 가리킨다. '이와 같다[如斯]'는 것은 천리(天理)의 운행(運行)이 이와 같으며, 인심(人心)의 기미(幾微)도 또한 이와 같다는 것이다. 이는 성인이 안과 밖을 봄이 투철하고 그 자신에게 도가 갖추어져 있다는 말이다. 눈으로는 시시각각(時時刻刻) 밝게 봄

44) 도끼자루를……수고 : 『중용장구』 제13장에서 "詩云 伐柯伐柯 其則不遠 執柯以伐柯 睨而視之 猶以爲遠 故君子 以人治人 改而止"라고 하였다.

이 있고 귀로도 시시각각 밝게 들음이 있으며, 들어와서는 곧 부형(父兄)을 모시고 나가서는 공경(公卿)을 섬기니, 이것이 바로 흘러가는 것이 '밤낮을 가리지 않는 것'이다. 주자는 "만약 물이 조그마한 장애물을 만나면, 도도(滔滔)하게 흘러갈 수가 없다."[45]라고 말했는데, 이 또한 폐단이 있는 말이다. 도체(道體)는 자연(自然)스러우니 어찌 장애(障碍)가 있을 수 있겠는가? 다만 사람이 스스로 간단(間斷)이 있게 하는 것이지, 도체를 어떻게 할 수는 없다. 천지(天地)는 무심(無心)하면서도 생성변화를 완성한다. 그러므로 그 도와 일체가 된 시냇물의 흐름도 저절로 쉼이 없는 것이다. 그런데 사람은 반드시 유심(有心)한 뒤에야 잘할 수 있으니 이를 가지고 쓰지 않는다면, 흘러가는 것이 이와 같은데도 익숙해짐에 살피지 아니하여 도리어 아침에 일찍 일어나는 부지런함에도 도척(盜蹠)의 무리가 될 수 있다. 그러니 도가 막혀서 행해지지 않는 적은 없고, 사람이 스스로 넘어지는 것일 뿐이다. 그러므로 이것은 물이 막혔느냐 막히지 않았느냐로 비교할 수 없음이 명백하다.

도(道)는 날마다 사람들에게 행해지고 있는데 사람들이 이를 막을 수 없다. 또한 자신에게 고유한 것을 버려두고 밖에 보이는 물상(物象)에서 응당 따라야 될 도를 고찰하여, 이를 본받는 것을 일삼을 필요도 없다. 만약 도를 본받으려 한다면, 천근(淺近)하게 생각하면 도가 사람에게서 멀리 있다 여길 것이고, 이것을 극도로 미루어 가면 반드시 있는 듯 없는 듯 한 가운데에 별도로 하나의 물상을 세워 놓고 이를 도라 할 것이다. 노자(老子)는 이렇게 생각하여 "사람은 하늘을

45) 만약……없다 : 『논어집주대전』 「자한」 제16장의 주자주 "無毫髮之間斷也" 아래 첫 번째 소주에 나온다.

본받고 하늘은 도를 본받는다.[人法天 天法道]"[46]라고 하였다. 아! 도를 본받을 수 있다면, 이 또한 실상이 없는 기물로 사람에게서 떨어져 있는 것이니 어찌 옳다고 하겠는가!(程子君子法之四字卻與與道爲體之說 參差不合 新安祖此說 云欲學者於川流上察識道體之自然不息而法之 愈成泥滯 慶源人能卽此而有發焉一句 方得脗合 此等處 差之毫釐 便成千里 川流旣與道爲體 逝者卽道體之本然 川流體道 有其逝者之不舍 道體之在人心 亦自有其逝者 不待以道爲成型而法之 此逝者浩浩於兩間 豈但水爲然哉 易象下六十四個以字 以者 卽以此而用之 非法之之謂也 言法 則彼爲規矩 此爲方員 道在天下而不在已矣 天德乾地德坤 君子固自有天行之健 地勢之坤 而以之自强 以之載物 無所煩其執柯睨視之勞也 逝者二字是統說 斯字方指水 如斯者 言天理之運亦如斯 人心之幾亦如斯也 此聖人見徹內外 備道於身之語 目刻刻有可視之明 耳刻刻有可聽之聰 入卽事父兄 出卽事公卿 此皆逝者之不舍晝夜也 朱子如水被些障塞 不得恁地滔滔之語 亦有疵在 道體自然 如何障塞得 只人自間斷 不能如道體何也 天地無心而成化 故其體道也 川流自然而不息 人必有心而後成能 非有以用之 則逝者自如斯而習矣不察 抑或反以此孳孳而起者爲蹠之徒 未嘗礙道不行而人自躓耳 此固不可以水之塞與不塞爲擬 明矣 道日行於人 人不能塞 而亦無事舍己之固有外觀之物 以考道而法之 若云以道爲法 淺之則謂道遠人 而推其極 必將於若有若無之中 立一物曰道 老氏緣此而曰 人法天 天法道 嗚呼 道而可法 則亦虛器而離於人矣 奚可哉)

---

46) 사람은……본받는다 : 『노자』 제25장에 나오는 말로, 원문은 다음과 같다. "人法地 地法天 天法道 道法自然"

10

정자(程子)의 이 한마디 말씀의 하자(瑕疵)를 신안 진씨(新安陳氏)가 보고서는 더욱 어긋나는 방향으로 이해하였다.[47] 정자가 이미 '도와 더불어 일체이다'라고 하였다면, 이는 눈이 눈 밝음과 더불어 일체이며 귀가 귀 밝음과 더불어 일체라는 말과 같다. 이는 진실로 군자가 눈 밝음을 본받아 색을 보고 귀 밝음을 본받아 소리를 듣는다고 말해서는 안 되니, 이렇게 하면 그 말들이 서로 간에 막힘이 있게 되는 것이다. 그러므로 이 문장들에는 실수가 있음을 알 수 있다. 만약 군자가 이를 써서 스스로를 강하게 함에 쉼이 없다고 한다면, 또한 병폐가 없을 것이다.

신안 진씨(新安陳氏)처럼 "배우는 자들에게 시냇물의 흐름에서 도체(道體)가 저절로 쉼이 없음을 살피게 하여 이것을 본받게 하고자 하였다."라고 말한다면, 이는 도에는 도의 쉼 없음이 있고 군자에게는 군자의 쉼 없음이 있다는 뜻이 되니, 이를 둘로 나누어서 각각 법칙으로 삼고 있음이 분명하다. 이것은 마치 나부끼는 쑥을 보고 수레를 만들었는데, 쑥에는 수레의 본체가 없고 또한 수레의 작용도 없는데 그 비슷하게 형상화한 것일 뿐이다라고 말하는 것과 같다. 여기에서 신안 진씨의 가리어진 곳을 볼 수 있다.(程子是一語之疵 新安則見處差錯 程子旣云與道爲體 則猶言目與明爲體 耳與聰爲體 固不可云君子法目之明以視色 法耳之聰以聽聲 其言自相窒礙 故知是一時文字上失簡點 若云君子以之自彊不息 則無病矣 若新安云欲學者於川流上察識道

47) 정자(程子)의……이해하였다 : 『논어집주대전』「자한」 제16장의 주자주 "未嘗也" 아래의 일곱 번째 소주에 나온다.

體之自然不息而法之 則是道有道之不息 君子有君子之不息 分明打作兩片 而借爲式樣 猶言見飛蓬而制車 蓬無車體 亦無車用 依稀形似此而已 以此知新安之昧昧)

11

"군자는 이를 써서 스스로를 강하게 함에 쉼이 없다.[君子以自彊不息]"[48]라고 하였으니, 이는 천덕(天德)을 쓴다는 것이지, 물을 본받았다는 것이 아니다. 물의 흐름이 밤낮을 쉬지 않는 것은, 천덕(天德)의 강건(剛健)함의 일부를 가졌기 때문이다. 흘러가는 것은 천덕(天德)의 변화의 자취이니, 물에도 또한 있고 사람에게도 역시 있는 것이다. 물에 이르러서는 다만 밤낮을 쉬지 않을 수 있게 되고, 사람에게서는 더욱 그 빛을 발하여 날로 새로워짐이 배가 됨을 알 수 있다. 천덕은 이처럼 활발(活潑)하게 양자간에 꽉 차 있으면서 날마다 내 몸 안에서 행해지고 있다. 그런데 이것을 살피지 않고 저 물만을 살피고자 한다면, 이 또한 지엽적인 일이다.(君子以自彊不息 是用天德 不是法水 水之不舍晝夜 是他得天德一分剛健處 逝者 天德之化迹也 於水亦有 於人亦有 到水上 只做得個不舍晝夜 於人 更覺光輝發越 一倍日新 天德活潑 充塞兩間 日行身內 不之察識而察識夫水 亦以末矣)

48) 군자는……없다 : 『주역』 「건괘」 상전에 나오는 말이다.

제17장

공자 : "나는 아직까지 덕을 좋아하기를 아름다운 여인 좋아하듯이 하는 사람을 보지 못하였다."

子曰 吾未見好德如好色者也

12

권점(圈點) 아래의 주에 『사기(史記)』의 남자(南子)가 함께 수레에 탄 일을 인용하고 있는데,[49] 이는 그렇지 않다. 사마천(司馬遷)의 『사기』는 잡스럽게 인용하고 견강부회(牽强附會)한 내용이 많아 대부분 믿을 수가 없다. 또한 『사기』의 말은 영공(靈公)의 호색(好色)을 보고 천하의 덕을 좋아하는 사람들은 이같지 않음을 탄식한 것이지, 영공을 기롱(譏弄)한 것은 아니다는 의미이다. 그런데 공자께서 영공(靈公)이 남자(南子)를 친압(親押)하는 것을 보지 않았다고 해서, 어찌 사람들의 호색(好色)의 정성이 호덕(好德)보다 배가 됨을 모르셨겠는가? 그렇다면 주자가 사마천의 설을 『논어집주』에 끌어다 쓴 것은 오히려 잘못 인용했다고 할 만하다. 하물며 신안 진씨(新安陳氏)가 말한 것[50]은 흡사 영공이 '어진이를 어질게 여김을 여색을 좋아하

49) 『사기(史記)』의……있는데 : 『논어』 「자한」 제17장의 "子曰 吾未見好德 如好色者也"라는 경문 아래, 이 사건에 대한 『사기(史記)』의 기사가 인용되어 있는데, 그 원문은 다음과 같다. "史記 孔子居衛 靈公與夫人同車 使孔子爲次乘 招搖市過之 孔子醜之 故有是言"

는 마음과 바꾸듯이 함'을 잘 못하는 것에 대하여 기롱한 것 같으니, 이는 마치 도척(盜蹠)[51]이 나라를 사양하지 못하는 것을 꾸짖으며 상신(商臣)[52]이 효를 다하지 못하는 것을 탄식하는 것과 같다. 이 또한 매우 실정에 어긋난 말이다.

또한 공자가 '나는 아직 보지 못했다[吾未見]'라고 말씀하신 것은 진심으로 하신 말씀이다. 영공의 황음무도(荒淫無道)함은 당시의 제후들에게서도 잘 보지 못하는 것인데, 하물며 현명한 사대부에게서 보이겠는가? 그런데 바로 이 하나의 일을 가지고 천하의 임금과 신하를 싸잡아서 "나는 덕을 좋아는 것을 여색을 좋아하듯이 하는 사람을 아직 보지 못했다."라고 말했다면, 어찌 천하의 자중(自重)하는 자들을 심복(心伏)시킬 수 있겠는가?

그리고 '덕을 좋아함을 여색을 좋아하듯이 한다[好德如好色]'는 것은 두 가지를 서로 비교하는 말이지만, 바로 호덕(好德)한 자를 위해서 한 말이지 호덕(好德)하지 않는 자를 위해서 한 말은 아니다. 호덕(好德)이 곧 호색(好色)과 같다라고 말하더라도, 이미 좋은 것이다. 그런데 영공의 무도(無道)함은 인륜(人倫)이 망실(亡失)되는 지경이었으니, 그 덕을 좋아하지 않음이 어찌 다만 호색(好色)하지 않을 뿐이었겠는가? 영공은 남자(南子)에게 제제를 받아 송조(宋朝)를 불러들였고 태자를 쫓아냈으며 늙어서는 협박을 당했으니,[53] 이는 당나라 고종(高宗)의 경우와 흡사하다. 영공(靈公)은 남자(南子)를 어찌할

---

50) 신안 진씨(新安陳氏)가 말한 것 : 『논어집주대전』 「자한」 제17장의 주자주 "有是言" 아래의 두 번째 소주에 나온다.

51) 도척(盜蹠) : 중국 고대의 큰 도적의 이름으로, 현인(賢人)인 유하혜(柳下惠)의 아우라고 한다.

52) 상신(商臣) : 춘추시대 초(楚)나라의 세자로 그 아버지인 성공(成公)을 시해하였다.

수 없어서 분노와 치욕을 견디며 구차하게 편안함을 구했을 뿐이다. 덕을 좋아하는 것이 이와 같다면, 이미 매우 성실하지 않는 것이니 여기에서 취할 것이 무엇이 있겠는가? 사마천의 왜곡과 신안 진씨의 비루함이 드러나는 이같은 해석들은 모두 없애버리는 것이 바른 일일 것이다.(圈外註引史記南子同車事 自是不然 史遷雜引附會 多不足信 且史所云者 亦謂見靈公之好色 而因歎天下好德者之不如此 非以譏靈公也 乃夫子卽不因靈公之狎南子 而豈遂不知夫人好色之誠倍於好德 則朱子存史遷之說 尚爲失裁 況如新安之云 則似以譏靈公之不能賢賢易色 是責盜蹠以不能讓國 而歎商臣之不能盡孝也 亦迂矣 且子曰吾未見者 盡詞也 靈公之荒淫耄悖 當時諸侯所不多見 而況於士大夫之賢者 乃因此一事 而遂槩天下之君若臣曰吾未見好德如好色 其何以厭伏天下之自好者哉 且云好德如好色 兩相擬之詞 則正爲好德者言 而非爲不好德者 道好德 卽不如好色 然亦已好矣 靈公之無道 秉懿牿亡 其不好德也 豈但不能如好色而已哉 靈公爲南子所制 召宋朝 逐太子 老孱被脅 大略與唐高宗同 其於南子 亦無可如何 含憤忍辱 姑求苟安而已 好德者如此 則已不誠之甚 而何足取哉 史遷之誣 新安之陋 當削之爲正)

53) 영공은……당했으니 : 위나라 영공(靈公)은 혼우(昏愚)하였으며, 그 부인인 남자(南子)는 음란하였다. 이에 영공의 아들인 괴외(蒯聵)가 남자를 죽이려다 실패하고, 국외를 망명을 하였다. 이후 영공이 죽자, 남자(南子)는 괴외의 아들인 첩(輒)을 세워 왕으로 삼았는데, 괴외가 입국하려 하자 그 아들인 출공(出公) 첩(輒)이 막아서는 패륜이 일어나게 되었다. 당시 공자가 이를 보고 정치의 제일 조건을 '정명(正名)'으로 규정하기도 하였다. 이에 대한 자세한 기사는, 『논어집주』 「옹야」편 제26장과 「자로」편 3장의 주자주에 자세하다.

제29장

공자 : "함께 공부하여도 더불어 도에 나아갈 수 없으며, 함께 도에 나아가도 더불어 도를 확립할 수 없으며, 함께 도를 확립하여도 더불어 상황에 알맞게 적절히 도리를 실천할 수는 없다."

子曰 可與共學 未可與適道 可與適道 未可與立 可與立 未可與權

13

주자(朱子)가 권도(權道)를 말한 내용은 정자(程子)와 크게 다른 것이 아니다.[54] 주자가 "정미(精微)하고 곡절(曲折)한 곳에 그 마땅함을 곡진(曲盡)하게 한다."[55]라고 말한 것은, 정자가 "경중(輕重)을 달아서 의(義)에 합치되게 한다."[56]라는 말과 정확하게 부합된다. '그 마땅함을 곡진하게 한다'라고 했을 때의 '마땅함[宜]'이란 글자가 바로 '의(義)'이다. 정심(精深)하고 미묘(微妙)하며 은미(隱微)하고 세밀(細密)하지 않으면 의(義)가 되기에는 부족하다.

주자는 한유(漢儒)들의 '경도(經道)를 뒤집어 도에 합치된다[反經合道]'는 설을 자세하고 온전하게 실어서, 마침내 권변(權變), 권술(權術)과 서로 뒤섞이게 하였으니, 이 장의 취지와는 부합되지 않는

54) 주자(朱子)가……아니다 : 이하의 논의는 『논어』 「자한」 제29장 "子曰 可與共學 未可與適道 可與適道 未可與立 可與立 未可與權"에 대한 왕부지의 해석이다.

55) 정미(精微)하고……곡진(曲盡)하게 한다 : 이 구절은 『논어집주대전』 「자한」 제29장의 주자주 "亦當有辨" 아래 첫 번째 소주 중간쯤에 나온다.

56) 경중(輕重)을……한다 : 이 구절은 『논어집주』 「자한」 제29장의 주자주에 나온다.

다. '경도(經道)를 뒤집어 도에 합치된다[反經合道]'는 것은 구체적인 일의 측면에서 말한 것이다. 이 경문은 '함께 배우고', '도에 나아가는' 것으로 말미암아 '서고', '권도를 행하는' 경지로 나아가는 것에 대하여 말한 것이다. 그러므로 이 경문은 심덕(心德)과 학문(學問)의 측면에서 말한 것이니, 심덕과 학문에 어찌 경도(經道)를 뒤집는 것을 받아들일 수 있겠는가?

공자는 "함께 설 수는 있어도 함께 권도(權道)를 행할 수는 없다."고 말씀하였지, 애초에 "함께 경도(經道)를 할 수는 있어도, 함께 권도를 행할 수는 없다."고 말씀하여 경도(經道)와 권도(權道)를 상대적인 개념으로 여기지는 않았다. 옛말에 "경사(經事)에 처하되 마땅함을 알지 못하고, 변사(變事)에 처해서도 권도(權道)를 알지 못한다."라는 구절이 있는데, 이는 천하의 일의 측면에서 말한 것으로 경(經)이란 글자는 저절로 변(變)자와 상대적인 개념이 된다. 나의 처사접물(處事接物)의 측면에서 말하면, 경(經)은 의(宜)이고 변(變)은 권(權)이라고 말할 수 있으니, 권(權)이 또한 의(宜)인 것이다. 그리고 천하의 일의 측면에서 경(經)을 말하면 아주 자세한 부분까지는 모두 포괄할 수 없으니, 만약 '천하의 대경(大經)'이라고 말한다면 경(經)은 성글고 위(緯)는 세밀하게 된다. 그러나 학문(學問)과 심덕(心德)의 측면에서 경도(經道)를 말하면, 경(經)이란 글자는 일체(一切)를 포괄한다. 때문에 만약 '군자의 경륜(經綸)'이라고 말하면, 그 단서(端緖)를 다스리고 분화되는 것에서 세밀한 오차조차 용납되지 않을 것이다. 이렇게 되면 경도(經道)에는 진실로 권도(權道)가 있게 되는 것이니, 경도는 성글고 권도는 세밀한 것은 아니라고 할 수 있다.

주자는 하나의 '경(經)'이라는 글자를 '성글다[疎闊]'라고 이해하였다. 그러나 실제로 그 의미를 탐구해보면, 가볍고 무거움을 살피지 못하는 것을 어찌 경(經)이라 할 수 있겠는가? 경(經)이 성근 것이 아니고 권(權)이 세밀한 것이 아니라면, 권도(權道)와 경도(經道)는 상대적 개념이 아니다. 권도(權道)가 경도(經道)와 상대적 개념이 아니라면, 또한 경(經)과 권(權)을 구분하여 말해서는 안 된다.

이미 이루어진 경(經)으로 말하자면 경도(經道)는 천하의 본체이고 권도(權道)는 내 마음의 작용이다. 그러나 만약 '경륜(經綸)'의 경(經)으로 말한다면 권도(權道)를 경도(經道)라 하기에 부족한 것은 아니니, 경도 밖에 따로 권도가 있는 것은 아니다. 경도 밖에 따로 권도가 없는데, 하물며 경도를 뒤집을 수야 있겠는가? 실을 가공하는 것을 '경(經)'이라 하고 물건을 다는 것을 '권(權)'이라 한다. 그러나 나누는 것이 세밀(細密)하고 올려놓고 지탱시켜줌이 정심미묘하다는 점에서는 동일하다. 다만 경(經)은 후박(厚薄)을 나누고 장단(長短)을 정하며, 권(權)은 경중(輕重)을 살핀다는 점이 약간 다르다. 물상(物象)의 경중을 살피고 난 뒤에 나의 후박(厚薄)과 장단(長短)을 적용시키니, 이러한 관점에서 보면 또한 권도(權道)가 우선이고 경도(經道)는 후차적인 것이다.

맹자(孟子)가 "형수가 물에 빠지면 손으로 건져준다."[57]고 한 것은 바로 사변(事變)의 측면에서 말한 것이다. 어찌 함께 권도(權道)를 행할 수 없는 자라고 해서, 형수가 물에 빠지는 것을 보기만 하고 구하지 않겠는가? 그리고 이윤(伊尹)이 태갑(太甲)을 추방한 것[58]과 주공(周公)이 관숙(管叔)과 채숙(蔡叔)을 주벌(誅罰)한 것[59]은 더욱 이

57) 형수가……건져준다 : 『맹자』 「이루」 상에 나온다.
58) 이윤(伊尹)이……추방한 것 : 『서경』 상서(商書) 「태갑(太甲)」에 나온다.
59) 주공(周公)이……주벌(誅罰)한 것 : 『서경』 주서(周書) 「금등(金縢)」에 나온다.

구절에 대한 증거로 삼을 수는 없다.

주공이 만약 경도(經道)를 뒤집어 권도(權道)에 합치되고자 하는 의지가 있었다면, 반드시 관숙과 채숙을 석방한 뒤에야 가능한 일이다. 대개 신하가 사원(私怨)을 가지거나 원수와 친구를 한다거나 나라가 위태롭고 군주가 어린 틈을 타서 난을 일으킬 때, 반드시 용서하지 않고 주벌(誅罰)하는 것이 국가의 대경(大經)과 대법(大法)이다. 이는 주벌(誅罰)하는 것이 정경(正經)이기 때문이다. 주공(周公)의 처사에 조금 불만스러운 점이 있다면 또한 법을 집행함이 너무 지나쳤다는 것이다. 그러나 사변(事變)을 만남에 반드시 경도(經道)를 지키고자 했을 뿐이니, 어찌 이를 일러 경도를 뒤집었다고 할 수 있겠는가?

태갑(太甲)의 일은 성인(聖人)도 말씀하지 않은 바가 있으니, 아마 공자도 이윤(伊尹)의 처사에 조금 불만이 있었던 듯하다. 그러나 『서경(書經)』에서 산삭(刪削)하지 않은 것을 보면, 또한 태갑의 일을 후대의 경계(警戒)로 삼은 것이다. 그리고 『서경』「오자지가(五子之歌)」의 경우는 그 가사의 올바름을 보존시켰을 따름이다. 또한 이윤이 태갑을 추방한 것은 수천 년의 세월 동안 드물게 보이는 일이고, 요(堯), 순(舜), 우(禹), 문왕(文王), 공자(孔子) 등은 모두 이러한 거동(擧動)이 없었다. 공자는 노(魯)나라에 있을 적에 삼환(三桓)도 추방하지 않았는데, 하물며 그 임금을 내쳤겠는가? 만약 '함께 설 수 있는'자가 반드시 이러한 경천동지(驚天動地)할 대단한 일을 한 뒤에야 '함께 권도를 행할 수 있다'고 인정한다면, 어찌 후세에 드리울 만한 교화를 세우는 방도라 하겠는가? 점차 태갑(太甲)이 현명해졌더라면 이윤(伊尹)이 추방하지 않았을 것이니, 이렇게 되면 천고(千古)에 어느 한 사람 어느 한 가지 일도 권도(權道)를 행할 만한 것은 없었을 것이다. 그러니 어찌 제중(祭仲)과 곽광(霍光) 같은 이들의 행동[60]을 권도(權道)라 인정하겠는가?

형수가 물에 빠짐에 손으로 구해주는 것은 바로 초야에 묻혀 사는 순우곤(淳于髡) 같은 이의 비루한 학설인데, 맹자가 우선 사변(事變)의 측면에서 이를 언급한 것이다. 그 사람이 승냥이나 이리가 아닌 다음에야 반드시 구해줄 것이다. 그러나 이는 그때의 다급한 마음에서 구해준 것이니, 주자가 말한 '정미(精微)하고 곡절(曲折)한 부분에서 그 마땅함을 곡진하게 한다'는 뜻은 아니다. 그리고 어찌 성현의 흉중(胸中)에 이러한 마음이 있어서, 형수가 물에 빠지기를 기다린 뒤에야 경도를 뒤집어 도에 합치되려 하겠는가?

주자는 "'함께 설 수 있지만 함께 권도를 행할 수는 없다'고 하였는데, 이는 또한 매우 부득이한 상황에서만 이 말을 할 수 있다."[61]라고 하였는데, 그렇다면 이윤과 주공만 권도(權道)가 있고 요임금과 순임금은 권도가 없다는 것인가? 맹자는 '중(中)만을 잡고 권도(權道)가 없음'을 기롱(譏弄)하였으니,[62] 이는 애초에 상황이 부득이(不得已)한가 그렇지 않은가를 논한 것이 아니다. 『주역』에 "의(義)를 정밀하게 하여 신묘한 경지에 들어가며, 쓰임을 이롭게 하여 몸을 편안하게 한다."[63]라고 하였으니, 비록 태평성대를 살고 높은 자리에 있으며 할 수 있는 바를 행하더라도 또한 반드시 이미 서고 난 뒤에 이 심덕(心

60) 제중(祭仲)과 곽광(霍光)같은 이들의 행동 : 제중(?-BC682)은 춘추시대 정(鄭)나라 사람으로 자를 仲足이라하며, 곽광(?-BC68)은 서한(西漢)사람으로 자는 자맹(子孟)이다. 이 두 사람은 모두 자신들이 섬기던 주군을 바꾼 경력이 있다.

61) 주자는……할 수 있다 : 이 구절은 『논어집주대전』「자한」 제29장의 주자주 "可與權" 아래 첫 번째 소주에 나온다.

62) 맹자는……기롱(譏弄)하였으니 : 『맹자』「진심」 상에 나온다.

63) 의(義)를……한다 : 『주역』「계사전」 하에 나온다.

德)에 관한 공부를 더하여야만 한다. 그런데 하물며 이 경문은 단지 배우는 자들의 덕에 나아가는 순서를 말한 것으로 애초에 부득이한 시세(時勢)나 혹 내몰리는 상황을 두고 한 말은 아니다.

그러므로 오직 정자(程子)의 말씀이 가장 심오하고 정밀하다. 정자는 "성인이 저울대로써 경중(輕重)을 아는 것이 아니다. 성인 그 자신이 바로 저울대이다."[64]라고 하였는데, 이 말은 바로 "마음이 하고자 하는 바를 따라도 법도를 넘지 않는다.[從心所欲不踰矩]"는 오묘한 경지를 드러낸 것이다. 저울이 경중(輕重)을 다는 것은 곱자가 구고(句股)[65]를 재는 것과 같지만, 저울은 어느 곳에서건 평평함을 유지하여 한도(限度)를 두지 않으니, 이 점은 곱자보다 더욱 정밀하다. 그렇다면 반드시 마음이 하고자 하는 바를 따르더라도 법도를 넘음이 없는 뒤에야 마음이 곧 저울대가 되어, 함께 더불어 권도(權道)를 행할 수 있을 것이다.

예컨대 「향당(鄕黨)」편은 성인의 권도(權度)를 보여주지 않음이 없다. 한 번 가서 서 계시면 염유(冉有)와 자공(子貢)이 '강직한 행동거지[侃侃如也]'[66]를 지니신 공자를 모시고 있는데, 어찌 바르지 않았겠는가? 이것을 경중(輕重)으로 잰다면 이미 도리를 잃은 것이다. 스스로 성인(聖人)의 성덕(盛德)이 마음에 쌓여 있고 대용(大用)이 때에 따라 나오는 사람이 아니라면, 어찌 하대부(下大夫)들에게 배품에

---

64) 정자는……저울대이다 : 이 구절은 『논어집주대전』「자한」 제29장의 주자주 "使合義也" 아래 첫 번째 소주에 나온다.

65) 구고(句股) : 직삼각형의 협직각(夾直角)의 양변을 가리키는 데, 길이가 짧은 변을 구(句), 길이가 긴 변을 고(股)라고 한다.

66) 강직한 행동거지 : 이 구절은 『논어』「향당」 제2장에 나오는 데, 그 원문은 다음과 같다. "朝與下大夫言 侃侃如也 與上大夫言 誾誾如也"

어긋나지 않을 수 있겠는가?

만사(萬事)는 자신과 교차되고 만리(萬理)는 일에 걸쳐 있으니, 일과 물(物)의 경중(輕重)은 권도(權道)에 의해 바르게 되어야만 한다. 눈 앞의 천리(天理)는 한량없고 인사(人事)는 수시로 옮겨 가니, 화락(和樂)하고 평안(平安)할 때에도 이미 매우 번잡(繁雜)하다. 어찌 부득이(不得已)한 뒤에만이 권도(權道)가 필요하겠는가?

더구나 성인(聖人)의 권도는 바로 혼란이 도래하지 않은 평화의 시대에 그 총명예지(聰明睿知)와 신무(神武)로써 죽이지 않는 공적을 쓰는 데에 있다. 만약 부득이한 상황이 눈앞에 닥쳐온다면, 다만 바름을 지킬 뿐이다. 순(舜) 임금의 '공경하고 삼가고 두려워함[夔夔齊栗]'[67]과, 주공(周公)이 "내가 피하지 않으면, 내 우리 선왕에게 고할 것이 없도다."라고 말한 것은, 모두 지혜와 용기를 쓸 수 없을 때에 오직 인(仁)으로써 자신을 추스린 것이다. 그러므로 『시경(詩經)』에 "주공이 큰 아름다움을 사양하시니, 붉은 신이 편안하시도다."[68]라고 하였으니, 이는 그 항심(恒心)을 바꾸지 않는다는 말이다. 장량(張良)의 벽곡(辟穀)과 곽자의(郭子儀)의 사치함과 같은 술수는 성현의 마음에 애초에 없는 것이다. 그러니 제중(祭仲)과 곽광(霍光) 같은 짓을 하였겠는가?

성현의 권도(權道)는 항상 상도(常道)를 쓰지 변도(變道)를 쓰지는 않는다. 그래서 『서경』의 「동궁(桐宮)」과 같은 구절[69]은 또한 영웅의 기질이 끼여듦을 면치 못한다. 그리고 맹자(孟子)도 영기(英氣)가

67) 공경하고 삼가고 두려워 함 : 『맹자』 「만장」 상에 나온다.

68) 주공이……편안하시도다 : 『시경』 빈풍(豳風) 「낭발(狼跋)」편에 나온다.

69) 「동궁(桐宮)」과 같은 구절 : 『서경』 상서(商書) 「태갑(太甲)」에 나온다.

있었기 때문에 미루어 성인으로 삼았다. 『논어』에서 백이(伯夷)와 유하혜(柳下惠)를 칭찬한 것이 이윤(伊尹)에게 미치지 못하는 점에서, 성인(聖人)의 마음을 알 수 있다.

『주역』에 "손(巽)으로써 권도(權道)를 행한다.[巽以行權]"[70] 라고 하였으니, '손(巽)'은 '들어온다'는 뜻으로 이는 들어오는 덕을 지극하고도 깊게 그 기미를 탐구해야만 권도가 이에 정해진다는 의미이다. 이것은 마치 바람이 불어감에 매우 은미한 곳까지 통하지 않음이 없으며, 화순(和順)함이 의리(義理)에서 그 빛을 발휘함과 같으니, 어찌 부득이한 경우라 하더라도 경도(經道)를 뒤집어서 행함이 있겠는가? 그러므로 '권(權)'의 의미는 마땅히 정자(程子)의 풀이가 올바르다.(朱子之言權 與程子亦無大差別 其云於精微曲折處曲盡其宜 與程子權輕重使合義正同 曲盡其宜一宜字 卽義也 不要妙 不微密 不足以爲義也 朱子曲全漢人反經合道之說 則終與權變權術相亂 而於此章之旨不合 反經合道 就事上說 此繇共學適道進於立 權而言 則就心德學問言之 學問心德 豈容有反經者哉 子曰可與立 未可與權 初不云可與經 未可與權 經字與權爲對 古云處經事而不知宜 遭變事而不知權 就天下之事而言之 經字自與變字對 以吾之所以處事物者言之 則在經曰宜 在變曰權 權亦宜也 於天下之事言經 則未該乎曲折 如云天下之大經 經疎而緯密也 於學問心德言經 則經字自該一切 如云君子以經綸 凡理其緖而分之者 不容有曲折之或差 則經固有權 非經疎而權密也 朱子似將一經字作疎闊理會 以實求之 輕重不審 而何以經乎 經非疎而權非密 則權不與經爲對 旣不與經爲對 亦不可云經權有辨矣 以已成之經言之 則經者天下之體也 權者吾心之用也 如以經綸之經言之 則非權不足以經 而經外

70) 손(巽)으로써……행한다 : 『주역』「계사전」 하에 나온다.

亦無權也 經外無權 而況可反乎 在治絲曰經 在稱物曰權 其爲分析微密 挈持要妙 一也 特經以分厚薄 定長短 權以審輕重 爲稍異耳 物之輕重旣審 而後吾之厚薄長短得施焉 是又權先而經後矣 至如孟子云嫂溺援之以手 乃在事變上說 豈未可與權者 視嫂溺而不援乎若伊尹放太甲周公誅管蔡 則尤不可以證此 周公若有反經合權之意 則必釋管蔡而後可 蓋人臣挾私怨 朋仇讎 乘國危主幼而作亂 其必誅不赦者 自國家之大經大法 是其誅之也 正經也 周公卽微有未愜處 亦守法太過 遭變事而必守經耳 安得謂之反經 若太甲之事 則聖人之所不道 夫子似有不滿於伊尹處 其不見刪於書 亦以太甲之事爲後戒 且亦如五子之歌 存其詞之正而已 且伊尹之放太甲 亦歷數千載而僅見 堯舜禹文孔子 俱未嘗有此擧動 孔子於魯 且不放逐三桓 而況其君 如使進乎可與立者 必須有此驚天動地一大段作爲 而後許之曰可與權 亦豈垂世立敎之道哉 浸假太甲賢而伊尹不放 則千古無一人一事爲可與權者矣 其將進祭仲霍光而許之乎 若嫂溺手援 乃淳于髡草野鄙嫚之說 孟子姑就事之變者言之 自非豺狼 皆可信其必援 只是一時索性感愴做下來的 旣非朱子精微曲折曲盡其宜之義 而又豈聖賢胸中有此本領 以待嫂之溺 爲反經而合道耶朱子云 可與立 未可與權 亦是甚不得已 方說此話 使然 則獨伊周爲當有權 而堯禹爲無權乎 孟子譏執中無權 初不論得已不得已 易稱精義入神 利用安身 則雖履平世 居尊位 行所得爲 亦必於旣立之餘 加此一段心德 而況此但言學者進德之序 初未嘗有不得已之時勢 若或迫之者 故唯程子之言爲最深密 程子云聖人則不以權衡而知輕重矣 聖人則是權衡也 顯此爲從心所欲 不踰矩之妙 權之定輕重 猶矩之定句股 而權之隨在得平 無所限量 尤精于矩 則必從欲不踰矩 而後卽心卽權 爲可與權也 如鄕黨一篇 無不見聖人之權 若一往自立 則冉有子貢侍於夫子而侃侃如也 夫豈不正 乃以準之於輕重 固已失倫 自非聖人盛德積中 大用

時出 其孰能必施之下大夫而不爽哉 萬事交於身 萬理交於事 事與物之輕重無常 待審於權者正等 目前天理爛漫 人事推移 卽在和樂安平之中而已不勝其繁雜 奚待不得已之時 而後需權耶 況聖賢之權 正在制治未亂上 用其聰明睿知 神武不殺之功 若到不得已臨頭 卻只守正 舜之夔夔齊栗 周公之云我之弗辟 我無以告我先王 知勇不登 而唯仁可以自靖 故詩云公孫碩膚 赤舃几几 言不改其恆也 若張良之辟穀 郭子儀之奢侈 聖賢胸中原無此學術 而況祭仲霍光之所爲哉 聖賢之權 每用之常而不用之變 桐宮一節 亦未免夾雜英雄氣在 孟子有英氣 故爾針芥而推之爲聖 論語稱夷惠而不及伊尹 聖人之情可見矣 易云巽以行權 巽 入也 謂以巽入之德 極深研幾而權乃定也 如風達物 無微不徹 和順於義理而發其光輝 焉有不得已而反經以行者乎 故權之義 自當以程子爲正)

14

천하에는 일정한 경중(輕重)은 없고, 일정한 권도(權道)만이 있다. 만약 경중(輕重)이 같지 않다고 해서 곧 바꾼다면, 이는 권도라 할 수 없다. 매우 크거나 작거나 간에 다만 그 상도(常道)를 씀에 정해지지 않음이 없으니, 이것이 바로 천리의 자연스럽고 합당한 쓰임이다. 만약 부득이하다고 해서 권도를 쓴다면, 이는 저울대를 잡고 물건을 다는 자들이 모두 날마다 부득이한 방도를 쓰는 것이니, 어찌 이럴 수 있겠는가!(天下無一定之輕重 而有一定之權 若因輕重之不同而輒易焉 則不足以爲權矣 大而鈞石 小而銖絫 止用其常而無不定 此乃天理自然恰當之用 若云不得已而用權 則執秤稱物者 皆日行於不得已之塗矣 而豈其然哉)

향당편

鄕黨篇

편서문(篇序文)

윤씨(尹氏)가 말하였다. "대단하도다! 공문(孔門) 제자(弟子)들의 학문(學問)을 즐김이여! 성인(聖人)의 얼굴빛과 말씀과 행동을 모두 삼가 기록해서 후세(後世)에 남겼도다. 오늘날 그 글을 읽고 그 일에 나아가 보면 완연히 성인(聖人)이 눈앞에 계신 듯하다. 그러나 성인(聖人)이 어찌 구구하게 이렇게 하신 것이겠는가. 훌륭한 덕(德)이 지극함에 행동하고 주선함이 저절로 예(禮)에 맞은 것이다. 배우는 자들이 성인에 깊이 마음을 두고자 한다면 마땅히 여기에서 구하여야 할 것이다."

尹氏曰 甚矣 孔門諸子之嗜學也 於聖人之容色言動 無不謹書而備錄之 以貽後世 今讀其書 卽其事 宛然如聖人之在目也 雖然 聖人豈拘拘而爲之者哉 蓋盛德之至 動容周旋 自中乎禮耳 學者欲潛心於聖人 宜於此求焉

1

성인(聖人)은 언어와 용모 안색이 모두 예에 맞는다 말한 대목은 주자(朱子)와 경원 보씨(慶源輔氏)의 논리만이 제대로 의미를 파악한 것이라[1]하겠다. 양구산(楊龜山)[2]은 말하는 것이 매우 고상하고 현묘(玄妙)하지만 또한 실상 없는 메아리일 뿐이다. 맹자(孟子)가 "행동과 용모와 주선(周旋)함이 예(禮)에 맞는 것은 성덕(盛德)의 지극한 것이다."[3] 하였으니, 이는 "작은 덕은 냇물의 흐름과 같고, 큰 덕

---

1) 성인(聖人)은……것이라 : 이 구절은 『논어집주대전(論語集註大全)』 「향당(鄕黨)」 편명 아래에 보이는 두 번째 소주인 "朱子曰 鄕黨一篇 自天命之性至道不可須臾離 皆在裏面許多道理 皆自聖人身上迸出来 惟人做得甚分曉 故門人見之熟 是以記之詳 ○鄕黨說聖人容色處 是以有事時觀聖人 說燕居申申夭夭處 是以無事時觀聖人 學者須知聖人無時無處而不然"과 "慶源輔氏曰 聖人之道 無精粗無本末 大至於平天下治國家 立經陳紀 制禮作樂 小至於容貌辭氣 一動一靜 皆自此廣大心中流出 但愈細則愈密 愈近則愈實 故鄕黨一篇記聖人之容貌辭色 如是之詳且悉者 正所以示聖學之正傳 以垂教於後世也" 등을 가리킨다.

2) 양구산(楊龜山)이 한 말 : 이 구절은 『논어집주대전(論語集註大全)』 「향당(鄕黨)」 편명 아래 집주에 보이는데, 그 전문은 다음과 같다. "楊氏曰 聖人之所謂道者 不離乎日用之間也 故夫子之平日一動一靜 門人皆審視而詳記之"

3) 행동과……것이다 : 『맹자(孟子)』 「진심」 하에 보이는데, 그 원문은 다음과 같다. "孟子曰 堯舜 性者也…動容周旋中禮者 盛德之至也…"

은 화(化)를 두터이 한다."[4]는 것을 말한다. 덕이 성대하여 지극해지면 어느 곳에든 그 지극함[極]을 쓰지 않음이 없어서, 마치 해와 달이 빛을 허용하는 곳이면 반드시 비추는 것과 같다. 이는 실로 해와 달이 세세하게 하나의 틈으로 들어가서 비춰주는 것이라고 해서는 안 된다. 그렇다고 해서 이것이 하늘에 높이 매달려서 한 번도 비춰주지 않는데 빛을 받아들이는 곳에만 절로 빛난다고 해서도 안 된다.

경원 보씨(慶源輔氏)가 '자세하면 할수록 더욱 긴밀(緊密)하고 가까울수록 착실(着實)하다'[5]고 한 말에서, 이 '세(細)' '밀(密)' '근(近)' '실(實)' 4자는 성인의 전체(全體)와 대용(大用)이 바로 드러난 것임을 말한 것이다. 여기서 '실(實)'이라고 한 것은 바로 주자(朱子)가 '몸 밖으로 분출한다'고 한 뜻이고, '밀(密)'이라고 한 것은 주자(朱子)가 '이룬 것이 매우 분명하다'고 한 뜻이다.[6]

학자들은 성인(聖人)을 '한 가지가 해결되면 만사가 다 해결될 수 있는 사람'[7]으로 이해하는 것을 가장 꺼린다. 『중용(中庸)』에서는 '총명(聰明)과 예지(叡智)'를 말할 때에 반드시 '관유(寬裕) 온유(溫柔)' 등 16가지의 천덕(天德)을 겸하여 언급한다.[8] 이렇게 해야만 천하의

4) 작은…한다 : 『중용장구(中庸章句)』 제30장에 보이는데, 그 전문은 다음과 같다. "萬物並育而不相害 道並行而不相悖 小德川流 大德敦化 此天地之所以爲大也"

5) 자세하면 …… 착실(着實)하다 : 이 구절은 『논어집주대전(論語集註大全)』 「향당(鄕黨)」 편명 아래에 보이는 다섯 번째 소주에 보인다.

6) '실(實)'이라고……뜻이다 : 이 구절은 『논어집주대전(論語集註大全)』 「향당(鄕黨)」 편명 아래에 보이는 두 번째 소주에 보인다.

7) 한 가지가……사람 : 『주자어류(朱子語類)』 권8에 보면 "有資質甚高者 一了一切了 卽不須節節用工"라는 말이 있는데, 이 말은 요점이 해결되면 나머지도 해결된다는 뜻이다.

8) 『중용(中庸)』에서……언급한다 : 『중용(中庸)』 제31장에 보면 "唯天下至聖 爲能聰明睿知 足以有臨也 寬裕溫柔 足以有容也 發强剛毅 足以有執也 齊莊中正 足以有敬也 文理密察 足以有別也"라고 하였다.

이치가 모두 성(誠)이어서 지성(至聖)의 마음이 성(誠) 아님이 없음을 알 수 있다. 세밀하면 착실(着實)하고 착실하면 성(誠)하게 되는 것이다.

한 가지가 해결되면 만사가 다 해결될 수 있다는 식의 논리는 석씨(釋氏)만이 이런 말을 하였다. 그는 일시에 대철 대오(大徹大悟)하면 그 다음에 한 필의 순정한 백색 비단이 되어 어떤 일을 당하여 처리하든 오묘한 도리 아닌 것이 없게 된다고 한다. 때문에 석씨는 그 경지가 한창 무르익었을 때에 '일마다 장애가 없다[事事無礙]'[9] 하면서, 자신이 경계했던 간음(姦淫)과 살생(殺生), 술과 고기에 대해서도 공공연히 그러한 짓을 하는 것이다. 그 단서가 이미 혼란해져서 그 행동도 맑지 않게 된다. 석씨의 주장을 자세히 연구해보면 또한 혜자(惠子)의 척추(尺棰)[10]의 뜻과 같다. 그러나 이것은 종일 써도 다하지 않기 때문에 석씨의 말에 "원래 황벽(黃檗)의 불법에는 많은 것이 없다.[元來黃檗佛法無多子]"[11]라고 한 것이다.

성현(聖賢)의 천덕(天德)과 왕도(王道)는 하나의 성(誠)이면서 만물의 종시(終始)가 되는 것인데 어찌 이와 같겠는가! 가령 성덕(盛德)을 마음에 품고서 동작과 용모와 주선(周旋)함에 자연히 힘쓰지 않아도 모두 외물에 적합하게 된다면,『향당(鄉黨)』편(篇)은 단지 신선의 손안에 든 부채일 뿐이어서 이렇게 자세히 말할 필요가 없게 된

9) 일마다……없다 : 현상계의 제사상(諸事象)이 서로 융합하여 장애가 되는 일이 없다는 뜻이다.

10) 혜자(惠子)의 척추(尺棰) : 혜시(惠施)의 궤변술의 하나로 한 자 되는 막대기를 하루에 반씩을 취하면 영원히 끝나지 않을 것이라는 뜻이다.『장자(莊子)』「천하(天下)」"惠施以此爲大 …一尺之捶 日取其半 萬世不竭"

11) 원래……사람이다 :『오등회원(五燈會元)』의 '대우삼권(大愚三拳)'이라는 선종(禪宗) 공안(公案)에 나오는 말이다.

다. 공자 문하의 여러 제자들이 만세(萬世)토록 성인(聖人)을 공부할 사람들을 위해 이렇게 유념하여 적어둔 것인데, 이것을 놔두고서 자연(自然)에서 찾고 현묘(玄妙)한 데서 찾으려 하나니, 이 또한 옛 사람의 고심(苦心)을 매우 저버리는 짓이다. 『주역(周易)』에 "천지(天地)는 성인(聖人)과 근심을 함께 하지 않는다."[12] 고 하였고, 또 "천지(天地)가 자리를 베풂에 성인(聖人)은 능함을 이룬다."[13] 고 하였다. 그런데 어찌 퇴(槌)를 치고 불자(拂子)를 세우며[14], 임기 응변(臨機應變)을 크게 쓰고, 여여 부동(如如不動)[15] 한 일종의 광사(狂邪)한 견해가 있을 수 있겠는가! 양구산(楊龜山)은 진작에 그 독을 맞고도 스스로 깨닫지 못한 것이다.

성인은 다만 하나의 실(實)이면서 또한 하나의 밀(密)일 뿐이니 의리에는 정밀하고 인(仁)에는 원숙할 뿐이다. 그러나 이것을 쓸 때에는 반드시 그것과 함께 일단(一段)의 노력이 필요하다. 가령 '빛깔이 나쁜 것을 먹지 않으시고 냄새가 나쁜 것을 먹지 않으셨다'[16] 고 한 것은 비록 자연에서 우러나온 것이고 유심(有心)에서 나온 것은 아니다. 이것은 천하의 깨끗한 것을 좋아하여 음식을 가려먹는 사람들도

---

12) 천지는……않는다 : 『주역(周易)』「계사전」 상에 보이는데, 그 원문은 다음과 같다. "顯諸仁 藏諸用 鼓萬物而不與聖人同憂 盛德大業至矣哉"

13) 천지(天地)가……이룬다 : 『주역(周易)』「계사전」 하에 보이는데 그 전문은 이렇다. "天地設位 聖人成能 人謀鬼謀 百姓與能"

14) 퇴(槌)를……세우며 : 퇴(槌)는 나무로 만든 팔각(八角)의 몽치로 선림(禪林)에서 대중에게 통고(通告)할 때 이 몽치로 모탕[砧]을 쳐서 경각(警覺)시키거나 설법할 때 쓴다. 선가에서는 퇴를 치거나 불자를 세워서 학인(學人)들에 대해 선기(禪機)를 알려주려[擬] 한다.

15) 여여 부동(如如不動) : 생멸 변화(生滅變化)하지 않는 진여(眞如)의 경지를 가리킨다.

16) 빛깔이……않으셨다 : 이 구절은 『논어(論語)』「향당(鄕黨)」 제8장에 보이는데 그 원문은 다음과 같다. "食饐而餲 魚餒而肉敗 不食 色惡不食 臭惡不食 失飪不食 不時不食"

마찬가지로 자연스럽게 먹지 않은 것이지 억지로 그런 것은 아니다. 바로 이러한 대목을 잘 가려서 분별해야 한다. 그러므로 현묘(玄妙)를 말하는 사람들은 도리어 천박하고 비루한 데로 추락하게 됨을 알 수 있다. 불씨(佛氏)가 청정(淸淨)을 말하고 극락(極樂)을 주장하는 것은, 결국은 하나의 연화심(蓮花心)[17]과 금은(金銀)으로 지은 누각에 불과할 뿐인 것이다. 그러므로 나는 성인(聖人)을 언급하는 사람들은 저들의 부차적인 견해만 답습하지 말기를 바란다.(說聖人言語容色皆中禮處 唯朱子及慶源之論得之 龜山下語 極乎高玄 亦向虛空打之遶耳 孟子曰 動容周旋中禮者 盛德之至也 蓋小德川流 大德敦化之謂德盛而至 無所不用其極 如日月之明 容光必照 固不可云日月之明 察察然入一隙而施其照 而亦不可謂高懸於天 不施一照 而容光自曜也 慶源細密近實四字 道得聖人全體大用正著 其云實者 卽朱子身上迸出來之意 其云密者 卽朱子做得甚分曉之意 學者切忌將聖人作一了百了理會 中庸說聰明睿知 必兼寬裕溫柔等十六種天德 方見天下之理皆誠 而至聖之心無不誠 密斯實 實斯誠也 一了百了 唯釋氏作此言 只一時大徹大悟 向後便作一條白練去 磕著撞著 無非妙道 所以他到爛漫時 便道事事無礙 卽其所甚戒之淫殺酒肉 而亦有公然爲之者 其端旣亂 委自不淸 細究其說 亦惠子尺棰之旨爾 只此便終日用之而不窮 故其言曰元來黃檗佛法無多子 聖賢天德王道 一誠而爲物之終始者 何嘗如是 使盛德在中 而動容周旋 自然不勞而咸宜於外 則鄕黨一篇 直是仙人手中扇不消如此說得委悉矣 孔門諸弟子 爲萬世學聖者如此留心寫出 乃舍此而欲求之自然 求之玄妙 亦大負昔人苦心矣 易謂天地不與聖人同憂 又云天地設位 聖人成能 那有拈槌豎拂 大用應機 如如不動一種狂邪見解

17) 연화심(蓮花心) : 진흙에도 물들지 않는 청정(淸淨)한 마음을 가리킨다.

龜山早已中其毒而不自知矣 聖人只是一實 亦只是一密 於義但精 於仁但熟 到用時 須與他一段亹亹勉勉在 且如色惡不食 臭惡不食 而藉云自然 非出有心 則天下之好潔而擇食者 亦自然不食 而非有所勉 正當於此處 揀取分別 故知說玄說妙者 反墮淺陋 如佛氏說淸淨 說極樂 到底不過一蓮花心 金銀樓閣而已 故吾願言聖人者 勿拾彼之唾餘也)

제3장

임금이 부르셔서 외국의 손님을 맞이하는 접빈사를 맡기면, 안색을 경건히 가지셨으며 발걸음은 조심조심 걸으셨다.

손님을 맞이할 적에 함께 서 있는 이에게 읍(揖)을 하되, 왼쪽 오른쪽으로 공수(拱手)를 하셨으며, 옷의 앞뒤는 나란히 하셨다. 빨리 걸으실 때는 나는 듯 하셨다.

그리고 손님이 물러간 뒤에는 반드시 돌아와 임금에게 아뢰기를, "손님이 뒤를 돌아보지 않고 잘 갔습니다."라고 하셨다.

君召使擯 色勃如也 足躩如也 揖所與立 左右手 衣前後 襜如也 趨進翼如也 賓退 必復命曰 賓不顧矣

제5장

외국에 사신으로 나가셔서 옥으로 만든 명규(命圭)를 손에 들되 몸을 숙여 마치 이기지 못하듯 하시되, 상하의 높낮이를 알맞게 하였다.

얼굴빛을 붉혀 두려워하는 듯 하였으며, 발걸음은 좁고도 낮게 사뿐사뿐 걸으셨다.환영연에 나가셔서는 얼굴빛이 펴셨고, 사적으로 그 나라의 임금을 뵐 때는 화기가 완연하였다.

執圭 鞠躬如也 如不勝 上如揖 下如授 勃如戰色 足蹜蹜 如有循 享禮有容色 私覿 愉愉如也

2

'임금이 부르셔서 외국의 손님을 맞이하게 하는'[18] 것과 '명규(命圭)를 손에 드는'[19] 두 조목에 대해 조씨(晁氏)는 "공자(孔子)께서 노(魯)나라에서 벼슬하신 4년 동안에는 열국(列國)과의 교제가 없었으니, 이는 공자께서 이미 행하신 일이 아니라, 그러한 예는 이런 식으로 해야 됨을 말한 것일 뿐이다."[20]라고 보았다. 조씨가 근거로 삼은 책은 『춘추(春秋)』에 써 있는 것이 전부이다. 그런데 『춘추(春秋)』에서 국가 간의 교제[邦交]를 기재한 경우는 인군(人君)과 귀한 신분의 대부(大父)가 아니고서는 사책(史冊)에 올리지 않았다. 당시 공자의 지위로 말하자면 실로 『춘추(春秋)』를 증거로 삼아서는 안 된다.

---

18) 임금이……하는 : 이 구절은 『논어(論語)』「향당(鄕黨)」 제3장에 보이는데, 그 전문은 이렇다. "君召使擯 色勃如也 足躩如也"

19) 명규(命圭)를 잡는 : 이 구절은 『논어(論語)』「향당(鄕黨)」 제5장에 보이는데, 그 전문은 다음과 같다. "執圭 鞠躬如也 如不勝 上如揖 下如授 勃如戰色 足縮縮 如有循"

20) 공자(孔子)께서……뿐이다 : 이 구절은 『논어집주(論語集註)』「향당(鄕黨)」 제5장 "私覿 愉愉如也" 아래의 집주에 보인다. 그 전문은 다음과 같다. "晁氏曰 孔子 定公九年仕魯 至十三年適齊 其間絶無朝聘往來之事 疑使擯執圭兩條 但孔子嘗言其禮當如此爾"

그런데 쌍봉 요씨(雙峯饒氏)는 조씨(晁氏)가 '공자가 정공(定公) 13년에 제(齊)나라로 갔다'는 오류를 계기로 조씨의 설의 시비(是非)를 가리고 있으나, 이것만으로는 조씨의 시비를 가리기에 부족하다. 쌍봉 요씨(雙峯饒氏)가 "공자께서 국빈(國賓)을 접대하거나 빙문(聘問)하실 적에 제자가 수종(隨從)하여 이를 보고서 기록한 것이다."[21] 라고 하였는데, 만일 공자께서 명을 받고 출사(出使)하셨다면 함께 수행한 사람은 반드시 공자의 가신(家臣)이지 제자는 아닐 것이다. 혹여 원사(原思) 같은 사람이 관원의 신분으로 따라갈 수는 있을지 몰라도 사신의 예를 행할 때에는 그 자신이 원래 사신의 일행이 아니라면 누가 제후(諸侯)의 종묘와 조정에 함부로 들어갈 수 있단 말인가? 빈상(擯相)일 때에도 제자가 수종(隨從)하는 것을 허여하지 않았는데, 간혹 수종하는 일이 있다 하더라도 빈주(賓主) 사이에 함부로 끼어들어 이것저것 함부로 쳐다보아서는 안 된다. 제자로서 이미 벼슬하였다면 각각 지켜야 할 직분(職分)이 있을 것이다. 그러나 벼슬하지 않았다면, 어찌 서인(庶人)의 신분으로 공문(公門)에 발을 들여놓고서 눈을 이리저리 흘깃거리기를 배우들의 공연장을 구경하듯 할 수 있겠는가? 그런데 공자께서는 이것을 허용하고 금하지 않으셨겠는가?

이로써 쌍봉 요씨(雙峯饒氏)의 말은 촌학구(村學究)가 거만하게 해대는 말일 뿐이어서 원래 조씨(晁氏)처럼 살피지 못했다는 것을 알 수 있다. 사리(事理)에 맞게 풀어 가면 그 말이 옳다는 것을 확신할

21) 공자께서……것이다 : 이 구절은 『논어집주대전(論語集註大全)』「향당(鄕黨)」 제5장의 주자 주 "但孔子嘗言其禮當如此爾" 아래의 맨 마지막 소주에 보인다. 그 전문은 다음과 같다. "雙峯饒氏曰 按史記 定公十四年 孔子去魯適衛 無十三年適齊事 不知晁氏何據而云 以上數節 必夫子朝見擯聘時 弟子隨從見而記之"

수 있으니, 굳이 국가간의 교류가 있었는지 없었는지를 따져서 징험할 것은 아니다.(使擯執圭兩條 晁氏以孔子仕魯四年之內無列國之交 疑非孔子已然之事 但嘗言其禮如此 晁氏所據 春秋之所書耳 乃春秋之紀邦交 非君與貴大夫 不登於史冊 以孔子之位言之 固不可據春秋爲證 乃雙峰因晁氏十三年適齊之訛 以折晁說 亦未足以折晁之非 雙峰云 夫子擯聘時 弟子隨從 見而記之 乃令孔子銜命出使 則所與俱行者 必其家臣 而非弟子 卽或原思之屬 得以官從 而當禮行之際 自非介旅 誰得闌入諸侯之廟廷哉 其在擯也 旣不容弟子之隨從 卽或從焉 亦不得雜遝於賓主之間 恣其屬目 弟子而已仕也 則各有官守矣 如其未仕 豈容以庶人而躡足側目於公門 如觀倡優之排場者 而夫子抑胡聽之而不禁耶 足知雙峰之言 草野倨侮 自不如晁氏之審 但尋繹事理 可信其然 不必以邦交之有無爲徵耳)

제6장

군자인 공자께서는 푸른 빛과 붉은 빛으로 옷깃의 단을 두르지 않으시며, 빨간색과 자주색으로 평상복을 해 입지 않으셨다.
더운 날씨를 만나도 내의 위에 갈포(葛布)로 만든 홑옷을 겉에 입으셨다.
검은 옷에는 검은 염소가죽의 갖옷을 껴입으셨고, 흰 옷에는 흰 사슴가죽의 갖옷을 껴입으셨으며, 누른 옷에는 여우가죽의 갖옷을 껴입으셨다.
평상 시 입는 갖옷은 길되 오른 소매를 짧게 하셨다.
주무실 때는 반드시 잠자리 옷이 있었는데, 그 길이는 몸을 충분히 덮을 정도였다.
여우나 담비의 두터운 가죽옷을 입고 거처하셨다.
상복을 벗으시고는 패물(佩物)을 차지 않으신 적이 없었다.
조정의 제복(祭服)이 아니면 반드시 줄여서 꿰매셨다.
검은 갖옷과 검은 관을 쓰고는 조문하지 않으셨다.
매월 초하루에는 반드시 조복을 입고 조회에 참석하셨다.

君子不以紺緅飾 紅紫不以爲褻服 當暑 袗絺綌 必表而出之 緇衣羔裘 素衣麑裘 黃衣狐裘 褻裘長 短右袂 必有寢衣 長一身有半 狐貉之厚以居 去喪無所不佩 非帷裳 必殺之 羔裘玄冠不以吊 吉月 必朝服而朝

제7장

재계(齊戒)하실 때는 매우 깨끗한 옷을 입으셨는데 베로 만든 것이었다.
이때는 반드시 소찬(素餐)을 드셨으며, 다른 장소로 옮겨 기거하셨다.

齊必有明衣 布 齊必變食 居必遷坐

제8장

밥은 곱게 도정한 쌀밥을 좋아하시며, 회(膾)는 가늘게 썬 것을 좋아하셨다.
쉬거나 상한 밥, 상한 생선과 썩은 고기를 드시지 않으셨다.
빛이 나쁜 것도 드시지 않고, 냄새가 나쁜 것도 드시지 않으며, 제대로 익히지 않은 것을 드시지 않고, 제철이 아닌 것도 드시지 않으셨다. 반듯하게 자르지 않은 고기는 드시지 않으며, 제대로 된 장이 없으면 드시지 않으셨다.
고기가 비록 많더라도 밥을 더 많이 드셨으며, 오직 술만은 한량(限量)없이 드셨는데 술주정은 않으셨다.
시장에서 사온 술과 안주는 드시지 않고, 생강은 늘 드셨으며, 무엇이든 많이 드시지는 않으셨다. 임금이 내려주신 제육(祭肉)은 밤을 지나지 않게 하였으며, 당신 집의 제육은 3일을 넘기지 않게 하였는데 3일이 넘으면 드시지 않으셨다.
밥을 드실 때는 남과 더불어 이야기하지 않으셨고, 잠자리에 드실 때는 혼잣말 하지 않으셨다.
식사하실 때 대화하지 않으셨으며, 주무실 때 혼잣말 하지 않으셨다. 비록 보잘것없는 밥에 나물국이라 하더라도 반드시 고수레를 지내셨는데, 매우 공경하게 하셨다.

食不厭精 膾不厭細 食饐而餲 魚餒而肉敗 不食 色惡 不食 臭惡 不食 失飪 不食 不時 不食 割不正 不食 不得其醬 不食 肉雖多 不使勝食氣 唯酒無量 不及亂 沽酒市脯 不食 不撤薑食 不多食 祭於公 不宿肉 祭肉不出三日 出三日 不食之矣 食不語 寢不言 雖疏食菜羹 瓜祭 必齊如也

3

의복(衣服)과 음식(飮食)에 관한 두 조목[22]은, 또한 성인(聖人)의 덕이 자세히 볼수록 더욱 치밀하고 가까이 볼수록 더욱 진실한 면에서 찾아들어가야만 입문할 수 있다. 주자(朱子)의 '천리(天理)와 인욕(人欲)의 설'[23]은 이미 드러난 현상에서 성인의 덕을 본 것일 뿐 당연한 부분에서 성인의 공(功)을 보지는 못하였다. 만일 그렇다면 '큰 덕은 화(化)를 두터이 한다'고만 해도 이미 충분한데 어떻게 반드시 "작은 덕은 냇물의 흐름과 같으니, 천지(天地)가 이 때문에 위대하다."고 할 수 있겠는가? 중훼(仲虺)는 "의(義)로 일을 다스리고 예(禮)로 마

22) 의복(衣服)과……조목 : 이 구절은 『논어(論語)』「향당(鄕黨)」 제6장 "君子不以紺緅飾 … 必朝服而朝"와 제7장 "齊 必有明衣 … 居必遷坐"와 제8장 "食不厭精 … 瓜[必]祭 必齊如也"에 대한 것이다.

23) 천리(天理)와……설 : 이 구절은 『논어집주대전(論語集註大全)』「향당(鄕黨)」 제8장 '割不正 不食 不得其醬 不食' 아래의 주자 주 '但不以嗜味而苟食耳' 아래 첫 번째 소주로서, 그 원문은 다음과 같다. "朱子曰 一言語 一動作 一飮食 都有是有非 是底便是天理 非底便是人欲 …失飪也食 便都是人欲 都是逆天理"

음을 다스린다."[24]고 하였다. 의(義)는 마음속에서 마땅함을 터득한 곳이니 이것으로 일을 다스리고, 예는 사물의 당연(當然)한 절문(節文)이니 이것으로 마음을 다스린다. 이는 내외(內外)가 서로 길러주는 도인 것이다. 그렇다고 해서 의(義)로 마음을 다스리고 예(禮)로 일을 처리한다고 해서는 안 된다. 예로 일을 처리하게 되면 예가 외재적인 것이 되고, 의(義)로 마음을 다스리게 되면 의가 또 외재적인 것이 된다. 만일 먹을 수 있고 먹을 수 없는 차원에서 천리와 인욕이 분명히 나누어진다면, 예로 일을 다스린다는 말이 되어 음식(飮食)도 밖에 있고 안에 있지 않게 될 것이다. 이렇게 말하면 성인의 학문에 위배된다.

주자(朱子)가 "입이나 배를 채우는 데 만족하는 사람은 제때가 아닌 것도 먹고 바르게 잘라지지 않은 것도 먹고 요리가 잘못된 것도 먹으니, 이것은 모두 인욕(人欲)인 것이다."고 하였는데, 이 설은 더욱 엉성하기 짝이 없다. 세상에는 원래 일종의 너무 지나치게 고원한 사람들이 있는데, 이런 사람들은 음식을 그다지 중요하게 보지 않아서 되는 대로 먹을 뿐이다. 왕개보(王介甫)는 이가 수염을 타고 내려오는데도 알아차리지 못하였고, 소자첨(蘇子瞻)은 영외(嶺外)로 귀양갔을 때에 탕병(湯餠)을 먹을 때는 음식의 질을 따지지 않은 것이 그러한 예이다. 이런 것을 가지고 인욕(人欲)이라고 치부하여 심하게는 '구복(口腹)을 중시하는 사람'이라고 부르다니, 실로 이치에 맞지 않는 말이다. 그런 사람은 천리(天理)의 차원에서 결함이 있을 뿐이다.

그런데 이러한 부분에서 천리를 검사하여 결함이 없게 하는 것은,

---

24) 중훼(仲虺)는……다스린다 : 『서경(書經)』「중훼지고(仲虺之誥)」에 보이는데, 그 원문은 다음과 같다. "以義制事 以禮制心 垂裕後昆"

또한 당장에는 분명히 이해하기 어려운 점이 있다. 생선이 상하고 고기가 부패한 것들을 천리의 차원에서 반드시 먹지 않아야 된다고 볼 수 있는가? 이러한 논리를 진전시켜 본다면 '생명을 손상시킨다는 설'[25]이 극진하게 된다. 위생(衛生)은 당연한 이치이지만, 음식 가운데의 천리를 들어서 위생을 극진히 하고자 한다면 또한 너무 편협한 짓이다. 이런 지경에 이르면 도리어 철두철미(徹頭徹尾)하게 파악하여 성인이 의복을 바르게 입고 음식을 조심한 한 단락이 '고요할 때 마음을 보존하고 움직일 때 살피며' '매우 치밀하고도 매우 성실한' 공부임을 알아야 한다. 이른바 '중(中)과 화(和)를 지극히 한다'[26]는 것은 이러한 점들이 있다는 것이니, 그래야만 성인이 되는 공부에 입문할 수 있다.

바르지 못한 의복과 음식은 처음에는 바르지 못한 마음으로 그 본연(本然)의 질서를 잃고서 되는 대로 입고 먹어서 그런 것이니, 이는 안이 밖을 제대로 다스리지 못한 것이다. 바르지 못한 의복을 입고서 마음이 그에 따라 방탕해지고, 바르지 못한 음식을 먹고서 본성이 그에 따라 변해간다면, 이는 밖이 안을 제대로 기르지 못한 것이다. 안과 밖이 서로를 길러주는데 조금이라도 부족하면 성인을 볼 수 없다. 또 가령 지금 사람들은 붉은색 비단옷을 입으면 이 마음이 그에 따라 휩쓸려 안정되지 못하는데, 갈옷을 입고서 표출되는 바가 없으면 이 마음은 기쁘고 자득(自得)하게 되는 것과 같다. 이것으로 추론해 보

25) 생명을……설 : 이 구절은 『논어집주대전(論語集註大全)』「향당(鄕黨)」 제8장 '必齊如也' 아래의 주자 주 '此一節 記孔子飮食之節' 다음의 첫 번째 소주 "勉齋黃氏曰 飮食以養生 故欲其精 然亦能傷生 故惡其敗…"와 주자 주 '謝氏曰' 다음의 첫 번째 소주 "慶源輔氏曰 養氣體 不以傷生 聖人飮食之正也…"를 가리킨다.

26) 중(中)과……한다 : 『중용장구』 제1장에 보이는데, 그 원문은 이렇다. "致中和 天地位焉 萬物育焉"

자면, 모든 의복의 올바르지 못한 것은 모두 사람의 교만하고 사치스럽고 분수에 넘는 마음을 일으키기에 충분하고, 의복이 성대하지 못한 것은 모두 사람의 구차하고 비루한 마음을 일으키기에 충분하다. 더구나 음식은 사람에게 있어서 바로 기운을 내게 하는 것인데, 기가 맑으면 의리가 밝아지고, 기가 탁하면 의리가 숨게 되며, 기가 충만하면 의리가 서게 되고, 기가 부족하면 의리가 상실된다. 모든 기를 탁하고 충만하지 않게 만드는 요인들이 어찌 생명을 손상시킬 뿐이겠는가, 본성을 해칠 수 있을 것이다.

성인은 자신의 몸을 공경하여 중(中)과 화(和)의 표준을 세우기 때문에 "하늘의 산물로 음덕(陰德)을 만들어서 중례(中禮)로 그것을 지키고, 땅의 산물로 양덕(陽德)을 만들어서 화락(和樂)으로 그것을 지킨다."[27] 고 한 것이다. 중(中)과 화(和)로 그 덕을 기르고 예악(禮樂)으로 보답하여 서로 이뤄주는 것이다. 그러므로 천자가 재계(齋戒)할 때에는 옥(玉)을 먹어서 신명(神明)과 교감하고, 걸어다닐 때는 옥을 차고서 걸음의 박자를 맞추고 수레를 탈 때는 화(和)와 난(鸞)을 말에 달아서 수레의 박자를 맞추었다.[28] 그러므로 생각이 방자하지 않고 충신(忠信)과 독경(篤敬)이 항상 눈앞에 있게 된다. 그렇다면 한 번이라도 의복이 마땅함을 상실하고 음식이 합당함을 상실하게 되면, 성인의 기체(氣體) 속에 '해와 달과 별이 그 운행 궤도를 잃고' '산이 붕

---

27) 하늘의……지킨다 : 『주례(周禮)』「춘관종백(春官宗伯)」에 보이는데, 그 원문은 다음과 같다. "以天産作陰德 以中禮防之 以地産作陽德 以和樂防之 以禮樂合天地之化 百物之産 以事鬼神 以諧萬民 以致百物"

28) 천자가……맞추었다 : 『주례(周禮)』「천관총재(天官冢宰)」에는 '共王之服玉佩玉珠玉 王齊則共食玉'이라고 하였고, 『예기(禮記)』「옥조(玉藻)」에는 '古之君子必佩玉 右徵角 左宮羽 趨以采齊 …故君子在車則聞鸞和之聲 行則鳴佩玉 是以非辟之心無自入也'라고 하였다.

궤되고 내가 말라붙는' 죽음의 암시가 담기게 된다. 학자들은 '공경하지 아니치 말아서 용모는 엄숙히 하여 생각함이 있는 것 같이 한다'[29]는 공부에 종사하지 못하고서, '청명(淸明)'이 자기 몸에 있고 지기(志氣)가 신명(神明)과 같게' 한다면 그것을 터득했다고 볼 수 없다.

살진 고기와 기름진 쌀밥을 먹는 집 자제가 비단옷을 입고 달고 부드러운 음식을 먹는다면 그 마음이 반드시 유약해질 것이다. 가난한 농갓집 자제가 초근목피(草根木皮)로 옷을 해 입고 명아주나 콩잎을 먹는다면 그 기운이 반드시 고집 세고 비루할 것이다. 그러므로 공자께서 용모나 안색, 말과 행동이 윗사람과 아랫사람, 친한 이나 소원한 자에게 베풀어짐에 그 등급에 맞게 한 것은 당신 마음의 마땅함으로 일을 처리한 것이다. 또 음식과 의복을 반드시 바르게 하고 거친 것을 멀리하기를 기약하는 것은, 사물의 마땅함으로 마음을 기르는 것이다. 안팎이 서로 길러주면서 어그러짐이 없는 것은 성인의 공(功)이다. 안팎이 길러진 바를 얻어서 자연 어긋나지 않는 것은 성인의 덕이다. 그러므로 경원 보씨(慶源輔氏)는 이 편을 '성학(聖學)의 정전(正傳)'[30]이라고 하였으니, 그 뜻이 은미하다.

아! 이것으로 말하자면, 세상의 현묘(玄妙)한 것을 말하는 자들은 우선 근본을 버리고 말단을 따르는 것을 비웃을 것이지만, 저들이 말하는 '현묘(玄妙)'라는 것은 또한 내가 감히 알 수 있는 것이 아니다.(衣服飮食二節 亦須自聖人之德 愈細愈密 愈近愈實上尋取 方有入處 朱子天理人欲之說 但於已然上見聖德 而未於當然處見聖功 使然

29) 공경하지……한다 : 『예기(禮記)』「곡례(曲禮)」에 보이는데, 그 전문은 이렇다. "曲禮曰 毋不敬 儼若思 安定辭 安民哉"

30) 성학(聖學)의 정전(正傳) : 이 구절은 『논어집주대전(論語集註大全)』「향당(鄕黨)」편명 아래 " 아래에 보이는 다섯 번째 소주에 보인다.

但云大德敦化已足 而何以必云小德川流 天地之所以爲大哉 仲虺云 以義制事 以禮制心 義是心中見得宜處 以之制事 禮乃事物當然之節文以之制心 此是內外交相養之道 固不可云以義制心 以禮制事 以禮制事則禮外矣 以義制心 則義又外矣 若但於可食 不可食上 分得天理人欲分明 則以禮制事之謂 飲食亦在外而非內矣 此正與聖學相反 朱子又云口腹之人 不時也食 不正也食 失飪也食 便都是人欲 此其說愈疎 世自有一種忒煞高簡之士 將衣食作沒緊要關切看 便只胡亂去 如王介甫之蝨緣鬚而不知 蘇子瞻在嶺外 食湯餠不顧粗糲 將他說作人欲 甚則名之爲口腹之人 固必不可 只是天理上欠缺耳 乃於此處簡點天理 令無欠缺也急切難分曉在 如魚餒肉敗 那些見得天理上必不當食 無已 則傷生之說盡之矣 衛生固理也 而擧食中之天理 盡之於衛生 則亦褊甚 到此 卻須徹根徹底 見得聖人正衣服 愼飲食一段靜存動察 極密極實之功 所謂致中和者 卽此便在 方於作聖之功 得門而入 蓋不正之服食 始以不正之心 失其本然之節 胡亂衣之食之 此內不能制外也 迨其衣不正之衣而心隨以蕩 食不正之食而性隨以遷 此外不能養內也 內外交養 缺一邊則不足以見聖 且如今人衣紅紫綺麗之服 此心便隨他靡靡搖搖去 衣葛而無所表出 此心便栩栩軒軒去 卽此推之 凡服之不衷者 皆足以生人驕奢僭忒之心 服之不盛者 皆足以生人苟且猥下之心 況於食之於人 乃以生氣 氣清則理晰 氣濁則理隱 氣充則義立 氣餒則義喪 諸能使氣濁而不充者 豈但傷生 而抑以戕性矣 聖人敬其身以建中和之極 故曰 以天産作陰德 以中禮防之 以地産作陽德 以和樂防之 中和養其氣 而禮樂亦報焉 交相成也 故天子齊則食玉以交於明禋 行以珮玉爲節 在車以和鸞爲節 則志不慆 而忠信篤敬乃常在目 然則一服之失宜 一食之不當 於聖人氣體中 便有三辰失軌 山崩川竭之意 學者未能從事於無不敬 儼若思之功 使淸明在躬 志氣如神 則不足以見之爾 膏粱之子 衣錦紈 食甘

脆 則情必柔弱 田野之夫 衣草木 食藜藿 則氣必麤鄙 故夫子之容色言動 施之於上下親疎而中其等者 以吾心之宜制事也 飮食衣服 必期於正而遠其鹵莽者 以事物之宜養心也 內外交相養而無有忒者 聖功也 內外得所養而自不忒者 聖德也 故慶源以爲聖學之正傳 其旨微矣 嗚呼 以此爲言 世之說玄說妙者 應且笑其舍本而徇末 乃彼之所謂玄妙者 亦非愚之所敢知也)

제15장

빠른 우레와 매서운 바람에 반드시 얼굴빛이 변하셨다.

迅雷風烈必變

4

빠른 우레와 매서운 바람이 이는 것을 하늘의 진노(震怒)로 보는 것[31]은, 또한 그림자와 소리를 잡는 격이어서, 거의 소설가(小說家)가 '하늘이 웃는다'고 말하는 괴탄한 말과 함께 모두 비루(鄙陋)하고 외설(猥褻)스럽다. 장자(張子)가 『정몽(正蒙)』에서 한 주장이 분명하니, 이 대목에 이르러 되는 대로 생각해서는 안 된다.

『시경(詩經)』에 "하늘의 진노에 공경한다."[32]는 말은, 하늘의 진노를 어디서 관찰하여 안 것일까. 이 또한 백성의 마음과 나라의 형편에서 본다는 것일 뿐이다. 기쁜 일에는 상을 주고 노여운 일에는 벌을 준다. "하늘도 떳떳한 길에서 벗어나고 백성들은 피폐하여 괴로워하는도다."[33]는 것은 하늘이 벌주신 것이니, 바로 하늘의 진노이다. 우레가 빨리 치고 바람이 맹렬히 이는 것이 꼭 사람과 사물에 재해(災害)

31) 빠른……것 : 이 구절은『논어집주(論語集註)』「향당(鄕黨)」 제15장 "迅雷風烈 必變" 아래의 주자주 '變者 所以敬天之怒'를 가리킨다.

32) 하늘의……공경한다 :『시경(詩經)』 대아(大雅)「판(板)」에 보이는데, 그 전문은 이렇다. "敬天之怒 無敢戲豫 敬天之渝 無敢馳驅"

가 되는 것은 아니며 또 겨울잠을 자는 짐승을 깨우고 마른 나무에 춘풍이 부는 것을 가지고 어찌 함부로 서로 추측하여 하늘의 진노라 할 수 있겠는가?

우레가 꼭 빨리 치는 것은 아니나, 빨리 치게 되는 것은 음기(陰氣)가 양기(陽氣)에 대항하는 것이 너무 격해져서 양기가 선택할 여지가 없이 빨리 나오기 때문이다. 바람이 꼭 맹렬한 것은 아닌데, 맹렬하게 되는 것은 빈 것은 너무 비어서 빨아들이는 것이 급박해지고, 실한 것은 너무 실하게 되어 갑작스럽게 베풀어지기 때문이다. 이는 음양이 화평(和平)하지 않은 곳에서는 하늘도 어쩔 수 없는 기세를 타고서 그런 것이다. 사람이 병이 나면 성난 것처럼 비명을 지르는데, 이는 기가 고르지 못해서 그런 것이니, 어찌 노여움과 관련 있겠는가?

음양이 조화롭지 못하면 처음에는 필시 거기에 감화되었다가 이것이 계속 이어지면 반드시 받아들이게 된다. 공자께서는 하늘로 자처(自處)하시어 '가늠하여 이뤄주고[裁成]' '보충하여 도와주는 것[輔相]'을 자신의 임무로 여기셨다. 그러므로 자신의 몸에 감지된 것을 스스로 살피지 않을 수 없었으니, 조화롭지 않은 기를 받아들이지 않은 것은 장차 성정(性情)과 기체(氣體)를 손상할까 염려한 것이다. 그 마음이 천덕(天德)에 순수하여 그침이 없었기 때문에 변고(變故)를 만나면 자신에게 돌이켜 보아서 안주하지 않은 것이다. 이런 식으로 생각해야만이 도리와 사리에 어긋나지 않을 것이다.(以迅雷風烈爲天之怒 亦從影響上捉摸 幾與小說家電爲天笑之誕說 同一鄙猥 張子正蒙中說得分明 不容到此又胡亂去 詩云敬天之怒 天之怒從何察識 亦卽

---

33) 하늘도……괴로와하는도다 : 『시경(詩經)』 대아(大雅) 「판(板)」에 보이는데, 그 전문은 다음과 같다 "上帝板板 下民卒癉 出話不然 爲猶不遠"

此民心國勢見之耳 喜事賞 怒事罰 上帝板板 下民卒癉 天之罰也 卽天之怒也 若雷之迅 風之烈 未必其爲災害於人物 而且以啓蟄而吹枯 何得妄相猜卜爲天之怒哉 雷不必迅 迅則陰之拒陽已激 而陽之疾出無擇者也 風不宜烈 烈則虛者已虛而吸之迫 實者已實而施之驟也 只此是陰陽不和平處 天亦乘於不容已之勢而然 如人之有疾 呼號似怒 而因氣之不和 豈關怒哉 陰陽不和 其始必有以感之 其繼則抑必有以受之者 夫子以天自處 而以裁成輔相爲己事 故不得不自省所感者之或在吾身 而防夫不和之受 將爲性情氣體之傷 繇其心之純於天德而不息 故遇變則反求諸己而不安耳 從此思之 乃於理事不悖)

제17장

꿩이 사람들의 얼굴빛을 보고는 날아올라 빙 돈 뒤에 다시 내려앉았다.
이를 보신 공자의 말씀 : "저 산골 다리 위에 노니는 암꿩, 때를 만났구나! 때를 만났구나!"
이에 자로가 이 꿩을 잡아 바치자, 공자께서 세 번 냄새를 맡아보시고는 보내주고 일어나셨다.

色斯擧矣 翔而後集 曰 山梁雌雉 時哉 時哉 子路共之 三嗅而作

5

『이아(爾雅)』에 "까치[鵲]는 때까치[鵙醜]이니, 퍼덕거리며 난다." 고 하였는데, 이 말은 날개를 솟구쳐 날면서 오르락내리락하며 한번은 날개를 안쪽으로 오므렸다가 한번은 밖으로 펼친다는 뜻이다. 또 "소리개[鳶]는 까마귀[烏醜]이니, 비상하면서 난다."고 하였는데, 이 말은 날개를 운용하여 빙빙 돌면서 난다는 뜻이다. "매[鷹]은 새매[隼醜]이니, 훨훨 난다."고 하였는데, 날개를 펴고 훨훨 빨리 난다는 뜻이다.[34] 이제 꿩이 나는 것을 보니 갑자기 몸을 솟구쳐 날아서 한번에 밭두둑 사이를 스쳐 지나 풀밭으로 떨어지는데 다소 '퍼덕거리며 난다'고 할 수 있다. 그런데 '날개를 운용하여 빙빙 돌면서 난 뒤에 내려 앉는다고 할 수 있겠는가? 암꿩이 산 교량(橋梁)에 내려앉았는데 공자와 자로(子路)가 서로 그 곁에 다가갔는데도 여전히 날아가지 않

34) 이아(爾雅)에……뜻이다 : 이 구절은 『논어집주대전(論語集註大全)』「향당(鄉黨)」 제17장 "山梁雌雉 時哉 時哉"에 대한 것이다. 『이아(爾雅)』의 내용은 「석조(釋鳥)」에 보이는데 그 전문은 이렇다. "鵲鵙醜 其飛也翪 鳶烏醜 其飛也翔 鷹隼醜 其飛也翬"

았다면, 어찌 "새가 사람의 나쁜 표정을 보면 날아간다."고 할 수 있겠는가? 신안 진씨(新安陳氏)가 "새가 사람의 나쁜 표정을 보면 날아가고, 빙빙 돌면서 관찰한 다음에 내려앉는다고 한 것은 바로 꿩을 두고 한 말이다."[35]라고 하였는데, 이 또한 제대로 살펴보지도 않고 한 말이다.

'제때에 맞도다' 하는 말은 꿩을 찬미하는 것이 아니라, 꿩을 보고 경계한 말이다. 때를 아는 새는 '사람의 나쁜 표정을 보면 날아서 빙빙 돌며 관찰한 다음에 내려앉는' 법이다. 이제 두 사람이 자기 앞에 왔는데도 아직도 산 교량에 앉아 있다니, 시간이 너무 촉박한 데다 이 시기를 지나면 잡히게 된다. 옛날에는 꿩을 정직하고 지조 있는[耿介] 짐승이어서 죽음으로 지켜서 마음을 변치 않으며 상도(常道)를 알 뿐 권도(權道)는 모른다고 생각하였다. 그러므로 공자께서 비상하는 새의 뜻으로 경계하신 것이니, 쓸데없이 절개만 내세우면서 기미를 모르면 화를 면하기 어렵기 때문이다. 사람이 자기를 붙잡자 비로소 세 번 울고는 날아가다니, 어쩌면 그리도 둔한 것인가!

그러나 이 또한 성인이 사물을 관찰하는 하나의 생각일 뿐, '새가 사람의 나쁜 표정을 보면 날아서 빙빙 돌며 관찰한 다음에 내려앉는다'는 것이 바로 성인의 '시중(時中)'과 동일한 작용(作用)임을 뜻하는 것은 아니다. 서산 진씨(西山真氏)는 이것을 공자가 노(魯)나라와 위(衛)나라를 떠나간 것과 백이(伯夷)가 문왕(文王)에게 가서 봉양을 받은 것에 비유하였는데[36], 너무나 사리에 어긋나는 짓이다. 꿩과 같

---

35) 새가……말이다 : 이 구절은 『논어집주대전(論語集註大全)』「향당(鄕黨)」 제17장의 주자주 '姑記所聞 以俟知者' 다음의 네 번째 소주에 보이는 데, 그 원문은 다음과 같다. "新安陳氏曰 此章文義畧不順 而意亦可通 色擧翔集 即謂雉也…"

은 지조를 지닌 뒤에 비상하는 새의 기미로 나아가야 한다. 비상하는 새라면 또 무슨 말이 필요하겠는가! 풍도(馮道)가 군신(君臣) 간에서, 양외(楊畏)가 붕우(朋友) 간에서 그들 마음의 풍향과 운기(雲氣)를 관찰하여 이익에는 나아가고 해는 피한 것은 까마귀나 소리개 같은 짓일 뿐이다.(爾雅言鵲 鵙醜 其飛翪 謂竦翅上下 一收一張也 鳶 烏醜 其飛翔 謂運翅迴翔也 鷹 隼醜 其飛翬 謂布翅翬翬然疾也 今觀雉之飛 但忽然竦翅 一直衝過隴間 便落草中 差可謂翪 而何嘗有所謂運翅迴翔 而後集者哉 雌雉之在山梁 夫子子路交至乎其側而猶不去 則又豈色斯擧矣之謂 新安云色擧 翔集 卽謂雉也 亦不審之甚矣 時哉云者 非贊雉也 以警雉也 鳥之知時者 色斯擧矣 翔而後集 今兩人至乎其前 而猶立乎山梁 時已迫矣 過此則成禽矣 古稱雉爲耿介之禽 守死不移 知常而不知變 故夫子以翔鳥之義警之 徒然介立而不知幾 難乎免矣 人之拱己而始三嗅以作 何其鈍也 然此亦聖人觀物之一意而已 非謂色擧翔集 便可與聖人之時中同一作用 西山以孔子去魯衛 伯夷就養文王比之 則大悖矣 有雉之介 而後當進以翔鳥之幾 如其爲翔鳥也 則又何足道哉 馮道之於君臣 楊畏之於朋友 占風望氣 以趨利而避害 烏鳶而已矣)

---

36) 서산 진씨(西山眞氏)는……비유하였는데 : 이 구절은 『논어집주대전(論語集註大全)』 「향당(鄕黨)」 제17장의 주자 주 '姑記所聞 以俟知者' 다음의 세 번째 소주에 보인다. 그 전문은 다음과 같다. "西山眞氏曰 色斯擧矣 去之速矣 衛靈公問陳而孔子行 魯受女樂而孔子去 即此義也 翔而後集 就之遲也 伊尹俟湯三聘而後幡然以起大公 伯夷聞文王善養老而後出 即此義也"

왕부지(王夫之) 열전(列傳)*

* 『청사고(淸史稿)』 권480, 「열전(列傳)」 267, 유림(儒林)1, 왕부지(王夫之)

왕부지(王夫之)는 자(字)가 이농(而農)으로 형양(衡陽) 사람이다. 형 왕개지(王介之)와 함께 명나라 숭정(崇禎) 임오년에 향시(鄕試)에 합격하였다. 장헌충(張獻忠)이 형주(衡州)를 함락시키자, 왕부지는 남악(南岳)에 숨었다. 그런데 적들이 아버지를 인질로 잡으니, 칼로 사지를 두루 잘라 가지고 가서 아버지와 바꾸고자 하였다. 적들이 그 상처의 위중함을 보고 방면해 주어, 아버지와 함께 돌아올 수 있었다. 명왕(明王)이 계림(桂林)에 주둔하자 대학사(大學士) 구식사(瞿式耜)가 천거하여 행인(行人)을 제수받았다. 당시 나라의 형세는 위급한데, 여러 신하들은 날마다 서로 다투기만 하였다. 이에 왕부지는 엄기항(嚴起恒)에게 유세하여 김보(金堡) 등을 구하려고 하였으며, 또한 세 번이나 왕화징(王化澄)을 탄핵하니, 왕화징이 죽이려 하였다. 이 때 어머니의 병환 소식을 듣고 귀향하던 길에 명나라의 망함을 들었다. 이에 더욱 자신을 숨기고자 형양의 석선산(石船山)으로 가서 흙집을 짓고는 '관생거(觀生居)'라 이름 붙이고 종일 문을 닫고 지냈다. 이로부터 배우는 자들은 '선산선생(船山先生)'이라 칭하였다.

저술은 320권이며, 이 중 사고전서(四庫全書)에 저록된 것으로는 『주역패소(周易稗疏)』, 『주역고이(周易考異)』, 『상서패소(尙書稗疏)』, 『시패소(詩稗疏)』, 『시고이(詩考異)』, 『춘추패소(春秋稗疏)』 등이며, 존목(存目)으로는 『상서인의(尙書引義)』, 『춘추가설(春秋家說)』 등이 있다. 왕부지의 학문은 한(漢)나라 유학자들을 입문처로 삼고, 송나라 오자(五子)를 중심으로 삼고 있다. 그가 지은 『대학연(大學衍)』, 『중용연(中庸衍)』을 보면, 모두 양명학(陽明學)의 '치양지(致良知)'설을 극력 배척하고 주자(朱子)를 지지하고 있는데, 특히 장재(張載)의 『정몽(正蒙)』에서 공명한 지점이 많다. 왕부지는 "장선생(張載)의 학문은 위로는 공자와 맹자를 계승하였지만, 포의(布衣)로서 초야에 은거하였기 때문에 현인들이 지지하는 도움을 받을 수 없었다. 이에 그 도의 행해짐이 소옹(邵雍)보다도 못하였기에, 100년이 지나지 않아 이설(異說)이 일어나게 되었다."라고 하였다.

왕부지는 천인(天人)의 이치를 탐구하고 음양(陰陽)과 법상(法象)의 근원을 추측하였는데, 특히 『정몽(正蒙)』을 정치하게 풀어내면서 부연설명하였다. 그 자신이 지은 『사문록(思問錄)』 2편도 모두 은미한 근원을 드러내고 처음과 끝을 규명한 것으로 하늘에 걸린 해와 달처럼 드높았다. 도학(道學)을 옹호함에 이르러서는 사량좌(謝良佐), 육구연(陸九淵), 왕양명(王陽明)의 오류를 변석하였는데, 그 논의가 지나치다는 의심을 받기도 하였다. 그러나 그 논의의 정밀하고 엄격함은 정도에 꼭 부합되었다. 강희(康熙) 18년 오삼계(吳三桂)가 형주(衡州)에서 참칭하고서 반란을 일으키자, 제위(帝位)에 오르기를 권하는 「권진표(勸進表)」를 쓰기를 권유하는 자가 있었다. 이에 왕부지는 "망한 나라의 살아남은 신하로서 한 번 죽은 것도 모자라, 지금 이런 불상스러운 사람에게 쓰이고자 하겠는가."라고 하고서는 더욱 깊은 산 속으로 들어가 「볼계부(祓禊賦)」를 지어 자신의 의지를 보였다. 오삼계의 난이 평정되자, 대신(大臣)이 이를 듣고는 가상하게 여겨 군수에게 곡식과 비단을 보내고 뵙기를 요청하였는데, 왕부지는 병을 핑계로 나아가지 않았다. 이후 얼마 지나지 않아 세상을 떠나니, 대악산(大樂山) 고절리(高節里)에 장사를 지냈다. 왕부지 자신이 지은 묘갈(墓碣)에 '명나라 유신(遺臣) 왕(王) 아무개의 묘(墓)'라고 적혀 있다.

이 시대에 천하의 석학들은 손기봉(孫奇逢), 이옹(李顒), 황종희(黃宗羲), 고염무(顧炎武)를 추존하였다. 왕부지의 각고면려는 이옹(李顒)과 비슷하였고, 엄정하게 자신을 감춘 것은 손기봉 보다 나았으며, 다문박학(多聞博學)과 고매한 지조와 절개는 황종희(黃宗羲), 고염무(顧炎武) 두 분의 군자와 비교해도 부끄럽지 않았다. 그러나 이 네 분의 군자는 기꺼이 은둔을 택하여 그 명망이 일월처럼 환하였고, 천거를 받음에 죽음으로 항거하여 공경들의 입에 오르내리고 천자를 감동시켰으며, 그 저술은 세상에 쉬이 유포되었다. 이에 비하여 왕부지는 요족(瑤族)의 거주지에 자신을 숨기고 세상 밖으로 나서지 않고 몸을 온전히 하여 한 생을 마쳤다.

이후 40년이 지난 뒤, 그의 아들 어(敔)가 아버지의 유서(遺書)를 가지고서 독학(督學) 의흥(宜興) 반종락(潘宗洛)에게 올렸다. 이로 인해 사고전서에 들어가고 사관에 올려졌으며 유림전(儒林傳)에 입전이 되었고, 저술이 세상에 전해지게 되었다. 동치(同治) 2년에 증국전(曾國荃)이 강남(江南)에서 판각하니 드디어 천하의 학자들이 그 전서(全書)를 얻어 볼 수 있게 되었다.(王夫之 字而農 衡陽人 與兄介之同舉明崇禎壬午鄉試 張獻忠陷衡州 夫之匿南岳 賊執其父以爲質 夫之自引刀徧刺肢體 舁往易父 賊見其重創 免之 與父俱歸 明王駐

桂林 大學士瞿式耜薦之 授行人 時國勢阽危 諸臣仍日相水火 夫之說嚴起恒救金堡等 又三劾王化澄 化澄欲殺之 聞母病 間道歸 明亡 益自韜晦 歸衡陽之石船山 築土室曰觀生居 晨夕杜門 學者稱船山先生 所著書三百二十卷 其著錄於四庫者 曰周易稗疏 考異 尙書稗疏 詩稗疏 考異 春秋稗疏 存目者 曰尙書引義 春秋家說 夫之論學 以漢儒爲門戶 以宋五子爲堂奧 其所作大學衍 中庸衍 皆力闢致良知之說 以羽翼朱子 於張子正蒙一書 尤有神契 謂張子之學 上承孔孟 而以布衣貞隱 無鉅公資其羽翼 其道之行 曾不逮邵康節 是以不百年而異說興 夫之乃究觀天人之故 推本陰陽法象之原 就正蒙精繹而暢衍之 與自著思問錄二篇 皆本隱之顯 原始要終 炳然如揭日月 至其扶樹道敎 辨上蔡 象山 姚江之誤 或疑其言稍過 然議論精嚴 粹然皆軌於正也 康熙十八年 吳三桂僭號於衡州 有以勸進表相屬者 夫之曰 亡國遺臣 所欠一死耳 今安用此不祥之人哉 遂逃入深山 作祓禊賦以示意 三桂平 大吏聞而嘉之 囑郡守餽粟帛 請見 夫之以疾辭 未幾 卒 葬大樂山之高節裏 自題墓碣曰 明遺臣王某之墓 當是時 海內碩儒 推容城 盩厔 餘姚 昆山 夫之刻苦似二曲 貞晦過夏峰 多聞博學 志節皎然 不愧黃顧兩君子 然諸人肥遯自甘 聲望益炳 雖薦辟皆以死拒 而公卿交口 天子動容 其著述易行於世 惟夫之竄身瑤峒 聲影不出林莽 遂得完髮以歿身 後四十年 其子敔抱遺書上之督學宜興潘宗洛 因緣得入四庫 上史館 立傳儒林 而其書仍不傳 同治二年 曾國荃刻於江南 海內學者始得見其全書焉)

| 역자 후기 |

이 책은 명말청초의 학자 왕부지(王夫之, 1619-1692)가 쓴 『독사서대전설(讀四書大全說)』의 일부인 『독논어대전설(讀論語大全說)』을 우리말로 옮긴 번역서이다. 나는 이 책을 번역하면서 두 가지에 감명을 받았다. 그 첫째는 왕부지의 생애이며, 두 번째는 이 책에 담긴 왕부지의 생각이다.

왕부지의 생애는 지식인이 흔히 걸어간 학자적 일상으로 이루어져 있지 않다. 왕부지의 생애를 기록한 연보를 보면, 왕부지는 10여 세를 전후로 이미 13경과 시문(詩文)을 아버지와 형으로부터 거의 습득한 것으로 되어 있다. 매우 일찍 학문의 세계에 발을 들여 놓았고 그 성취도 남달랐던 것 같다. 아마 외적 환경의 변화가 없었다면, 왕부지는 그냥 훌륭한 학자로서만 그 이름을 후세에 남겼을 것이다. 그러나 왕부지의 삶은 그의 나이 24세 되던 명(明) 숭정(崇禎) 15년(1642년)에 일어난 이자성(李自成)의 반란으로 격랑에 휩싸이게 된다. 1644년 이자성의 군대가 명을 멸망시키고 그 해에 청의 군대가 수도를 함락한 이후, 명의 후예들은 복왕(福王), 당왕(唐王), 계왕(桂王)을 연이어 세우면서 청에 항거를 하였다. 이 역사적 격랑속에서 청년 왕부지는 통곡 속에 '비분시(悲憤詩)'를 지으면서 피신을 거듭하다가 30세 되던 1648년에 거병하여 청에 대항하였으나, 결국 패퇴하였다. 이후 계왕의 밑에서 내부 혁신을 통하여 명의 여명(餘命)을 보존하고자 노력하였으나, 이 또한 수포로 돌아갔다. 그러나 항쟁의 의지를 꺾지 않고 죽음을 맹세하고 저항을 이어나가다가, 1661년 명의 계왕(桂王)이 죽고 항청(抗淸)의 영웅들인 이정국(李定國), 이래형(李來亨), 백문선(白文選) 등이 잇달아 죽으면서 명의 여맥이 완전히 끊어지자, 석선산(石船山)으로 들어가 학문을 연마하다가 320여 권의 저술을 남기고 세상을 떠났다. 왕부지는 죽음에 즈음하여 직접 자신의 묘지명을 지으면서, '명나라 유신(遺臣) 행인(行人) 왕부지(王夫之), 자는 이농(而農), 여기에 묻히다'라고 하였으니, 비록 산하(山河)는 청(淸)의 것이 되었지만 그는 명(明)의 사람으로 살다 갔다.

이처럼 왕부지의 전반생은 조국의 멸망에 격렬하게 대항한 애국지사의 면모가 약여하며, 그의 후반생은 훌륭한 학자로서의 모습을 보여주고 있다. 그렇다면 젊은 날 망국에 맞서 온 몸으로 싸운 왕부지의 후반생의 학문적 면모는 어떠하였을까? 비분으로 가득차거나 현실을 도피한 지점에서 초월적 사유로 기울지는 않았을까? 왕부지는 자신을 울분속에 잠기게 하지도 않았으며 초월적 사유로 도피하지도 않았다. 왕부지는 망한 나라의 지식인이었지만 유학자의 자세를 잃지 않았으며, 독서를 통한 사유의 기록물을 많이 남겼는데 특히 사서오경에 대하여 괄목할 만한 주석서를 저술하였다. 이중 왕부지의 나이 47세 되던 1665년에 완성된 것으로 추정되는 『독사서대전설(讀四書大全說)』은 명나라 성조(成祖) 영락(永樂) 13년(1415년) 황제의 칙령으로 호광(胡廣) 등이 만든 『사서대전(四書大全)』을 읽고, 거기에 실린 여러 주석가들의 설을 비판적으로 검토하며 자신의 주장을 편 경전 주석서이다. 이 책에 실린 왕부지 사유의 결을 포착해 내기는 쉽지가 않다. 이는 일차적으로 왕부지 사상의 특징이 무엇인가에 대한 공통된 함의가 성립되지 않았기 때문이다. 왕부지 사상에 대한 가장 이른 평가 중에 하나는 『청사고(淸史稿)』「왕부지열전」에서 "왕부지의 학문은 한(漢)나라 유학자들을 입문처로 삼고, 송나라 오자(五子)를 중심으로 삼고 있다. 그가 지은 『대학연(大學衍)』, 『중용연(中庸衍)』을 보면, 모두 양명학(陽明學)의 '치양지(致良知)'설을 극력 배척하고 주자(朱子)를 지지하고 있는데, 특히 장재(張載)의 『정몽(正蒙)』에서 공명한 지점이 많다."(夫之論學 以漢儒爲門戶 以宋五子爲堂奧 其所作大學衍 中庸衍 皆力闢致良知之說 以羽翼朱子 於張子正蒙一書 尤有神契)라고 한 평가이다. 이 평가에 의하면, 왕부지의 학문은 한학적 요소가 있기는 하지만 송학, 특히 장재와 주자에 공명한 바가 많았으며 양명학에는 적극 비판하는 입장을 지니고 있다. 왕부지의 사상에 대한 이러한 평가는 계속 이어져 오다가 근세 양명학 연구의 대가인 혜문보(嵇文甫)가 1962년에 출판한 『왕선산학술논총(王船山學術論叢)』에서 "장재(張載)를 종사로 삼고 정주학(程朱學)을 수정하였으며, 육왕학(陸王學)에 반대하였다."(宗師橫渠 修正程朱反對陸王)고 정리하였다. 혜문보의 평가에 의하면 왕부지 학문의 본질은 장재의 기학이며, 주자의 성리학은 수정하여 수용하였으며, 양명학은 반대한 것이다. 한편 동시대의 후외려(侯外廬)는 『선산학안(船山學案)』에서 왕부지의 학문을 가리켜 '유물론적 색채'가 짙다고 평가하였으며, 웅십력(熊十力)과 풍우란(馮友蘭)은 이에 반대하여 왕부지는 이학자(理學者)라고 주장하였다. 이상 제가들의 왕부지 사상에 대한 평가를 보면, 왕부지가 양명학을 반대하였다는 점에서는 동의하나, 장재의 학문과 주자학 사이에서 연동하고 있다고 인식하는 듯하다. 그러나 왕부지 학문의 귀결점에 대해서는 기학(氣學), 유물론(唯物論), 이학(理學)으로 평가가 크게 엇갈리고 있다.

나는 왕부지 사상의 최종적 귀결점이 무엇인지에 대한 평가를 아직 내릴 만한 연구를 축적하지 못하였다. 그러나 『독논어대전설』을 번역하는 과정에서 왕부지 경학의 지향점을 발견할 수는 있었다. 몇 개의 예문을 통해 이 점을 좀 더 자세히 보기로 하겠다.

1 『독논어대전설』 「학이(學而)」 제7장

『논어집주』의 "반드시 그가 학문에 힘을 쓴 지극함이다.[必其務學之至]"라는 여섯 글자는 주자가 경문의 마지막 두 구(雖曰未學 吾必謂之學矣-역자)를 활간(活看)하여 풀이한 말로, 속유(俗儒)들의 안목을 크게 뛰어 넘는 것이다.…… 이 경문의 위 네 단락(賢賢易色 事父母 能竭其力 事君 能致其身 與朋友交 言而有信 -역자)은, 원래 이루어진 인품에 의거하여 말한 것이지, 힘을 쓰고 돈독하게 실천하는 자를 두고 한 말이 아니다.……'나는 반드시 그를 배웠다고 말하겠다[吾必謂之學矣]'라는 여섯 글자는 성학(聖學)과 이단(異端)의 일대 경계지점으로, '곧바로 인심을 가리키고, 본성을 보아 성불한다[直指人心 見性成佛]'는 가장 사악한 학설을 모두 깨뜨리는 구절이다. 여기에서 자하가 성인을 돈독히 믿었음을 볼 수 있다. 이를 안 뒤에야 『논어집주』의 정밀함을 알 수 있을 것이다.(註必其務學之至六字 是朱子活看末二語處 極駭俗目……上四段原是據現成人品說 非就用力敦行者說……吾必謂之學矣六字 是聖學異端一大界限 破盡直指人心 見性成佛一流邪說 於此見子夏篤信聖人處 知此而後知集註之精)

2 『독논어대전설』 「학이(學而)」 제1장

『논어(論語)』를 읽는 데는 별도의 방법이 있으니, 『대학(大學)』·『중용(中

庸)』·『맹자(孟子)』와 같지 않다. 『논어』는 성인(聖人)의 '위로도 통하고 아래로도 통하는 말씀[徹上徹下語]'을 기록해 놓은 것이다.…… '기쁘다[說]'고 말했으니 천리(天理)를 회복함이 극진한 것이고, '즐겁다[樂]'고 말했으니 천리의 유행이 드러난 것이며, '군자이다'라고 말했으니 천덕(天德)의 응축된 바가 지극한 것이다.(讀論語須是別一法在 與學庸孟子不同 論語是聖人徹上徹下語……乃言乎說而天理之來復者盡矣 言乎樂而天理之流行者著矣 言乎君子而天德之攸凝者至矣)

3 『독논어대전설』「옹야(雍也)」 제5장

『논어집주』의 몇 마디 말은 정밀하고 절실하여 어긋남이 없지만, 정자(程子)와 장횡거(張橫渠)의 말은 또한 매우 합당하다고 할 수는 없다. 그런데 여러 소주(小註)에서 정자와 장횡거가 말한 곳에서 지름길을 찾으려고 하였으니, 구하면 구할수록 경(經)의 본지(本旨)에서 멀어진 것이다.……때문에 후대의 사람들이 장횡거의 의견에 따라 그 구분점을 명확히 하고자 한다면, 더욱 혼란스러울 것이다.(只集註數語精切不差 程張之說亦未得諦當 諸小註只向程張說處尋逕路 則愈求愈遠……後人只向此處尋討別白 則愈亂矣)

『논어』「학이」 제7장 "子夏曰 賢賢易色 事父母 能竭其力 事君 能致其身 與朋友交 言而有信 雖曰未學 吾必謂之學矣"는 실천윤리학으로서의 유교의 '학'을 제시한 것으로 이해되는 경우가 많다. 그런데 **1**에서 보듯이 주자는 "반드시 그가 학문에 힘을 쓴 지극함이다.[必其務學之至]"라고 풀이하였는데, 이에 대하여 왕부지는 주자의 이러한 해석이야말로 속유들이 따라올 수 없는 경지라고 평가하면서, 이 경문은 배우는 자들이 행해야하는 실천윤리학을 의미하는 것이 아니라 완성된 인품의 경지를 제시한 것이라고 주자의 주석을 풀이하였다. 그러고 나서는 주자의 이러한 주석이야말로 정밀한 주석이라고 찬탄하였다.

한편 **2**에서 보듯이 왕부지는 「학이」 제1장에 나오는 '열(說)', '락(樂)', '군자(君子)'를 모두 천리(天理) 혹은 천덕(天德)과 결부하여 해석해 내고 있다. 이는 천리(天理)와 천덕(天德)을 중시하는 주자학적 사유와 매우 유사한 지점을 공유하고 있음을 보여준다. 마지막으로 **3**의 예문을 보면, 주자(朱子)와 장재(張載)의 주석을 비교하여 놓았는데, 주자의 주석에 대해서는 그 정밀함을 찬탄한 반면, 장재의 주석에 대해서는 타당하지 않다고 하면서 이를 따르면 후대에 혼란이 가중될 것이라고 비판하였다.

『독논어대전설』이 왕부지의 40대 후반에 지어진 점을 감안한다면, 적어도 50대 이전의 왕부지의 경학적 지향은 분명 주자의 경학에 치중해 있으며, 오히려 장재와는 거리가 있다. 이는 종래 왕부지의 사상을 장재의 기학에 접맥된 것으로 이해하는 것과는 분명 차이가 있다. 그러나 『독논어대전설』에 보이는 왕부지 경학의 특징이 이러하다고 해서 곧바로 왕부지를 주자학자라고 평가하기에는 곤란한 점이 있다. 왕부지는 74세를 일기로 세상을 뜨기 바로 직전까지 저술을 하였기에 종래 평가된 왕부지 사상의 면모는 어쩌면 이후에 이루어 졌는지도 모르겠다. 그러나 적어도 『논어집주대전설』에 보이는 왕부지의 경학은 때로 주자의 견해에 찬동하지 않은 면도 있지만, 그 어느 경학자보다도 주자와 그의 『논어』해석을 신봉하고 있으며, 장재를 비롯하여 후대의 소주(小註)에 들어있는 주자학파의 논어설, 양명학, 불교 등을 배척하고 있다. 즉 이 시기 왕부지의 사상적 지향은 분명 주자학에 있었던 셈이다.

왕부지는 망국의 한을 분노로 표출하거나 피세(避世)의 정조로 자신을 달래며 여생을 보내지 않았다. 공자가 남긴 학문을 삶의 기준으로 삼고 주자의 해설을 의지처로 삼아 경전을 탐구하는 유학자로서의 삶을 철저하게 살았다. 이러한 왕부지가 남겨놓은 『독논어대전설』은 왕부지 경학의 지향을 살펴볼 수 있다는 점에서도 중요하지만, 동아시아경학사의 측면에서도 매우 의미있는 저술이다. 특히 조선의 경학사에 비추어 보자면 그 의미는 가중된다.

왕부지가 『독사서대전설』을 쓰면서 대본으로 삼은 책은, 앞서 언급했듯이 명대 칙찬(勅撰)인 『사서대전(四書大全)』이다. 주지하다시피 이 책은 경학사에서 매우 혹독한 비판을 받는 주석서이다. 『사서대전』은 경문 아래에 주자 주석을 달고 그 아래의 소주에 주자의 문집, 어록에서 해당되는 부분을 발췌하여 단 다음 송원(宋元)의 주자학자들의 주석을 정리해 놓은 체제로 구성되어 있다. 이 책은 주자의 사서(四書) 주석을 강(綱)으로 하고 주자학파의 경설을 목(目)으로 배치하였다는 점에서, 주자학파 경학의 집성이라고 평가할 만하다. 그런데 고염무(顧炎武)는 『일지록(日知錄)』에서 『사서대전』을 두고 전 시대 사서(四書) 주석서를 거의 베꼈다고 힐난하였으며, 피석서(皮錫瑞)는 『경학역사(經學歷史)』에서 이 책으로 인하여 명대 경학은 쇠퇴하였다고 비난하였다. 그러나 이러한 비판에도 불구하고 이 책은 동아시아 경학사에서 그 위상이 매우 중요하다. 이 책은 15세기 이후 조선을 비롯한 동아시아 여러 나라에서 사서(四書)의 기본 텍스트로 받아들여져 수백 년 동안 지식인들의 교과서로 읽혀진 책으로, 동아시아 유학의 근간이 되는 텍스트라고 할 수 있기 때문이다. 특히 조선에서는 중국과 일본 보다 더욱 『사서대전』이 중시되었기에, 또한 이 책에 대한 주석서가 많이 저술되기도 하였다. 때문에 우리는 왕부지의 『독논어대전설』을 통하여 『사서대전』을 기본 텍스트로 하는 조선

시대 주자학적 사유체계를 이해하는 데 좀 더 객관적 시각을 갖게 될 것이며, 17세기 이후 조선에 나타나는 『사서대전』의 소주(小註)에 대한 비판을 객관적으로 검증할 수 있는 방증(旁證) 자료로 활용할 수 있을 것이다. 또한 동아시아 유학의 근간이 된 『사서대전』에 대한 왕부지의 비판적 독해는 전근대 동아시아를 사고하는 데도 유용한 시사점을 제공해 줄 것으로 기대된다.

이 책의 번역에는 몇몇 연구자들의 땀이 함께 들어 있다. 언젠가 이 책의 후반부가 완역되어 세상에 나온다면, 그 날 그 노고에 대한 작은 결실을 함께 누리고자 한다.

성균관대 600주년 기념관 511호에서 이영호 씀.